MBA

Éditions d'Organisation
Groupe Eyrolles
61, bd Saint-Germain
75240 Paris cedex 05

www.editions-organisation.com
www.editions-eyrolles.com

ISBN : 978-2-212-54154-0

MBA

L'ESSENTIEL DU MANAGEMENT PAR LES MEILLEURS PROFESSEURS

Seconde édition, revue et complétée

Deuxième tirage 2009

EYROLLES
Éditions d'Organisation

Sommaire

Introduction

Par BRUNO DUFOUR

Bruno Dufour (Essec, EHESS) est à la fois un homme d'entreprise et d'enseignement supérieur. Après avoir débuté dans le marketing, obtenu une bourse de recherche FNEGE pour la Creative Education Foundation de l'université de Buffalo (États-Unis), il a enseigné à l'Essec puis a dirigé pendant dix ans une entreprise textile-sport, avant de devenir directeur du Groupe ESC Lyon (EM Lyon). Il a repris ensuite des responsabilités en entreprise, d'abord chez Renault, puis chez Auchan où il a monté les programmes de formation de dirigeants et l'université d'entreprise. Il est un des fondateurs de la procédure d'accréditation européenne des Business Schools (Equis) développée par l'European Foundation for Management Development, et il intervient en tant qu'expert auprès de l'EFMD. Il a publié des articles dans le domaine de l'enseignement du management, ainsi que deux ouvrages (Le DRH stratège, avec Yves Réale, Éditions d'Organisation 2005, et Les meilleures pratiques de développement des dirigeants, avec l'EFMD, Éditions d'Organisation 2006). Il est aujourd'hui consultant en formation de dirigeants auprès de grands groupes industriels et d'écoles de management européennes.

Un MBA sert essentiellement à accélérer les étapes de sa carrière quand on le souhaite ou quand on doit prendre des fonctions managériales généralistes. Ces responsabilités nécessitent l'acquisition de savoirs ou savoir-faire nouveaux, au-delà de la spécialité, ou expérience d'origine.

ÉVOLUTIONS RÉCENTES DES ÉCOLES DE MANAGEMENT

Les programmes MBA sont apparus au début du 20e siècle dans les Business Schools Américaines (Wharton, Harvard), plus récemment en Europe, dans les années 60 (Insead, IMD, London Business School, Manchester), et plus tardivement en France (1980) dans les ex Écoles Supérieures de Commerce devenues Écoles de Management. Depuis leur création ces institutions ont évolué, et il est intéressant de comprendre leur positionnement actuel. Suite au développement des accréditations (Equis, AACSB, AMBA), ces institutions sont entrées dans une compétition internationale féroce. L'époque de l'opportunisme a fait place à une réflexion stratégique sophistiquée dont l'objectif, outre l'acquisition de ressources financières ou intellectuelles, est de se différencier pour être plus visible sur un marché encombré.

La qualité de ces institutions se reflète dans les divers classements des journaux économiques internationaux. De plus en plus les relations qu'elles développent avec le monde de l'entreprise sont prises en compte, qu'il s'agisse de la recherche appliquée, ou des programmes d'Executive Education. Ceci explique la tendance de ces écoles à mettre au point et proposer des programmes pour les entreprises (Peter Lorange EFMD Annual Meeting Oslo Juin 2008). L'importance croissante du secteur financier, ainsi d'ailleurs que les moyens de ce secteur, a engendré un renforcement de la dimension financière dans les programmes y compris dans les MBA. Sans doute la période de tension actuelle modèrera les ardeurs, mais il n'en reste pas moins que nombre de Business Schools sont en passe de devenir des Écoles de Haute Finance, et un peu moins des institutions d'enseignement de management généraliste ou entrepreneurial. Il importe donc avant de réfléchir à un projet de MBA de bien identifier le positionnement de l'institution et ses expertises spécifiques.

En résumé un MBA, qu'est-ce ?

Il y a MBA et MBA. L'offre de programmes MBA sur le marché est abondante, et difficile à décrypter. C'est P. Lorange, doyen de la prestigieuse IMD à Lausanne, qui le dit (EFMD, Madrid, 2004). Certes, il y a les grandes institutions, celles dont les noms sont sur toutes les lèvres et qui se retrouvent dans tous les palmarès des grands journaux économiques. Celles-là n'ont pas de problèmes pour recruter de bons étudiants et de bons enseignants.

Mais il y a aussi tous les autres. Il n'est pas jusqu'au moindre institut de formation qui ne se targue d'avoir un MBA. Il peut être *full time* et plutôt junior, ce qui veut dire dans le jargon qu'il est à temps plein – 12 ou 18 mois – et peu exigeant pour le nombre d'années d'expérience professionnelle requis à l'entrée. Il peut être *part time*, c'est-à-dire à temps partiel, en week-end, en semaine bloquée, ou suivant toute autre formule pédagogique originale s'adaptant à l'emploi du temps des participants et permettant de ne pas interrompre son contrat de travail, utilisant ou non les nouvelles technologies, notamment le e-learning. Enfin, le MBA peut être généraliste ou sectoriel (industrie automobile, pharmaceutique, produits de luxe...)

Il existe aussi des *executive MBA*, plus exigeants en nombre d'années d'expérience (environ sept années requises). On trouve également des *distance learning MBA*, dont certains sont excellents et fort avantageux. Ils permettent de démarrer le programme quand on le souhaite, autorisent des suspensions d'un ou deux semestres, facilitent les carrières fortement mobiles et notamment internationales, et offrent à la fois un bon enseignement, un tutorat approprié et une grande souplesse dans leur mise en œuvre.

Il n'est pas inutile de se poser la question de la pertinence de ce type de formation à l'heure où même les institutions les plus prestigieuses ont des difficultés à remplir leurs promotions de MBA. Des discussions récentes amènent quelques doyens de *business schools* réputées à envisager de fermer leur *full time* MBA, pour ne garder que leur *part time executive* MBA, formule réservée à des candidats post-expérience, dont le positionnement sur le marché est plus clair.

Il existe plus de cinquante programmes sous la dénomination MBA, en France uniquement, et cette profusion engendre une certaine confusion. Certaines institutions, ajoutant à cette confusion, envisagent même d'appeler MBA leur programme de type ESC. Un certain accord existe néanmoins au niveau de la profession (EFMD « MBA *guidelines* ») pour réserver cette dénomination à des programmes post-expérience.

Il existe également une offre abondante de masters ou mastères spécialisés *(Masters of Science)* dans les différentes disciplines de gestion. Ceux-ci s'inscrivent dans la directive de Bologne LMD (licence, maîtrise, doctorat), post-bac (3, 5, 8), alors que le MBA ne s'y rattache pas. Souvent d'ailleurs, dans les *Business Schools*, le MBA est considéré comme faisant partie de l'« Executive Education », c'est-à-dire de la formation continue.

Le niveau de diplôme exigé à l'entrée dans ces différents programmes varie sensiblement d'une institution à l'autre. La règle est que le postulant soit déjà muni d'un titre universitaire de niveau M (par référence à la déclaration de Bologne).

La formation initiale classique d'un postulant est souvent scientifique ou économique, moins souvent littéraire. Il a travaillé de cinq à sept ans, son âge moyen se situe entre 30 et 35 ans. Il doit par ailleurs avoir une excellente maîtrise de l'anglais (TOEFL, TOEIC 850). D'autres tests peuvent être requis comme le GMAT ou le TAGE-MAGE. Dans certains cas, des entretiens sont organisés pour trier sur des critères de personnalité.

Choisir un MBA, faire les démarches, trouver un financement, convaincre son conjoint et son employeur prend environ deux ans. De plus, un financement Fongecif est difficile à obtenir, car les frais de scolarité sont élevés.

Caveat emptor : qu'il se méfie l'acheteur d'un MBA ! Le marché est riche d'embûches et l'on ne saurait trop recommander de s'informer et de participer à une cession d'information dans l'institution ou à un MBA forum dans une grande ville pour s'initier à un investissement qui est cher, de 15 à 25 000 euros pour les seuls frais de scolarité et, une fois le choix fait, ne sera pas substituable.

Outre la qualité de la formation des grandes institutions, le véritable bénéfice d'un bon MBA est le réseau des anciens élèves de l'école considérée.

Les grands employeurs se presseront, avant même la sortie, pour offrir aux meilleurs des salaires impressionnants, représentant de conséquentes augmentations en comparaison des salaires d'entrée. C'est d'ailleurs l'une des justifications à un tel investissement. Les grands cabinets de conseil, les grands établissements financiers et les grands groupes internationaux sont les principaux recruteurs.

Ce n'est cependant pas le cas pour les diplômés des institutions modestes. Pour donner un ordre de grandeur, il existe, de par le monde, une trentaine de MBA internationaux de grande qualité, une cinquantaine d'autres excellents et sans doute plus de 1 000 autres fort modestes. Les institutions ayant passé avec succès les différentes accréditations – AACSB (États-Unis), Equis (Europe EFMD) ou AMBA (Royaume-Uni) – sont à regarder de plus près. Pour celles qui n'ont aucune accréditation, la majeure partie ne mérite pas qu'on s'y arrête. Ces accréditations garantissent la qualité des institutions qui délivrent ce diplôme : qualité du corps professoral, de la recherche, des moyens mis en œuvre (systèmes d'information, équipements, bibliothèques), des réseaux internationaux, des éventuels échanges internationaux, etc. La plupart des contributeurs de cet ouvrage sont issus d'institutions accréditées.

Souvent les entreprises hésitent à financer un programme à temps plein, même si le candidat est prêt à y participer de sa poche, car le risque est élevé que, une fois diplômé, le chant des sirènes soit plus fort chez un autre employeur (progression de carrière plus rapide, salaire et bonus plus importants, stock-options, etc.). Une certaine pénurie de talents internationaux crée cette demande.

Un MBA de qualité va demander, outre l'investissement financier, un investissement personnel important. Un programme temps plein représentera environ 60 à 70 heures de travail par semaine. Le MBA à distance demande dix heures hebdomadaires de travail personnel, souvent isolé, avec la possibilité d'un tuteur asynchrone, en plus de ses heures de travail, pendant deux à trois ans.

Le profil minimum d'un bon programme MBA :

- un diplôme d'une institution qualifiée, si possible accréditée ;
- un corps professoral dédié de haute tenue, enseignant généralement en anglais, familier des véritables préoccupations des entreprises (cf. publications) ;
- un recrutement approprié : un mode de sélection fiable, un panel varié d'expériences et un mix de participants (âge, origine, sexe, métier…), présentant tous maturité et bon équilibre personnel et ayant le goût du travail ;
- une ingénierie pédagogique soignée avec intégration des disciplines ;
- une pédagogie adaptée et variée : contenu théorique et méthodologique, cas, travaux de groupe, études de terrain, action learning, jeux de simulation ;
- des moyens matériels de qualité ;
- des opportunités de placement dans des entreprises renommées.

QUELQUES ÉLÉMENTS CRITIQUES SUR LES PROGRAMMES ET LA PÉDAGOGIE MBA

Comme partout, le succès est un poison : il génère outrance, arrogance et intolérance. Certaines qualités ne se transmettent pas par la formation : leadership, intelligence, bon sens, réalisme, ouverture d'esprit et encore moins qualité d'écoute et d'observation, voire courage, en principe toutes vertus cardinales pour les dirigeants.

Henry Mintzberg, professeur à l'université McGill, sociologue célèbre pour ses travaux sur le management et qui a enseigné dans les plus prestigieux programmes MBA, porte une critique fort sévère sur les MBA et leur décalage par rapport aux besoins réels de l'entreprise (voir son ouvrage : *Developing Managers not MBAs*).

Les points d'ombre de nombreux MBA

La dimension transverse et systémique

Les corps professoraux des *business schools* sont issus de programmes doctoraux disciplinaires spécialisés (marketing, finance, économie, gestion, stratégie, ...). Obtenir un doctorat exige des investissements personnels conséquents. Se maintenir dans sa discipline, publier, nécessite un réel effort personnel. Développer en sus sa consultation, pour rester au contact de la réalité des entreprises, ajoute à la pression que vivent les enseignants. Cela leur laisse peu de temps pour batifoler dans les champs disciplinaires voisins et risquerait d'ailleurs de donner l'impression de dispersion...

Les approches pédagogiques sont donc essentiellement disciplinaires, sous forme de silos ne communiquant que peu entre eux. Elles donnent l'impression que l'entreprise est une collection de fonctions et non un ensemble organisationnel intégré.

L'apprentissage de la complexité, du paradoxe, du stress et de l'anxiété

Même si la pédagogie par les cas est une innovation pédagogique (*law school* de l'université de Harvard, et repris en 1945 par la *business school* puis désormais généralisée), un cas n'est pas la réalité. Utilisé auprès d'étudiants sans expérience, le résultat est au mieux une paraphrase sans grand intérêt. Pour que l'approche du cas produise son effet, il faut que les participants puissent se projeter dans la situation et assurer ensuite le décodage leur permettant de retirer du cas les enseignements qui se rapportent à leur environnement. Il n'existe pas de manière simple d'enseigner ou de faire vivre les situations complexes et paradoxales que vivent les dirigeants d'entreprise. Ce sont des expériences difficiles à reproduire dans un programme, au risque de déployer une pédagogie manipulatrice. Traiter un problème sous contrainte de temps et de moyens, sans les informations nécessaires, est le lot quotidien des dirigeants ; reproduire cette situation en enseignement est délicat. Des jeux de simulation le permettent, mais ils ne peuvent constituer l'essentiel de la pédagogie. Ces préoccupations pédagogiques doivent amener à identifier le style d'enseignement de l'institution : teaching (plus traditionnel) ou learning (responsabilisation de l'apprenant).

La dimension anthropologique et organisationnelle

Les entreprises sont d'abord des groupes d'hommes et de femmes, associés dans une œuvre commune. La culture propre de l'entreprise, les rites, les systèmes de communication et de récompenses, les hiérarchies, les réseaux formels ou informels, les transactions relèvent d'une approche typiquement anthropologique. Cette dimension fait défaut dans les programmes de management, qui se concentrent souvent sur les techniques instrumentales au détriment des problématiques organisationnelles. Cette préoccupation devient d'autant plus nécessaire qu l'environnement force les organisations à se transformer à grande vitesse.

Une bonne connaissance des NTIC, des SI et de la *supply chain*

Rares sont les MBA dans lesquels l'accent est mis sur les nouvelles technologies, il faut connaître les aides qu'elles apportent à la mise en œuvre d'une stratégie – ainsi que leurs limites. Les systèmes d'information, les approches process et *supply chain* sont parfois peu étudiés.

La gestion de soi en situation de tension et le leadership

Quelques MBA proposent de passer le MBTI (test Myers Brigg) qui classe les individus en seize catégories de personnalité. Cette approche peut représenter un début de prise de conscience de ses propres modalités de fonctionnement. Certains programmes proposent le 360° feed-back, qui améliore la connaissance de soi par le biais du regard d'autrui.

La dimension du leadership devenant un enjeu dans les grandes entreprises, les processus de développement personnel nécessiteraient d'être accrus dans ces programmes. Le courage s'enseigne-t-il ? La question devient pertinente lorsque le politiquement correct envahit l'entreprise. Les pressions que vivent les managers à l'heure actuelle renforcent ce besoin.

La prise de recul

Parfois les solutions deviennent des problèmes quand l'outil est mis avant la finalité. Tout ressemble à un clou pour un enfant qui a un marteau. Observation et bon sens sont sensés être un acquis de fait, comme une certaine culture générale, la politesse, l'éthique… Les médias nous démontrent assez quotidiennement que ces qualités ne sont pas partagées par tous les dirigeants. Le rôle des managers est de plus en plus complexe et les savoirs techniques ne sont plus suffisants. Il faut aussi observer, écouter, interpréter, orchestrer, animer, faciliter, communiquer et conduire.

Pourquoi un livre intitulé MBA ?

Cet ouvrage est en fait un livre « solfège ». Il ne se substituera pas à l'investissement d'un vrai programme. Il a pour mission de donner les fondamentaux conceptuels et quelques sons harmoniques circonstanciés.

Il s'adresse à ceux qui, pour le moment, n'ont pas le temps ou les moyens de faire un MBA et qui sont confrontés à des situations qui nécessitent de comprendre le vocabulaire et les principales méthodologies des managers généralistes.

Aucune des disciplines de gestion n'est difficile en soi. Aucune des techniques de l'entreprise n'est impossible à acquérir individuellement. Cinquante heures de cours en marketing, en finance ou en gestion permettent de comprendre 60 % des questions rencontrées. Il faut sans doute un peu plus de temps pour les RH, les questions d'organisation, les SI ou la logistique.

Le plus délicat réside dans l'intégration de ces divers champs et le fait que toutes les décisions ont des effets réciproques et combinés. Mais, pour cela, il n'y a pas vraiment de recette, car c'est un travail d'appropriation individuel, ce qui laisse des chances à tous : les intuitifs, les cognitifs, les déductifs, les créatifs, les analytiques, enfin, les primaires comme les secondaires.

Les questions disciplinaires académiques ont progressé dans la convergence, comme dans la plupart des secteurs scientifiques, pour créer des savoirs nouveaux. L'entreprise avance dans la transversalité et la divergence pour inventer des solutions simples et pragmatiques à des problèmes complexes. Le manager est un conducteur avisé. Il connaît les rudiments de la mécanique, sait lire les indications et juger de leur criticité. Il connaît sa destination, sait lire et interpréter une carte. Il connaît également le code de la route, peut apprécier sa position, définir des alternatives si les conditions le demandent (trafic, état des routes, situation météorologique, situation des passagers...).

Le MBA est une sorte de permis de conduire de l'entreprise. Comme lui, il dit ce qu'il vaut mieux faire et ce qu'il ne faut pas faire, mais il ne dicte pas les comportements ou les décisions.

Que faire dès lors que l'on n'a pas les prérequis, le temps, l'argent ou le soutien nécessaire pour suivre un MBA de qualité, alors même que l'on ressent le besoin de compléter sa formation ? Cet ouvrage tente d'y répondre, en apportant le vocabulaire et des approches pertinentes qui montrent de quelle façon ces questions sont traitées dans un MBA.

Les différents chapitres de l'ouvrage permettent de s'approprier les fondamentaux – en gros, comment ça marche et quels sont les principaux indicateurs qu'il faut surveiller –, et de creuser quelques problématiques qui nous paraissent particulièrement cruciales dans l'économie d'aujourd'hui.

Partie 1

ÉCONOMIE POLITIQUE

Économie politique

Les fondamentaux

Par André Fourçans

Croissance

La croissance représente l'augmentation de la production de biens et services au cours d'une période de temps donnée. Elle est généralement mesurée par le taux de croissance du Produit Intérieur Brut (PIB) réel et constitue un indicateur quantitatif fondamental de la marche d'une économie. Il s'agit de la croissance « réelle », c'est-à-dire évaluée d'après la production et la création effectives de biens et services et non d'après leur valeur monétaire sur les marchés – elle élimine donc l'impact des variations de prix. Autrement dit, la croissance est un indicateur de l'augmentation de la richesse réelle d'un pays au cours du temps.

Il existe diverses théories économiques de la croissance des nations. Même si elles ne répondent pas à toutes les questions concernant la croissance, ces théories éclairent convenablement le sujet. Le nombre d'heures travaillées (et l'emploi qui va avec) et le stock de capital (physique et humain) sont des variables importantes de l'évolution de la production de biens et de services. Mais la productivité de ces facteurs de production (voir plus loin la discussion de ce fondamental) est également essentielle, tout comme l'innovation technologique, organisationnelle et managériale qui déterminent cette productivité. À long terme, c'est même le facteur déterminant de la croissance des nations, puisque les recherches montrent que, grosso modo, depuis la révolution industrielle, quelque 80 % de la croissance du revenu par tête, dans les pays industrialisés, résulte de ce facteur-là.

Les incitations à l'innovation et à l'investissement en capital humain sont donc essentielles. Pour cela, il est indispensable de conduire des politiques économiques cohérentes, d'avoir des marchés suffisamment ouverts et concurrentiels, au plan national et international, des règles juridiques claires et stables, un système d'éducation et de santé performant, ainsi que des droits de propriété bien établis et stables.

PRODUCTIVITÉ

La productivité d'un facteur de production (travail ou capital) est le rapport entre la quantité de biens et de services produits et la quantité de facteur employée. Elle donne une indication de l'efficacité avec laquelle chaque facteur de production contribue au système productif. La « productivité globale des facteurs » indique l'efficacité induite par la combinaison des facteurs de production, pour une entreprise ou pour l'ensemble du pays. Comme on l'a vu, les gains de productivité sont très importants pour assurer une croissance économique durable.

La mesure de la productivité n'est pas facile et peut être sujette à diverses controverses, au sein d'une nation et entre nations. Une productivité donnée peut avoir des conséquences différentes sur les variables économiques, notamment l'emploi et la répartition des revenus. Les entreprises et les pays peuvent aussi définir différemment la quantité de facteurs de production, surtout le capital, ce qui entraîne des difficultés dans les comparaisons internationales. Les controverses sur l'impact des nouvelles technologies sur la productivité sont un exemple d'école de cette question.

Si l'on considère qu'en règle générale mieux vaut avoir une statistique de productivité élevée que faible, certains ajoutent que ce résultat peut être simplement la conséquence d'une hausse du chômage : dans la mesure où les travailleurs les moins productifs sont licenciés en premier, le chiffre de la productivité moyenne augmente pour des raisons de pure arithmétique. Doit cependant être rejeté l'assertion selon laquelle les gains de productivité seraient à bannir car ils seraient cause de chômage. Si l'argument peut être défendu quelquefois au niveau d'une entreprise ou d'un secteur, il est erroné au niveau de la collectivité dans son ensemble. Ce sont au contraire les gains de productivité qui, sur la durée, en permettant les baisses de coûts et les mutations économiques, sont indispensables à l'augmentation du niveau de vie et à un emploi global durable.

INVESTISSEMENT

Il consiste « à faire travailler l'argent » en espérant en obtenir davantage plus tard. De façon moins triviale, il prend deux formes principales : les dépenses directes en machines, technologies, usines, stocks de matières et produits, infrastructures, etc. (investissements physiques), ainsi que les dépenses consacrées à l'investissement immatériel (R&D, brevets), et les dépenses indirectes dans des actifs financiers comme les actions ou les obligations (investissements financiers). On doit aussi ajouter l'investissement humain qui consiste en des dépenses d'éducation et de santé.

L'accumulation des investissements physiques détermine le montant du stock de capital (après dépréciation) et peut induire diverses innovations. En cela l'investissement est un facteur important pour la croissance économique (voir plus haut la rubrique croissance), non seulement en termes quantitatifs mais aussi qualitatifs.

Ces investissements dépendent du montant des fonds susceptibles de ne pas être consommés, mais aussi de leur coût, ainsi que des anticipations des agents quant à la rentabilité future de ces investissements. Le taux d'intérêt, la fiscalité, l'inflation, les perspectives de marchés et autres variables économiques vont donc jouer sur le choix d'investir plus ou moins, et dans quel secteur.

Dans une économie fermée sur l'extérieur, il est généralement considéré que l'investissement total doit être égal à l'épargne totale du pays, du moins au bout d'un certain temps. À l'ère de la mondialisation, cette égalité devient beaucoup plus douteuse dans la mesure où les pays à faible épargne (les États-Unis par exemple) peuvent attirer les capitaux extérieurs qui vont s'investir chez eux, alors que les pays à forte épargne (par exemple, le Japon) peuvent investir leur épargne à l'étranger.

Chômage

Situation pour laquelle l'emploi de personnes désirant travailler n'est pas assuré. Le taux de chômage représente alors le pourcentage de personnes en âge de travailler (de 16 à 65 ans généralement) qui sont à la recherche d'un emploi. Ce taux varie avec le cycle économique, il diminue lorsque l'économie se porte bien, augmente lorsque qu'elle va mal. Mais il existe aussi un chômage structurel qui ne change pas vraiment avec le cycle des affaires. Il provient de certaines rigidités du marché du travail et de diverses réglementations imposées par la puissance publique, justifiées ou non (durée et niveau des allocations chômage, charges sociales et fiscales, salaire minimum, travail à temps partiel, durée du travail, système de formation, etc.). Il ne peut être réduit que par des réformes de structure appropriées. Il peut aussi résulter du comportement des employeurs et des employés (ou de leurs syndicats) qui « bloquent », volontairement ou non, l'accès au travail des demandeurs d'emploi.

Dans les décennies qui ont suivi la guerre, on a cru qu'il était possible de diminuer le chômage en augmentant l'inflation (on parlait alors de « courbe de Phillips », impliquant une relation inverse entre inflation et chômage). Si cette opération peut fonctionner à court terme, elle est vouée à l'échec à plus long terme et ne constitue pas un moyen durable de lutte contre le sous-emploi (pour les économistes, la courbe de Phillips est verticale à long terme). On s'accorde à dire qu'il existe un NAIRU (Non-Accelerating Inflation Rate of Unemployment) au-dessous duquel il n'est pas possible de faire descendre le taux de chômage de façon durable en jouant sur l'inflation.

Inflation

Il s'agit d'une croissance durable du niveau général des prix sur une période de temps donnée. Chaque mot a son importance. La croissance doit être durable et non pas temporaire. C'est le niveau général des prix qui est en cause et non pas le ou les prix de quelques biens donnés, fussent-ils importants comme le pétrole (ce que l'économiste appelle les « prix relatifs »), sauf si ceux-ci influent sur le niveau général des prix. Le niveau général des prix est une moyenne pondérée de l'ensemble des étiquettes. Il est mesuré généralement par un indice des prix (à la consommation, ou des prix de gros, ou du PIB).

L'inflation est néfaste pour l'économie dans la mesure, notamment, où elle « brouille » les signaux du marché et entraîne des redistributions occultes qui peuvent être significatives ; d'autant plus que cette inflation est forte – les périodes d'hyper-inflation sont dramatiques à cet égard et détruisent le tissus économique et social. Il est généralement admis qu'une inflation jusqu'à 2-3 % l'an est acceptable. En tout état de cause, la stabilité de cette inflation est essentielle afin qu'elle soit anticipée au plus juste par les agents économiques.

De nombreux facteurs peuvent influer sur cette hausse des prix, mais les économistes sont maintenant d'accord pour dire que la politique monétaire, et le contrôle explicite ou implicite de la création monétaire qui doit en découler, est l'élément clé pour assurer la stabilité des prix sur la durée.

TAUX DE CHANGE

Le taux de change correspond au prix à payer pour obtenir une unité de monnaie étrangère avec une unité de monnaie nationale. Il existe plusieurs régimes de taux de change : taux fixes ou taux variables, avec divers intermédiaires possibles entre ces deux situations où les taux sont flottants entre des limites inférieures et supérieures fixes (telles « les fourchettes » de fluctuations du système monétaire européen avant l'établissement de l'euro) ou sont « fixes » mais ajustés périodiquement. Après la Seconde Guerre mondiale les « accords de Bretton Woods » avaient conduit à la mise en place de changes fixes qui furent abandonnés à partir du début des années 1970 pour un système de changes plus variables au plan international. L'Europe toutefois établit son propre système entre ses pays membres, opération qui déboucha sur la création de l'euro en 1999.

Avec la liberté des mouvements de capitaux à travers le monde, il est très difficile à un pays, notamment s'il est émergent ou en développement, de fixer son taux de change de façon durable. S'il essaye de le faire contre les forces du marché, on débouche sur des crises de change sérieuses comme celles expérimentés en Europe dans les années 1980 ou, plus graves, au Mexique et en Asie dans les années 1990.

Pour éviter ces crises, les économistes recommandent plutôt les changes flexibles pour ces derniers pays, ou, carrément, de fixer leur monnaie au dollar de manière irrévocable (*via* la « dollarisation » ou les *currency boards*).

Balance des paiements

La balance des paiements recense l'ensemble des échanges – plus précisément le solde des entrées et des sorties –, d'actifs physiques, financiers et monétaires entre un pays et l'étranger au cours d'une période de temps donnée. Elle est traditionnellement présentée en deux principaux comptes :

- le compte des transactions courantes qui présente les opérations d'imports / exports de biens et services, divers transferts privés à l'étranger et l'aide internationale ;
- le compte de capital qui comprend les mouvements de capitaux à long terme (investissements réalisés dans des entreprises étrangères par exemple) et les mouvements de capitaux à court terme (fonds placés en devises sur les marchés internationaux).

Cette balance peut être en déficit ou en surplus selon les périodes et la situation économique. L'état de ses comptes informe sur la situation de l'économie nationale et peut influer sur le niveau du taux de change. Périodiquement existent des « crises de balance des paiements », surtout dans les pays en développement, durant lesquelles le déficit courant devient excessif, ou les sorties de capitaux s'exacerbent, créant ainsi les conditions d'une crise financière et économique sérieuse qui se traduit souvent par une chute du taux de change.

Libre-échange

Il signifie la possibilité d'échanger librement des biens, des services ou des capitaux entre pays, sans avoir à faire face à toutes sortes de barrières aux échanges, de tarifs, de quotas ou autres restrictions réglementaires imposées par les pouvoirs publics. Si cette liberté des échanges avait été fortement restreinte entre les deux guerres mondiales, une ouverture progressive a été mise en place depuis les années 1950. Avec le GATT (General Agreement on Tariffs and Trade), le

Marché Commun européen et maintenant l'OMC (Organisation Mondiale du Commerce) les pays ont supprimé progressivement un certain nombre de barrières aux échanges. Le volume des échanges internationaux a notablement augmenté durant la période. Vers l'an 2000, les mouvements de marchandises étaient quelque chose comme 16 fois ceux des années 1950, alors que la production mondiale n'avait été multipliée que par un facteur de 5 ou 6. Les exportations mondiales sont passées de 7 % du PIB mondial à 15 %. Si le commerce international des produits manufacturés représente la plus grande part de ces échanges, les services sont en croissance accélérée.

Comme les débats autour de l'OMC le montrent, du chemin reste encore à faire en termes de diminution, sinon de suppression complète, des tarifs douaniers. En moyenne, en ce qui concerne les biens manufacturés, ceux-ci s'élèvent à 4 % pour les pays industrialisés. Si ce chiffre paraît relativement faible, la taxe en question représente environ 16 milliards de dollars par an. Certains produits doivent faire face à des tarifs beaucoup plus élevés, surtout ceux des pays pauvres pour lesquels les pays industriels imposent des tarifs quatre fois plus élevés que pour les autres pays industrialisés. Pour ne rien dire de ceux sur les produits agricoles dont les tarifs moyens sont de 62 % (avec des pics à 500 % !).

Même si c'est avec quelques nuances, les économistes sont en règle générale en faveur du libre-échange. La théorie de l'avantage comparatif implique que tous les pays ont intérêt à se spécialiser dans les domaines où ils sont le plus efficaces. L'échange devient alors avantageux pour tout le monde, sinon toujours dans le court terme, du moins sur la durée. Il implique toutefois des ajustements parfois difficiles à faire et des mutations économiques douloureuses pour certains secteurs et certaines catégories sociales. Mais il est facteur de croissance, de productivité et d'innovations. Le protectionnisme, au contraire, tend à appauvrir les pays qui s'y soumettent, et ne peut être une solution durable aux problèmes économiques.

COMPÉTITIVITÉ

Il est possible de parler de position compétitive relative pour une entreprise ou un secteur dans la concurrence internationale en comparant les conditions de salaires, de charges, de coûts en général, de productivité et autres conditions sociauxéconomiques. On a tendance à abuser du terme lorsqu'on parle de compétitivité entre nations, comme le font souvent les responsables politiques et les milieux économiques. Les pays ne sont pas en concurrence entre eux, au sens que donne l'économiste au terme de concurrence, ce sont les entreprises qui le sont entre elles. Si deux entreprises sont en concurrence sur le même marché, ce que gagne l'une l'autre le perd. En vertu de l'avantage comparatif (voir le libre-échange), ce n'est pas le cas au niveau d'un pays où l'échange n'est pas un jeu à somme nulle, mais, au contraire, à somme positive. Le terme compétitivité est donc abusif et présente le danger de servir à justifier les barrières aux échanges, voire le protectionnisme.

Cela dit, il n'est pas absurde pour les États de prendre des mesures favorisant la compétitivité des entreprises au plan international (mesures en faveur des coûts de production, de la productivité, des infrastructures, etc.). Mais il faut rester prudent dans l'interprétation des indices supposés comparer la compétitivité des nations entre elles.

CONCURRENCE

Plus il y a de concurrence, plus il est vraisemblable que les entreprises fonctionneront de façon efficace, que leurs prix seront bas et qu'elles seront sans doute incitées à innover. Bref, qu'elles rempliront au mieux leur fonction économique et sociale. C'est la raison pour laquelle les économistes sont autant en faveur de la concurrence. Mais ils ne sont pas naïfs. Ils savent que la concurrence parfaite, où les entreprises, en multitude, doivent se plier au prix fixé par le marché est difficilement atteignable. Ils analysent aussi la concurrence monopolistique, avec moins d'entreprises et où chacune possède un certain pouvoir pour empêcher les concurrents de pénétrer son marché, donc de fixer ses prix, du moins à court terme. Finalement, le monopole correspond à la situation où une entreprise domine le marché et peut alors générer des profits supérieurs à ceux qu'elle aurait en situation de concurrence. Les marchés où se font face un petit nombre d'entreprises en position d'oligopole peuvent déboucher sur des ententes et des cartels nuisibles au consommateur. Mais tant l'oligopole que le monopole auront beaucoup plus de difficultés à dominer le marché durablement, si celui-ci est un « marché contestable », c'est-à-dire si d'autres entreprises sont à un moment ou à un autre susceptibles d'entrer sur le marché.

Tous les pays industrialisés possèdent des institutions dont la mission est de conduire une politique de concurrence pour supprimer les entraves à ladite concurrence. Il en existe aussi au plan européen conduite par la Commission de Bruxelles. Mais il n'en va pas tout à fait de même pour ce qui concerne les pays en développement. Sur les 146 membres de l'OMC, seuls 70 pays ont une politique de concurrence, et n'ont souvent que peu de ressources à y consacrer. Une réflexion et des négociations sont menées à cet égard dans le cadre des discussions internationales et de l'OMC.

La mondialisation : mythes et réalités

Par André Fourçans

Professeur d'économie à l'ESSEC, André Fourçans a enseigné dans deux grandes universités américaines. Il a aussi été conseiller spécial d'un commissaire européen, membre du Conseil économique et social et député européen. Auteur de nombreux articles, il a aussi publié une quinzaine d'ouvrages dont L'Économie expliquée à ma fille *(2e éd.), éd. du Seuil, 2006 ;* La Mondialisation racontée à ma fille *(2e éd.), éd. du Seuil, 2007 ;* Effet de serre : le grand mensonge ?, *éd. du Seuil, 2002 ;* Currency crises : a theoretical and empirical perspective *(avec R. Franck), Edward Elgar, 2004.*

Cet article cherche à introduire un peu de raison, à la lumière des faits, dans l'examen de ce phénomène complexe qu'est la mondialisation. Il examine d'abord ses origines historiques afin de mieux la situer dans le temps, et donc à mieux la comprendre. Il analyse ensuite quelques grandes questions centrales : le rôle et l'importance des multinationales ; l'impact du libre-échange, au cœur du processus de mondialisation, sur la croissance et l'emploi dans les pays riches, et sur le développement des pays pauvres, de même que sur la pauvreté et les inégalités ; le lien entre mondialisation et environnement ; enfin comment les États et le secteur privé sont affectés par la montée en puissance des Organisations Non Gouvernementales (ONG) et des institutions internationales comme le Fonds Monétaire International (FMI), la Banque mondiale ou l'Organisation Mondiale du Commerce (OMC).

Le débat sur la mondialisation est des plus vivaces, c'est le moins que l'on puisse dire. Mais que de malentendus, déformations, démagogie ou simple ignorance à son sujet. Des thuriféraires les plus excessifs aux anti-mondialistes (plus mode, alter-mondialistes) non moins excessifs la palette est large. Sans parler du brouhaha médiatique qui simplifie à outrance. Ni des doses d'adrénaline et d'émotions pas toujours bonnes conseillères qui l'accompagnent.

Le but de cet article est d'apporter un peu de raison dans ces débats et d'y voir plus clair dans le dédale des questions ô combien complexes et sensibles liées à la mondialisation.

Comment ? En utilisant la méthode des économistes, méthode bâtie sur l'analyse mais aussi sur l'observation des faits et l'expérience. Autrement dit, en se fondant sur la connaissance, fût-elle imparfaite, plutôt que sur l'indignation. Certes celle-ci est légitime et même souvent nécessaire, comme le jugement moral. Mais l'une comme l'autre ne débouchent que sur l'obscurantisme et de vaines exhortations si un minimum de connaissance ne vient pas les étayer.

Le sujet est tellement vaste, et complexe, qu'il est bien évident qu'on ne peut traiter de tous ses aspects en un seul article. Je me concentrerai donc sur les questions qui me paraissent essentielles aujourd'hui et qui donnent lieu à un vaste débat public. Je commencerai par examiner les origines de la mondialisation, trop souvent ignorées, et pourtant fondamentales si l'on veut la situer dans une perspective historique, et donc mieux la comprendre. Puis quelques grandes questions qui méritent d'être abordées : le rôle et l'importance des multinationales ; l'impact du libre échange, au cœur du processus de mondialisation, sur la croissance et l'emploi dans les pays riches, et sur le développement des pays pauvres, de même que sur la pauvreté et les inégalités ; le lien entre mondialisation et environnement ; enfin comment le rôle des États et du secteur privé est affecté par la montée en puissance des ONG et des institutions internationales comme le FMI, la Banque mondiale ou l'OMC.

UN PEU D'HISTOIRE

Comme on le croit trop souvent la mondialisation n'est pas un phénomène nouveau datant de la fin du XXe siècle. Retour aux sources.

Si la période noire entre 1914 et la fin des années 1940 a conduit à une quasi-désintégration de l'économie mondiale, il n'en allait pas de même auparavant. Sans remonter plusieurs siècles en arrière, entre 1850 et 1914 l'intégration économique de la planète n'a cessé de s'accélérer, pour atteindre des niveaux largement comparables à ceux d'aujourd'hui. La part des échanges internationaux entre les grands pays industriels était à peu près la même en 1890 et... en 1990 ! Vers la fin du XIXe siècle, l'ouverture internationale (commerce, mouvements de capitaux, immigration) a entraîné une convergence remarquable des économies du Vieux et du Nouveau monde. Avant la Première Guerre mondiale, la liberté des capitaux était largement la règle, reliant les centres financiers de l'Europe, de l'Hémisphère Ouest, de l'Océanie, de l'Afrique et de l'Est lointain. Les flux financiers internationaux étaient plus élevés, en proportion de la richesse produite, entre 1870 et 1914 qu'entre... 1970 et 1996. Quant à la France, nous atteignions à peine en l'an 2000 les niveaux des années 1930. Ainsi, en ce début de troisième millénaire, on n'est grosso modo qu'au niveau de la guerre de 1914.

Que s'est-il passé depuis ? Entre les deux guerres, les barrières aux échanges, les contrôles migratoires draconiens, les interdictions ou surveillances strictes des investissements étrangers et de farouches contrôles des monnaies firent florès. Ce n'est qu'à partir des années 1950, avec l'abaissement progressif des barrières entre les pays, que l'intégration des économies a pu reprendre.

Alors, nouvelle la mondialisation ? Les faits montrent que non. Mise entre parenthèses pendant plusieurs décennies, c'est tout. Mais la perception qu'on en a aujourd'hui est fort différente. La montée en puissance des grands médias, la diffusion du téléphone, du fax, de l'Internet et des ordinateurs à potentiel qui paraissent sans limite donnent l'impression d'un tremblement de terre permanent.

À dire vrai, la globalisation de ce début de XXIe siècle est plus « dense » et ses conséquences sur nos sociétés plus répandues et plus profondes que sa variante d'antan. La clientèle chinoise ou américaine a davantage les moyens aujourd'hui qu'hier d'imposer ses desiderata à l'entreprise française ou allemande qui cherche à vendre ses produits. Les actionnaires étrangers influent par leurs placements en bourse et, à des milliers de kilomètres, *via* notamment les fonds de pension, sur la gestion de nos entreprises, chose impensable au temps de la lenteur des bateaux à vapeurs. Comment comparer l'impact d'un simple bouton de clavier pouvant influencer notre mode de vie et notre culture avec celui de nos antiques télégraphes ? Et les délocalisations actuelles de certaines productions des pays du Nord vers ceux du Sud à celles d'antan ? Et l'attention portée aujourd'hui aux différences de revenus entre pays et catégories sociales comparée à l'indifférence relative d'il y a un siècle ?

Nous sommes passés de la « globalisation basse fréquence » à la « globalisation haute fréquence ». Sauf catastrophe, l'intégration économique de notre planète est loin d'être terminée. Avec ses avantages et ses inconvénients.

Des avantages et des inconvénients

Après la crise mexicaine du début des années 1990, la crise asiatique de la seconde moitié de la même décennie a jeté une lumière crue sur les risques de la mondialisation. Peu de pays de la côte Pacifique sont passés au travers des soubresauts monétaires, boursiers et bancaires et de leurs conséquences sur le niveau de vie et l'emploi. Depuis, ces pays se sont fort heureusement remis de ce douloureux choc, et leur croissance est de nouveau exemplaire. Leçon essentielle de cette expérience : ces crises touchent surtout les nations aux structures financières et économiques mal adaptées aux conditions de la globalisation. Ce n'est pas en cherchant à bloquer cette dernière que l'on résoudra le problème, mais en modifiant les structures en question.

Pourquoi ? Parce que l'analyse économique et les faits qui vont avec montrent que globalement, et sur la durée, les avantages de l'intégration des marchés sont supérieurs à ses inconvénients (même si, pour les marchés de l'argent, quelques bémols peuvent être introduits en ce qui concerne les pays du Sud, on va le voir), du moins en matière de niveau de vie global. S'il y a un domaine où les économistes sont en règle générale d'accord, c'est sur les avantages de l'échange international et de l'ouverture des marchés qu'il implique. En tout cas, de la supériorité du libre-échange sur le protectionnisme.

Les raisons de cette position : le principe de l'avantage comparatif. Pour en illustrer la logique, qu'on me pardonne la citation extraite de mon livre *L'Économie expliquée à ma fille* (éd. du Seuil, 2006) :

« Je connais un professeur, véritable prodige du clavier, qui tape plus rapidement et aussi bien que sa secrétaire. Est-ce à dire qu'il devrait se débarrasser de sa charmante collaboratrice et frapper lui-même tous ses travaux et lettres ? Surtout pas, il a intérêt à consacrer son temps et son énergie à ses réflexions et recherches et laisser son amour de secrétaire … en charge de la frappe. La raison ? L'activité de dactylo, fût-elle sur l'ordinateur le plus performant, a pour notre professeur un coût d'opportunité : tous ses brillants et fondamentaux articles et livres qu'il ne pourrait écrire à cause du temps passé à dactylographier ses manuscrits qu'il ne sait au premier abord gribouiller qu'à la plume… Même s'il est meilleur dans cette tâche que sa collaboratrice favorite (il possède un avantage absolu sur elle), il a intérêt à se spécialiser dans les activités proprement dites de professeur (enseignement et recherche) où il a un avantage absolu encore plus important sur elle.

Ce principe s'applique aux échanges entre nations et justifie l'essentiel du commerce international. Deux pays gagnent à se spécialiser et à échanger entre eux, même si l'un est meilleur que l'autre… dans la production de tous les biens et services. Ainsi, une nation a avantage à importer un produit, même si celui-ci pourrait être fabriqué à l'intérieur de ses frontières de façon plus efficace que par l'autre nation, et cela afin de pouvoir se spécialiser dans la fabrication de ceux où elle est encore plus efficace… »

Un exemple pour concrétiser : si l'on achète 40 euros des chaussures importées plutôt que de les payer 90 euros à un fabricant national, celui-ci sera contraint à réduire sa production et à débaucher, peut-être à faire faillite (sauf s'il innove, ce que certains savent faire fort heureusement). Mais attention à ne pas se laisser obnubiler par les apparences (les destructions d'emplois dans la chaussure) au point de ne plus voir les effets cachés mais non moins réels. Les 50 euros économisés dans l'achat de chaussures vous permettront de vous offrir un beau livre ou un restaurant supplémentaire. Vous stimulerez ainsi l'activité des libraires et de la restauration. Ce n'est pas tout : les 40 euros reçus par le fabricant exotique de chaussures reviendront, d'une façon ou d'une autre, peut-être après diverses tribulations dans l'économie mondiale, dans l'économie française sous forme d'achats d'autres biens et services. En économie, « ce qu'on voit » est souvent moins important que « ce qu'on ne voit pas. »

Donc, oui, la liberté des échanges est source de gains considérables pour « l'économie-monde ». Ce qui ne veut pas dire qu'elle va sans inconvénient. Qu'elle est l'institution humaine qui n'en a pas ?

Pour certains, la vision habituelle de l'économiste sous-estime l'impact de la mondialisation sur la relation de pouvoir entre les employeurs et les employés, au détriment de ces derniers, surtout des plus faibles. Les délocalisations engendrées par l'ouverture internationale menaceraient l'emploi national ou entraîneraient une baise des salaires, notamment des moins qualifiés. Ces arguments ne doivent pas être pris à la légère, même si on leur donne souvent une importance exagérée. Par exemple, les recherches suggèrent que ce sont plus les changements technologiques que la mondialisation elle-même qui expliquent les pertes d'emploi des moins qualifiés. De même, les délocalisations ont aussi des effets induits favorables sur la production et l'emploi global en augmentant la productivité et en permettant de se rapprocher des nouveaux marchés.

Autre question sensible : la globalisation mettrait en péril notre système social, éroderait la protection des salariés et menacerait l'Etat Providence. Pas tout à fait faux, mais exagéré, comme on le verra plus loin. Je dirai simplement ici que, si la mondialisation implique et impliquera des ajustements parfois profonds dans les procédures de protection sociale et dans la gestion de nos États, elle n'implique pas non plus une révolution copernicienne de nos types de société.

L'ouverture et l'intégration internationales n'ont donc pas que des avantages, mais pas que des inconvénients non plus, comme certains voudraient nous le faire accroire. Un équilibre de jugement est nécessaire, notamment dans l'évaluation du rôle des grandes entreprises souvent présentées comme le méchant loup prêt à tout dévorer.

LA SAGA DES MULTINATIONALES

Les multinationales sont-elles devenues les « nouveaux maîtres du monde » ? D'après l'ONU, les cent plus grands groupes, emmenés par des mastodontes comme General Electric, Ford, Shell ou autres IBM, Microsoft et Nestlé, détenaient en 2003 presque 4 000 milliards de dollars d'actifs hors de leur pays d'origine, employaient 7 millions de personnes à l'étranger (15 millions dans le monde) et réalisaient des ventes de plus de 3 000 milliards de dollars, toujours hors de leur pays d'origine (5 550 milliards sur l'ensemble de la planète). De quoi donner le tournis.

Mais ce n'est pas tout. Au-delà de ces grands groupes, il existait, en 2004, 70 000 sociétés transnationales avec plus de 690 000 filiales étrangères. Quant aux investissements directs à l'étranger, ils ont augmenté de façon spectaculaire depuis le milieu des années 1980. La valse des fusions-acquisitions depuis plusieurs années ne fait que renforcer cette impression de domination économique, voire politique, des multinationales. D'autant que les entreprises des pays émergents (Chine, Inde, Brésil, Russie) entrent maintenant dans la danse. La mondialisation va revêtir chaque jour davantage des habits non occidentaux et refléter notamment la montée de l'Asie.

Mais il convient de relativiser ces données. Si l'importance des multinationales a crû rapidement dans certains secteurs, la majeure partie des activités économiques dépend toujours de petites entités : coiffeur, chauffeur de taxi, teinturier, médecin ou autre café favori. La plupart des entreprises opèrent au niveau d'une région, d'un département, d'une commune ou d'un quartier.

De plus, les mammouths multinationaux restent davantage localisés sur leur territoire qu'on ne veut bien le dire. Rares sont ceux véritablement globaux. Les deux tiers de la production et des emplois de l'entreprise multinationale type sont dans son pays d'origine.

Autre considération : les multinationales peuvent intensifier la concurrence en ébréchant le pouvoir de certains sur les marchés nationaux. Et la taille des marchés internationaux a aussi d'autres avantages. Elle incite les firmes à investir davantage dans la recherche, donc dans l'innovation. Les multinationales disséminent ces innovations aux quatre coins de la planète, contribuant ainsi au développement des pays en retard. L'échange international, ce réacteur de la mondialisation, n'est pas un jeu à somme nulle où les gains d'un pays seraient obligatoirement compensés par les pertes d'un autre. L'économie ouverte n'est pas une grande partie de poker où les uns s'enrichissent en appauvrissant les autres. Le gain est partagé sous la forme d'emplois, de salaires et de prix plus avantageux, d'innovations et d'avancées technologiques. Ce qui ne veut pas dire que les ajustements se font toujours dans la joie et sans grincements de dents. À court terme, pour certains secteurs et certains types de qualifications, la transition peut être douloureuse et difficile. L'intervention de l'État, bien pensée et bien appliquée peut alors s'avérer nécessaire pour faciliter les adaptations et la formation.

Il faut aussi être conscient que les risques de concentrations abusives et de positions dominantes, voire de monopoles, existent. C'est aux pouvoirs publics de prendre des mesures à cet égard. Mais chaque pays est-il en mesure de faire appliquer seul les règles d'une saine concurrence ? Pas évident. Si l'Europe et les États-Unis sont plutôt bien armées en la matière, il conviendrait de démultiplier ce genre d'action au niveau mondial. Même s'il n'existe pas de structure pour ce faire, pourquoi ne pas l'inventer ? L'OMC, par exemple, ne pourrait-elle pas aussi participer à la lutte contre les concentrations excessives au plan mondial ? Au moins, une bonne coopération et des échanges fructueux entre les États sur ces questions ne seraient pas les malvenus. Ni des principes communs et transparents pour favoriser la concurrence, au Nord comme au Sud.

Le développement et la pauvreté

Les pays du Sud, justement, quel rôle la mondialisation joue-t-elle dans leur développement ? D'abord quelques faits.

La pauvreté a davantage reculé dans le monde durant les cinquante dernières années qu'au cours des 500 années précédentes. D'après l'ONU, si le nombre de pauvres était estimé entre 1 et 2 milliards à l'aube du troisième millénaire (en gros, un cinquième de la population mondiale), le chiffre était de 2 à 3 milliards, il y a une trentaine d'années. Plus des trois quarts des habitants des pays en développement peuvent maintenant espérer atteindre l'âge de 40 ans, ce qui était loin d'être le cas auparavant. L'analphabétisme des adultes a été réduit de près de la moitié. La mortalité infantile a considérablement régressé.

Contrairement à une idée largement répandue et tellement ressassée qu'elle en est devenue politiquement correcte, la mondialisation n'est pas associée à une aggravation des inégalités entre les hommes sur l'ensemble de la planète. Les études économiques les plus sérieuses sur cette question (Banque mondiale, universités, centres de recherches) indiquent que, depuis 1975, les inégalités entre les pays ont reculé. Elles ont en revanche quelque peu augmenté à l'intérieur des pays. Résultat des deux effets combinés, les inégalités entre les hommes ont diminué, le premier impact l'emportant sur le second. Bien sûr, ceci ne signifie pas que les inégalités entre tous les pays ont décru. Certains pays, surtout en Afrique sub-saharienne, se sont appauvris et ont même atteint des niveaux de pauvreté honteux. Mais les zones à forte population, comme la Chine et l'Inde, ont vu leur développement s'accélérer et leur pauvreté diminuer. Une explication fondamentale à ce rattrapage : la croissance économique. Sans elle point de salut.

L'observation des décennies passées montre que les pauvres bénéficient en général de l'augmentation globale du niveau de vie due à la croissance. Le prix Nobel Robert Lucas a récemment publié une simulation des évolutions séculaires de l'économie mondiale. L'idée, fondée sur la diffusion de la croissance entre les pays à des rythmes différents, colle bien avec la réalité des deux siècles passés. Durant les premières décennies de décollage, les inégalités augmentent, pour diminuer ensuite. Le pic inégalitaire aurait justement été atteint dans les années 1950-1970.

Puis, durant les récentes décennies, on a constaté que les pays les plus ouverts à l'échange international se sont développés plus rapidement que les autres. Entre 1990 et 2000, la croissance moyenne des pays en développement ouverts à l'international a été de quelque 5 % l'an, celle des pays moins ouverts de un peu plus de 1 % (les pays riches, eux, tournent autour de 2 %). Les salaires ont augmenté deux fois plus vite dans les pays du Sud ouverts que dans les autres, et une fois et demie plus vite que dans les pays du Nord. Mais il y a plus. Sait-on quelle est la part du commerce international effectuée par les 50 pays les plus pauvres ? 0,5 %. Oui, 0,5 %. Ne pourrait-on pas dire, toutes choses égales d'ailleurs, que c'est parce qu'ils ne participent pas à la mondialisation que ces pays ne sortent pas de leur misère plutôt que l'inverse ? Donc qu'il n'y a pas assez de mondialisation plutôt que trop, du moins pour ce qui les concerne ?

Face à ces données, comment affirmer, avec les alter-mondialistes, que la mondialisation et l'augmentation des échanges qui l'accompagne sont nuisibles au développement ?

Certes, il n'est pas question de prétendre que l'échange international est une condition suffisante à la croissance et à l'augmentation du niveau de vie. Mais il en est une condition nécessaire, en tout cas un grand « facilitateur ». Il est évident qu'il doit être accompagné d'un minimum de stabilité politique, d'institutions et de système juridique suffisamment performants, de politiques économiques cohérentes, d'un niveau d'éducation et de santé adéquats (avec près d'un tiers de sa population atteint de sida, ou de malaria, ou de fièvre jaune, sans oublier la tuberculose, comment envisager un développement harmonieux ?), d'une corruption contenue et de paix civile, car les guerres détruisent nombre de ces pays.

Par ailleurs, comment oublier le rôle de la diffusion des nouvelles technologies qui va de pair avec la globalisation ? Certains y voient l'alpha et l'oméga du développement. D'autres, au contraire, craignent que les plus démunis ne profitent guère de cette révolution de l'Internet, des télécommunications ou des biotechnologies. La vérité se trouve certainement dans une position médiane. L'avantage comparatif des pays en retard ne se trouve pas dans l'innovation technologique. Une fois celle-ci élaborée par les pays riches, les pays pauvres peuvent l'adopter avec relativement peu de difficultés. L'Inde réalise des logiciels, les Caraïbes se spécialisent dans le traitement des données. Ces technologies sont alors une source incontestable de croissance. Et l'Internet ? Nul doute qu'il a aussi le potentiel d'aider à combler le fossé des connaissances entre le Nord et le Sud.

Certains profitent mieux de la mondialisation que d'autres, c'est indiscutable. Mais il n'y a pas de fatalité pour que les seconds ne puissent imiter les premiers. Même si c'est plus facile à dire qu'à faire tant de lourdes situations géographiques, culturelles, historiques et médicales pèsent parfois sur les nécessaires changements, surtout en Afrique. Aux riches de les aider dans cette tâche.

COMMENT AIDER LE SUD ?

Comment aider les pays pauvres à se développer dans le cadre de la mondialisation ? Question lancinante dont la réponse a varié au fil du temps. Depuis les années 1950, les pays riches ont aidé financièrement les nations en développement. Les résultats n'ont pas toujours été des plus spectaculaires, ce qui ne veut pas dire que ces aides sont inutiles. Plusieurs études sur l'impact de ces aides (Banque mondiale, universités) suggèrent que les pays qui suivaient de bonnes politiques (inflation faible, budget sous contrôle, ouverture internationale) et possédaient de bonnes institutions (corruption minime, règles juridiques solides, administrations efficaces) tiraient bénéfice de l'aide. Les autres, non. Les nations mal gouvernées avaient un taux de croissance très faible, voire négatif, quels que soient les montants financiers accordés. Les nations bien gérées, même avec des soutiens réduits, voyaient leur niveau de vie monter de façon régulière ; celles qui recevaient des aides plus conséquentes croissaient encore plus rapidement.

Donc, l'aide ça marche ! Mais pas à n'importe quelle condition. Il lui faut un environnement institutionnel et des politiques favorables. C'est loin d'être toujours le cas.

Les institutions internationales (Banque mondiale et FMI essentiellement) ont depuis quelques années adaptées leurs stratégies d'aide au développement. Plutôt que d'imposer aux pays les plus pauvres (quelque 70 nations) des mesures draconiennes trop souvent inappliquées, en contrepartie des aides, l'air du temps consiste à faire participer les gouvernements et les groupes sociaux concernés à l'élaboration de la stratégie, de leur faire « s'approprier » les politiques à suivre. Sont aussi mises dans le coup les entreprises des pays riches, dans le cadre de partenariats aux intérêts réciproques bien compris et susceptibles d'élargir les avantages liés à la mondialisation.

Changement de stratégie aussi pour ce qui concerne la prévention et le traitement des crises financières qui peuvent affecter les zones émergentes.

L'argent en vadrouille aux quatre coins du monde a une fonction éminemment importante : aider à financer le développement. Mais il y a un revers à la médaille lorsque ces masses énormes quittent brutalement les pays en développement dans lesquels elles se trouvent. Cela dit, empêcher les entrées et les sorties d'argent, du moins de celui qui se fixe suffisamment longtemps dans ces pays, n'est pas une bonne méthode. Ce qui ne veut pas dire qu'on ne puisse pas réguler d'une façon ou d'une autre ces capitaux. Certains pays l'ont fait avec un succès relatif (le Chili, par exemple, dans les années 1990), mais l'ont abandonné ensuite car les détournements devenaient de plus en plus fréquents. Quant à la « taxe Tobin », chère aux alter-mondialistes, supposée mettre des grains de sable dans les rouages bien huilés de la spéculation par un impôt sur les transactions internationales, ce n'est probablement pas demain la veille qu'elle verra le jour. Sans entrer dans les arguments techniques relatifs au bien fondé ou non de cette taxe, il faudrait que quasiment tous les pays au monde soient prêts à l'adopter pour qu'elle puisse être d'une quelconque utilité. Une gageure qui ferait le bonheur des paradis fiscaux, comme les îles Caïmans.

Alors que faire ? Une façon radicale de régler le problème de la transformation brutale des monnaies nationales en dollars : les remplacer carrément par le billet vert. Plus de monnaie propre au pays, fini les crises financières créées par les pertes de confiance soudaines et violentes dans les devises nationales. Hormis cette solution drastique, d'autres mesures sont possibles.

Adopter un système de changes flexibles, par exemple, qui redonne aux pays une marge de manœuvre dans leur gestion monétaire et atténue l'impact des mouvements de capitaux sur leurs économies. Mais ce système n'est pas non plus sans inconvénient.

Il peut aussi être important de renforcer les règles de fonctionnement auxquelles sont soumises les institutions financières de ces pays, avec des systèmes de contrôle, si possible sur le plan international. Sans oublier une « réorientation », déjà amorcée, de l'action du FMI et de la Banque mondiale pour qu'ils remplissent mieux leurs rôles.

Autre direction à suivre pour les nations industrialisées, mais moins évidente à mettre en œuvre en dépit de son apparente simplicité : ouvrir leurs marchés aux produits des pays en développement. Selon les Nations unies, les mesures protectionnistes des pays riches feraient perdre quelque chose comme 700 milliards de dollars par an aux nations les plus défavorisées, soit 14 fois les aides annuelles qui leur sont accordées ! En fait, le Nord a des tarifs douaniers sur les importations du Sud quatre fois plus élevés que sur les importations entre pays développés, dans des secteurs qui sont justement ceux où les pays pauvres pourraient tirer leur épingle du jeu : l'agriculture surtout, mais aussi le textile et l'habillement, par exemple, même si ces secteurs sont dans un processus d'ouverture progressive. On ne peut continuer de jouer les belles âmes s'offusquant de la pauvreté et désirant éradiquer la misère, tout en rétrécissant l'entrée des produits des défavorisés sur nos marchés. Certes, il ne s'agit pas de démanteler toutes les barrières aux échanges du jour au lendemain, mais de mettre en place un calendrier clairement défini de baisse des tarifs et autres barrières douanières. Et pas seulement entre le Nord et le Sud, mais aussi pour les pays du Sud entre eux dont le tarif moyen s'élève à 13 % (11 % pour celui du Nord vis-à-vis du Sud). On le voit, du pain sur la planche, et de belles empoignades en perspective, pour les futures négociations au sein de l'OMC.

En vérité, tout se passe comme si les pays riches paraissaient préférer voir les pauvres le rester plutôt que de les voir devenir riches et leur faire concurrence. Une seule excuse, qui mérite considération, à cette position : la peur d'une pollution supplémentaire de notre planète.

LA PROTECTION DE L'ENVIRONNEMENT

La mondialisation ne constitue-t-elle pas une source de péril pour l'environnement ? Beaucoup le croient, comme en témoignent les multiples positions et manifestations sur le sujet. Si la question est légitime et importante, il faut se méfier des amalgames.

L'échange international et la protection de l'environnement sont deux objectifs souhaitables et nullement contradictoires, à condition de bien s'y prendre.

Il est vrai que le commerce international peut nuire à l'environnement. Mais il est faux de penser que le lien est automatique. En favorisant le développement et la croissance, la mondialisation accroît certes les dangers de pollution, notamment dans les pays pauvres. Mais en s'enrichissant, les gens et les nations accordent de plus en plus d'attention aux considérations écologiques et acquièrent les moyens de les satisfaire. La solution n'est donc pas de freiner la croissance, au contraire, puisqu'elle contribue pour beaucoup, sur la durée, à résoudre le problème.

Mais il faut gérer la transition. Aux pays riches d'œuvrer dans ce sens en favorisant, par des aides bien conçues, un développement durable et propre des pays pauvres, en développant les technologies propres qui peuvent ensuite être disséminées dans l'ensemble du monde, notamment au Sud, grâce à la mondialisation.

Il est en outre exact que si, pour exporter davantage et satisfaire l'accroissement des besoins mondiaux, les agriculteurs intensifient la pollution des sols et des rivières à grands coups de produits chimiques, ou si, pour ce faire, les entreprises rendent l'air irrespirable ou multiplient les pluies acides qui empoisonnent les forêts, alors oui, le commerce international nuira à l'environnement. Mais là non plus la solution ne consiste pas à bloquer les échanges. Agir ainsi serait à peu près du même acabit que d'empêcher les échanges entre Paris et la province sous prétexte que ces opérations, en stimulant la production et la richesse françaises, abîmeraient nos environs. Qui prendrait au sérieux une proposition aussi saugrenue ? Non, la solution est de prendre à la source les mesures de lutte contre les pollutions de toutes sortes, afin que « les pollueurs paient », ce que l'on sait faire si on le souhaite, et de façon efficace pour la collectivité. Comment ? En supprimant, par exemple, les différentes aides et subsides à la production de charbon en Europe (et ailleurs), aux agriculteurs qui abusent des nitrates et autres pesticides et engrais chimiques, aux pêcheurs qui ne se soucient guère de l'extinction de certaines races poissonnières, etc. En incitant les entreprises à diminuer leur pollution par des mesures fiscales judicieuses ou du type « marchés des quotas de pollution », notamment pour lutter contre les pollutions locales et l'effet de serre (pour en savoir plus sur cette question, voir par exemple notre ouvrage *Effet de serre : le grand mensonge ?*, éd. du Seuil 2002, et le rapport de R. Guesnerie au Conseil d'analyse économique, *Kyoto et l'économie de l'effet de serre, 2003).* Et en améliorant l'information du consommateur, et sur la composition des produits et sur ceux dont la fabrication est « inamicale » pour l'environnement.

Voilà une gamme de mesures qui nous amène naturellement à nous interroger sur le rôle de l'État moderne dans un monde globalisé.

LE RÔLE DE L'ÉTAT MODERNE

La mondialisation a-t-elle réellement diminué le poids de l'État comme d'aucuns l'annoncent haut et fort ? Si l'on en juge par les dépenses publiques, rien n'est moins sûr. Un peu de perspective historique pour situer le débat.

Au début du XXe siècle, les budgets étatiques représentaient, pour l'ensemble des nations industrialisées, quelque 10 % du revenu national. Cent ans plus tard, l'Europe n'est pas loin des 50 % (54 % pour la France), les États-Unis et le Japon, plus modérés, sont aux alentours de 35 %. Certes, depuis une vingtaine d'années, les gouvernements annoncent la décrue des dépenses publiques. Mais les discours ont été plus tonitruants que les résultats. Le mythe du poids de l'État en décroissance n'est que cela, un mythe, sauf dans quelques cas particuliers, du moins mesuré de cette manière.

En quoi le pouvoir étatique est-il affecté par la mondialisation ?

Il est évident que dans un monde où l'argent peut se déplacer sans contrainte ou presque de Bourg-en-Bresse à Katmandou, où les entreprises peuvent décider de s'installer à l'autre bout de la planète, où les informations circulent à la vitesse de la lumière, si les gouvernements font mal leur travail l'argent peut très vite aller voir ailleurs si les cieux n'y sont pas plus cléments. D'où le doigté dépensier, fiscal et réglementaire plus que jamais nécessaire à nos gouvernements pour ne pas nuire à nos sociétés, d'où aussi un déplacement des frontières du public vers le privé. Le glissement universel vers la privation et un contrôle moins direct des entreprises et des institutions financières par l'administration ou les politiques n'est pas le fruit du pur hasard.

En dépit de cette modification des lignes, la puissance publique n'en reste, et n'en restera, pas moins présente. On peut penser qu'à l'avenir, en ne cherchant pas à s'occuper de trop de choses, l'État pourra se concentrer sur ses véritables missions et mieux les accomplir. Son rôle sera plus celui d'un « facilitateur » que d'un opérateur, élaborant et adaptant les règles de fonctionnement des marchés (droits de propriété, contrats, concurrence, pollution, sécurité, etc.) afin que ceux-ci remplissent pleinement leur fonction.

Mais avec l'effritement des frontières, une foule de problèmes économiques, sociaux, culturels ou de pollution, sans parler des droits de l'homme ou de la démocratie, ne peuvent et ne pourront être réglés que sur le plan international. Par les États, certes, et par le marché qui se déploie chaque jour davantage sur la planète, mais aussi par les institutions internationales comme le FMI, la Banque mondiale ou l'OMC. Sans oublier la multitude d'ONG et l'opinion publique mondiale.

La « société transnationale » est un nouvel acteur du monde moderne qui ne va pas cesser de bousculer les structures politiques nationales. Avec la chute du coût des communications provoquée par la révolution de l'informatique et de l'Internet, les monopoles de l'information que détenaient les États volent en éclats et sont mis en concurrence par des réseaux mondiaux capables de mobiliser des foules, de façon presque instantanée, pour ou contre toutes sortes de causes. D'où une dilution du pouvoir autrefois quasi unique des gouvernements au bénéfice de la « société civile » et des organisations non gouvernementales.

Mais ce n'est pas tout. Le FMI, l'OMC, la Banque mondiale et les autres institutions internationales rongent aussi les États nationaux à la racine. Ces puissances doivent affronter elles-mêmes la mitraille des ONG.

Alors, la fin de l'État ? Non, mais une démocratie en mutation sous les coups de boutoir de la modernité. L'État et le politique ne peuvent plus prétendre au don d'ubiquité, encore moins à mieux savoir ce qui est bon pour les gens qu'ils ne le savent eux-mêmes. Les vieilles structures hiérarchiques ont du plomb dans l'aile, non seulement dans les entreprises mais aussi dans les organisations en général, y compris l'État.

Cela dit, pas d'exagération, l'État est loin d'être dépouillé de tous ses pouvoirs, même s'il lui faut évoluer et s'adapter aux changements du monde qu'implique la mondialisation. CQFD.

CE QU'IL FAUT RETENIR

- La mondialisation n'est pas nouvelle, elle existait largement vers la fin du XIXe début du XXe siècle. Mais ses conséquences sur nos entreprises et nos sociétés sont plus profondes que sa variante d'antan.
- Le libre-échange a bien sûr des avantages et des inconvénients, mais, sur la durée, il est globalement favorable à la croissance et à l'emploi. En tout cas, le protectionnisme conduirait à de graves désillusions.
- Les multinationales ne « gouvernent » pas le monde comme certains le prétendent, mais les règles de concurrence et les institutions pour les faire respecter ne sont pas toujours au rendez-vous.
- Contrairement à ce qu'affirme le « politiquement correct », la mondialisation n'est pas associée à une aggravation des inégalités mondiales, et elle est favorable au développement des pays du Sud. Pour en profiter, ceux-ci doivent toutefois

disposer d'institutions politiques, économiques et juridiques stables, ainsi que d'un système d'éducation et de santé minimal.

- Les aides au développement des pays pauvres sont nécessaires et utiles, mais à condition qu'un environnement institutionnel et politique favorable existe.
- Les pays industrialisés se doivent d'ouvrir davantage leurs marchés aux pays pauvres, en supprimant progressivement les tarifs et barrières aux échanges.
- La mondialisation ne conduit pas généralement à la dégradation de l'environnement, si ces problèmes sont traités à la source comme il convient.
- La mondialisation n'implique pas la fin de l'État. Mais celui-ci doit s'adapter et les institutions internationales (FMI, OMC, Banque mondiale) doivent trouver leur juste place.

BIBLIOGRAPHIE DE RÉFÉRENCE

François BOURGUIGNON et al., « Making sense of globalization : a guide to the economic issues », Centre for Economic Policy Research, in *Policy Paper*, n° 8, London, 2002.

Daniel COHEN, *La Mondialisation et ses ennemis*, éd. Grasset, 2004.

André FOURÇANS, *La Mondialisation racontée à ma fille*, éd. du Seuil, 2007.

Paul R. KRUGMAN, *La Mondialisation n'est pas coupable : vertus et limites du libre-échange*, éd. La Découverte, 2000.

Theodore LEVITT, « The globalization of markets », in *Harvard Business Review*, vol. 61, *issue* 3, 1983.

Mouvement des Entreprises de France (MEDEF), *Réussir la mondialisation*, rapport du groupe de travail, 2002.

Joseph STIGLITZ, *La grande désillusion*, éd. Fayard, 2002.

Économie politique

Gouvernement des entreprises

Par PIERRE-YVES GOMEZ

Professeur de stratégie à l'École de Management de Lyon. Il a été professeur invité puis chercheur associé à la London Business School. Il dirige l'Institut français de Gouvernement des Entreprises de EM Lyon.

Dans ce chapitre, nous découvrons la question complexe du gouvernement des entreprises. Actionnaires, dirigeants, conseils, contre-pouvoirs de contrôle agissent, en effet, sur les décisions stratégiques et, finalement, sur la pérennité de l'entreprise. Comment cela fonctionne-t-il ? Dans un premier temps, nous examinons la différence entre le gouvernement, le management et le fait d'entreprendre. Nous définissons les grands principes de la corporate governance : contrôle du pouvoir de direction compatible avec l'efficacité de ce pouvoir, définition de l'intérêt général en tenant compte des intérêts particuliers, transparence de l'information mais aussi secret des affaires. Sur ces bases, nous établissons, dans un deuxième temps, la hiérarchie des forces entre les différents acteurs du pouvoir dans l'entreprise : actionnaires, dirigeant, conseil d'administration, contrôleurs. Nous concluons en montrant qu'il n'est désormais plus possible de manager sans tenir compte de la manière dont les pouvoirs s'établissent, définissent et modifient le gouvernement des entreprises.

Gucci : bataille pour le pouvoir

En 1989, Gucci, société familiale florentine, est détenue par deux actionnaires : Maurizio Gucci, descendant des fondateurs, et la banque d'investissement Investcorp. Devenu directeur général, Maurizio décide de revenir aux sources de l'entreprise : luxe et création. Il supprime les licences et les lignes de produits destinés aux grands magasins. La stratégie est désastreuse : avec 60 millions de dollars de perte en 1991, Gucci est au bord du dépôt de bilan. Investcorp se fait de plus en plus pressant sur la gestion car, dans ces conditions, la banque ne peut plus « sortir » de ce placement. Profitant des difficultés personnelles de Maurizio Gucci, elle lui rachète la totalité de ses parts en 1993. En 1995, elle nomme Domenico de Sole, un avocat américain, à la direction générale et Tom Ford comme styliste.

C'est le « miracle Gucci ». De Sole et Ford créent un mix efficace entre création traditionnelle et marketing agressif. Dans le monde entier, Gucci devient la marque branchée. Le chiffre d'affaires et multiplié par deux dès 1995 ! Investcorp peut alors préparer son retrait par introduction en bourse de Gucci. Elle sera réalisée en 1995 pour 48 % du capital, valorisé à 26 $ l'action. L'année suivante, 100 % du capital est coté, le cours atteint 80 $. Le capital de Gucci est totalement dilué dans le public.

L'expansion de Gucci se poursuit sous la houlette du couple de dirigeants, devenus des stars du management. Mais, en 1997, la crise fait redescendre le titre à 30 $. Très profitable, Gucci devient alors opéable. En 1998, le Milanais Prada rachète 9,5 % du capital. Début 1999, le géant du luxe LVMH acquiert 5 %, puis rachète la part de Prada et monte jusqu'à 34,4 % du capital. Pour De Sole et Ford, qui s'estiment les sauveurs de Gucci, c'est la fin de l'indépendance de la société. Il faut donc empêcher ce rachat.

En mars 1999, il trouve un « chevalier blanc » : le Français PPR détenu par François Pinault. Celui-ci veut introduire son groupe de distribution (Le Printemps, La Redoute, Fnac) dans le luxe. Il rachète Sanofi-Beauté-Yves-Saint-

Laurent et 40 % du capital de Gucci. LVMH tombe alors à 20 % du capital. Pour de Sole et Ford, la situation est idéale : LVMH (20 %) et PPR (40 %), devenus concurrents dans le luxe, annulent leur pouvoir d'influence. Les managers peuvent rester maîtres à bord. Ils contrôlent le conseil de surveillance de la société, PPR s'étant interdit par accord d'en nommer le président et la majorité des membres.

Mais LVMH s'estime trompé et n'a de cesse de « sortir » du Gucci, devenu stratégiquement inutile. S'ensuivent deux ans de batailles judiciaires car, pour LVMH, l'attribution secrète de 8 millions de stock-options à De Sole et Ford expliquerait leur préférence pour PPR.

Finalement, le 10 septembre 2001, un accord à l'amiable est signé entre les parties. PPR s'engage à racheter 100 % des actions à 101,5 $. LVMH sort donc du capital avec une plus-value estimée à 881 millions d'euros. Les stock-options sont revalorisées de 7 dollars par action. Si l'actionnaire unique, PPR, nomme désormais le président du Conseil de surveillance, l'accord stipule qu'il est flanqué d'un vice-président « indépendant ». D'autres clauses protègent le management de Gucci, comme celle qui interdit à PPR d'acquérir une entreprise du luxe sans la proposer à Gucci. De Sole et Ford, qui ont beaucoup œuvré pour « incarner » Gucci, sont les grands gagnants de l'opération.

En mars 2004, Gucci Group, devient filiale à 100 % de PPR. Pour Pinault, l'opération est réussie, mais plus coûteuse que prévue. La lutte pour le pouvoir a érodé la confiance entre les dirigeants et le nouveau propriétaire. La forte personnalité entrepreneuriale de Pinault ne peut se satisfaire de l'indépendance du tandem de Sole-Ford. En mars 2004, de Sole et Ford sont conduits à la démission.

Il fut un temps où, même dans les MBA les plus sérieux, il n'y avait aucun cours portant sur le gouvernement des entreprises. On vivait dans l'illusion que l'entreprise était un système organisationnel combinant des machines et des humains. Il suffisait de trouver les bonnes décisions et les bons mécanismes de mise en œuvre pour que l'efficacité économique y règne.

Si cette vision n'a pas complètement disparu, elle a été sérieusement mise à mal depuis une bonne décennie : rachats d'entreprises par des concurrents (comme Aventis par Synthélabo ou Moulinex par SEB), banqueroutes soudaines de sociétés qui passaient pour des fleurons du management efficace (comme Swissair ou Enron), modification de stratégie consécutive au changement de dirigeants (comme chez Gucci ou Vivendi) ou d'actionnaires (comme Gemplus ou Daimler-Chrysler). La vie mouvementée du monde des affaires a révélé une évidence : pour connaître une entreprise, il ne faut pas se contenter des techniques et des processus de management. Il faut aussi se préoccuper de son actionnariat, de son système de contrôle et de son système de direction générale. C'est cela qui imprime, en effet, la stratégie d'ensemble, la dynamise ou la conduit à l'échec. Il faut donc aussi se préoccuper du gouvernement des entreprises.

Ce chapitre propose une introduction au sujet. Dans la première section, nous définirons les termes et les principes généraux. Dans une seconde section, nous décrirons les pratiques, les institutions et les acteurs qui contribuent au gouvernement des entreprises.

LE GOUVERNEMENT D'ENTREPRISE EN QUELQUES PRINCIPES

Gouvernement ou gouvernance d'entreprise ? On peut lire les deux termes dans la presse comme dans les articles académiques. La notion vient de l'anglais *corporate governance*. La traduction la plus exacte est « gouvernement des sociétés » qui a le mérite de poser clairement la question : comment gouverne-t-on les entreprises ? On préfère donc parler ici de gouvernement d'entreprise. Reste à savoir de quoi on parle, et c'est le plus important.

Que signifie gouverner une entreprise ?

La vie économique consiste à jouer avec différentes contraintes, qu'elles soient financières, humaines, politiques ou techniques, de manière à tirer un résultat de leur combinaison. Dans ce jeu, l'exemple de Gucci nous permet de mettre en évidence trois dimensions : entreprendre, manager et gouverner.

Entreprendre, c'est choisir ses contraintes. Un entrepreneur est un homme qui définit, dans le champ des possibles que lui offre le monde économique, le marché, la technique ou la compétence, qui va être au cœur de son activité. Ce choix, bien que raisonnable, est arbitraire car il pourrait, aussi raisonnablement, être différent. De Sole et Tom Ford ont été entrepreneurs lorsqu'ils ont fait de Gucci, naguère producteur de produits (maroquiniers), un producteur d'image de marque de luxe. Ils ont délibérément sorti l'entreprise de son monde pour la placer dans un nouvel espace concurrentiel. Choix radical d'entrepreneurs.

Manager, c'est trouver la meilleure combinaison de moyens pour faire face aux contraintes économiques considérées comme des données. Le rôle du manager est de trouver les ressources pour en tirer le meilleur parti : compétences humaines, ressources financières ou technologiques. Les techniques de management lui procurent des modèles de solutions. Là encore, De Sole et Ford se sont avérés d'admirables managers, en mettant en place l'organisation internationale compatible avec leur vision du marché.

Gouverner, c'est faire en sorte que ceux qui subissent les conséquences des contraintes ou des moyens choisis, les parties prenantes, considèrent les décisions prises comme légitimes. Cela ne veut pas dire qu'ils ne contestent pas le contenu des décisions. Mais ils considèrent que le décideur est légitime pour prendre une décision qui engage toute l'entreprise. Contrairement à une croyance naïve, un dirigeant n'est pas tout-puissant : il est limité par des institutions, des contre-pouvoirs, des droits et devoirs, de telle sorte que ses choix d'entrepreneur ou ses choix managériaux sont délimités et contrôlés.

Nous sommes alors au cœur de notre sujet. Le gouvernement des entreprises, c'est l'ensemble des institutions et des pratiques qui permettent de répondre à la question : qui a le droit de décider au nom de l'entreprise ? Gouverner, c'est rendre légitimes les décisions que l'on prend. L'espace de légitimité défini par le gouvernement de l'entreprise délimite l'étendue des manœuvres entrepreneuriales ou managériales des dirigeants par rapport aux attentes des autres composantes de l'entreprise, ses actionnaires, mais aussi ses salariés ou l'opinion publique. Dans le cas Gucci, une bonne part de l'évolution de la société est incompréhensible, si l'on ne tient pas compte du fait que, après l'éviction de la famille Gucci, de Sole et Ford ont bénéficié d'une marge de manœuvre considérable en l'absence de pouvoir actionnarial fort. Cela a permis à leur génie entrepreneurial de se donner libre cours. Inversement, leur préférence pour la solution de rachat par Pinault plutôt que par Arnaud n'est pas sans lien avec le plus grand pouvoir d'influence personnelle que cela leur laissait. Gucci devenait, en effet, le fleuron du développement à venir de PPR , nouvel entrant dans ce secteur, alors qu'il n'aurait été que l'une des marques du leader mondial du luxe LVMH. Ce qui n'a pas empêché l'éviction finale des managers.

Ainsi, une vision de l'entreprise qui ne tient pas compte de la dimension « gouvernement » est gravement incomplète. Elle occulte le jeu des actionnaires, des dirigeants, des administrateurs, de l'opinion *via* les marchés et les médias, les limites et contrôles imposés par les administrateurs ou les auditeurs, toute l'infrastructure légale et politique qui délimitent le contenu et l'étendue des choix de l'entreprise. Ainsi, à moyens de production comparables, une société possédée par une famille qui veut maintenir son contrôle sur le capital n'aura pas la même trajectoire que si elle était possédée par un fonds de placement ; ou une entreprise dont le Conseil d'administration comprend un fournisseur fera des choix différents de celle dont le conseil ne comprend que des personnalités indépendantes, etc.

L'évolution économique de l'entreprise inclut donc la logique politique, les jeux de pouvoir, les rapports de force entre actionnaires, dirigeants et autres parties prenantes. Ce que l'homme d'entreprise sait bien, puisqu'il le vit au quotidien (qui n'a pas, dans sa mémoire, le cas d'une entreprise dont le simple changement d'actionnaire ou la succession du dirigeant a profondément modifié l'histoire), les sciences de gestion désormais l'analysent. On commence à dégager ainsi quelques enjeux qui fondent le gouvernement d'entreprise.

Les enjeux du gouvernement d'entreprise

Quel que soit le type d'entreprise (familiale, cotée, grande ou petite), trois enjeux permettent de caractériser le gouvernement des entreprises. Ils se présentent sous forme de trois couples d'opposés : pouvoir discrétionnaire ou contrôle du pouvoir ; intérêts privés ou intérêt général ; information ou secret.

Le pouvoir discrétionnaire du dirigeant, c'est ce qui lui permet de choisir une stratégie, une organisation, une alliance, sans devoir rendre compte de son choix : celui-ci reste à sa discrétion. Comme on l'a dit plus haut, être entrepreneur suppose l'exercice d'un pouvoir discrétionnaire large. On ne prend pas une décision risquée, audacieuse ou innovante sans engager fortement sa responsabilité personnelle. Si l'entreprise ne peut pas se passer de décideurs dotés d'une autonomie décisionnelle, la question est de savoir jusqu'où cette autonomie est acceptable, sans risquer de la mettre en péril. En effet, tant que l'on fait le pari que le dirigeant ne se trompe pas, l'étendue de son pouvoir discrétionnaire ne pose pas de problème. Or l'hypothèse est naïve, comme l'ont enseigné, de manière spectaculaire, les scandales Maxwell, Vivendi, Parmalat, Crédit Lyonnais ou Enron. Qui contrôle suffisamment les décisions pour assurer qu'elles n'engagent pas l'entreprise dans des impasses ? Le réveil de l'opinion sur ces questions a généré de nombreux « rapports sur le gouvernement d'entreprise » (Cadbury en 1992, en Grande-Bretagne ; Viénot en 1995 et 1999, en France, par exemple).

Or, l'alternative est la suivante : une trop grande faiblesse du pouvoir discrétionnaire du dirigeant menace l'entreprise de paralysie ; pas assez de contre-pouvoir de contrôle la menace d'être victime d'erreurs voire de comportements malhonnêtes. Il s'agit de trouver un équilibre entre l'autonomie du dirigeant et son contrôle.

Un second enjeu oppose l'intérêt des acteurs de l'entreprise à l'intérêt général. Depuis les années 1970, la théorie de l'agence a montré que les intérêts du dirigeant et ceux des actionnaires sont assez systématiquement opposés. Par exemple, un choix d'alliance stratégique peut servir plutôt la carrière ou la consolidation du pouvoir du dirigeant que la rentabilité économique de la société à long terme. Par nature, disent les théoriciens, si tous les acteurs économiques sont supposés chercher leurs intérêts, on voit mal au nom de quoi le dirigeant, l'actionnaire, le salarié et les différentes parties prenantes de l'entreprise ne chercheraient pas chacun les leurs. En conséquence, l'exercice du pouvoir sans contre-pouvoir peut conduire à l'enrichissement ou à la consolidation du pouvoir personnel, à la spéculation ou à la préférence pour des stratégies moins rentables, mais socialement confortables car elles limitent la contestation interne (ce que l'on appelle « l'enracinement »). Cette vision, notons-le, se fait au nom du libéralisme qui suppose une liberté individuelle régulée par les marchés.

D'autres doctrines ont proposé de privilégier la convergence des intérêts par la discussion, plutôt que leur opposition frontale. C'est ce que défendent la *stakeholder theory, la stewardship theory* et, de manière plus large, des visions humanistes traditionnelles comme, par exemple, la doctrine sociale de l'Église. C'est aussi la conception défendue à l'origine par le droit des sociétés, qui définit l'entreprise comme une « compagnie ». Ces approches considèrent que l'entreprise n'est gouvernable que dans la mesure où le dirigeant fait converger des intérêts personnels, le sien compris, vers un intérêt collectif, servant l'ensemble des parties prenantes. C'est là l'essentiel de sa valeur ajoutée. Cela implique, certes, une éthique, mais aussi un partage des pouvoirs, des règles claires et des lieux d'échange et de prises de parole.

Quels que soient les points de vue, le second enjeu majeur du gouvernement des entreprises consiste donc à résoudre le dilemme entre l'opposition des intérêts privés due à la liberté individuelle et la recherche nécessaire de l'intérêt général.

Un troisième enjeu oppose l'information au secret des affaires. Pour qu'une entreprise fonctionne, il faut que les parties prenantes soient suffisamment informées des décisions qui l'engagent. Comme nous l'avons vu, cela ne signifie pas que tous partagent obligatoirement le contenu des décisions, mais que chacun considère que celui qui a décidé avait les capacités, le droit, les compétences, les moyens, et donc la légitimité pour le faire. Or, tous les acteurs n'ont pas le même accès à l'information. En particulier, le dirigeant contrôle, par nature, les flux d'information les plus importants. Il y a donc une asymétrie en sa faveur qu'il faut combattre pour s'assurer d'une information partagée juste, complète et finalement crédible. C'est le rôle des audits, qu'ils soient comptables, financiers ou économiques.

Mais jusqu'où peut-on et doit-on informer ? Les affaires nécessitent aussi un certain secret : par exemple, ne pas communiquer certaines difficultés ou ne pas annoncer trop tôt ses ambitions stratégiques parce qu'un compétiteur pourrait en tirer profit. À cela s'ajoute que, au-delà du cas de tromperies manifestes, la véracité d'une information financière ou économique est toujours question d'appréciation. On a ainsi beaucoup fantasmé sur la transparence de l'information, comme si elle pouvait être absolue sans menacer le fonctionnement même de l'entreprise. Il est vrai qu'en retour, on a beaucoup exagéré l'importance du secret des affaires comme s'il était toujours indispensable, alors qu'il peut cacher une simple incapacité à clarifier des données et la logique des décisions prises.

Au total, trop d'information rapportée tue la capacité d'entreprendre ou inhibe les manœuvres stratégiques. Pas assez d'information rend le pouvoir du décideur suspect, voire oppressif. Dans les deux cas, sa légitimité se délite. Le gouvernement d'entreprise doit trouver un équilibre entre ces extrêmes.

Les trois couples que nous venons de décrire – pouvoir discrétionnaire ou contrôle, opposition des intérêts ou intérêt général, information ou secret – sont des enjeux invariants du gouvernement des entreprises. On les retrouve quelles que soient la taille, la forme juridique et la structure du capital. Toute la difficulté, mais aussi tout l'intérêt du gouvernement des entreprises est de préciser les limites des pouvoirs et contre-pouvoirs, pour que l'entreprise soit efficace et pérenne, en trouvant une solution à ces enjeux.

Il est illusoire de définir le « bon » gouvernement, valable pour toutes les entreprises (comme il serait absurde de chercher la « bonne » stratégie applicable pour toute entreprise). Il importe plutôt de connaître le cadre de principes dans lequel on situe le problème. Il dépendra ensuite des situations concrètes, des hommes, des institutions, de l'histoire de l'entreprise, de sa situation économique et financière, de trouver l'équilibre efficace qui assure l'exercice d'un pouvoir légitime car bien compris.

LE GOUVERNEMENT D'ENTREPRISE EN QUELQUES PRATIQUES

Intéressons-nous à présent, à la manière dont se réalise concrètement le gouvernement des entreprises. On décrira d'abord les rapports de force entre les principales institutions et les acteurs qui y participent, puis les conséquences des formes de gouvernement sur l'exercice du pouvoir et finalement son management.

Les institutions : pouvoirs et contre-pouvoirs

Dans le système capitaliste, l'entreprise est considérée comme une propriété privée. Sans reprendre, ici, le débat sur le bien-fondé de cet état de fait, on se contentera de constater, de manière pragmatique, que, dans le cadre du capitalisme aujourd'hui dominant, la propriété sur l'entreprise se traduit par un capital réparti en parts sociales ou actions. Chaque propriétaire-actionnaire peut user de son droit de propriété individuelle (l'action) l'acheter ou le vendre sur un marché (la bourse). Il est tenu d'assurer la pérennité de l'entreprise en participant, annuellement, aux délibérations de l'Assemblée générale des actionnaires qui est l'institution de base de l'entreprise. En contre-partie de son devoir de contrôle, il obtient une part du profit résiduel (s'il existe) : le dividende. Légalement, l'actionnariat est donc institué comme ayant le pouvoir souverain sur l'entreprise : en dernier ressort, c'est lui qui détermine quels sont les intérêts supérieurs de l'entreprise. C'est pourquoi un changement d'actionnaires peut induire des modifications radicales de la stratégie ou du management.

Comme pour les citoyens d'un État, les actionnaires délèguent leur pouvoir souverain à des représentants, à charge, pour ceux-ci, de rendre compte de leur gestion. La désignation des mandataires sociaux ou administrateurs se fait, par vote à l'Assemblée générale, même si cette élection, le plus souvent à l'unanimité et sur liste unique, pose quelques questions de crédibilité. L'entreprise est gérée par un conseil d'administration, qui choisit en son sein un président, habilité à engager l'entreprise, mais non financièrement solidaire. Le président nomme un directeur général, chargé de la gestion courante. En France comme aux États-Unis, les fonctions de président *(Chairman)* et de directeur général (CEO) sont assez largement confiées à une même personne. Cela pose évidemment un problème de séparation de pouvoirs puisque le même préside le conseil chargé de contrôler le management opérationnel, dont il assure aussi la responsabilité.

Dans l'esprit de la loi qui le rendit obligatoire (1940 et 1943 en France), le Conseil d'administration était une espèce de conseil des sages, composé de personnalités du monde des affaires, amis du président, dont la fonction consistait à l'épauler dans les décisions les plus difficiles. Cette conception a été récemment remise en cause. Des décisions de direction malheureuses font courir des risques considérables non seulement à des entreprises devenues des géants de leur secteur, mais aussi à l'épargne des ménages qui alimente désormais 75 % des marchés boursiers. On ne gère pas Parmalat, Vivendi ou Enron comme on gérait une grande entreprise du début du siècle dernier, qui dépassait très rarement les 50 salariés.

La tendance est à la séparation des pouvoirs. Le Conseil d'administration est investi d'une mission accrue de contrôle et d'audit. Des comités spécialisés ont été créés, pour contrôler la rémunération des dirigeants (comité des rémunérations) et la qualité des processus conduisant à la nomination de personnes clés de l'entreprise (comité de nomination). Parallèlement s'est posée la question du recrutement des administrateurs et de leurs compétences. Leur indépendance, souvent invoquée comme une nécessité, n'est pourtant qu'un détail dans une évolution plus profonde qui conduit à établir le conseil d'administration comme véritable contre-pouvoir limitant la latitude discrétionnaire du dirigeant auquel il est demandé de lui rendre des comptes, plus régulièrement et plus sérieusement. C'est l'esprit du modèle dit « à l'allemande », séparant strictement les fonctions de contrôle (conseil de surveillance) et de direction (directoire), mais que seules 25 % des entreprises françaises cotées ont adopté.

Dans une même logique de contre-pouvoir, des acteurs interviennent pour assurer la qualité de l'information communiquée aux actionnaires, un des grands enjeux du gouvernement des entreprises. Les auditeurs comptables et financiers ont vu récemment leur rôle renforcé, en même temps qu'était établi la responsabilité personnelle des dirigeants en cas de transfert d'information erronée (notamment avec la loi américaine Sarbanes Oxley, votée en 2002). De même, la massification du marché financier, la multiplication des investisseurs depuis les années 1970 a considérablement augmenté le rôle des acteurs de l'opinion publique comme contre-pouvoir. En effet, plus l'entreprise devient l'institution centrale de nos sociétés, plus elle est soumise à la pression de l'évaluation et de l'opinion. Le cours de bourse est devenu un indice de cette pression. Dès lors, les analystes financiers devant lesquels sont présentées les stratégies aux cours de *road-shows,* les journalistes spécialisés qui analysent la communication et les résultats ou encore les agences de notation sont devenus des acteurs influents. Même s'ils ne sont pas intégrés dans les institutions de l'entreprise, ils participent indirectement à son gouvernement.

Au total, on constate que les institutions du gouvernement d'entreprise sont assez simples : une assemblée annuelle de propriétaires délèguent le pouvoir de gestion à des administrateurs et un président, chargés de contrôler un directeur général. Des comités d'audit et des professionnels de l'information ou de la finance médiatisent et amplifient le transfert de l'information. On peut s'étonner de cette simplicité compte tenu de la puissance acquise par les entreprises. L'archaïsme du droit des sociétés en ce qui concerne les institutions des entreprises (qui ressemble assez largement à celui d'une copropriété d'immeuble), s'explique par l'ancienneté des lois, qui datent essentiellement de la fin du XIXe siècle et de la première moitié du XXe siècle. Les réformes actuelles les font évoluer, touche par touche. L'enjeu est d'importance : les grandes entreprises sont devenues des espaces économiques et sociaux considérables dont les évolutions ont un impact sur toute la société. Leur gouvernement doit s'adapter à ces responsabilités, ce qui ne se fait pas sans résistance, mais aussi sans un nécessaire discernement, compte tenu des différents enjeux et dilemmes que nous avons évoqués à la section précédente.

Rapport de force et conséquence sur le management de l'entreprise

Quelle que soit l'évolution institutionnelle du gouvernement des entreprises vers plus de maturité, on retrouvera une structure de pouvoir en forme de triangle comprenant le pouvoir souverain, le pouvoir exécutif, le pouvoir de contrôle.

Le pouvoir souverain conduit à définir, en dernier ressort, les intérêts de l'entreprise. Il appartient aux actionnaires. En conséquence, leur nombre, leur nature, leur taille et leur diversité constituent la structure du capital et déterminent le type d'intérêts qu'ils ont tendance à privilégier :

- long terme ou rentabilité immédiate, selon que ce sont des familles ou des fonds de placement qui dominent ;
- défense de l'emploi ou fusion, selon que l'actionnariat salarié ou un partenaire stratégique est influent.

La manière dont les actionnaires interviennent pour faire émerger leurs attentes est tout aussi importante, ils peuvent :

- être divisés en innombrables parts ou, au contraire, représentés par quelques gros porteurs ;

- participer activement aux assemblées ou, au contraire, se contenter de vendre leurs actions en cas de désaccord ;
- être dormants, fidèles ou spéculatifs.

Ainsi, comme pour les citoyens d'une république, le comportement des actionnaires dépend de facteurs multiples qu'on caricature lorsqu'on croit qu'ils sont mus par une simple attente de profit. Finalement, observer la composition de l'actionnariat permet de connaître sa capacité d'influence effective sur l'entreprise.

Le pouvoir exécutif appartient au dirigeant et à son équipe. Là encore, l'exercice effectif de ce pouvoir dépend de multiples facteurs :

- charisme personnel ;
- jeux des relations entre individus ;
- force des contre-pouvoirs ;
- histoire et culture de la société, acceptant ou non des fortes personnalités à son sommet ;
- situation économique de l'entreprise qui nécessite à sa tête un entrepreneur avec un large pouvoir discrétionnaire, plutôt qu'un manager.

Là encore, il faut dépasser les clichés qui imposent la vision d'un patron au pouvoir nécessairement absolu et autoritaire. La vie réelle des entreprises montre des situations très contrastées. L'efficacité du pouvoir exécutif est essentiellement la conséquence d'une adaptation de la fonction d'autorité à l'histoire et aux pratiques de l'entreprise.

Enfin, le pouvoir de contrôle appartient en premier lieu aux administrateurs ou aux membres du Conseil de surveillance. Sont déterminants dans l'exercice de ce pouvoir :

- le nombre, les compétences et l'indépendance des administrateurs ;
- leur capacité à critiquer, à apporter des avis motivés, à s'opposer au pouvoir exécutif, si nécessaire.

À ce contre-pouvoir direct s'ajoute le contre-pouvoir indirect de ceux qui contrôlent l'information et font l'opinion : auditeurs, analystes, acteurs des médias, etc. Plus l'entreprise s'inscrit comme un acteur essentiel de la société (par ses productions, son influence sur les modes de vie, sur le niveau de vie, sur les politiques économiques, sociales voire culturelles), plus elle sera considérée comme une « chose publique » et donc soumise au contre-pouvoir grandissant de l'opinion. Dans une logique générale propre à nos sociétés démocratiques, la façon dont l'entreprise communique, c'est-à-dire s'inscrit elle-même dans le jeu de l'opinion, est alors déterminante sur la force qu'exerce ou non ce contre-pouvoir.

Chaque pôle du triangle définit la capacité d'influence que chaque type de pouvoir peut exercer sur le gouvernement de l'entreprise. Mais chaque pouvoir délimite aussi les autres pouvoirs : par exemple, plus le pouvoir souverain s'exerce, plus les actionnaires imposent leurs intérêts à l'entreprise, plus le pouvoir exécutif est limité et plus le pouvoir de contrôle va dans le sens des attentes des actionnaires. À l'inverse, plus le pouvoir exécutif est puissant, plus il peut exercer son influence sur le pouvoir de contrôle en maîtrisant l'information et en imposant ses vues aux actionnaires. Tous les jeux d'influence sont envisageables.

Ce triangle du pouvoir définit ainsi des espaces de décisions et d'actions (voir le cas SEB ci-après). Pour chaque entreprise, l'entrepreneur ou le manager, l'administrateur ou l'actionnaire, l'auditeur ou l'analyste exerce effectivement un rôle et construit ainsi le gouvernement de l'entreprise. Cela influe sur la manière de décider. En conséquence, toute modification dans la structure de pouvoir (changement d'actionnaires, succession du dirigeant, introduction en bourse, modification du Conseil d'administration, changement des règles d'audits, etc.) a une importance : elle peut transformer les choix de financement (ouverture ou non du capital), les choix stratégiques (alliances, choix du cœur de métier, internationalisation) et finalement le sentier de développement de l'entreprise.

C'est en ce sens que le gouvernement des entreprises délimite désormais les conditions générales dans lesquelles les techniques de management (stratégie, finance, ressources humaines etc.) peuvent ensuite se déployer.

SEB : un conseil d'administration face à ses responsabilités

Le 7 septembre 2001, le groupe Moulinex, l'un des fleurons mondiaux du matériel électroménager (robots, aspirateurs, fours, cafetières, etc.) dépose son bilan après une longue crise économique et sociale. La mise en redressement judiciaire ouvre la possibilité de faire une offre de reprise partielle ou totale du groupe avant le 28 septembre. Après cette date, c'est la liquidation et le dépeçage. Les regards se tournent alors vers SEB, le grand concurrent de Moulinex. Le rapprochement entre les deux sociétés de tailles comparables est évoqué depuis des années.

Or, SEB sort tout juste d'un plan « Rebond » qui lui a permis de se relever lentement de la crise traversée en 1998. Le management est devant un dilemme :

- refuser de faire une offre, c'est risquer de voir des concurrents se renforcer en emportant les meilleurs morceaux de l'empire Moulinex ;
- faire une offre globale, c'est reprendre une société dont les difficultés économiques et sociales peuvent « couler le sauveteur avec le noyé ».

Pour son P-DG, Thierry de La Tour d'Artaise, il est inimaginable qu'en cette circonstance difficile, le Conseil d'administration ne joue pas pleinement son rôle. Dès le 13 septembre, il le réunit donc.

Les descendants des fondateurs de SEB possèdent 46 % du capital, dont 27 % sont détenus par la société familiale Actiref. Le reste est dilué dans le public. La rémunération du capital est donc un élément important, valorisant un patrimoine familial concentré dans l'affaire. Mais les actionnaires ont une conscience aiguë de la pérennité de SEB, considéré aussi comme une œuvre familiale commune.

Composé de sept représentants des actionnaires familiaux, de quatre administrateurs indépendants représentant des métiers complémentaires à ceux de SEB et de trois dirigeants et anciens dirigeants de la société, le Conseil d'administration est très actif dans la supervision de l'entreprise. Les administrateurs ont l'habitude d'approfondir les dossiers stratégiques et techniques, y compris en allant sur le terrain. D'ailleurs, quelques mois auparavant, ils ont travaillé sur les résultats de Moulinex, pour les comparer à ceux de SEB.

Le 13 septembre, le débat porte donc très vite sur le risque considérable de l'opération, les enjeux stratégiques et les difficultés techniques d'un rachat. Après évaluation, le feu vert est finalement accordé au Comité de direction pour faire une offre. Mais le conseil lui fixe des limites financières et sociales précises.

À chacun ses responsabilités. Le management qui n'a que deux semaines pour faire une offre, se mobilise nuit et jour pour établir le contenu économique et financier de la proposition de reprise. Car toute erreur d'appréciation de la situation réelle de Moulinex peut avoir des conséquences désastreuses pour SEB. Aussi, des groupes de travail commerciaux, industriels et financiers sont chargés d'éplucher les données. D'autres sont envoyés dans les usines Moulinex. Tous rendent compte quotidiennement. Les dirigeants rencontrent les pouvoirs publics, syndicats, financiers, et leurs avis sont intégrés aux recommandations. Le P-DG en réfère aux administrateurs par des contacts téléphoniques réguliers.

Le dossier est bouclé en une semaine. Le 20 septembre, une proposition de reprise est présentée au conseil. Respectant le périmètre de risque fixé le 13 septembre, elle exclut de l'offre 25 % de l'activité de Moulinex. Le Conseil l'examine en détail et l'approuve, bien qu'une baisse du cours de l'action de SEB paraisse alors inévitable. Le 22 septembre, une réunion informelle des actionnaires familiaux les plus importants permet de les informer de l'évolution de la situation et de ses possibles conséquences.

Confortée par la confiance de ses actionnaires responsables, la direction de SEB peut franchir le pas décisif. Elle dépose une offre de reprise le 28 septembre : sept usines sont reprises, 4 500 emplois sont sauvés. Le chiffre d'affaires s'accroît de 35 %. SEB devient le leader mondial du petit électroménager, présent dans 47 pays et employant désormais 14 000 salariés.

L'offre de reprise est acceptée le 22 octobre par le Tribunal de commerce de Nanterre. Un nouveau groupe est né.

SEB franchit alors une nouvelle étape de son histoire. Il s'agit de gouverner désormais une entreprise globale à actionnariat familial.

CE QU'IL FAUT RETENIR

- Distinguer entreprendre, manager et gouverner une entreprise.
- Le gouvernement d'entreprise délimite les pouvoirs de direction.
- Premier enjeu : opposition entre pouvoir discrétionnaire et contrôle.
- Deuxième enjeu : opposition entre intérêts privés et intérêt général.
- Troisième enjeu : transparence de l'information et secret des affaires.
- Les grandes institutions : l'assemblée, le conseil, l'exécutif et les auditeurs.
- Le triangle actionnaires, dirigeant et contrôle définit la structure de pouvoir.
- Les principes sont généraux, mais chaque entreprise a son gouvernement.
- L'évolution du gouvernement détermine le développement de l'entreprise.

BIBLIOGRAPHIE DE RÉFÉRENCE

Michel ALBERT, *Capitalisme contre capitalisme,* éd. du Seuil, 1991.

Serge GAUTIER., *Guide pratique de l'administrateur de société*, éd. Gualino, 2004.

Pierre-Yves GOMEZ, *La république des actionnaires*, éd. Syros, 2001.

Pierre-Yves GOMEZ, « Gouvernement des entreprises et développement de la firme », *in* Rodolphe DURAND (coord.), *Développement de l'organisation : nouveaux regards*, éd. Economica, 2002.

Sophie L'HELIAS, *Retour de l'actionnaire*, éd. Gualino, 1997.

Henry MINTZBERG, *Pouvoir et gouvernement d'entreprise*, Éditions d'Organisation, 2004.

Robert MONKS, Neil MINOW, *Corporate Governance,* éd. Blackwell, 2002.

Partie 2

LEADERSHIP

Les fondamentaux

Par MARYSE DUBOULOY

ÉTHIQUE

L'entreprise, aujourd'hui, ne peut plus se contenter de performances économiques et financières, elle doit adopter des comportements éthiques conformes à des règles morales dans lesquelles la dimension humaine et environnementale tient une place importante. Ceci nécessite d'énoncer clairement les valeurs qui sous-tendent les décisions. Ainsi tout manager doit se poser des questions sur les conséquences de ses décisions.

L'éthique nécessite une ouverture sur le monde et pas seulement sur celui de la concurrence et des consommateurs. La globalisation des marchés rend les questions d'éthique encore plus délicates et souvent conflictuelles du fait des différences de culture et de règle morale. L'éthique est faite de questionnement, d'écoute, d'intégrité, d'équité, de partage et de reconnaissance. Elle se nourrit de communication et de transparence sur les processus de décision. Elle est source de confiance et de loyauté. Or les conflits d'intérêt sont nombreux entre les différentes parties prenantes que sont les actionnaires, les clients et les salariés, pour ne citer que les principaux. Elle demande du courage et de la conviction pour aller à l'encontre de la facilité.

HUMILITÉ

L'humilité n'est pas encore reconnue comme l'une des qualités essentielles des futurs dirigeants. L'ego surdimensionné de certains brillants hauts potentiels surdoués est là pour en apporter la preuve. À force d'entendre dire que les performances des entreprises reposent sur les décisions de leur dirigeant, ils finissent par croire que l'avenir dépend d'eux seuls.

L'humilité est un fabuleux levier de progrès. Elle permet au manager de reconnaître ce qu'il ne sait pas et ce qu'il doit encore chercher à comprendre et à apprendre. Elle fait aller vers les autres pour demander de l'aide et reconnaître ensuite leur contribution. Cette attitude crée des liens plus solides et durables que la seule autorité. Elle est source de « reliance », là où il est parfois tentant de ne voir que soumission et compétition.

Elle permet au manager de renoncer à l'illusion qu'il va pouvoir tout changer du jour où il aura le pouvoir, évitant ainsi les déceptions qui découragent, au moment où il faut faire preuve de pugnacité. L'humilité aide à accepter d'avoir à faire ses preuves, rendre des comptes et se soumettre aux règles parce qu'elles ont été pensées pour le bien commun. Elle est là pour rappeler que, si être dirigeant est un statut, c'est aussi un métier.

CONFIANCE

La capacité à créer la confiance est cruciale en ces périodes d'incertitude où l'information ne permet plus d'anticiper et de décider en toute sécurité et où il est impossible de tout contrôler. Le manager est à la fois celui qui a confiance et celui qui inspire confiance. Son impact sur la motivation, la satisfaction des salariés, la cohésion et la solidarité ainsi que la loyauté n'est plus à prouver.

C'est un art difficile, un équilibre fragile à atteindre entre l'excès et l'insuffisance. Il faut créer les conditions favorables à son émergence et veiller en permanence à son maintien. Elle ne peut être ni aveugle, ni inconditionnelle. On ne peut l'accorder sans information, il est dangereux de la maintenir sans confirmation. Elle est le résultat d'un processus complexe d'apprentissage et de socialisation. L'équité, la bienveillance, la prévisibilité, la congruence sont les conditions de base dont le manager doit faire preuve. Si longue à construire et si facile à ébranler : une parole malencontreuse, un silence trop long, une rumeur, un feed-back non sincère, des actes qui viennent contredire des propos.

VISION

Avant d'être stratège, le leader se doit d'être visionnaire. Comment maintenir la confiance et la mobilisation des équipes quand les aléas de l'environnement peuvent rendre caduques du jour au lendemain, les stratégies savamment échafaudées ?

Bien que faite de rêve, d'intuition et de désir, la vision suppose la connaissance des enjeux et de la complexité de l'environnement de l'entreprise. Elle est ce futur idéal auquel chacun aspire. Elle est faite de cette conviction que « c'est possible ! » Source de créativité, elle se transforme en innovation. C'est en son nom que chacun s'engage dans l'action, prend des risques et affronte les obstacles. À partir d'elle, le manager construit la stratégie fixe des objectifs, engage des ressources et planifie.

Pour occuper cette place, elle doit être issue d'un processus d'élaboration collective et elle doit d'être partagée. La quintessence de la vision est peut-être la formule de Martin Luther King : « *I have a dream* ». C'est grâce à elle que Thomas Edison pouvait dire : « *Il y a une meilleure façon de faire, trouvez-la !* »

AUTORITÉ

L'une des premières tâches d'un manager est d'asseoir son autorité. À une période où tout se discute, s'argumente et se négocie, où pratiquement toute forme de pouvoir est contestée, nombre de managers rêvent de cette autorité dite « naturelle », synonyme de charisme, qui n'a pas besoin de s'exercer pour obtenir l'obéissance et l'adhésion des collaborateurs. Il y aurait comme la nostalgie d'un temps où, davantage que l'obéissance obtenue sans justification, c'est le consensus, l'absence de conflit qui fascine. L'autorité est alors d'autant plus acceptée qu'elle renvoie à l'image d'un père protecteur et rassurant : le manager idéal et sans faille. Aspiration sans doute légitime car elle vient en contrepoint d'un environnement qui n'a jamais été aussi incertain, l'emploi aussi précaire et les injonctions pour l'autonomie et la responsabilisation des salariés aussi fortes.

Dans la réalité, les managers doivent compter sur leur position hiérarchique, leur diplôme, leurs compétences, leur expérience et leurs capacités relationnelles pour asseoir leur crédibilité qui sera remise en cause à la première occasion.

Délégation

Confier une partie de ses responsabilités à un subordonné est peut-être l'une des plus grandes difficultés pour le manager. La délégation renvoie à l'autonomie qu'on accorde plus ou moins à ses collaborateurs, l'autonomie étant la capacité de penser par soi-même et d'agir de façon libre, compte tenu des contraintes environnantes.

Il n'y a pas de délégation sans prise de risque et sans confiance, devenir dépendant de son subordonné réveille une certaine insécurité. Car déléguer une tâche, c'est aussi déléguer du pouvoir et cela nécessite d'accepter de lâcher prise. La délégation est un acte exigeant qui demande du discernement : on ne délègue pas à n'importe qui, n'importe quoi, n'importe quand. Il faut aussi prendre le temps d'expliquer, de soutenir, de contrôler l'action et les résultats du délégataire quand, précisément, c'est souvent le manque de temps qui a poussé à la délégation.

Pourtant, la délégation est une dynamique essentielle de l'entreprise, car en responsabilisant les collaborateurs, elle représente l'un des moyens les plus efficaces de les motiver, de les faire progresser et de gagner en autonomie.

Enfin, elle permet au manager de libérer de son temps pour de nouvelles responsabilités à plus forte valeur ajoutée.

Motivation

Plus que jamais les entreprises attendent que les salariés donnent le meilleur et le maximum d'eux-mêmes dans leur travail, alors qu'elles ont tendance à maintenir, voire à diminuer, ce qu'elles proposent en retour. C'est ainsi que les managers se trouvent en première ligne quand il s'agit de faciliter l'émergence des ressources de la personne. Le nombre de théories sur la motivation est à la hauteur de leur désarroi face à la non-motivation ou la démotivation des collaborateurs. Cependant, s'il n'est pas motivé lui-même, s'il ne trouve ni plaisir, ni intérêt dans ce qu'il fait, il a fort peu de chance de parvenir à mobiliser ses équipes et à atteindre ses objectifs.

S'il n'y a malheureusement pas une bonne façon de motiver ses collaborateurs qui marcherait pour tous, en toutes circonstances, il est important de se rappeler que les personnes ont besoin :

- de savoir pourquoi elles font quelque chose, à quoi elles contribuent ;
- de donner leur avis et, dans la mesure du possible, que celui-ci soit pris en compte ;
- d'être soutenues en cas de difficulté ;
- d'être reconnues.

Maintenir la motivation de ses collaborateurs demande une attention soutenue à chacun d'entre eux.

PRISE DE DÉCISION

L'efficacité d'un manager est souvent évaluée à l'aune de la pertinence de ses décisions. Décider est certainement le moment où il vit toute l'étendue de sa solitude et de sa responsabilité. Chaque décision inclut une multitude de décisions connexes. Il faut se prononcer avec qui, sur le quoi, le comment et le quand. S'il existe de nombreux outils d'aide à la décision, la prise de décision n'en reste pas moins un acte humain fait de rationalité, lucidité, intuition, courage, imagination et éthique. Il faut de la rationalité quand il s'agit de confronter et analyser les faits, de la lucidité pour mesurer les risques, mais aussi prendre en compte ses émotions et celles des autres. L'intuition vient à la rescousse quand l'information manque ou qu'on est enfermé dans le paradoxe. Il faut de l'imagination pour trouver des solutions nouvelles à des situations jamais rencontrées. Elle nécessite du courage pour prendre le temps de la réflexion quand on vous presse de passer à l'action, quand il faut choisir sans avoir la certitude que la solution retenue sera la bonne, quand les conséquences sont lourdes pour les personnes. L'éthique est convoquée quand le manager s'interroge sur les finalités et les valeurs qui sous-tendent ses décisions.

Se développer comme dirigeant : entre apprentissage et parcours initiatique

Par MARYSE DUBOULOY

Psychosociologue, professeur de comportement organisationnel à l'ESSEC, responsable de l'innovation et du développement pédagogique, Maryse Dubouloy intervient sur le leadership et le changement en formation permanente. Elle est coach et responsable académique de programmes pour dirigeants.

Dans un environnement qui change de plus en plus vite, les entreprises ont plus que jamais besoin de dirigeants qui ont cette liberté de penser et cette volonté d'agir qui leur permettent de trouver et de développer des solutions nouvelles à des problèmes inconnus. Pourtant, le danger qui guette le plus ceux qui aspirent à devenir dirigeants est celui du conformisme. En effet, les méthodes de détection et les dispositifs de formation et d'accompagnement de la carrière des hauts potentiels visent, paradoxalement, davantage à encourager le conformisme qu'à permettre le développement de talents et de compétences originales. Au-delà de l'acquisition de connaissances et de compétences nouvelles, le futur dirigeant doit donc trouver, en lui-même, les ressources pour transformer son début de carrière en un parcours initiatique fait de pertes et de renoncements. C'est à ce prix qu'il accède à plus de compréhension de lui-même et des autres, à plus d'altruisme, de sens moral et d'éthique. Étape après étape, il redécouvre son désir et sa capacité d'agir sur le monde, qu'une longue succession d'opérations de formatage ont bien souvent enfoui, à son insu, de façon authentique.

Bertrand ou la redécouverte de soi*

Bertrand occupe depuis 10 ans, un poste d'expert dans une grande entreprise du secteur public où, selon lui, les polytechniciens règnent en maîtres et où les capacités de stratège et la prise de risques sont particulièrement valorisées. N'étant issu « que » d'une très grande école d'ingénieur et non de la plus prestigieuse, il est convaincu qu'il n'a aucune chance d'accéder aux postes de cadre dirigeant. Cette conviction a été renforcée lorsqu'il a demandé à partir à l'international et que cela lui a été refusé. Cette réponse le blesse. Mais, simultanément, elle réveille une nouvelle combativité, il pose alors sa candidature pour un Executive MBA dans une grande école de gestion. Bien qu'ayant été accepté, sans réellement se l'avouer, il continue de douter de lui.

Il lui faut un certain temps pour admettre que ce ne sont pas seulement les autres qui sont brillants et intelligents. Progressivement, les différents membres du groupe deviennent un miroir à multiples facettes renvoyant une image qui reconstitue son narcissisme blessé. Il reconnaît chez les autres des aspects de lui-même qu'il avait négligés car ils n'étaient pas valorisés dans son environnement. Ce miroir l'oblige aussi à réfléchir sur lui-même et ne plus se contenter d'exister à travers l'image qu'il pense donner. La diversité des personnalités et des trajectoires professionnelles lui permet d'imaginer qu'il existe de nombreuses façons d'avoir une vie professionnelle intéressante.

Enfin, il se sent suffisamment sûr de lui pour prendre l'initiative du projet de promotion. Mettant en application les connaissances qu'il a acquises en cours, il construit son projet sans consulter qui que ce soit. Basculant dans un excès de confiance en soi, il est convaincu que l'ensemble de la promotion se ralliera à son idée. C'est un échec retentissant. Il ne comprend pas le peu de réactivité des autres membres du groupe… Il traverse alors plusieurs semaines de rage, de véritable désespoir, puis d'incompréhension, enfin, de questionnement. Ses sentiments et émotions sont exacerbés. Cependant, il se sent suffisamment en sécurité pour les exprimer et pour en parler, en particulier lors de séances de coaching collectifs. Lorsque l'un des principaux détracteurs de son projet lui explique que son projet était intéressant, mais qu'il avait d'autres priorités, il peut enfin donner du sens à son expérience et à sa souffrance. Il a eu besoin de plusieurs semaines pour comprendre que tout le monde ne fonctionne pas sur le même modèle que lui et que travailler seul n'est pas la meilleure façon de mobiliser les équipes, il comprend que la réussite peut aussi passer par le collectif, la complémentarité et la différence et qu'on peut s'opposer à lui sans pour autant vouloir le détruire. Prêt à accepter le monde tel qu'il est et non plus tel qu'il l'imagine, il relance son projet en déléguant à une partie du groupe ce qu'il y a à faire, renonçant à convaincre la totalité.

Bertrand a eu besoin de se sentir en sécurité dans l'espace transitionnel de l'EMBA pour renoncer à son conformisme et ses illusions pour faire l'épreuve de sa différence et redécouvrir son désir. Il a pu faire l'épreuve de sa créativité, c'est-à-dire sa capacité à prendre en compte les autres, la réalité et construire quelque chose à partir de cela. Cette découverte s'accompagne d'un retour du refoulé, c'est-à-dire qu'un passé « oublié » ou, plus précisément, un passé qu'il ne voulait (pouvait) pas mobiliser dans l'environnement de l'entreprise rejaillit. Ce ne sont plus les autres ou l'entreprise qui sont responsables de ce qu'il est ou n'est pas, ou de ce qu'il doit être. Bref, il a gagné en maturité. Aussi, quand l'entreprise, qui a perçu son évolution, lui propose la responsabilité d'un projet international, il fait une contre-proposition… que l'entreprise accepte. Après un long et douloureux travail de déconstruction de lui-même, il est en mesure de construire son avenir professionnel. Souvent, cette formation fonctionne comme un laboratoire où il peut faire, à moindres risques, l'apprentissage de la différence et du leadership. C'est un difficile travail d'élaboration et de mise en sens qui lui a permis de sortir de sa position de victime (plus ou moins consciente) du bon plaisir des autres pour devenir non seulement acteur, mais sujet de son histoire.

** Ce cas a été élaboré suite à des entretiens avec Bertrand.*

LA VOIE ROYALE ET LES RISQUES DU CONFORMISME

Aujourd'hui, pratiquement tout le monde s'accorde pour dire que, si l'on ne naît pas dirigeant, on le devient, même si certaines caractéristiques de cette posture sont repérables très tôt. Ce serait donc essentiellement une affaire de formation et d'éducation.

Les professeurs étrangers qui interviennent dans les grandes écoles de gestion, s'ils se réjouissent de l'intelligence et du brio de certains de leurs étudiants, se désespèrent, dans le même temps, du manque d'autonomie de la plupart d'entre eux. Quoi d'étonnant à cela finalement ? Pour arriver là où ces professeurs les trouvent, il leur a suffi d'être de bons, voire de très bons élèves, de préférence dans les sciences exactes. Cela signifie que, pendant toute leur scolarité, ils ont su donner « la » bonne réponse. Au cours de ces années d'études, ils ont également acquis une impressionnante capacité de travail, ils ont exercé leur mémoire, ils ont su résister au stress des concours et de la sélection. La contrepartie étant que tout ceci limite très sérieusement l'imagination et les capacités créatives. Ceux qui ont intégré les écoles les plus prestigieuses ont également su se doter du bagage culturel indispensable qui fait les différences entre les très bons et les excellents élèves. Tout cela est souvent le fruit de l'attention soutenue des parents qui, tout au long de leur scolarité, ont veillé à ce que leurs enfants soient dans les meilleures sections des meilleurs lycées, pour finir dans les grandes écoles les plus prestigieuses. Car les bons élèves ont aussi été, la plupart du temps, de bons enfants qui rendaient leurs parents heureux et fiers de leurs résultats. Ils étaient de ces enfants à propos desquels on ne se pose jamais d'angoissantes questions concernant leur avenir, tant tout semble aller tellement bien pour eux ! À tel point qu'on ne sait pas toujours à qui les bonnes notes font le plus plaisir : aux parents ou aux enfants ? En fait, le plus souvent, l'enfant se réjouit de ses bonnes notes parce que, contrairement aux mauvaises notes, elles lui procurent tous les signes de l'amour que ses parents lui portent et dont il a tant besoin. Ainsi, certains enfants adoptent inconsciemment, une bonne fois pour toutes, une norme de comportement qu'ils pensent désirable aux yeux de ceux dont ils dépendent. Ils savent que cela leur attirera leur amour et quelques autres récompenses. Ils se construisent ainsi un « faux-self » qui les pousse vers la conformité au désir de l'autre. Le faux-self est un mécanisme de défense inconscient que certains individus érigent pour se protéger contre un environnement qu'ils jugent menaçant pour eux. Ils perçoivent des risques à montrer leur vraie personnalité, à dévoiler leurs vrais désirs. Le faux-self se fonde sur la soumission et la dépendance à un environnement non maîtrisable, au-delà de ce qui est nécessaire pour une bonne socialisation. Satisfaire l'autre, lui faire plaisir leur procure le sentiment de sécurité dont ils ont besoin pour vivre. Ce faisant, ils renoncent à explorer les comportements et les univers qui ne sont pas prescrits, limitant ainsi considérablement le champ de leurs possibilités. Comment percevoir que leur vrai-self se fait de plus en plus inaccessible, quand l'école, les parents, puis l'entreprise multiplient les signes de reconnaissance ? Le prix à payer, la rançon de ce succès est le renoncement à leur intériorité et leur désir. Comment percevoir qu'il peut y avoir une détresse inconsciente derrière tant de réussite apparente ? Des difficultés ou des échecs scolaires auraient peut-être permis à ces enfants qu'on s'interroge sur leur destinée alors qu'on se contentait de les voir réussir et s'engager sur la voir royale qui mène aux grandes écoles et leur assure un brillant avenir professionnel.

LES COMPÉTENCES DU DIRIGEANT : DE NOUVELLES NORMES DE CONFORMITÉ

Force est de constater que nombre de dirigeants actuels ont suivi cette voie royale. Au milieu des années 1990, 73 % des dirigeants des 200 plus grandes entreprises françaises étaient issus du système grande école et 50 % avaient fait l'ENA après Polytechnique. Ainsi, ces très bons élèves se retrouvent dans les grandes entreprises où se poursuit l'apprentissage de l'excellence et de la compétition. Chaque entreprise, selon son métier, son histoire, sa culture et sa situation concurrentielle, déploie pléthore de moyens et de dispositifs pour faire acquérir à ces jeunes recrues les compétences qu'elles attendent de leurs dirigeants. Parmi les caractéristiques et compétences attendues des dirigeants, on retrouve régulièrement :

- avoir une vision globale et stratégique des marchés et de l'environnement ;
- être en mesure de partager cette vision et de mobiliser les équipes autour de celle-ci ;
- savoir prendre des risques… mesurés et acceptables ;
- gérer la complexité, voire les paradoxes, et prendre des décisions dans un environnement incertain avec une information insatisfaisante ;

- être capable de travailler en équipe transversale et de déléguer ;
- savoir négocier ;
- être créatif et capable de transformer cette créativité en innovation rentable pour l'entreprise.

De plus en plus de voix se font entendre pour que les managers développent leur intelligence émotionnelle. Celle-ci concerne des éléments du registre du psychologique et du relationnel tels que :

- la conscience de soi qui permet de reconnaître ses émotions, d'avoir confiance en soi parce que la personne connaît à la fois ses forces et ses faiblesses ;
- la maîtrise de soi, grâce à laquelle une personne acquiert le contrôle de ses émotions et qui lui assure le professionnalisme et l'ouverture d'esprit.

On retrouve plus classiquement :

- l'empathie qui se caractérise par le souci de l'autre, de le comprendre, de prendre en compte ses points de vue et ses émotions, de l'aider à se développer au sein de l'entreprise ;
- les aptitudes sociales en général qui incluent les capacités à communiquer, à motiver, à résoudre les conflits et à établir des relations entre les personnes.

Une fois de plus, il y a une norme à la laquelle le haut potentiel doit se conformer s'il veut être en droit de poursuivre le parcours qui mène aux postes de dirigeants. Ceci est d'autant plus contraignant que ces normes sont floues et difficilement mesurables. Elles renvoient à la subjectivité de celui qui les apprécie et renforce les liens de dépendance à celui-ci. En permanence, ils doivent convaincre de leurs talents et compétences. D'entretiens en comités de sélection, chaque candidat est jugé, évalué et comparé. La carrière du haut potentiel n'est-elle pas basée sur le principe de base de l'effet Pygmalion : la performance d'une personne est avant tout le reflet des attentes de ses supérieurs ? Ainsi, la plupart des dispositifs mis en œuvre par les entreprises pour gérer les hauts potentiels ont souvent comme effet paradoxal de renforcer leur faux-self, leur tendance à la conformité et leur dépendance. La préparation des dirigeants apparaît, dans bien des cas, comme une occasion de plus de reproduire des élites, d'harmoniser et d'homogénéiser la diversité plutôt que de contribuer au développement de talents et de compétences originales favorisant la prise de risque et l'innovation. N'étant souvent que le fruit de son conformisme, de sa capacité à devenir ce qu'on attend de lui, comment un manager peut-il se transformer en cet individu d'exception qu'est un dirigeant capable de trouver des réponses inédites à des problèmes jamais rencontrés ? Ceux qui deviennent dirigeants ne sont-ils pas ceux qui, précisément, parviennent à échapper à ces diverses tentatives et sortent du moule ?

Comment transformer une trajectoire professionnelle en un parcours initiatique

De la voie royale au parcours du combattant

Les hauts potentiels suivent un parcours généralement bien balisé. Ils passent par les fonctions d'expert au siège social, aux postes de manager dans les unités opérationnelles, de la gestion de grand projet à la direction de *business units,* sans oublier bien sûr le passage par l'expatriation et l'université interne. Ils doivent ainsi conquérir leurs galons et faire leurs preuves sur le terrain.

Ce qui peut apparaître, à première vue, comme une voie royale, prend des allures de parcours du combattant où celui qui aspire à devenir dirigeant doit « faire du résultat » pour assurer la performance de l'entreprise, veiller à sa propre réussite au détriment des autres hauts potentiels qui sont aussi les membres du réseau sur lesquels il doit pouvoir s'appuyer pour résoudre des problèmes. Cette fois-ci la « bonne réponse » n'existe plus. Pourtant, ils doivent lancer le bon produit au bon moment, faire les bons recrutements, constituer la bonne équipe, mettre en place le bon planning… afin d'atteindre les objectifs qui ont été fixés. Il leur faut améliorer sans cesse leurs résultats, relever des défis, traverser des crises, surmonter des échecs sans oublier d'éliminer les rivaux. Il s'agit toujours d'être meilleur parmi les meilleurs, sans toujours connaître les critères d'évaluation. Ceux qui ne supportent pas ce stress s'excluent de la course aux postes de direction.

En fait, seul un petit nombre parvient à trouver les ressources personnelles suffisantes pour transformer ce cheminement semé d'embûches en un parcours initiatique.

Il leur faut se transformer eux-mêmes et transformer leur regard sur le monde. L'accession à un monde nouveau, à un statut supérieur se fait par l'acquisition de connaissances, d'expériences et d'apprentissages nouveaux, mais ils comportent aussi des doutes, des épreuves douloureuses, des renoncements et des pertes. Parcours initiatique, cadres et rituels de passage ont pour fonction d'aider à traverser les frustrations, les échecs et les succès (quelquefois plus dangereux), les remises en question de soi (par soi et par les autres), le questionnement de ses valeurs et les crises qui accompagnent tout changement identitaire. Il ne s'agit pas de les éviter, mais de leur donner du sens. C'est à ce prix que le futur dirigeant accède à plus de compréhension de lui-même et des autres, à plus d'altruisme, de sens moral et d'éthique. Étape après étape, il est davantage en mesure de mobiliser énergie, intelligence et émotions au service de son entreprise. Ainsi, on peut continuer à affirmer que tout dirigeant est un *self made man* : nul ne peut se substituer à lui pour parcourir le chemin qui conduit simultanément à la découverte de soi, de la réalité du monde et de son désir. Après avoir été reconnu et autorisé par toutes sortes de personnes et d'instances, le (futur) dirigeant doit se reconnaître lui-même et s'autoriser de lui-même.

Il ne s'agit pas de passer en revue toutes les étapes du parcours d'un manager à potentiel, mais de se focaliser sur certaines d'entre elles et de montrer en quoi elles peuvent, soit avoir une fonction initiatique pour ceux qui osent se confronter aux épreuves soit, au contraire, renforcer le conformisme de ceux qui se comportent, une fois de plus, en bon élève, permettant aux uns d'accéder aux postes de dirigeant quand les autres se condamnent à demeurer dans les zones intermédiaires du management.

L'expatriation : être un peu moins étranger à soi-même

Fréquemment, les entreprises souhaitent que leurs hauts potentiels aient une expérience à l'étranger. L'expatriation permet de tester leur capacité d'adaptation, leur autonomie et leur ouverture d'esprit. Les expatriés sont confrontés à des méthodes et des rythmes de travail, des façons de penser et de vivre, des comportements et des valeurs différents. Même si l'anglais est aujourd'hui la langue des affaires, il n'est pas pratiqué par toutes les personnes avec lesquelles ils sont amenés à entrer en relation. Ils perçoivent de façon aiguë la difficulté de comprendre et de se faire comprendre. Ils quittent un univers familier pour un monde plus étranger qu'ils l'imaginaient.

Pour ceux qui acceptent de mettre en suspens leurs points de vue, leurs habitudes et s'autorisent à rencontrer l'altérité et à traverser les épreuves, l'expatriation est une véritable opportunité de découverte de soi et de maturation. Elle leur donne l'occasion de vivre la séparation d'avec le milieu d'origine, l'apprentissage de nouveaux comportements, l'acquisition de nouvelles connaissances et compétences et, enfin, l'intégration dans une nouvelle communauté. Ces trois étapes caractéristiques de tout rituel de passage font écho aux trois phases de l'adaptation identifiées par les spécialistes de l'expatriation : la lune de miel, la désillusion et l'adaptation.

Le principal détachement qui s'effectue lors d'un séjour à l'étranger est celui des liens familiaux. Le film *Tanguy* montre avec humour, mais un réalisme certain, combien la dépendance aux parents peut se prolonger fort tardivement. Si cette dépendance est souvent économique, il s'y ajoute parfois une dépendance psychique inconsciente. Nombre de jeunes adultes ne se rendent pas compte à quel point ils sont encore pris dans la reproduction ou l'opposition aux injonctions parentales, souvent elles-mêmes inconscientes. Ils ont du mal à inventer leur propre histoire. Reproduisant parfois cette dépendance psychique avec leur hiérarchie, ils se plaignent d'un manque d'autonomie et de reconnaissance. Ce qui est en jeu dans la dynamique de l'expatriation, c'est la capacité de ces personnes à prendre leur distance par rapport à leurs repères habituels (famille, amis, entreprise, modes de vie...), de voler de leurs propres ailes.

Généralement, les futurs expatriés se posent peu de questions à propos de leur désir de partir tant il leur semble évident que cette étape est incontournable dans une carrière de futur dirigeant. La plupart ne voient dans les préparatifs de départ que la dimension administrative. Pour quelques-uns, elle prend véritablement la forme de l'étape préliminaire d'un rituel de passage. C'est l'occasion d'un questionnement sur ses attachements, sur son projet de vie professionnelle, personnelle et familiale, sur ses représentations de soi, de l'étranger et de la différence.

Dans un premier temps, la confrontation avec l'étranger est vécue comme la possibilité de se libérer des contraintes familiales ou organisationnelles. Certains expatriés évoquent cette période comme la possibilité de laisser tomber les masques, d'être enfin eux-mêmes. La tristesse de la séparation est souvent vite effacée par ces découvertes. C'est la « lune de miel » de la découverte. Mais, plus ou moins vite, la plupart des expatriés finissent par se désillusionner et se confrontent à la différence dans ce qu'elle peut avoir d'irréductible et d'inaccessible. L'ennui commence à les guetter. Simultanément, leur famille, leur pays d'origine leur manquent. Cette prise de conscience s'accompagne souvent de sentiments de solitude. C'est le moment que certains choisissent pour s'interroger à nouveau sur eux-mêmes, sur leurs relations aux autres, pour remettre en question des choix existentiels fondamentaux. Ils font le deuil des imagos parentales, renonçant à les voir à travers leur regard d'enfant pris dans des problématiques œdipiennes surmoïques et idéalisantes. L'expatriation leur a permis, par un travail d'introspection, de trouver leur juste place d'adulte mature, dans les différents environnements familiaux, professionnels, sociaux et culturels qui sont les leurs. Ils acceptent plus volontiers leurs limites. Ils partent à la découverte de ce qui leur reste accessible et non pas de ce qu'il convient de faire ou de ce qu'on les autorise à faire. Ils ont renoncé à certaines illusions. Ils ont aussi découvert le prix à payer pour « grandir ». Certaines prennent conscience, a posteriori, de la fuite en avant que représentait le départ à l'étranger. Ils sont heureux de découvrir que cette étape les a, en fait, rapprochés de ce qu'ils cherchaient à fuir.

Au retour, lors de la confrontation avec ce qu'ils ambitionnent de devenir alors qu'ils se sentent riches de cette expérience, certains vivent un fort sentiment de doute, voire de manque, qu'ils ont parfois du mal à reconnaître et à admettre. Certains se précipitent dans un programme de formation, cherchant à combler un vide douloureux par de nouvelles connaissances. D'autres poursuivent leur travail d'introspection et de découverte d'eux-mêmes. Ils finissent par accepter que certains manques ne soient jamais comblés, mais qu'ils constituent, au contraire, une dynamique existentielle fondamentale qui les pousse sans cesse vers de nouvelles découvertes. Alors qu'au moment du départ, ils se plaignaient d'un manque de reconnaissance, au retour, ils se reconnaissent un manque de connaissance. La quête narcissique s'est véritablement transformée en un processus de construction identitaire dans lequel la dimension professionnelle trouve toute sa place.

Il peut être utile de préciser, que, fréquemment, l'expatrié se fait accompagner dans cette reconquête de soi. Ce compagnon de route peut revêtir différentes identités et statuts. Ce peut être un expatrié de longue date qui va partager son expérience et éclairer le chemin à parcourir ; ce peut-être une personne du pays qui fait comprendre et initie aux différences locales. Il s'agit parfois d'un personnage qui resurgit du passé, un membre de la famille proche ou éloignée, un ami généralement plus âgé. Tous jouent sensiblement le même rôle. Ils cadrent, rassurent, autorisent, soutiennent, stimulent, donnent de l'information et parfois des conseils. Tous, d'une certaine façon, remplissent le rôle de « passeur », de Charon, personnage mythique qui, après s'être assuré que le passager de la barque remplit bien les conditions nécessaires, l'aide à passer d'une rive à l'autre, d'un état à un autre, de la vie à la mort. Une fois élaborée, l'expérience de l'expatriation peut prendre la valeur d'une véritable (re)naissance. Elle permet souvent de (re)faire l'expérience ontologique et l'apprentissage de la solitude qui est assurément l'une des caractéristiques du dirigeant.

Ceux qui refusent les épreuves se condamnent aux limbes de l'encadrement intermédiaire

Cependant, force est de constater que certains se refusent à traverser les souffrances du questionnement et des renoncements que tout ceci représente. Ils se contentent de se heurter à la différence et de la déplorer. Ils se replient frileusement sur la communauté des expatriés projetant sur l'extérieur, en particulier sur le pays d'accueil, leur incapacité à accepter les vraies différences, leurs limites et les règles d'un jeu qu'ils ne maîtrisent pas. Ils sortent de cette expérience, plus intolérants et convaincus que jamais de leur supériorité. Après avoir idéalisé l'étranger, ils se font à nouveau des illusions sur le retour dans la mère patrie. Ils sont d'autant moins prêts à supporter un retour qui est presque toujours décevant. Alors qu'ils attendent promotion et reconnaissance, l'intégration à un nouveau poste valorisant leur expérience se fait souvent attendre. Ils sont frustrés de se retrouver dans l'anonymat des sièges sociaux et de perdre une partie de l'autonomie et des responsabilités qu'ils avaient à l'étranger. Ils en viennent à regretter ce qu'ils étaient heureux de quitter. Ainsi, ceux qui ont évité les épreuves, passent à côté de l'opportunité d'une découverte de soi et des autres, ils risquent également de se barrer les voies d'accès aux postes de direction tant convoités. Ils restent immobilisés dans cette zone que les spécialistes des rituels de passage ont identifié comme les « espaces intermédiaires » et qui correspondent précisément aux positions de cadre intermédiaire dans les entreprises.

Disponibilité et mobilité : l'apprentissage de la relativité du temps

D'une façon plus générale, la mobilité et la disponibilité sont deux aspects incontournables du parcours de futur dirigeant. Pour arriver au sommet de l'échelle, il leur faut en gravir les échelons. Cependant, afin d'appréhender la diversité de l'entreprise qu'ils seront un jour amené à diriger, leur mobilité est aussi horizontale et latérale. L'objectif de cette mobilité est de multiplier les contextes et les expériences afin de leur faire acquérir sur le terrain une large panoplie de compétences. C'est également l'opportunité de se constituer un réseau relationnel sur lequel ils peuvent s'appuyer ensuite pour gagner en efficacité. Dans ce siècle de l'urgence, il s'agit également de tester la rapidité de leur adaptation, car ils peuvent être amenés à remplacer, quasiment du jour au lendemain, une personne dont le poste se libère. Ils doivent apprendre à se faire adopter car ils viennent occuper la place de quelqu'un qui avait ses propres façons de manager et de gérer. C'est souvent comme cela que commence le long apprentissage de la gestion du changement. La première épreuve consiste à se mettre à l'écoute des personnes quand elles ont le sentiment qu'on attend de leur part des résultats immédiats et probants. Ils doivent comprendre et intégrer dans leur stratégie de changement que certaines personnes sont prises dans l'inertie d'un processus de deuil, quand eux-mêmes veulent apporter le plus vite possible les preuves de leur motivation, de leur capacité à faire et de leurs compétences en général. On pourrait qualifier cette épreuve de la relativité du temps : le temps ne s'écoule pas au même rythme pour tout le monde et celui-ci varie également en fonction des situations. Il faut savoir parfois aller lentement au départ, pour accélérer ensuite quand la tentation est forte de faire précisément le contraire. Le futur dirigeant doit apprendre à faire simultanément avec les personnes et avec le temps, dans leur extrême diversité. Ses compétences stratégiques doivent se déployer tant dans le domaine du relationnel que dans celui de la gestion d'entreprise.

L'exigence de mobilité constitue également un bon indicateur de la place que le travail occupe dans leur vie, dans la mesure où ce type de disponibilité impose des contraintes très fortes à la vie personnelle, familiale et sociale. Il leur faut à la fois faire des choix et se fixer des priorités. Cela leur permet de se rendre compte, s'ils ne l'ont pas fait auparavant, que leurs choix ont des incidences lourdes sur d'autres personnes qu'eux-mêmes.

La formation, une autre occasion de poursuivre la transformation de soi et de son regard sur le monde

Tout parcours vers les postes de dirigeant inclut un ou plusieurs temps de formation. Les concepteurs de ces programmes ont pris en compte les reproches faits aux formations construites sur le modèle des MBA nord-américains qui se limitent à la transmission de connaissances, qui fabriquent des individus bardés de connaissances conventionnelles, non critiques, des individus moulés sur le même modèle. Aujourd'hui, les formations sont souvent des dispositifs à multiples facettes. L'hétérogénéité des participants, la diversité des thèmes abordés, des méthodes pédagogiques et des intervenants permettent la confrontation et la mise en perspective. Malgré tout, ces formations sont aussi le lieu de reproduction du « bien penser » de la pensée instituée dans les écoles, le lieu de transmission du « bien agir » transmis à travers les bonnes pratiques présentées par les divers directeurs.

Cependant, ces formations présentent, elles aussi, certaines des caractéristiques identifiées dans les rituels de passage : le participant est évalué – souvent dans des *assesment centers,* il est sélectionné, il se retrouve hors de son contexte professionnel lors de séminaires résidentiels, ou pour un voyage d'étude ou une mission à l'étranger, il acquiert des connaissances nouvelles, il doit faire des sacrifices – ne serait-ce que du fait de la charge de travail supplémentaire. Autant d'épreuves à supporter.

Ceci peut être vécu comme une occasion de se montrer à nouveau « bon élève » et de se soumettre à des épreuves dont la finalité échappe à celui qui les subit. Si aucun dispositif particulier – tel que coaching, groupe d'analyse des pratiques, retours d'expérience, etc. – n'est mis en place, les occasions de s'interroger sur soi-même sont rares, même si la confrontation aux autres éveille toutes sortes de questions : « Qui suis-je ? », « Quelle est ma place dans le groupe ? », « Quelle image ont-ils de moi ? ». Tout au long de sa vie, l'individu a besoin du regard de l'autre, non pas dans une quête narcissique, mais dans l'élaboration sans fin de son identité. L'autre, à la fois semblable et différent, peut être porteur d'autres possibles pour chaque manager. Il laisse entrevoir d'autres façons de vivre, de s'inscrire dans l'entreprise et dans le monde. Le récit de Bertrand démontre comment, une personne peut se servir des dispositifs de la formation pour faire ce travail de questionnement de soi et combien celui-ci peut être douloureux. Chaque participant, individuellement, doit décider s'il veut prendre le risque de « la déconstruction et la reconstruction de soi ».

Le coaching individuel ou collectif encourage et soutient cette redécouverte de soi. Dans ce cas, l'intervention ne peut pas se limiter à une approche purement technique qui vise à renforcer directement les compétences, ni même à une approche de type psychologique dont l'objectif est de soutenir la personne dans les difficultés qu'elle rencontre en l'aidant uniquement à mieux percevoir la réalité. Il peut s'agir de coaching « orthopédique », qui renforce le faux-self. Il doit encourager ceux qui le souhaitent à interroger leur désir profond. Il est alors nécessaire de :

- faire des retours sur le vécu de la personne (ou du groupe) et l'analyse de celui-ci ;
- faire l'analyse des situations avec pour objectif d'en saisir la complexité ;
- aborder les conflits et non les éviter ;
- travailler sur l'ambivalence et le paradoxe.

L'analyse de chaque situation doit prendre en considération les dimensions individuelles (consciente, voire inconsciente, l'inconscient des uns étant le conscient des autres), collectives, organisationnelles et environnementales. Le coach veille à ce que l'ambiance soit toujours suffisamment rassurante pour chacun. Il est dans la position du « conteneur » qui aide au changement des personnes en se faisant le dépositaire des projections et des représentations. Il contribue aussi à la reconstruction de la réalité dans sa complexité. Il aide à transformer conflit et paradoxe en une approche dialectique du monde. Enfin, il veille à ce que cet espace ne soit pas un espace de normalisation, mais qu'au contraire, il ouvre le champ de la découverte de soi, du monde, de nouveaux possibles. L'individu ne cherche plus à régler les conflits en imaginant que tout est possible (ou impossible), mais il prend dorénavant en compte la réalité, avec ses limites, et les siennes propres. Il peut renoncer à être celui qui sait tout, qui comprend tout. Il peut se risquer à chercher des solutions originales. Il peut aussi adopter des comportements plus authentiques, sans pour autant renoncer à ses convictions fortes, sans se compromettre. C'est le comportement consistant de l'homme responsable, de celui qui veut développer ses véritables talents qui lui apportent satisfaction et plaisir en renonçant une fois encore à des positions surmoïques et idéalisantes. Bref, il peut saisir cette occasion pour faire l'apprentissage de son vrai self et s'apercevoir enfin qu'il a maintenant les moyens et les ressources de son indépendance.

La gestion de projet transversal ou l'apprentissage d'une autre façon de diriger

Il existe une autre étape, tout aussi incontournable, dans le parcours d'un futur dirigeant : celle de chef de projet transversal. Une fois encore, on retrouve des éléments des rituels de passage. En guise de renoncement, le manager doit se défaire de ce qui a assuré sa réussite jusqu'à ce jour. Il s'agit d'abandonner son expertise technique au profit d'une capacité à intégrer les expertises des autres. Plus que jamais, il est confronté à la complexité des situations où, derrière des problèmes de gestion, l'économie, la technologie, la sociologie et la psychologie s'entrechoquent. Il occupe une place nouvelle pour lui, à la marge de l'organisation traditionnelle. Il lui faut inventer un autre mode de relation avec les membres de son équipe, de nouveaux comportements, de nouvelles façons de décider. Il doit passer d'un management dont la légitimité était en grande partie assurée par sa compétence technique et son autorité hiérarchique, à un management basé sur sa capacité à convaincre, influencer et négocier. Homme de terrain, il lui faut devenir homme de réseau, politique et stratège, à l'écoute de la complexité organisationnelle, des jeux de pouvoir formels et informels. Il doit apporter la preuve de sa capacité à intégrer les différentes logiques, les différents points de vue, les contradictions, voire les paradoxes. En permanence, il évolue entre anticipation et adaptation, formelle et informelle, vision globale et attention au détail (capacité à détecter les signaux faibles), action et réflexion, entre passé, présent et avenir, rigueur et souplesse. À lui de découvrir que les deux propositions d'une contradiction ne sont pas nécessairement exclusives et que c'est souvent le refus de la complexité qui provoque cette perception de contradiction. Il lui faut reconnaître que l'ambivalence est une réalité, que la dialectisation est un exercice fort salutaire qui permet de sortir des paradoxes apparents. Il lui faut apprendre à changer de point de vue, recontextualiser, mettre en perspective, renoncer aux visions simplistes et réductionnistes si tentantes sous prétexte d'urgence et d'efficacité immédiate. Bref, il apprend le métier de dirigeant.

L'idéal de certitude de bien des managers ne ressort pas indemne de ce type d'épreuves. Une fois encore, c'est une succession d'apprentissages délicats, difficiles et douloureux, pour celui qui ambitionne de devenir dirigeant. Tous ne passent pas avec succès ces épreuves, même si, de plus en plus fréquemment, on met un coach à leur disposition.

L'ultime étape : la solitude du dirigeant

La trajectoire professionnelle de Catherine montre qu'être n° 2 est une nouvelle étape initiatique qui, plus que tout autre, nécessite de mobiliser disponibilité, intelligence, intuition et savoir-faire relationnel. Le futur dirigeant découvre les arcanes du pouvoir. De plus en plus souvent, il se fait une opinion personnelle sur l'analyse des situations et des décisions qu'il faudrait prendre… mais il n'est que consulté, la décision est prise par le n° 1 et il l'exécute ou la fait exécuter. Il doit alors apporter la preuve de sa loyauté, à la fois à son « patron » et à l'entreprise. Cependant, si ses idées ne sont pas acceptées par son supérieur direct, d'autres se rendent compte que ses idées sont intéressantes… Alors arrive le jour où on lui propose un poste de dirigeant auquel il aspire, non pas pour être n° 1, mais pour avoir le pouvoir de mettre en œuvre ses idées. Les plus lucides se disent qu'ils ne sont pas prêts… et ils ont raison tant cette position est unique et l'écart de posture important.

Même s'il sait s'entourer de personnes loyales et compétentes, commence, pour lui, l'expérience de la solitude car, en dernière instance, c'est toujours le dirigeant qui décide et qui tranche, aussi difficiles, complexes et douloureuses que soient les décisions à prendre. Pour réussir sa mission, s'il veut être de ces hommes (femmes) remarquables, il doit véritablement se transcender. Le moment est venu de faire la synthèse de toutes ses potentialités et de ce qui lui semblait ses contradictions.

Il lui reste à découvrir qu'être dirigeant comporte plus de devoirs que de droits, que c'est un métier difficile et exigeant. Il doit accepter l'idée que l'entreprise ne soit jamais un monde parfait d'humanité, de justice, d'efficacité.

« ...Et puis un jour, il n'y a plus personne au-dessus »

Catherine est à la tête d'une filiale d'une grande entreprise de service d'envergure internationale depuis moins d'un an, au moment où elle entreprend le récit de sa carrière. Il lui a fallu près de six mois pour trouver ses marques. Elle avoue que cela a été le moment le plus difficile et le plus douloureux de sa vie professionnelle. Ce qui avait contribué à sa réussite jusqu'à ce jour a trouvé ses limites. Il lui fallait aller au-delà de ce qu'elle connaissait d'elle.

Catherine a fait un parcours sans faute depuis le jour où elle s'est expatriée aux États-Unis pour faire un MBA. Diplômée d'une « petite » école de gestion, elle pensait ne pas pouvoir accéder à des postes intéressants. Huit ans plus tard, elle revient avec des méthodes de travail, une expérience dans la gestion des grands projets et la connaissance de ce qui s'appelait alors les nouvelles technologies. Chaque nouveau poste est une opportunité pour découvrir, apprendre, prendre du plaisir et « s'amuser ». Partout où elle passe, sa curiosité, sa capacité à appréhender la complexité des situations et son esprit d'entreprise la poussent à élargir le périmètre des missions qui lui sont confiés. Très vite, elle acquiert une vision stratégique des situations. Son talent relationnel lui permet de se mettre à l'écoute et au service de ceux avec lesquels elle travaille. En retour, elle est soutenue, appréciée et aimée, ce dont elle a besoin. Elle aime le consensus et redoute le conflit. Elle reconnaît avoir eu une vie contraignante, faite de longues journées de travail et de déplacements. Elle a dû faire des choix difficiles, en particulier dans le domaine de sa vie familiale, *« mais jamais de sacrifice »*.

Elle a fui les états-majors le plus longtemps possible, car elle a le goût de l'action et du terrain et avoue n'avoir aucune attirance pour le pouvoir, la « politique » et les inévitables intrigues de palais, où « la plupart pensent d'abord à la réussite de leur carrière et ensuite à celle de l'entreprise ». Elle y passe cependant trois ans, mais son jeune âge, le fait d'être femme dans un environnement masculin, la protège : elle ne fait pas peur. La position de n° 2 qu'elle occupe alors lui convient très bien. Elle aime donner son avis, faire des propositions à des supérieurs hiérarchiques qu'elle considère comme brillants et visionnaires. Elle perçoit leur solitude : « ils sont entourés de mercenaires ambitieux », elle leur apporte sa loyauté, son soutien et son énergie. Ceux-ci, en retour, l'aident à progresser. Elle se trouve un mentor qui la guide, la soutient et la conseille et la pousse à accepter un poste de n° 1.

« *Je voulais influencer, mais je ne voulais pas le pouvoir. Je ne voulais pas me retrouver en situation de n° 1 qui prend des décisions. Je n'avais pas envie de me créer des difficultés, j'avais besoin de l'approbation des gens.* » Cependant, une fois encore, son premier chantier de réorganisation peut se faire sur le mode consensuel, dans la mesure où les résultats catastrophiques laissaient très peu de marge de manœuvre.

La bascule se fait le jour où elle découvre qu'un membre du Comité de direction a un comportement qu'elle juge non éthique. Elle perçoit les limites de son style de management habituel. Il n'y a plus personne au-dessus d'elle pour prendre la décision de le licencier : « Je n'avais pas le choix. » Elle qui se faisait une fierté d'avoir toujours été en position de choisir, accepte de prendre, au nom de l'intérêt général et de son sens de l'éthique, une décision qui va la rendre impopulaire. Profondément perturbée, envahie par les émotions, elle découvre en elle une dureté et une intolérance qu'elle ne connaissait pas. Cependant, avec l'aide d'un coach, elle parvient à basculer dans une autre logique. Elle découvre en elle, de nouvelles ressources, elle s'invente de nouveaux comportements. Elle parvient à supporter des jugements négatifs à la suite d'une série de licenciements, car « c'est pour le bien de l'entreprise et c'est fait dans le respect des personnes. »

Tout cela lui permet d'affirmer : « *Une vie professionnelle est réussie quand vous faites des choses qui vous « challengent », que vous continuez à apprendre, que vous êtes perçue comme une personne de confiance, sur qui on peut compter et que vous êtes entourée de personnes heureuses que pouvez aider à se développer.* » C'est à elle maintenant de faire l'épreuve de la solitude.

CE QU'IL FAUT RETENIR

- Vigilance : toute perte d'attention peut mettre en danger.
- Courage : permet de soutenir ses convictions.
- Consistance : pour s'adapter en permanence, il faut une forte conscience de soi.
- Persévérance : Rome (pas même New York) ne s'est construite en un jour.
- Respect de soi et des autres : permet de se regarder dans la glace tous les matins.
- Prise de recul : il est utile de prendre le temps de réfléchir.
- Goût pour l'action : l'entreprise n'est pas faite pour les contemplatifs.
- Curiosité : la garantie du progrès.
- Ouverture : permet de voir venir les dangers… et les opportunités, rafraîchit les idées.
- Plaisir : un fabuleux moteur.

BIBLIOGRAPHIE DE RÉFÉRENCE

Franck BOURNOIS, Sylvie ROUSSILLON, *Préparer les dirigeants de demain, une approche internationale de la gestion des cadres à haut potentiel,* Éditions d'Organisation, 1998.

Peter DRUCKER, « Managing one-step », in *Harvard Business Review,* 77(2), 1999.

Maryse DUBOULOY, F. ALEXANDRE-BAILLY, *Du haut potentiel au dirigeant : un jeu entre hypermodernité et tradition,* Actes colloque ESCP-EAP, LCS « L'individu hyper moderne », 2003.

Eugène ENRIQUEZ, *Les jeux de pouvoir et de désir dans l'entreprise,* éd. Desclée de Brouwer, 1997.

Christophe FALCOZ, *Gérer les cadres à haut potentiel,* Eurostaf / Les Échos, 2003.

Daniel GOLEMAN, *L'intelligence émotionnelle,* éd. Robert Laffont, 1999.

Herminia IBARRA, « Working Identity : Unconventional Strategies for Reinventing Your Career », in *Harvard Business School,* 2003.

Manfred KETS DE VRIES, *Combat contre l'irrationalité des managers,* Éditions d'Organisation, 2002.

Meryem LE SAGET, *Le manager intuitif,* éd. Dunod, 1992.

Maurice THÉVENET, *Quand les petits chefs deviendront grands,* Éditions d'Organisation, 2004.

Donald W. WINNICOTT, *Jeu et réalité, l'espace potentiel,* éd. Gallimard, 1975.

Le leader et son équipe

Par PHILIPPE GABILLIET

Docteur en sciences de gestion, diplômé de 3e cycle en analyse politique, diplômé de l'IEP de Bordeaux, Philippe Gabilliet est professeur de leadership et directeur académique de l'European Executive MBA de l'ESCP-EAP (Paris). Auteur de nombreux articles et ouvrages sur le management, le leadership et les stratégies d'anticipation des dirigeants.

C'est souvent dans la relation à son équipe que se structure la position du leader. Au-delà de la diversité des conceptions du leader ou de l'équipe, on s'accorde sur l'existence d'un processus complexe créé par la relation triangulaire entre un acteur-leader, son équipe et leur contexte commun, les liens entre les trois dimensions constituant l'essence même du processus de leadership. Mais ce processus s'exprime, dans l'action du leader face à son équipe, autour de trois dynamiques fondamentales. La première est celle de la structuration, dans laquelle l'équipe se constitue en tant que telle. La deuxième est celle de la confiance, caractérisée par l'élaboration d'un lien socio-organisationnel fort entre leader et équipe. La troisième est celle de la mobilisation, de la mise en mouvement des énergies et des comportements individuels en direction d'un but commun.

Documents SA

C'est en 1998 que Jacques Despaul crée, avec une poignée d'amis, tous transfuges d'un grand constructeur informatique européen, la société d'ingénierie logicielle Documents SA. Le démarrage, comme pour beaucoup d'entreprises, est autant marqué par les difficultés que par la cohésion. Dans les bureaux de la rue des Martyrs (Paris 9e), les premiers collaborateurs se serrent les coudes et posent les fondations de ce qui deviendra, moins de dix ans plus tard, une société employant 80 collaborateurs et réalisant plus de 12 M€ de chiffre d'affaires. Mais le temps des pionniers ne saurait durer éternellement. En 2000, J. Despaul, désormais P-DG, parvient à convaincre une société de capital-risque d'investir 3 MF (500 000 €) dans Documents SA. Le temps de la professionnalisation est venu pour l'équipe de départ. Les bureaux déménagent à Issy-les-Moulineaux. Le personnel double en volume, la surface de travail quadruple et les procédures s'installent. Mais l'euphorie des débuts est toujours là. Les perspectives d'affaires sont bonnes, les clients sont au rendez-vous et Documents S.A. paye ses collaborateurs nettement au-dessus des prix du marché. Tous ne pensent qu'en termes de business, clients, marges...En 2002, un deuxième tour de financement permet aux associés de lever 1,4 M€. L'heure est à l'internationalisation et Documents SA ouvre ses premières filiales en Angleterre, en Espagne et aux États-Unis. Mais si la société compte à présent une quarantaine de collaborateurs, le management n'a pas bougé depuis le démarrage. Les acteurs de direction sont les mêmes et J. Despaul commence à douter de leur capacité à affronter les enjeux qui se profilent. Les signes d'« embourgeoisement » des uns et des autres se multiplient, tant au niveau de l'encadrement que chez les commerciaux ou les développeurs. De mauvaises habitudes ont été prises, mais la prospérité économique et la solidité financière de l'entreprise permettent de passer outre. C'est en 2004, à l'occasion du troisième tour de financement, d'un montant de 2,5 M€ que les événements vont s'accélérer. Un audit externe, réalisé à la demande des investisseurs, recommande de mettre en place une équipe de management digne de ce nom. En 2005, J. Despaul décide alors de se séparer de deux de ses associés « historiques », Xavier, directeur commercial, et Roberto, directeur technique. Certes, ces départs sont vécus par les plus anciens comme la fin d'une époque, mais le problème est désormais ailleurs. Entre-temps, la conjoncture économique s'est retournée et le marché du logiciel n'est plus au beau fixe. La crise est aux portes de Documents SA. Jacques Despaul décide alors de renforcer la direction de l'entreprise en recrutant à l'extérieur Pierre-François, dirigeant très confirmé du monde de l'informatique, au poste de directeur général. Ce dernier arrive avec ses équipes et tente de reprendre la situation en main. Contre toute attente, la greffe ne prend pas et la situation continue à se tendre avec l'ensemble du personnel, Jacques se retrouvant de plus en plus souvent en position d'arbitre. Pierre-François quitte finalement la direction de la société mi-2007. Mais il faut coûte que coûte sauvegarder la valeur de l'entreprise, représentée par ses 200 clients et les 500 000 postes de travail équipés de ses technologies. C'est alors que J. Despaul décide de reprendre en direct le management de Documents SA, et ce dans une conjoncture où il sait qu'il devra faire preuve d'une rigueur de gestion extrême. Face aux exigences de dégraissage émises par le Conseil d'administration, Jacques se sépare début janvier 2008 de vingt collaborateurs et met, pour la première fois dans son histoire, l'entreprise à l'heure de l'austérité. C'est le moment que choisissent Xavier et Roberto, les anciens managers de l'entreprise, toujours associés, pour tenter de déstabiliser Jacques auprès du personnel et des investisseurs afin de reprendre le pouvoir. Ce travail d'influence aboutit dès avril 2008. Lors d'une séance mémorable du Conseil d'administration, J. Despaul est révoqué de ses fonctions de président de la société, tout en demeurant directeur du développement, principal commercial de la structure, interlocuteur privilégié des plus grands clients et actionnaire majoritaire de l'entreprise. Face à ces tribulations au sommet, la cohésion des équipes sur le terrain continue de se déliter lentement, chacun essayant désormais de sauvegarder sa propre position. Pendant ce temps, le chiffre stagne et les prévisions pour l'année 2008 ne cessent d'être revues à la baisse…

Comme l'illustre le cas de Jacques Despaul, confronté à une grave crise de leadership au sein de Documents S.A., la dynamique de performance d'une équipe n'a que peu à voir avec la nature, la quantité ou la qualité des résultats économiques obtenus. Indépendamment de ceux-ci, le leader demeure avant tout celui ou celle qui, dans une situation donnée, va se révéler en mesure d'entraîner les autres avec lui. En effet, être leader, c'est d'abord être suivi par les autres. C'est créer une dynamique qui fait que les autres décident de vous accompagner. Etre un leader, c'est déclencher un processus d'adhésion et d'entraînement. C'est transformer un simple groupe de collaborateurs, une simple collectivité de salariés ou de partenaires en une équipe solidaire et performante. Que tout ou partie des équipiers ne veuille plus suivre le leader, que d'aucuns cessent d'adhérer, que le doute s'installe, et voici le mécanisme d'entraînement collectif instantanément mis en péril. Afin de clarifier cette problématique, nous tenterons d'abord de cerner les concepts à l'œuvre dans ce processus, qu'il s'agisse du « leader » en tant que tel, de « l'équipe » ou de la relation de « leadership » qui s'instaure entre eux. C'est à partir de cette réflexion que nous mettrons en perspective les trois dynamiques fondamentales à l'œuvre dans une équipe, et face auxquelles le leader va devoir positionner son action : la structuration, la création du lien de confiance et la mobilisation.

VERS LE LEADERSHIP D'ÉQUIPE

Qu'est-ce qu'un leader ?

On ne compte plus les publications scientifiques ou de vulgarisation mettant l'intervention d'un acteur clé – appelons-le « leader » – au cœur du processus de performance. Le caractère central de ce thème dans la littérature de gestion n'a jamais été remis en question. Il peut cependant, au fil des auteurs, prendre des colorations différentes. Trois grandes écoles de pensée se sont attachées à décortiquer ce phénomène afin de tenter d'en saisir l'essence.

Le leader est d'abord, pour certains auteurs, considéré comme un individu d'exception, doté d'une forte capacité individuelle à entraîner les autres. Il est à la fois celui qui « *transforme la coquille vide de l'organisation en un corps social conscient de son identité, de sa légitimité et de ses buts* » (P. Selznick) ou celui « *qui nourrit l'identité collective de son identité personnelle* » (A. Zaleznick). Nous sommes ici face à l'hypothèse du trait charismatique, défini comme l'ensemble des qualités, des caractéristiques, des attitudes et des comportements attribués à celui ou celle qui exerce avec succès ces influences. Intelligence, détermination, force, enthousiasme, audace, intégrité, etc., sont autant de qualificatifs visant à élaborer l'image d'une individualité hors du commun, dont le seul magnétisme suffirait à fonder la légitimité face à l'équipe. Dans ce premier schéma, les traits de personnalité du leader sont considérés comme les facteurs moteurs à l'origine du processus collectif. L'équipe occupe ici une posture relativement passive, essentiellement fascinée par le rayonnement d'un « grand homme » et se mettant en mouvement par le fait mystérieux de sa seule présence. Le leader, symboliquement positionné en « héros », soumet ici l'action de son équipe à sa seule influence personnelle, allant jusqu'à créer une sorte de « dépendance affective » entre le groupe et sa propre personne.

Pour d'autres auteurs, et de façon plus pragmatique, le leader apparaît comme un acteur – historique ou organisationnel – mettant en œuvre un certain mode d'interaction comportementale avec les autres. Le leader est ici « *celui qui conduit, mène ou guide ceux qui le suivent ; à ce titre, il n'existe que dans son rapport à un groupe et ne prend sens que dans l'action collective qu'il dirige* » (O. Basso, 2003). Dans cette conception, fondée sur un lien psychosocial dynamique, le leader construit une relation d'influence entre lui-même et une communauté de référence (équipe, groupe, nation). Dans ce deuxième schéma, le leader se caractérise avant tout par la mise en œuvre d'un certain nombre d'attitudes et de comportements face à l'équipe. Dès lors, ce sont bien les besoins et attentes de cette dernière qui constituent la matrice au sein de laquelle va se bâtir la relation de leadership. Le leader fait ici porter son effort sur la construction, la maintenance et la mise en dynamique de cette relation, généralement au service de l'orientation de l'équipe vers un but commun, que celui ait pour nom : projet, objectif, enjeu, défi, etc.

À un niveau encore supérieur de conceptualisation, le leader a pu enfin être considéré par d'autres experts comme une simple variable organisationnelle, dont l'action et l'influence constitueraient des processus émergents, indirects, certes liés en partie à son action mais largement déterminés par d'autres facteurs liés au contexte dans lequel cette action s'inscrit. Dans cette perspective, celle des théories de la contingence, le leadership tend à se désincarner et à devenir un « travail » (au sens physique du terme) de l'organisation, certes impulsé par un acteur, mais constituant une dynamique autonome complexe, essentiellement liée aux potentialités d'un contexte. Dans ce troisième schéma, le processus social de mobilisation de l'équipe devient moteur, l'acteur clé des deux schémas précédents perdant sa position centrale et n'étant plus qu'une variable parmi d'autres, fût-elle une variable lourde. Le « leader » passant au second plan, on parlera plus volontiers ici de « leadership », ce processus par lequel se crée autour d'un acteur social une dynamique d'adhésion, d'entraînement et de mobilisation vers un objectif ou un projet, dans un contexte spécifique.

Mais quels que soient les points de vue, des plus individuels aux plus systémiques, chacun s'accorde désormais sur l'idée de bon sens selon laquelle le leader, en tant qu'acteur organisationnel, ne saurait être envisagé dans l'absolu mais toujours en relation avec un groupe de référence, disons une « équipe », à partir de laquelle va se bâtir sa dynamique d'action.

Qu'est-ce qu'une équipe ?

Au même titre que celle de leader, la notion d'équipe est à l'origine de nombreux développements, tant dans l'univers de la gestion que dans d'autres champs des sciences humaines. Dans le monde organisationnel, l'univers des équipes est multiple : équipe de travail, de projet, opérationnelle, de direction, virtuelle, etc. Ce sont autant de manifestations de la dynamique collective au cœur de laquelle se bâtit la performance d'une organisation. Mais, au fond, qu'est-ce qu'une équipe ? Une équipe est-elle un groupe tout à fait comme les autres ? Dès lors qu'un groupe se constitue, une dynamique d'équipe est-elle obligatoirement au rendez-vous ?

Pour les psychologues sociaux, un groupe existe à partir du moment où au moins deux individus, en interaction les uns avec les autres, mettent leurs efforts en commun pour atteindre un objectif. On peut distinguer ici les groupes informels, de nature sociale car fondés sur les affinités, et les groupes formels, constitués au sein des organisations afin d'effectuer une tâche ou une mission précise.

À ce stade, on peut penser que « groupe » et « équipe » constituent des concepts synonymes. Or, si la recherche en gestion s'est efforcée de distinguer les deux niveaux, c'est que le concept d'équipe renvoie à un niveau de cohésion et de mobilisation beaucoup plus élevé que ne le ferait le groupe. Il n'y a équipe – qu'elle soit de travail, de projet ou de direction – qu'à partir du moment où ses membres sont en mesure de créer une synergie positive grâce à la coordination de leurs efforts. À ce titre, si toute équipe se structure à partir d'un groupe initial, n'importe quel groupe ne devient pas pour autant une équipe, tout comme une équipe n'est pas obligatoirement une équipe performante... Ces différents passages d'un niveau à l'autre, certes nourris par les apports des différents membres, seront toujours médiatisés par un acteur clé : le leader.

Pour l'heure, nous définirons une équipe autour de quatre critères opérationnels :

- une équipe est au départ un groupe formalisé, doté de repères et de règles de fonctionnement, groupe qui peut se reconnaître en tant que tel par des signes distinctifs, des modalités de travail ou des valeurs ;
- une équipe se caractérise, chez chacun de ses membres, par une intuition d'appartenance, un sentiment subjectif ressenti individuellement mais vécu collectivement de faire partie d'une entité spécifique, porteuse d'identité et de dynamique, avec ses forces et ses faiblesses ;
- toute équipe présente, et ceci constitue un élément essentiel à prendre en compte par le leader, un éventail de talents complémentaires, autrement dits de rôles transversaux qui permettront aux relations entre les membres de s'établir et de durer face aux différents obstacles auxquels l'équipe peut être confrontée ;
- enfin, l'appartenance à une équipe se traduit chez chaque membre – indépendamment de la qualité de sa relation avec les autres – par une appropriation implicite de l'objectif recherché, du niveau de performance attendu et de l'approche des situations rencontrées.

Qu'une seule de ces dimensions vienne à faiblir et la dynamique collective fera de même, contraignant le leader à mettre en œuvre des processus de régulation souvent difficiles, d'autant plus qu'il ne maîtrise que rarement l'ensemble du processus, la relation entre l'équipe et lui-même étant toujours médiatisée par un contexte donné.

Qu'est-ce que le leadership d'équipe ?

La compréhension de la relation entre le leader et son équipe renvoie en fait à trois champs conceptuels distincts :

- le champ transactionnel, car tout ici prend la forme d'échanges d'informations et d'affects entre le leader et les membres de son équipe ;
- le champ de la contingence, qui nous apprend combien les variables de contexte et d'environnement peuvent être déterminantes dans la compréhension d'une dynamique d'équipe ;
- le champ constructiviste, enfin, qui met en valeur le caractère central des représentations, de la façon dont leader et membres de l'équipe se perçoivent mutuellement, perçoivent l'environnement puis élaborent les modes d'interprétation et de signification venant structurer leur attitude et orienter leurs comportements.

La représentation la plus adaptée à la compréhension de l'interaction entre le leader et son équipe nous semble être celle proposée par E. Hollander (1978), à partir d'un modèle tripolaire mettant en interaction trois variables : le leader, l'équipe et la situation. Comme l'illustre le diagramme ci-après, les trois dimensions sont en inter-relation permanente ; ce qui se passe entre deux pôles, doit toujours être médiatisé par l'influence du troisième.

Le modèle de leadership d'équipe

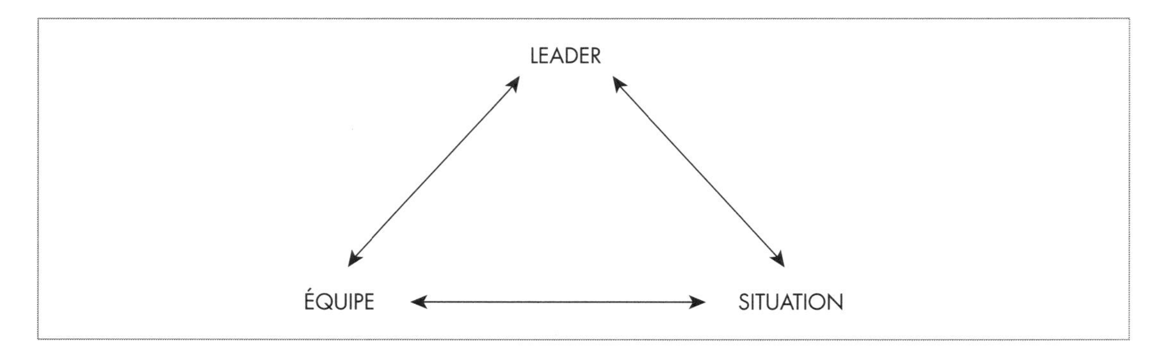

L'intérêt de ce modèle est de mettre clairement en exergue les trois dimensions fondamentales autour desquelles va se structurer tout processus de leadership. Bien que le leader soit positionné au sommet du diagramme, on constate que la base du processus se constitue dans la façon dont l'équipe va percevoir, interpréter et vivre la situation rencontrée. Ainsi, c'est bien dans l'interaction avec la situation que l'équipe construit progressivement ses besoins, ses attentes, ses aspirations, ses espoirs, mais aussi élabore ses craintes et ses résistances. Ainsi, si l'influence directe du leader sur son équipe – et de l'équipe elle-même sur le leader – apparaît clairement dans ce modèle, elle se double d'une influence indirecte, plus subtile, à travers la variable de situation. L'un des rôles importants du leader devient ici de faire évoluer les représentations, les croyances ou les attentes de l'équipe face à une situation ou un contexte donné. La notion de leadership « créateur de sens » (au double sens de direction et signification) trouve ici une illustration conceptuelle particulièrement pertinente.

C'est donc dans cette relation triangulaire que s'élabore la dynamique du « leader d'équipe ». Elle illustre en effet les trois champs d'action dans lesquels tout manager désireux de mobiliser son équipe va devoir mettre en œuvre des décisions et des actions concrètes : la création d'une relation avec l'équipe, la structuration de la situation et la compréhension des enjeux liés à cette dernière par les membres de l'équipe.

Équipes en action : de la confiance à la mobilisation

Comment un groupe devient-il une équipe ?

Une équipe ou un groupe n'ont de valeur, du point de vue de l'acteur individuel, que si celui-ci en retire au moins autant, sinon plus, que ce qu'il y apporte. Les équipes n'existent qu'à cette condition. Le manager va devoir maîtriser, à travers ses différentes décisions et actions, ce double passage de la collection d'individus au groupe, puis du groupe à l'équipe, assurant par là même son propre passage de la position d'animateur à celle de leader.

Au premier stade, lors de la création d'un groupe de travail, d'une équipe de projet ou lors de la constitution d'un comité de direction, le manager se retrouve face à une collection d'individualités – d'« agents libres » dirait un sociologue des organisations – essentiellement porteurs de leurs histoires et projets respectifs. Ceux-ci se connaissent plus ou moins bien et, dans la plupart des cas, cherchent en priorité à optimiser leur position organisationnelle, ne serait-ce que pour des raisons psychologiques de sécurisation de leur propre « territoire ». Disposant de larges plages d'autonomie et d'inertie, voire de résistance, rien ne prédispose a priori des individus isolés à collaborer, coopérer ou s'engager. Le rôle du manager est ici de favoriser la constitution d'un groupe. Pour cela, il doit le plus rapidement possible mettre en valeur les expertises des uns et des autres, amener les personnes à communiquer et surtout permettre à chacun de trouver sa place optimale – son rôle – dans la dynamique de l'entité collective à venir. Ce passage de la collection d'individus au groupe s'effectue à la fois par l'intermédiaire des opérations concrètes à réaliser ensemble et par les premières expériences de régulation relationnelle. Le groupe, pour se percevoir comme tel, doit en effet produire rapidement ses premiers résultats concrets, lesquels vont matérialiser son existence en tant que groupe. Mais c'est aussi à partir des premiers dysfonctionnements (conflits, malentendus, tensions) et de la façon dont le manager aura permis de les réguler que l'identité de groupe va parfaire son élaboration. C'est à ce moment-là que le groupe commence à être perçu par chaque acteur, pris individuellement, comme un lieu de protection, de réalisation et, parfois, de croissance.

Le passage du groupe à l'équipe renvoie quant à lui à un niveau supérieur de synergie. Du point de vue du leader, ce passage doit se faire à partir de l'apprentissage collectif de savoir-faire, autant que par l'intégration de valeurs communes, la perspective demeurant toujours celle de l'objectif à atteindre (performance, projet, défi, etc.). La notion d'équipe apprenante ne doit cependant pas être comprise au strict sens technique. L'apprentissage concerne ici en priorité les modes de résolution de problème et de prise de décision, en particulier en contexte d'urgence, de crise ou de changement. De même, l'émergence de valeurs communes ne saurait être confondue avec la simple production d'un discours sur les valeurs. Bien que cet aspect idéologique soit important, il demeure de la responsabilité du leader. En revanche, le fait qu'une équipe partage des valeurs communes est avant tout une réalité d'expérience ; ces valeurs n'existent qu'en ce qu'elles affleurent au niveau des actes, des attitudes, des décisions et des comportements mis en œuvre par les membres de l'équipe.

Au stade ultime, celui de l'équipe « hautement performante », la synergie – tant des compétences que des formes de raisonnement ou des comportements – est devenue le mode de fonctionnement dominant du groupe initial. Mais cet état n'a pu être atteint que parce que le manager, à travers son action quotidienne aux côtés de son équipe, a su en permanence maintenir un lien de confiance et entretenir une dynamique de mobilisation.

Comment le leader crée-t-il la confiance face à son équipe ?

La confiance se situe à la base des relations interpersonnelles autant que des relations sociales. À ce titre, elle constitue pour le manager-leader le ferment de son action et le terrain psychosocial sur lequel va se construire l'engagement collectif de l'équipe. Nombre d'auteurs contemporains en management ont d'ailleurs situé la confiance au cœur de leur réflexion, y voyant selon les cas l'un des attributs fondamentaux du leadership (S. Robbins, 2004), le rempart à l'anxiété collective née des changements organisationnels (A. Duluc, 1999), voire la base de fonctionnement des nouvelles équipes virtuelles (C. Handy, 1996).

Mais si chacun est capable de ressentir individuellement et intuitivement ce qu'est la confiance, en particulier dans sa relation aux autres, il peut être plus difficile d'en cerner les dimensions au niveau collectif. Est-il en effet légitime de parler de « confiance organisationnelle » ? Nous le pensons et la définirons en conséquence comme *une attente positive du corps social (en l'occurrence l'équipe) vis-à-vis de son leader, dans l'espoir que celui-ci ne tentera pas – par ses paroles, ses actes ou ses décisions – d'agir de façon opportuniste, au détriment de l'équipe ou de ses objectifs.* Avoir confiance dans son leader, c'est inscrire les relations à venir avec lui dans un contexte de prédictibilité. C'est aussi accepter la mise en place d'une relative dépendance, donc une prise de risque, dans la conviction partagée que celui en qui on a mis sa confiance n'en tirera pas profit. La confiance, en tant que construction collective, apparaît donc d'autant plus importante que le contexte de l'action est perçu par les membres de l'équipe comme changeant, menaçant, imprédictible. En effet, sans un minimum de confiance, les acteurs ne prendront ni risque, ni initiative. En outre, la relation de confiance avec le leader aura toujours un impact sur la relation de confiance des membres de l'équipe entre eux.

De nombreux travaux ont été réalisés dans l'espoir de comprendre la nature même de ce processus de confiance. Pour certains, la confiance serait une relation irrationnelle, une sorte d'intuition plus ou moins fondée, et liée à des mécanismes psychoaffectifs largement inconscients. Pour d'autres, la confiance serait un processus relationnel construit, à la fois rationnel dans son élaboration et stratégique dans sa motivation. À la croisée de ces deux approches, nous proposons de considérer avant tout la confiance comme un processus d'apprentissage collectif, fondé sur l'expérience ou plutôt, pour reprendre l'expression de S. Robbins (2004), sur « *un échantillonnage pertinent mais restreint de l'expérience vécue par les acteurs* ». Cet apprentissage demande du temps. Une équipe peut être séduite instantanément par un leader mais la confiance ne se bâtira que dans la durée, après avoir été mise à l'épreuve. Pour concevoir des attentes positives les uns vis-à-vis des autres, leader et équipe vont devoir apprendre à se connaître, à approfondir leur relation.

Mais de quoi est faite la confiance d'une équipe en son leader ? Quels en sont les ingrédients constitutifs ? Quatre dimensions fondamentales semblent se dégager des recherches effectuées sur ce thème en milieu organisationnel, dimensions que l'on peut considérer comme autant de champs concrets d'action et de décision pour le leader :

- la confiance nécessite tout d'abord la perception chez le leader d'une compétence valorisée, c'est-à-dire considérée par l'équipe comme déterminante dans la situation ou le contexte qui est le sien ;
- la confiance se bâtit de même à partir de l'évaluation, par l'équipe, du niveau de conviction et d'engagement de son leader, c'est-à-dire de son réel désir d'atteindre l'objectif qu'il annonce et de persévérer en cas de difficultés ou de revers ;
- dans le contexte des grandes organisations, le leader se doit aussi de manifester – dans ses attitudes et décisions quotidiennes – un haut niveau de fiabilité relationnelle, afin que les membres de l'équipe sachent qu'il tiendra les promesses qu'il fait ou qu'il protégera les personnes face aux risques qu'il leur demande de prendre ;
- enfin, la création de confiance nécessite une perception claire, par l'équipe, de la force de position de son leader, c'est-à-dire de sa capacité, dans le contexte de l'organisation, à disposer du pouvoir nécessaire et à dégager les moyens suffisants pour agir.

En fonction du niveau de développement de l'équipe, la confiance d'expérience, celle fondée sur la prévisibilité comportementale qui résulte d'une longue période d'interaction et de connaissance mutuelle, pourra ainsi laisser la place, au fil du temps, à une authentique confiance d'identification. Cette dernière, fondée sur l'existence d'un lien affectif fort entre les acteurs, ne saurait cependant être le fait que d'équipes hautement performantes. En effet, elle ne signifie pas que les individus s'apprécient ou s'aiment particulièrement, mais que chacune des parties est capable de comprendre réellement les attentes de l'autre et de mesurer ses désirs autant que ses besoins en fonction de l'objectif commun recherché. Dans l'idéal, toute équipe devrait ainsi parvenir à un niveau d'entente organisationnelle tel qu'il permette à chacun d'anticiper ce que les autres s'apprêtent à faire et puisse éventuellement se substituer à lui.

Comment mobiliser une équipe vers la performance ?

Si la confiance constitue un élément vital dans le fonctionnement des équipes, et tout particulièrement dans la relation avec le leader, c'est qu'elle constitue le préalable obligé à tout processus de mobilisation. On imagine en effet assez mal un corps social s'engageant durablement et prenant des risques de façon récurrente pour une structure managériale en laquelle il n'aurait aucune confiance. La mobilisation constitue donc, après la structuration et la création du lien de confiance, la troisième dynamique collective dans laquelle le leader va devoir insérer sa relation avec son équipe.

Toute équipe constitue en effet un ensemble de ressources organisationnelles, à la fois individuelles (liées aux parcours et projets personnels des membres) et collectives (liées au processus d'apprentissage du groupe), sur lesquelles le leader appuie son action. Parmi ces ressources, la compétence collective, la capacité de changement, la solidarité, l'autorégulation des tensions, la confiance exprimée ou le niveau global d'adhésion au projet peuvent être considérés comme les plus importants. Dans une perspective de leadership d'équipe, ce sont en priorité ces ressources collectives qui vont faire l'objet du processus de mobilisation.

Quelle est la nature de ce processus ? Les comportements au sein d'une équipe sont qualifiables de « mobilisation » dès lors qu'ils manifestent une forte cohérence, à partir d'une orientation commune (but, objectif, enjeu, défi, projet, etc.) ainsi qu'un relatif maintien dans la durée. Comme nous le rappelle B. Galambaud (1988), mobiliser une équipe de collaborateurs, « *C'est faire en sorte que leur énergie soit canalisée dans trois directions :*

- *l'amélioration de leur performance collective ;*
- *la prise en compte des priorités de l'entreprise ;*
- *la coordination spontanée au sein de l'équipe ou entre équipes.* »

Or, dans une optique d'optimisation des pratiques de mobilisation, il importe de relativiser le poids du facteur socio-affectif ou relationnel par rapport au facteur organisationnel. Pour le leader en effet, l'orientation des efforts sur l'architecture, c'est-à-dire sur l'organisation de la performance, précède celle sur la création d'une relation affective positive avec l'équipe. Non pas que le leadership personnel du manager constitue une dimension inutile ou secondaire. Mais ces variables personnelles, liées à son style relationnel et comportemental, ne peuvent constituer, dans le cadre du modèle tripolaire du leadership d'équipe, qu'un facteur d'enrichissement de l'interaction leader/équipe, sans en constituer pour autant les fondations.

En d'autres termes, la qualité humaine de l'interaction, considérée comme une qualité de relation entre un leader et son équipe, ne pré-existe pas à la structuration mais en est la conséquence directe. En situation de management d'équipe, le leadership du manager ne peut se mettre en place durablement qu'à partir et autour de choix organisationnels précis liés aux contraintes et opportunités nées du contexte de la mission ou du projet. Ce sont ces choix organisationnels qui, tout en contraignant la relation (tant pour le leader que pour l'équipe), vont fournir le cadre de la mobilisation collective. Cinq dimensions peuvent être prises en compte par le leader dans ce processus de mobilisation.

1. La définition précise du périmètre de la mission collective constitue le socle naturel sur lequel les membres de l'équipe vont construire leurs premiers choix, leurs premières décisions concrètes d'action sur le terrain. Il s'agit donc d'un facteur de cadrage très important et qui répond à la question : quel type d'action ou de contribution attend-on de nous ?

2. L'établissement des règles du jeu, en particulier en termes d'évaluation et de rétroaction (feed-back), constitue le deuxième choix organisationnel fondamental. De ce point de vue, une équipe apparaît comme un système « cybernétique » dont l'énergie est entretenue par le processus permanent de rétroaction vécu en relation avec son management.

3. Partant du principe que l'on mobilise mieux les énergies d'un groupe lorsque ses membres sont collectivement conscients de la nature du but à atteindre, l'élaboration de l'objectif constitue logiquement le troisième choix organisationnel auquel le leader doit faire face. Néanmoins, un objectif n'est jamais dynamisant en soi. À ce titre, il doit faire l'objet d'un double processus de construction (architecture) et d'appropriation par l'équipe (sens) avant de pouvoir déboucher sur la mise en œuvre, l'orientation et la maintenance d'efforts spécifiques. Un objectif mal élaboré (flou, imprécis, illogique, contradictoire, etc.) ou insuffisamment approprié par l'équipe (perçu comme imposé, difficilement atteignable, non pertinent, etc.) demeure un point de repère formel, à caractère administratif, mais ne peut en aucun cas accéder au statut de facteur de mobilisation collective.

4. L'élaboration d'un système de pilotage constitue un autre choix organisationnel permettant de créer des conditions optimales de mobilisation. Il constitue l'instrument permanent de mesure des efforts et des résultats obtenus par l'équipe. Il existe une multitude d'outils de pilotage à disposition des managers, en fonction de la taille de leur équipe, du secteur d'activité, du niveau de maturité des membres, etc. L'essentiel est de pouvoir disposer, lors des moments d'interaction entre le leader et son équipe, de l'outil objectif permettant de mesurer l'orientation des efforts ainsi que leurs résultats. Il importe ici de comprendre qu'un outil de pilotage est d'autant plus mobilisateur qu'il est perçu comme moins contrôlant. L'un des enjeux du leadership de proximité est ici de structurer et d'entretenir la représentation par l'équipe d'un outil ayant comme vocation première la régulation des efforts de chacun, doublée d'une aide à l'atteinte optimale de la performance.

5. La définition des procédures relationnelles entre le leader et son équipe constitue le cinquième et dernier choix organisationnel. Celui-ci renvoie au cadre formel dans lequel seront vécues par les acteurs les différentes interactions

relationnelles venant rythmer la vie de l'équipe (entretiens, comités, réunions, briefing, déjeuners de travail, séminaires, etc.). Certes, ces interactions peuvent être pensées sur un mode essentiellement relationnel. Si tel est le cas, c'est le style personnel du leader, son mode de fonctionnement en tant qu'individu, sa personnalité, qui supportera le fonctionnement du système. Cette option est envisageable, mais montre en pratique ses limites dans des environnements très changeants ou virtualisés, c'est-à-dire caractérisés par une forte distance géographique entre les membres de l'équipe ou marqués par la nécessité de rendre des comptes de façon réactive, non planifiable, face à un objectif de performance. Dès lors, les interactions et leurs règles du jeu doivent être pensées en tant que processus, en tant que structures, indépendamment du style personnel du leader et de la qualité amicale éventuelle des relations entretenues avec les uns et les autres. Les interactions entre le leader et son équipe, en étant prioritairement conçues comme des outils d'activation de l'engagement collectif, laissent le champ libre à l'expression ultérieure éventuelle d'une convivialité et d'une empathie, mais sans que celle-ci devienne une contrainte, un frein dans la gestion des règles du jeu managérial (mesure des écarts, recadrage des comportements, sanctions éventuelles, etc.).

C'est cette nécessité, pour un leader en situation, d'équilibrer avec tact les variables relationnelles et organisationnelles de son action vis-à-vis de son équipe afin de créer une équipe, construire la confiance et mobiliser les énergies qu'illustre le cas de Pascal Guerrier, nouveau manager régional aux Assurances Européennes Générales.

Assurances Européennes Générales

Lorsque, fin août 2007, Pascal Guerrier prend ses fonctions de directeur Nord des Assurances Européennes Générales (AEG), il découvre une situation managériale plus délicate que celle initialement prévue. Son prédécesseur, Jean-Robert Flavier, figure historique de l'entreprise, a quitté les AEG il y a trois mois pour intégrer le comité de direction d'une société financière concurrente, au grand désarroi de ses quatorze Inspecteurs Régionaux (IR) et de la centaine de collaborateurs œuvrant sur la moitié nord du territoire. Lors de ses premiers échanges électroniques et téléphoniques avec les IR, Pascal ressent très vite un malaise. Jean-Robert était manifestement un leader très charismatique, porteur d'une image forte, alors que lui-même n'est encore, aux yeux des cadres de France Nord, qu'un jeune manager, issu du sérail des grandes écoles, et peu familier du terrain. En termes de personnalité, Jean-Robert est de même un personnage haut en couleurs, chaleureux et enthousiaste, volontiers provocateur et bourru. Pascal quant à lui présente plutôt un profil d'une compétence pointue mais réservée, et un style relationnel pondéré, fait d'écoute et d'analyse. À cette différence de personnalité viennent s'ajouter deux éléments préoccupants. Le premier, d'ordre conjoncturel, tient dans le retournement annoncé d'une partie de l'activité épargne-retraite, sous les coups d'une concurrence de plus en plus agressive des autres compagnies d'assurance. Le second élément, d'ordre managérial est lié à diverses promesses – augmentations, promotions, temps libre supplémentaire – faites par Jean-Robert à ses meilleurs IR afin de les « stimuler ». Or, une première approche de ces « promesses » semble montrer que la plupart d'entre elles ne pourront être tenues par l'entreprise. Jean-Robert a sans doute parlé trop vite, désireux de laisser après son départ l'image d'un « patron » ayant fait se dépasser celles et ceux qu'on lui avait confiés... Pascal Guerrier est à présent conscient du caractère précaire de sa position managériale, face à une équipe orpheline de leader, en attente de signes de reconnaissances impossibles à fournir et éclatée géographiquement sur quatorze régions. Il décide donc, dès la mi-septembre, de proposer pour la deuxième semaine d'octobre la tenue d'un « séminaire stratégique » où se retrouveront tous les managers régionaux ainsi que certains cadres du siège représentants de services fonctionnels importants pour l'activité commerciale (RH, systèmes d'information, etc.). Afin de préparer ce séminaire, Pascal annonce son intention de visiter en personne les quatorze inspections régionales avant le séminaire, afin de rencontrer l'ensemble des inspecteurs régionaux et faire un point avec eux sur les priorités d'action. S'il est parfois intimidé devant des groupes importants, Pascal est tout à fait à l'aise dans la relation de face-à-face. Épaulé par une assistante efficace, il met son projet à exécution et seules deux inspections déclarent finalement ne pas pouvoir le recevoir avant la mi-novembre. À l'occasion de ses douze visites, Pascal noue des liens personnalisés avec chaque inspecteur régional, recueillant des idées, mesurant les écarts de performance et percevant peu à peu une image relativisée du « charisme » de Jean-Robert, que d'aucuns lui présentent désormais comme un grand professionnel certes, mais très autoritaire et manipulateur... Pascal en profite pour aborder en tête-à-tête le problème des « promesses intenables ». Cette nouvelle n'enchante pas les intéressés, mais la plupart se disent d'accord pour en reparler dans quelques semaines. Au bout de vingt jours, après douze visites, Pascal a pu créer une vraie relation de coopération avec huit IR, trois étant restés cordiaux mais plus réservés à son égard et un seul se braquant encore sur une position hostile. Il a de même à présent une vision très claire des points forts du réseau ainsi que des points de progrès et des projets de développements à mettre en œuvre. Il utilise désormais cette toute nouvelle compétence pour rassurer ses interlocuteurs, tant en région qu'au siège, apparaissant comme un manager jeune, certes, mais doté d'une écoute et d'un sens de la synthèse dont manquait parfois son prédécesseur. Lors du séminaire, mi-octobre, l'ensemble des IR se retrouvent en réunion avec Pascal, qui les connaît presque tous à présent. De par la qualité de relation créée lors de ses visites préparatoires et la cohérence des informations recueillies, le diagnostic commercial de France Nord est réalisé en une journée par les IR et présenté le soir même au directeur commercial France du réseau, qui félicite collectivement l'équipe pour son travail. Le lendemain, Pascal propose la création de trois groupes transversaux IR / cadres du siège : « action commerciale », « relation client » et « management France Nord ». Chaque groupe travaillera à sa convenance, soit par télé-réunion soit par échanges sur l'Intranet, afin de lui proposer des éléments concrets d'amélioration sur ces trois thèmes avant les fêtes de fin d'année. À la fin du séminaire, les deux IR n'ayant pu recevoir Pascal lors de sa tournée préparatoire viennent lui demander s'il serait possible de fixer rapidement une date pour sa visite chez eux. Pascal leur confirme que c'est une excellente idée...

CE QU'IL FAUT RETENIR

- Est leader celui qui est perçu comme tel par un groupe ; le leader, c'est celui ou celle que l'on a décidé de suivre.
- Une équipe, c'est un groupe formalisé, une intuition d'appartenance et des talents complémentaires en vue de la réalisation d'un objectif.
- La force d'un leader tient dans la perception qu'ont les équipiers de sa capacité à les aider à affronter une situation donnée.
- Le rôle essentiel du leader est de développer la croyances du groupe en sa capacité à affronter efficacement les enjeux liés au contexte.
- Une équipe est une entité vivante, qui passe du stade de la collection d'individus au groupe structuré puis à l'équipe synergique, dotée d'une identité et de modes de raisonnement et de décision communs.
- Avoir confiance en son leader, c'est partager la conviction que ses comportements demeureront cohérents, tant dans la relation avec l'équipe que dans la progression vers le but.
- Pour l'équipe, le lien de confiance se construit à travers la compétence, la conviction, la fiabilité relationnelle et la force de position du leader dans son environnement.
- Mobiliser une équipe, c'est mettre en cohérence les comportements de ses membres à partir d'un but commun et autour de modalités d'action partagées.
- Pour le leader, mobiliser consiste à élaborer l'architecture de performance qui permet aux membres de l'équipe de mettre en cohérence leurs attitudes et comportements vers le but commun.
- Agir en leader, c'est en toutes circonstances porter son attention sur deux dimensions : la conception du but et de l'action à mener pour l'atteindre ainsi que la mobilisation des acteurs sur ce but et leur capacité à l'atteindre ensemble.

BIBLIOGRAPHIE DE RÉFÉRENCE

Olivier BASSO, « Faire émerger les leaders : théorie et pratique », in *Sociétal*, n° 40, 2003.

Myriam BARNI, *Manager une équipe à distance*, Éditions d'Organisation, 2003.

Frank BOURNOIS *et al.* (dir.) , *Comités exécutifs. Voyage au cœur de la dirigeance*, Éditions d'Organisation, 2006.

Richard BOYATZIS, *Les nouveaux défis du leadership*, Village Mondial, 2006.

Jim COLLINS, *De la performance à l'excellence*, Village Mondial, 2006.

Olivier DEVILLARD, *La dynamique des équipes*, Éditions d'Organisation, 2003.

Alain DULUC, *Leadership et confiance*, éd. Dunod, 1999.

Bernard GALAMBAUD, *L'initiative contrôlée ou le nouvel art du manager*, EME, 1988.

Charles HANDY, « Pas d'organisation virtuelle sans confiance », in *L'Expansion Management Review*, n° 80, mars 1996.

HARVARD BUSINESS REVIEW, *Le leadership,* Éditions d'Organisation, 2000.

HARVARD BUSINESS REVIEW, *Styles de leader*s, Éditions d'Organisation, 2002.

Daniel HERVOUET, *Mener des hommes pour la première fois*, Éditions d'Organisation, 2005.

Edwin HOLLANDER, *Leadership Dynamics*, The Free Press, NYC, 1978.

Henri-Pierre MADERS, *Manager une équipe projet*, Éditions d'organisation, 2002.

Michel PETIT, A. KLESTA, H. ORMANDO, *Management d'équipe, concepts et pratiques*, éd. Dunod, 1999.

Bernard RADON, *Guide du leadership*, Dunod, 2007.

Stephen ROBBINS, David DE CENZO, Philippe GABILLIET, *Management. L'essentiel des concepts et des pratiques*, éd. Village Mondial, 2008.

Partie 3

STRATÉGIE

Les fondamentaux

Par FRÉDÉRIC FRÉRY

STRATÉGIE

La stratégie d'entreprise est une allocation cohérente de ressources (financières, humaines, technologiques, physiques, etc.) qui engage durablement l'entreprise. Elle consiste schématiquement à répondre à trois questions fondamentales :

- Quel modèle de création de *valeur* déployer afin de générer un profit durable (quel est le modèle économique) ?
- Comment éviter l'*imitation* de ce modèle de création de valeur par les concurrents (quel est l'avantage concurrentiel) ?
- Sur quel *périmètre* déployer ce modèle de création de valeur (choix de l'industrie, de la filière, des marchés, des produits et services) ?

Ce triptyque Valeur / Imitation / Périmètre (ou « modèle VIP ») résume les questions essentielles que doit résoudre le stratège.

La stratégie n'est pas nécessairement délibérée : les choix d'allocation de ressources peuvent parfois résulter d'une succession de décisions opérationnelles. On parle alors de stratégie émergente, dont la logique n'est perceptible qu'a posteriori.

CHAÎNE DE VALEUR

L'entreprise est une chaîne de valeur, c'est-à-dire une succession d'étapes visant à augmenter la valeur de l'offre proposée au client, de manière à ce qu'il soit disposé à payer plus cher pour obtenir ce qu'on lui vend. Lorsque la valeur (le prix payé par le client) est supérieure aux coûts qui ont été mobilisés pour la générer, la firme dégage un profit. Chacune des étapes de construction de l'offre peut contribuer à cet ajout de valeur :

- les achats, en incorporant des composants ou des matériaux valorisés par le client final ;
- la production, en obtenant une qualité de fabrication pour laquelle le client sera disposé à payer un surprix ;
- la logistique, en réduisant les délais de livraison ;
- le marketing, en établissant une image et une réputation ;
- la vente, en expliquant au client l'apport de valeur ;
- l'après-vente, en incorporant des services (maintenance, formation, assurances, etc.).

Cette chaîne de valeur de l'entreprise est liée en amont à celle de ses fournisseurs et en aval à celle de ses clients, l'ensemble constituant une filière.

AVANTAGE CONCURRENTIEL

Toute stratégie doit être jugée par rapport à celle des concurrents. L'avantage concurrentiel, c'est-à-dire l'obtention d'un profit durablement supérieur à celui des concurrents, peut résulter de trois stratégies génériques :

- la domination par les coûts, qui consiste à proposer une offre de même valeur que celle des concurrents à un coût inférieur. Cependant, la plupart des techniques de réduction de coûts (automatisation, délocalisation, etc.) sont aisément imitables ;
- la différentiation, qui consiste à proposer une offre soit plus élaborée et plus chère que celle des concurrents (différentiation vers le haut), soit moins élaborée et moins chère (différentiation vers le bas). Dans les deux cas, il s'agit de dégager un profit supérieur en résistant aux imitations ;
- la focalisation (ou stratégie de niche) qui consiste à se concentrer sur un périmètre délaissé par les plus puissants concurrents.

STRATÉGIE DÉDUITE, STRATÉGIE CONSTRUITE

Les choix stratégiques peuvent résulter de deux attitudes :

- on peut identifier les menaces et opportunités de l'environnement, définir ainsi ses facteurs clés de succès (ce qu'il faut faire pour être meilleur que les concurrents) et tenter de les maîtriser. Cette posture d'adaptation à l'environnement s'appelle la « stratégie déduite » ;
- à l'inverse, on peut identifier les forces et faiblesses de l'organisation, définir ainsi ses compétences fondamentales (ce que l'on peut faire mieux que les concurrents) et imposer sa différence à l'environnement. Cette posture de refonte des conditions concurrentielles s'appelle la stratégie construite.

On peut visualiser ces deux postures grâce au modèle SWOT (acronyme de Strenghts, Weaknesses, Opportunities and Threats), qui consiste à établir la liste des forces et faiblesses de l'organisation et des opportunités et menaces de l'environnement. La stratégie déduite résulte du O et du T, alors que la stratégie construite s'appuie sur le S et le W.

ANALYSE CONCURRENTIELLE

Afin d'identifier les facteurs clés de succès de l'environnement (ce qu'il faut faire pour être meilleur que les concurrents), on peut utiliser le modèle des cinq forces de la concurrence, défini par Michael Porter. Ce modèle consiste à hiérarchiser les forces de l'environnement susceptibles de réduire la capacité de l'organisation à obtenir un profit :

- le pouvoir de négociation des fournisseurs, qui cherchent à obtenir une hausse de leurs tarifs ;
- le pouvoir de négociation des clients, qui cherchent à obtenir des baisses de prix ;
- la menace des entrants potentiels, qui peuvent accaparer une partie du marché, si celui-ci n'est pas protégé par des barrières à l'entrée ;
- la menace des produits de substitution, qui peuvent remplacer l'offre existante ;
- l'intensité concurrentielle, qui peut déboucher sur une guerre des prix.

On ajoute à ce modèle une sixième force : les pouvoirs publics, qui peuvent aussi influer sur la capacité des entreprises à générer du profit (taxes, normes, quotas, etc.).

COMPÉTENCES FONDAMENTALES

Les compétences fondamentales de l'organisation (ce que l'on peut faire mieux que les concurrents) résultent de la combinaison entre :

- les ressources (financières, physiques, techniques, humaines, etc.) que l'on peut mobiliser ;
- les processus que l'on peut mettre en œuvre (le savoir-faire détenu, les systèmes établis) ;
- les valeurs partagées par les membres de l'organisation (leurs aspirations, tout comme ce qu'ils refusent de faire).

On peut construire la stratégie à partir de la combinaison des ressources, processus et valeurs qui caractérisent l'organisation. Néanmoins, pour que cette stratégie débouche sur un véritable avantage concurrentiel, ces compétences doivent être distinctives, c'est-à-dire non seulement génératrices de valeur mais surtout sans équivalence chez les concurrents et difficilement imitables.

Cependant, des processus et des valeurs trop bien encastrés dans l'organisation peuvent devenir des facteurs de rigidité et entraîner une dérive stratégique.

INTÉGRATION VERTICALE

L'une des décisions stratégiques les plus déterminantes consiste à choisir entre faire ou faire faire. On peut en effet sous-traiter la quasi-totalité des étapes de la chaîne de valeur à des prestataires extérieurs, ce qui permet de se concentrer sur ses compétences fondamentales et surtout sur les activités les plus lucratives, mais aussi de limiter le montant des actifs investis et donc le risque financier. Réciproquement, si l'on dispose des ressources nécessaires, on peut chercher à intégrer la totalité d'une filière, des matières premières aux services, afin de ne subir aucun pouvoir de négociation externe et de répartir les profits à sa guise.

Ce choix entre externalisation et intégration dépend de nombreux facteurs, dont le degré d'incertitude de l'environnement, la nature et la disponibilité des compétences requises ou encore le niveau de contrôle exigé par les dirigeants : on maîtrise plus difficilement des actifs que l'on ne possède pas, mais ils sont beaucoup moins coûteux.

DIVERSIFICATION

Une organisation peut être présente sur un seul domaine d'activité stratégique ou faire le choix de diversifier son portefeuille d'activités. Deux options sont alors envisageables :

- la diversification liée, dans laquelle il existe des synergies entre les différentes activités. Une synergie est une étape de la chaîne de valeur commune à plusieurs activités, qui peuvent ainsi partager une même technologie, un même réseau de distribution ou encore un même système d'information.
- la diversification conglomérale, dans laquelle les différentes activités n'ont aucun point commun. Dans cette situation, la direction générale se comporte comme une banque interne qui alloue les ressources afin de maximiser son gain financier, mais sans chercher à construire une architecture industrielle cohérente.

Les analystes financiers – pour des raisons de lisibilité de leurs investissements – pénalisent les diversifications conglomérales, qui sont ainsi généralement réservée aux entreprises non cotées.

MATRICES D'ALLOCATION DE RESSOURCES

Lorsqu'une organisation est diversifiée (c'est-à-dire présente dans plusieurs domaines d'activité stratégique), les décisions d'allocation de ressources doivent être arbitrées, afin de déterminer quelles activités recevront les moyens nécessaires à leur stratégie et, à l'inverse, lesquelles ne seront pas prioritaires.

Pour cela, on utilise des matrices d'allocation de ressources, schémas où les activités sont positionnées en fonction de deux axes qui mesurent leur coût et leur gain, ce qui permet d'identifier les activités les plus prometteuses. La plus célèbre de ces matrices a été conçue dans les années 1960 par le cabinet de conseil Boston Consulting Group. Elle positionne les activités en fonction de leur taux de croissance et de leur part de marché relative.

Toutes ces matrices, trop simplistes, ont été sévèrement critiquées. Elles laissent croire à tort que la stratégie peut se résumer à une simple géométrie de flux financiers et elles négligent la notion de synergie.

INNOVATION ET PARADOXE DU SUCCÈS

Même si elle se caractérise par un engagement pérenne, la stratégie doit être régulièrement revue, afin de maintenir l'adéquation entre l'environnement et les capacités organisationnelles.

Paradoxalement, la principale cause d'inertie, de refus d'innovation et donc de dérive stratégique, est le succès. En effet, l'innovation résulte avant tout de la diversité, de la contestation et de l'imperfection, alors qu'elle est étouffée par la spécialisation, l'ordre et l'optimisation. Optimiser les processus, c'est tuer l'innovation. Or, le succès conduit naturellement à l'inertie : une fois qu'une recette de succès est élaborée, la tentation naturelle consiste à l'utiliser systématiquement, et donc à s'enfermer dans une trajectoire où la mise en cause est vécue comme une déviation par rapport à l'idéal. De fait, bien des entreprises dominantes connaissent des revers considérables, par incapacité à réformer le modèle économique qui les a conduites au succès.

Stratégie

Prospérer dans l'imprévu

Par FRÉDÉRIC FRÉRY

Frédéric Fréry est professeur à ESCP-EAP, où il est titulaire de la chaire KPMG « Stratégie des risques et performance ». Auteur de nombreux ouvrages et articles, il enseigne aussi dans plusieurs écoles et universités en France et à l'international.

Les modèles classiques de la stratégie d'entreprise – que ce soit l'analyse concurrentielle, les matrices d'allocation de ressources ou encore la courbe d'expérience – sont adaptés à des contextes relativement prévisibles. Lorsque les conditions concurrentielles sont incertaines, lorsque la réglementation évolue, lorsque les technologies périclitent, lorsque les marchés émergent ou s'effondrent, on entre dans le domaine de l'hypercompétition, où la discontinuité est permanente, où seul l'imprévu est une certitude. De nouvelles postures stratégiques sont alors nécessaires, des démarches d'anticipation rationnelle à l'acceptation de l'imprévisible, de l'imitation systématique des concurrents à la prise de risque délibérée, de la mise en place d'une structure agile à la reconstruction volontaire de l'environnement. Chacune de ces approches présente des avantages et des limites. Leur adoption dépend avant tout de la nature de l'industrie et de la culture dominante au sein de la firme.

Les mobiles dans la tourmente

Une exubérance irrationnelle

Au tout début de l'année 2000, le marché mondial de la téléphonie mobile connut une euphorie sans précédent. Portés par l'effervescence du marché grand public, par la mode des nouvelles technologies et par l'optimisme débridé des opérateurs, les grands équipementiers affichaient des progressions de chiffre d'affaires jamais vues : +87 % pour Nokia, +53 % pour Ericsson ou +37 % pour Alcatel. Même si le taux d'équipement en téléphones mobiles montrait déjà des signes de saturation, avec 244 millions d'abonnés en Europe, les concurrents tablaient sur le relais de croissance permis par la technologie WAP, puis sur le développement rapide des téléphones de troisième génération (3G). Alcatel prévoyait ainsi que le marché de la 3G serait d'un milliard d'euros dès 2001, de 5 à 6 milliards en 2002 et de 12 à 13 milliards en 2003. D'ailleurs, les opérateurs se battaient à coups de dizaines de milliards d'euros pour acquérir des licences 3G auprès des gouvernements. Tout cela se traduisait par d'ambitieuses campagnes d'investissements et de recrutements et par une valorisation boursière exubérante : le 31 mars 2000, le titre Nokia s'échangeait à 108 fois son bénéfice.

L'effondrement

C'est pourtant en mars 2000 que la bulle Internet finit par éclater, plongeant subitement l'industrie des télécoms dans la tourmente. Tous les constructeurs, les uns après les autres, annoncèrent une chute de leurs bénéfices, ce qui se traduisit par un effondrement de leur cours de Bourse. Fin 2000, on estimait que les stocks d'invendus dépassaient les 40 millions de téléphones mobiles. Ericsson décida en janvier 2001 de supprimer 20 000 postes et de transférer la fabrication de ses terminaux au spécialiste singapourien de la sous-traitance Flextronics. En juillet 2001, Alcatel fit de même en lançant son projet de « firme sans usine ». Devant le fiasco de son projet Iridium, Motorola dut se résoudre à détruire les 66 satellites qui le composaient, tandis que Sagem, Philips et Sony annonçaient également de sévères restructurations.

Même Nokia, pourtant détenteur de plus de 34 % du marché mondial, ne put empêcher sa valorisation boursière de chuter de plus de 14 milliards d'euros en une seule séance, suite à l'annonce de résultats inférieurs aux prévisions. En quelques mois, dans toute l'Europe, des dizaines de milliers d'emplois furent supprimés alors que de nombreuses usines – dont certaines très récentes – étaient fermées ou délocalisées. Au cours de l'année 2001, le nombre d'abonnés au téléphone mobile en Europe augmenta tout de même de 47 millions, passant de 244 à 291 millions, avant d'atteindre la saturation : la progression ne fut plus que de 4 millions en 2002. Les constructeurs tablaient à présent sur le marché de remplacement, mais ceux qui avaient parié sur la technologie WAP – comme Alcatel – le regrettaient amèrement : surévaluée, mal acceptée par les utilisateurs, cette technologie ne prit jamais l'essor prévu.

Un redécollage progressif

À partir de 2003, les constructeurs de téléphones mobiles reprirent progressivement confiance, en proposant aux clients déjà équipés des modèles plus perfectionnés (écran couleur, lecteur MP3, appareil photo, etc.). Si Nokia avait maintenu sa part de marché, de nouveaux concurrents avaient émergé, comme les Coréens Samsung et LG, bientôt suivis par l'Américain Apple. Sagem avait réussi temporairement à devenir leader sur le marché français en misant sur le rapport qualité / prix de ses terminaux tandis que Ericsson et Sony, fusionnés, regagnaient rapidement du terrain. Motorola, encore leader aux États-Unis, voyait ses ventes s'effondrer, alors qu'Alcatel était quasiment sorti du marché. Quant à la 3G, elle fut finalement lancée – timidement – en 2004, avec quatre ans de retard par rapport aux premières estimations. Au total, en moins de trois ans, le marché des mobiles avait connu des bouleversements sans précédent : positions concurrentielles ébranlées, technologies prometteuses repoussées, milliards d'euros évaporés et dizaines de milliers d'emplois perdus.

De la concurrence à l'hypercompétition

Le cas qui ouvre le présent chapitre est caractéristique d'un environnement concurrentiel extrêmement incertain. En 2000, le marché des mobiles semblait promis à un avenir radieux : le WAP devait assurer un relais de croissance jusqu'au lancement imminent de la 3G, le commerce électronique allait se substituer au commerce classique (on parlait alors de « nouvelle économie ») et les opérateurs de téléphonie mobile comme les fabricants de terminaux et d'infrastructures engrangeaient de plantureux profits. Supposons à présent que nous sommes à la tête de Alcatel, Nokia, Ericsson ou Samsung début 2001 : en quelques mois, tous les indicateurs sont devenus négatifs, toutes les certitudes se sont effondrées, l'environnement semble avoir basculé. Comment, dans une situation aussi perturbée, réussir à concevoir une stratégie pertinente ? Entre Alcatel, qui a préféré externaliser toute son activité industrielle, Nokia, qui a fortement investi dans les logiciels ou Sagem, qui a tout misé sur le rapport qualité / prix, qui a effectué les choix stratégiques les plus judicieux ?

Par essence, la stratégie d'entreprise consiste à s'engager de manière pérenne sur des choix d'allocation de ressources. Faire de la stratégie, c'est décider sur quelles activités, marchés et projets on investit ses ressources financières, on déploie ses ressources technologiques et l'on affecte ses ressources humaines, afin d'obtenir un avantage concurrentiel durable. Cette démarche d'allocation de ressources doit nécessairement reposer sur une capacité à anticiper les évolutions du contexte concurrentiel, sans quoi elle se ramène à un simple pari. Faire de la stratégie lorsque l'environnement est très turbulent revient à miser des jetons sur une table de roulette au casino : un exercice purement aléatoire. Dans le fracas et la fureur de la bataille, l'anticipation cède souvent la place à l'instinct, la réflexion s'efface devant l'action et la tactique l'emporte sur la stratégie. Dans un contexte imprévisible, la notion même de stratégie n'a pas de sens.

Or, dans un grand nombre d'industries, du fait de la prolifération des technologies (ou de leur faillite), de l'évolution des réglementations (ou de leur inertie) et de la globalisation de la concurrence (non seulement sur un plan géographique, mais aussi par convergence entre des industries jusqu'alors disjointes), il est difficile de maintenir durablement un avantage concurrentiel. Ces industries, à l'image de celle de la téléphonie mobile, relèvent de ce qu'il est convenu d'appeler « l'hypercompétition ».

L'hypercompétition

L'hypercompétition caractérise un environnement dans lequel les avantages se créent et se détériorent rapidement. Dans un environnement hyperconcurrentiel, la fréquence, l'agressivité et l'amplitude des turbulences engendrent une situation de déséquilibre permanent.

Le début des années 2000 a été particulièrement riche en hypercompétition. D'Enron à Vivendi Universal, de General Motors à Compaq, de Palm à EADS et d'Arthur Andersen à Marks & Spencer, de très nombreuses entreprises, pour des raisons fort diverses, ont été victimes d'une érosion subite de leur avantage concurrentiel, alors que celui-ci reposait parfois sur des ressources considérables. Dans le même temps, le MP3 s'est substitué au CD, le DVD au VHS, les écrans plats aux tubes cathodiques, les téléphones mobiles aux téléphones fixes, mais la bulle Internet a éclaté. L'Union européenne a adopté l'euro et s'est élargie, la Chine a rejoint l'OMC, mais a souffert du SRAS, tandis que le terrorisme a provoqué un durcissement des relations internationales et que le prix de la plupart des matières premières a connu une brutale inflation.

Face à un environnement hyperconcurrentiel de ce type, les outils classiques de la stratégie d'entreprise se révèlent peu pertinents :

- le modèle des cinq forces de la concurrence, qui consiste à hiérarchiser les facteurs déterminant la capacité des firmes à générer un profit au sein d'une industrie, se prête fort mal à une situation turbulente, où la hiérarchie des forces fluctue sans cesse. Identifier des facteurs clés de succès lorsque les conditions concurrentielles sont instables relève de la gageure ;
- les matrices d'allocation de ressources, qui situent les activités d'une firme en fonction de leur coût (ou de leur attrait) et de leur rentabilité (ou de leurs

atouts), perdent toute signification lorsque les forces, les faiblesses, les menaces et les opportunités peuvent être brutalement remises en cause ;

- de même, la courbe d'expérience, qui mesure l'avantage de coût obtenu par les stratégies de volume, l'accumulation de l'expertise et les améliorations continues, devient subitement inutile lorsque des innovations de rupture réduisent à néant les acquis.

Dès lors, quelle posture stratégique adopter lorsqu'on fait face à l'hypercompétition ? Quels outils d'analyse utiliser lorsque le contexte est imprévisible ? Comment prospérer dans l'imprévu ? Trois réponses sont envisageables :

- on peut tout d'abord refuser l'incertitude et tenter de recréer une zone de stabilité, soit en maintenant ses engagements passés, soit en essayant de remodeler les conditions environnementales à partir de ses propres capacités distinctives ;
- on peut également décrypter l'incertitude, soit en anticipant les évolutions possibles de l'environnement grâce à la construction de scénarios, soit en modélisant les mouvements des concurrents grâce à la théorie des jeux ;
- enfin, on peut gérer l'incertitude, soit en se contentant d'imiter systématiquement le comportement des concurrents, soit en réussissant à construire une structure agile, capable de s'adapter continûment aux turbulences.

Nous allons à présent détailler ces trois attitudes.

REFUSER L'INCERTITUDE

La première attitude envisageable face à l'incertitude environnementale consiste à refuser d'être emporté par le torrent de l'hypercompétition. Pour cela, il est nécessaire de recréer une zone de stabilité, dans laquelle il sera possible d'utiliser de nouveau les outils classiques de la stratégie. Ce refus de l'incertitude peut prendre deux formes : l'engagement et la stratégie construite.

L'engagement

On peut considérer qu'une décision est stratégique à partir du moment où elle est difficilement réversible. C'est ce degré d'irréversibilité – ou d'engagement – qui détermine la nature stratégique ou simplement tactique d'une allocation de ressources.

Engagement

L'engagement caractérise les décisions qui influencent l'entreprise sur le long terme. Plus une allocation de ressources est marquée par un fort degré d'engagement – c'est-à-dire d'irréversibilité – plus elle peut être considérée comme stratégique.

Face à une situation hyperconcurrentielle, on peut être tenté d'ancrer solidement la stratégie de l'entreprise sur certains choix fondamentaux, qui ne seront pas remis en question. Cette approche présente l'avantage de permettre le maintien des ressources, des processus et des valeurs qui caractérisent la firme et sa stratégie. S'il s'agit d'une entreprise de grande taille, l'engagement peut provoquer, par un effet de domino sur les fournisseurs, les clients et même les concurrents, une forme de stabilité dans l'environnement concurrentiel immédiat. Un certain nombre de grandes entreprises publiques françaises, d'EDF à la SNCF, utilisent ainsi leur considérable force d'inertie pour orienter l'évolution de leur secteur.

Cependant, l'engagement est une approche particulièrement risquée lorsque l'entreprise surestime sa capacité à influer sur le cours des événements. Elle peut alors s'engager dans une dérive stratégique qui l'écarte progressivement des trajectoires de réussite. On peut citer le cas de DEC, champion incontesté des mini-ordinateurs, qui n'a pas su remettre en question certains de ses engagements alors que son industrie migrait vers les micro-ordinateurs. Il en a été de même pour Disney, qui a trop tardé à passer de l'animation classique – qui avait fondé son succès pendant des décennies – aux images de synthèse obtenues par ordinateur, favorisant ainsi l'émergence de dangereux concurrents.

La nuance est subtile entre l'engagement, signe d'une affirmation stratégique volontaire, et l'entêtement, qui peut aveugler les meilleurs jusqu'à les conduire à leur perte.

La stratégie construite

Si l'engagement est une attitude relativement passive, la stratégie construite consiste au contraire à établir ses propres règles du jeu, à être le premier à proposer de nouvelles offres et de nouveaux modèles économiques, à construire un

« océan bleu » vierge de concurrents, afin d'agencer à son avantage de nouvelles conditions environnementales. Bien entendu, cette approche volontariste ne peut porter ses fruits qu'à la condition que la firme redéfinisse le contexte à partir de ses compétences fondamentales, c'est-à-dire de la combinaison de ressources, de processus et de valeurs qui fondent sa spécificité. Dans le cas contraire, l'avantage obtenu par la définition de nouveaux facteurs clés de succès pourrait être aisément imité par les concurrents. Plutôt que de s'adapter à des facteurs clés de succès environnementaux fluctuants où déjà maîtrisés par les principaux concurrents, cette approche consiste donc à refuser la turbulence pour imposer ses propres orientations stratégiques. Cela peut notamment déboucher sur des avantages pionniers et des stratégies de préemption. C'est ainsi qu'en lançant la Wii, Nintendo a refusé la surenchère technologique de Microsoft et Sony pour proposer une console de jeux vidéo moins perfectionnée mais nettement plus conviviale, ce qui lui a permis d'attirer une nouvelle clientèle, plus adulte et plus féminine.

Stratégie océan bleu

Une stratégie océan bleu consiste à créer un marché vierge de concurrence en se différenciant fortement des offres existantes.

Il va de soi que la stratégie construite constitue une approche ambitieuse, puisqu'il s'agit ni plus ni moins que de forger un environnement à son image, en s'appuyant sur ses forces et sur l'originalité de son modèle économique. De fait, bien des stratégies construites échouent par excès d'optimisme ou par défaut de ressources. On pourrait même estimer que cette posture est réservée aux grandes entreprises, qui seules disposent des capacités suffisantes pour influer sur l'évolution de leur environnement. C'est notamment ce qu'a fait IBM au cours des années 1990, lorsque ce qui faisait son cœur de métier – les gros systèmes et les architectures centralisées – a été remplacé par les micro-ordinateurs. Après avoir vainement tenté de suivre ce mouvement pendant la décennie 1980, IBM a inversé son approche à partir de 1993 en assurant la promotion d'Internet au travers du concept d'e-business. En connectant tous les PC à des serveurs, en ramenant l'informatique vers la gestion complexe de transactions sécurisées, IBM a cessé d'accepter que l'environnement lui échappât pour le contraindre à revenir vers son cœur de métier. On peut estimer que cette stratégie construite a sauvé la compagnie.

Des entreprises de plus petite taille peuvent également connaître le succès au travers d'une stratégie océan bleu, à condition que leur approche soit réellement innovante et fondée sur d'authentiques capacités distinctives, comme l'ont prouvé – à leurs débuts – les exemples de McDonald's, Dell, Canon, JC Decaux ou Nike. Toutes ces entreprises se caractérisent par le fait qu'à l'origine, plutôt que de tenter de maîtriser des facteurs clés de succès qui étaient hors de leur portée, elles ont réussi à reconstruire leur environnement à partir d'une proposition de valeur originale et difficilement imitable.

DÉCRYPTER L'INCERTITUDE

Refuser l'incertitude, que ce soit par engagement ou par stratégie construite, c'est courir un risque considérable, celui de ne pas réussir à réduire la turbulence. C'est pourquoi une deuxième attitude est envisageable. Elle consiste à tenter de décrypter cette incertitude, afin d'anticiper ses évolutions ou de s'y préparer. Pour cela, on peut recourir soit à la construction de scénarios, soit à la théorie des jeux.

Les scénarios

La méthode des scénarios consiste à déterminer vers quelles configurations peut éventuellement évoluer l'environnement, puis à se préparer aux actions à mener dans chacun des cas plausibles.

Scénario

Un scénario est une représentation plausible et détaillée des différents futurs envisageables, obtenue par la combinaison de tendances structurelles incertaines.

Pour mener à bien la construction de scénarios, il convient tout d'abord d'identifier quelles sont les tendances structurelles qui peuvent faire évoluer l'environnement. Il peut s'agir par exemple de l'évolution du prix de certaines matières premières, du taux de change de certaines monnaies, de la disponibilité de certaines ressources ou encore de l'évolution de certaines variables politiques ou macroéconomiques. C'est la combinaison de ces tendances structurelles qui permet de dresser la liste des futurs envisageables. Il convient cependant de ne pas céder à l'explosion combinatoire que peut rapidement provoquer le croisement des différentes tendances structurelles. Au-delà de cinq ou six scénarios, la méthode perd son utilité car les différences entre les situations obtenues deviennent trop subtiles pour être réellement opérationnelles.

Il est également nécessaire d'identifier les variables pivots, qui permettent d'anticiper que c'est l'un ou l'autre des scénarios qui est en train de se dérouler. On peut, par exemple, estimer qu'au-delà d'un certain prix de marché ou qu'en deçà d'un certain taux de croissance, c'est tel scénario qui se réalise. Pour cela, il peut être utile de distinguer entre l'incertitude (qui caractérise les états futurs plausibles de l'environnement) et l'instabilité (qui caractérise le passage d'un état à un autre). Un environnement est réellement turbulent lorsqu'il est simultanément incertain et instable. Cependant, il peut parfois être incertain mais stable (les situations futures sont inconnues, mais les critères pivots sont identifiés) ou, à l'inverse, certain mais instable (les différents états possibles de l'environnement sont connus, mais l'occurrence de l'un ou l'autre est imprévisible : ce sont alors les variables pivots qui font défaut).

Le recours à la construction de scénarios est fréquent dans les industries à cycle long, comme l'aéronautique, la pétrochimie ou l'énergie, dans lesquelles il est indispensable d'anticiper l'évolution à long terme de l'environnement avant d'entreprendre des projets d'investissement qui peuvent parfois s'étaler sur des décennies.

Le principal piège de la méthode des scénarios consiste à oublier qu'il ne s'agit que de représentations simplifiées de situations complexes. À trop vouloir raffiner les scénarios, à ne plus les considérer comme des aides à la décision, on peut être tenté de les transformer en simulations informatiques extrêmement complexes, jusqu'à les confondre avec la réalité. Or, à décider à l'aide d'une carte sans parcourir effectivement le territoire, on finit toujours par percuter un obstacle non répertorié.

La théorie des jeux

La deuxième approche permettant de décrypter l'incertitude est la théorie des jeux. Initiée par des économistes, des mathématiciens, des psychologues et des chercheurs en sciences politiques, la théorie des jeux consiste à anticiper le comportement rationnel d'acteurs placés en situations d'interaction, qu'il s'agisse de concurrence ou de coopération.

Théorie des jeux

Fondée sur l'hypothèse de rationalité des acteurs, la théorie des jeux cherche à anticiper les comportements dans des situations ou chacun doit agir en tenant compte des choix effectués par les autres.

Les situations analysées par la théorie des jeux sont du type :

- sachant que nos concurrents savent que nous connaissons leurs intentions (lancer un nouveau produit, investir sur un nouveau marché, changer une tarification, etc.), que devons-nous faire ?
- individuellement, nous pouvons avoir intérêt à faire les mêmes choix (par exemple, lancer une campagne publicitaire ou baisser les prix pour gagner des parts de marché), mais si nous faisons tous la même chose, nous risquons tous de perdre. Comment alors éviter une escalade collectivement néfaste ?
- réciproquement, nous pouvons avoir intérêt à prendre certaines décisions uniquement si la plupart des concurrents feront de même. C'est le cas, par exemple, lorsqu'on doit adopter un standard technique (logiciel, fréquence, etc.). Comment alors anticiper quel sera le choix des concurrents, afin de faire le même ?

Afin de décrypter ces différentes situations, la théorie des jeux s'appuie sur des calculs de gains et de probabilités, en distinguant les jeux à somme nulle (ce que gagne l'un des acteurs est perdu par les autres) et les jeux à somme non nulle (tout le monde peut gagner ou tout le monde peut perdre), les jeux séquentiels (les acteurs font leurs choix l'un après l'autre) et les jeux simultanés (les choix sont effectués au même moment). Suivant le type de situation, les méthodes de résolutions sont différentes. Dans certains cas, on peut notamment identifier des équilibres, c'est-à-dire des configurations dans lesquelles aucun acteur n'a intérêt à changer sa stratégie de choix.

Si la théorie des jeux permet d'éclairer de manière particulièrement convaincante certaines situations complexes, notamment lors de négociations politiques ou commerciales ou lorsqu'il s'agit d'anticiper le comportement des usagers d'un service public, sa principale limitation réside dans l'hypothèse de rationalité des joueurs. Si jamais les acteurs en présence laissent leurs passions ou leur instinct l'emporter sur le calcul méticuleux de leurs gains, s'ils n'utilisent pas eux-mêmes la théorie des jeux pour anticiper le comportement des autres joueurs ou s'ils ne sont tout simplement pas capables d'évaluer précisément leur intérêt, l'édifice rationnel de la théorie des jeux s'effondre. Or, il faut bien admettre que dans certaines situations concurrentielles, l'évaluation froide et méthodique des options en présence n'est pas nécessairement la démarche suivie par tous les acteurs. L'inertie, l'orgueil ou la précipitation sont la cause de bien des décisions stratégiques. Par ailleurs, la théorie des jeux implique généralement de connaître tous les acteurs en présence, leurs ambitions et leurs ressources. Or, dans certains environnements particulièrement perturbés et ouverts, le nombre de concurrents oscille entre l'infini et l'indéfini.

GÉRER L'INCERTITUDE

Comme nous l'avons vu, refuser l'incertitude peut se révéler extrêmement risqué alors que chercher à la décrypter peut devenir rapidement trop complexe. C'est pourquoi on peut envisager une troisième posture face à un environnement turbulent : l'accepter tel qu'il est et définir une stratégie en conséquence. Cette gestion de l'incertitude peut revêtir deux formes différentes, qui sont l'imitation et l'agilité.

L'imitation

La première et la plus simple – mais aussi vraisemblablement la plus répandue – des approches permettant de gérer l'incertitude est l'imitation. Face à un environnement fortement imprévisible, il s'agit pour tous les concurrents, d'imiter systématiquement chacun des mouvements stratégiques initié par l'un d'entre eux. À chaque fois qu'un concurrent modifie une caractéristique de son offre, investit un nouveau marché ou fait évoluer son modèle économique, tous les autres ont intérêt à faire de même. En effet, deux options peuvent alors se présenter :

- soit ce qu'a fait le concurrent se révèle pertinent ; il était alors judicieux de faire de même et l'on ne pourra pas se voir reprocher de ne pas l'avoir fait ;
- soit ce qu'a fait le concurrent se révèle néfaste, mais si tout le monde l'a imité, personne ne pourra être tenu pour responsable de l'échec.

Cette approche peut sembler quelque peu triviale, mais elle permet d'expliquer le comportement de nombreuses firmes face à une prise de risque importante dans un environnement peu prévisible. On peut notamment interpréter de cette manière la surenchère sur les achats de licences 3G par les opérateurs de téléphonie mobile en 2000, l'inflation des débits ADSL proposés par les fournisseurs d'accès à Internet ou encore la plupart des phénomènes de bulle spéculative, y compris celle qui a conduit à l'effondrement des marchés boursiers en 2000. La bourse est d'ailleurs un environnement qui se prête particulièrement bien aux stratégies d'imitation, puisque l'objectif des gestionnaires de fonds n'y est pas de repérer les meilleures entreprises dans l'absolu, mais de miser sur celles que les autres investisseurs considèreront comme les plus prometteuses. Pour un gestionnaire de fonds professionnel, qui tient à préserver sa réputation sur le marché, la meilleure stratégie consiste donc à imiter méthodiquement ses confrères. Les meilleurs sont ceux qui ont développé cette capacité rare qu'est l'imitation par anticipation.

L'imitation est une technique dérivée de la théorie des jeux, dans laquelle elle est connue sous le nom de « modèle des marchands de glaces » : sur une plage, deux marchands de glace ont intérêt à se positionner côte à côte et à proposer strictement la même offre, car cela leur garantit 50 % du marché pour un coût minimal (mais certainement pas au bénéfice de leurs clients).

Ce type de comportement appelle un commentaire essentiel. En stratégie, il n'existe pas de solution bonne ou mauvaise dans l'absolu. Toute stratégie ne se juge que par rapport à celle des concurrents. L'imitation constitue donc un aspect dynamique fondamental de l'interaction concurrentielle. Si une stratégie est aisément imitable par les concurrents, elle est généralement sans intérêt. Si vous avez la même stratégie que vos concurrents, vous n'avez pas de stratégie.

Pour échapper à cette spirale de l'imitation, il convient de concevoir des stratégies robustes, ce qui non seulement n'a rien d'évident (il faut pour cela disposer de ressources, de processus et de valeurs sans équivalent), mais qui de plus accroît significativement le risque d'erreur. Pour un dirigeant qui joue constamment sa crédibilité et souvent sa carrière auprès de ses actionnaires, mieux vaut se tromper avec tout le monde que courir le risque de se tromper tout seul. Heureusement, ce constat quelque peu désolant se limite avant tout aux entreprises cotées.

Robustesse

Une stratégie est dite « robuste » lorsqu'elle est difficilement imitable par les concurrents. Pour cela, elle doit nécessairement s'appuyer sur des compétences distinctives.

Quoiqu'il en soit, si l'imitation permet de gérer simplement la turbulence, elle ne saurait – par définition – constituer une source d'avantage concurrentiel, ni même une véritable stratégie. Il est donc nécessaire d'envisager une approche plus constructive.

L'agilité

La deuxième attitude envisageable lorsqu'il s'agit de gérer l'incertitude est la construction d'une organisation agile.

Agilité

L'agilité est la capacité à maintenir durablement la compétitivité des entreprises alors que la turbulence de leur environnement dépasse leur vitesse d'adaptation. Par-delà d'épisodiques mutations, elle requiert une permanente adaptabilité, qui ne doit pas être obtenue aux dépens de l'efficience.

L'agilité est un concept qui a été élaboré aux États-Unis au début des années 1990, lorsque la désindustrialisation est devenue une préoccupation majeure des responsables politiques et économiques. Plusieurs centres universitaires et organisations professionnelles ont été mobilisés afin de proposer un remède à l'effritement de la capacité industrielle américaine, concurrencée par un nombre croissant de pays émergents. Il s'en est suivi un recensement des meilleures pratiques, la mise en place de forums d'échanges et la publication de plusieurs ouvrages et revues. À partir de la seconde moitié des années 1990, la réflexion sur l'agilité a peu à peu gagné l'Europe.

Pour être capable de s'adapter continûment aux aléas de son environnement, une organisation agile doit présenter plusieurs qualités ou adopter, selon la nature de la turbulence à laquelle elle est confrontée, plusieurs tactiques.

Elle peut adopter une structure d'entreprise virtuelle, c'est-à-dire externaliser auprès de prestataires spécialisés tout ou partie de sa chaîne de valeur. Cette sous-traitance à outrance présente plusieurs avantages : une plus grande flexibilité, une meilleure lisibilité des coûts ou encore la capacité à cumuler des compétences optimisées. Si l'on externalise l'essentiel de l'activité, on remplace des frais fixes (les investissements) par des frais variables (le tarif payé aux prestataires externes), ce qui permet d'abaisser radicalement le seuil de rentabilité et donc de dégager un profit, même lorsque la conjoncture est défavorable. L'inconvénient majeur de cette approche est la capacité à contrôler des actifs dont on n'est plus propriétaire : comment se prémunir contre le risque de défection – voire de trahison – des sous-traitants ? Comme nous l'avons vu dans le cas introductif de ce chapitre, le recours à une structure virtuelle a été quasi-unanimement choisi par les fabricants de téléphonie mobile après 2000, qui ont jugé plus pertinent d'externaliser la fabrication de leurs terminaux auprès de sous-traitants spécialisés.

L'entreprise agile se caractérise également par une capacité à fortement différencier son offre de produits ou de services, de manière à s'adapter à la moindre demande du marché. Poussée à sa limite, cette approche débouche sur le surmesure de masse, c'est-à-dire la capacité à proposer un produit ou un service surmesure pour un coût comparable à celui d'une offre standardisée et produite en masse. Cette capacité s'appuie sur diverses techniques, comme la différenciation retardée de l'offre (les produits ou services reposent sur une plate-forme standardisée, sur laquelle viennent se greffer le plus tard possible des adaptations multiples) ou l'implication du client (plutôt que de concevoir a priori un grand nombre de références, on laisse le client définir lui-même, par un choix arborescent, les caractéristiques de l'offre qu'il souhaite acquérir). Parmi les entreprises qui ont connu le succès grâce au surmesure de masse, on peut citer le constructeur informatique Dell : grâce à son site Internet, Dell permet à ses clients de configurer dans le détail leur ordinateur, qui est ensuite assemblé en fonction de leurs choix de composants et de caractéristiques (une quarantaine de paramètres sont modifiables). L'avantage considérable de cette approche est qu'elle dispense d'avoir à mener de coûteuses études de marché censées identifier les préférences fluctuantes des clients. Ici, ce sont les clients eux-mêmes qui conçoivent l'offre. Cela impose cependant que les produits ou services proposés soient modulaires, c'est-à-dire composés d'éléments interchangeables. La capacité à modulariser l'offre est vraisemblablement la clé du sur mesure de masse.

La troisième qualité principale d'une entreprise agile est la capacité à réduire considérablement les délais de conception, de réalisation et surtout de commercialisation des produits ou services. Comme l'a montré l'exemple du développement photo en une heure, de nombreux clients sont en effet disposés à payer un prix significativement supérieur pour une offre identique, mais obtenue plus rapidement. Réduire les délais peut également permettre de s'adapter plus vite à de nouvelles conditions environnementales (dans une posture de stratégie déduite), voire de susciter ces conditions (dans une posture de stratégie construite). Si de nombreuses entreprises ont appris à réduire leurs délais de mise sur le marché de nouveaux produits (*time to market*), par exemple dans l'électronique grand public ou l'informatique, l'enjeu consiste également à imposer le plus rapidement possible une nouvelle offre comme standard dans une industrie donnée (*time to volume*), ce qui permet de démoder les offres concurrentes, voire de les expulser littéralement du marché. La guerre entre les formats de vidéo haute définition (HD-DVD de Toshiba contre Blu-ray de Sony) a constitué un bon exemple de cette démarche : Sony a équipé sa PlayStation 3 d'un lecteur Blu-ray afin d'assurer d'emblée un marché de masse à ce format. Toshiba, ne disposant pas d'un tel effet de levier, a été contraint d'abandonner son HD-DVD début 2008.

Le cas qui clos le présent chapitre présente une entreprise qui a su mettre en place un modèle économique particulièrement agile, fondé à la fois sur une externalisation poussée, sur une personnalisation de l'offre, sur une forte maîtrise de la chaîne logistique et sur une organisation par projets. Cependant, comme le montre cet exemple, même une entreprise agile ne peut durablement éviter les maux qui guettent ceux dont le succès est trop rapide et trop éclatant : difficulté structurelle à maintenir un taux de croissance constant, nécessité opérationnelle de rigidifier certains processus au détriment de la flexibilité, inévitable imitation par les concurrents, etc.

Quelle posture adopter ?

Entre refuser l'incertitude par l'engagement ou la stratégie construite, décrypter l'incertitude par les scénarios ou la théorie des jeux et gérer l'incertitude par l'imitation ou l'agilité, le choix n'a rien d'évident. Tout dépend en fait de la nature de la turbulence (incertitude et/ou instabilité) et surtout des ressources, des processus et des valeurs qui caractérisent la firme. Ces différentes postures impliquent une plus ou moins forte acceptation du risque ou du compromis, une culture plus ou moins disposée à la mise en doute des schémas de pensée établis ainsi que la maîtrise de ressources et compétences plus ou moins spécifiques.

Reste à souligner une fois encore qu'à l'exception notable de l'imitation – qui relève d'ailleurs bien plus de la tactique que de la stratégie – la solution retenue pour prospérer dans l'imprévu ne débouchera pas sur un réel avantage concurrentiel si d'autres concurrents sont en mesure de l'adopter. Pour qu'une stratégie soit durablement gagnante, elle doit nécessairement être distinctive. Hors de la différenciation, un avantage ne saurait être qu'éphémère et une bonne idée stratégique ne dure jamais très longtemps.

Medion : une entreprise agile

Un succès éclatant…

Medion AG fut fondé au début des années 1980 par le très discret Gerd Brachmann, qui tenait alors un magasin de télévision à Essen en Allemagne. Au départ, l'entreprise se spécialisa dans l'importation de produits électroniques coréens, dont des fours à micro-ondes. C'est en 1996 que le destin de Medion bascula. À l'occasion de l'une des opérations de promotion hebdomadaires de la chaîne de hard-discount Aldi, Medion proposa un micro-ordinateur avec trois ans de garantie et un service après-vente gratuit, pour un prix public de 1 119 euros, très bas pour l'époque. Les 20 000 exemplaires de ce PC furent vendus en quelques heures. En 1997, la deuxième opération de ce type déclencha une véritable hystérie en Allemagne : les 250 000 unités du Aldi PC furent écoulées en deux jours, faisant de Medion la marque de micro-informatique préférée des Allemands. La croissance fut alors foudroyante. Entre 1995 et 2000, les ventes décuplèrent, alors que les bénéfices croissaient de 50 % par an. Rien qu'en 1998-1999, le chiffre d'affaires doubla, pour dépasser le milliard et demi d'euros. Émise à la bourse de Francfort en février 1999, au prix de 17,75 euros, l'action Medion s'envola jusqu'à 62,35 euros en septembre 2000. En 2003, devenu leader du marché allemand (avec 23 % de parts de marché) et deuxième en Europe (avec 8,2 %, derrière HP et ses 10,7 %), Medion réalisa un chiffre d'affaires de près de 3 milliards d'euros et un profit de plus de 100 millions. Les PC Medion étaient alors vendus dans une quinzaine de pays par de grands distributeurs locaux (Aldi et Metro en Allemagne, Carrefour et Auchan en France, Dixons en Grande-Bretagne, Best Buy aux États-Unis, etc.), mais le marché allemand représentait toujours 66 % du chiffre d'affaires. À côté des PC (75 % des ventes), Medion proposait plus de 300 matériels différents (téléviseurs, lecteurs MP3, appareils photos numériques, téléphones, PDA, etc.).

… grâce à un modèle économique original…

Le modèle économique de Medion était unique dans l'industrie de la micro-informatique. Alors que HP, Toshiba ou Sony devaient proposer une gamme complète pour être référencés auprès des distributeurs spécialisés (Fnac, Darty, Saturn, etc.), Medion fonctionnait par appels d'offre auprès des chaînes de grande distribution alimentaire. Il leur proposait d'organiser des campagnes promotionnelles ponctuelles, pour lesquelles il concevait spécialement des modèles de PC, assemblés en Chine à partir de composants standard. L'ensemble de la chaîne logistique, de la sélection des fournisseurs au service après-vente (la moitié des salariés du groupe étaient employée dans des centres d'appel téléphoniques), était assuré par Medion, ce qui dégageait les distributeurs – pour lesquels ces PC étaient des produits d'appel – de la complexité de ce type d'opérations. Medion fonctionnait non pas selon des processus continus, mais par une succession de projets ponctuels : ce n'était pas un industriel mais un prestataire de services pour la grande distribution.

… devant être constamment repensé

À partir de 2004, ce modèle commença cependant à montrer ses limites. Des concurrents autrefois cantonnés au marché professionnel, comme Fujitsu-Siemens, commercialisèrent eux aussi leurs produits au travers de la grande distribution. Même Dell, pourtant adepte de la vente directe, fut distribué chez Carrefour. Du fait de cette concurrence accrue, le prix moyen des PC baissa d'un tiers en moins de trois ans. Des machines à moins de 500 euros firent leur apparition, comme le eeePC de Asus. L'impact sur Medion fut considérable. Son chiffre d'affaires passa de près de 3 milliards d'euros en 2003 (avec un bénéfice de 103 millions) à seulement 1,6 milliard en 2006 (avec une perte de 65 millions). Grâce à un plan de restructuration drastique, l'entreprise redevint bénéficiaire dès 2007, mais sa part de marché en Allemagne était tombée à moins de 10 %. Conscient de l'impossibilité de maintenir durablement un avantage de prix, Gerd Brachmann réorienta alors les priorités de Medion sur le design de ses produits, désormais présenté comme un facteur clé de succès.

CE QU'IL FAUT RETENIR

- Face à un environnement turbulent les modèles classiques de la stratégie sont peu pertinents. Trois attitudes sont alors envisageables : refuser l'incertitude, la décrypter ou la gérer.
- Refuser l'incertitude consiste soit à maintenir ses engagements en attendant que le contexte se décante, soit à influer sur le cours des événements en s'appuyant sur ses capacités distinctives.
- Décrypter l'incertitude consiste soit à construire des scénarios, soit à anticiper le comportement des acteurs grâce à la théorie des jeux.
- Gérer l'incertitude consiste soit à se contenter d'imiter les concurrents, soit à construire une structure agile, capable de prospérer dans l'imprévu.
- La solution retenue dépendra du contexte, mais plus elle s'avère pertinente, plus rapidement elle sera imitée par les concurrents.

BIBLIOGRAPHIE DE RÉFÉRENCE

Richard D'AVENI, Robert GUNTHER, *Hypercompétition*, éd. Vuibert, 1995.

Avinash DIXIT, Barry NALEBUFF, *Thinking Strategically*, Norton, 1993.

Frédéric FRÉRY, *Benetton ou l'entreprise virtuelle*, 2e édition, éd. Vuibert, 2003.

Frédéric FRÉRY, « The fondamental Dimensions of Strategy », *MIT Slow Management Review*, vol. 48, n° 1, 2006, p. 71-75.

Pankaj GHEMAWAT, *Commitment*, Free Press, 1991.

Steven GOLDMAN, Kenneth PREISS, Roger NAGEL, *Agile Competitors and Virtual Organizations*, Van Nostrand Reinhold, 1995.

Gary HAMEL, C.K. PRAHALAD, *La Conquête du futur*, 2e édition, éd. Dunod, 1999.

Gerry JOHNSON, Kevan SCHOLES, Richard WHITTINGTON, Frédéric FRÉRY, *Stratégique*, 8e édition, Pearson Education, 2008.

N. C. KIM, Renée MAUBORGNE, *Stratégie océan bleu*, Village Mondial, 2005..

Georges STALK, Thomas HOUT, *Vaincre le temps*, éd. Dunod, 1992.

Stratégies de croissance et développement de l'entreprise

Par PIERRE DUSSAUGE

Diplômé d'HEC, docteur en Sciences de gestion (université Paris-Dauphine), Pierre Dussauge est professeur de stratégie et politique d'entreprise à HEC et professeur visitant à l'université du Michigan. Auteur de nombreux articles et ouvrages dans le domaine du management stratégique, en particulier sur les stratégies d'alliances.

Par VALÉRIE MOATTI

Diplômée de l'ESCP, docteur en sciences de gestion (HEC), Valérie Moatti est professeur de stratégie et de supply chain management à ESCP-EAP. Elle a précédemment occupé diverses responsabilités en finance et stratégie, successivement chez Procter & Gamble et Pinault-Printemps-Redoute.

La croissance est devenue depuis quelques années un objectif essentiel, imposé aux dirigeants par les marchés financiers. En effet, la création de valeur exigée par les actionnaires ne peut plus être obtenue, après des années de re-engineering et de réduction des coûts dont les limites semblent maintenant avoir été atteintes, autrement que par une croissance du chiffre d'affaires. Les stratégies poursuivies au cours de ces dernières années par les entreprises appartenant à des secteurs comme la pharmacie, l'automobile, l'informatique ou la distribution en témoignent largement. Pour mener à bien cette croissance, les entreprises ont recours à des stratégies diverses : fusion, acquisition, diversification, intégration verticale, alliance… Nous proposons ici d'approfondir la compréhension des différentes stratégies possibles, en particulier de distinguer la direction poursuivie et le mode sélectionné pour atteindre un tel objectif.

Le groupe LVMH

Créé en 1987, le groupe LVMH est aujourd'hui considéré comme le premier groupe mondial de marques de luxe. Il a réalisé en 2007, 16,5 milliards d'euros de chiffre d'affaires pour une marge opérationnelle de près de 22 % et une marge nette de 14 %, emploie 72 000 personnes (dont 74 % hors de France) et possède près de 2 000 points de vente à travers le monde. Pour atteindre de tels résultats en seulement une vingtaine d'années, le groupe LVMH, a mené, en parallèle, une forte croissance dans quatre directions : pénétration accrue du marché, internationalisation, diversification et intégration verticale.

En effet, le P-DG du groupe, Bernard Arnault, a d'abord constitué le groupe grâce à un rapprochement de l'entreprise Dior qu'il dirigeait, avec deux autres sociétés, Louis Vuitton et Moët Hennessy dont les métiers respectifs étaient la maroquinerie et le champagne. Le groupe LVMH a donc rassemblé des activités aussi différentes que la maroquinerie, les champagnes, les parfums ou la haute couture et constitue à cet égard un cas de diversification autour de la notion de luxe, mais avec des synergies qui semblent discutables. Il est difficile en effet d'imaginer des synergies de conception, fabrication ou distribution entre les bouteilles de champagnes Moët et Chandon, les sacs Louis Vuitton ou les parfums Guerlain.

Parallèlement à cette stratégie de diversification, le groupe n'a cessé de faire croître ses propres métiers. La stratégie de pénétration accrue du marché s'exprime à la fois par une innovation constante et une concentration accrue. L'innovation du groupe aboutit, chaque année, au lancement de nouveaux produits, comme le parfum *J'adore* de Christian Dior ou le sac Vuitton Monogram revisité en 33 couleurs par l'artiste japonais Takashi Murakami. Le groupe s'est également attelé à réduire le nombre de concurrents sur ses marchés grâce au rachat d'autres acteurs. Dans le domaine des vins et spiritueux par exemple, le groupe a étendu son offre à travers la prise de contrôle de Dom Pérignon, Veuve Clicquot-Ponsardin, Château d'Yquem. Les marques Canard Duchêne et Pommery, précédemment acquises, ont récemment été cédées, notamment en raison d'une position trop dominante du groupe.

De plus, le groupe LVMH a largement appliqué une stratégie d'internationalisation grâce à une présence accrue à travers le monde. Si le Japon représente le premier marché de Louis Vuitton avec plus de 30 % de son chiffre d'affaires, le maroquinier ne cesse de s'étendre dans de nouveaux pays et a ouvert son premier magasin en Inde en 2004. Les autres activités et marques du groupe poursuivent également une expansion à travers le monde. À titre d'exemple, Moët Hennessy vient d'ouvrir une filiale de distribution en Belgique et développe son activité en Australie.

Enfin, LVMH a également poursuivi une stratégie d'intégration verticale à travers l'acquisition de DFS (Duty Free Shopping) en 1996 et de Séphora en 1997, qui représentaient des circuits de distribution privilégiés pour ses produits. Ces développements se sont néanmoins avérés beaucoup moins intéressants que prévu. En effet, DFS a vu son chiffre d'affaires baisser de 16 % et ses profits de 66 % l'année suivant son acquisition par LVMH, notamment en raison de la crise en Asie, région où sont situés l'essentiel des magasins DFS. De plus, l'avantage lié au contrôle de points de vente, qui distribuent également des produits concurrents, est faible. En particulier, la mise en place de synergies ne peut être réalisée sans nuire à l'offre de ces magasins, c'est-à-dire à leur puissance commerciale et à leur rentabilité.

L'analyse du développement du groupe LVMH montre finalement qu'une même entreprise peut se développer dans les quatre directions stratégiques que nous décrivons dans ce chapitre et qui ont chacune des conséquences bien spécifiques sur l'évolution du groupe et sa rentabilité.

LA CROISSANCE RENTABLE

La croissance rentable est devenue un objectif fondamental de la stratégie d'entreprise. Elle est une condition *sine qua non* pour recruter et conserver de nouveaux talents dans l'entreprise, attirer les capitaux, et rompre avec la fatalité liée à la maturité de nombre de secteurs d'activité ou marchés. De plus, elle constitue souvent l'un des principaux leviers pour réduire les coûts grâce aux économies d'échelle et ainsi devenir plus compétitif. À l'inverse, l'absence de croissance sur une longue période constitue souvent un signe de faiblesse, elle révèle l'incapacité de l'entreprise à innover ou à attirer de nouveaux clients et l'entraîne dans une spirale du déclin.

Pour parvenir à croître, les entreprises ont mis en œuvre une multitude de stratégies dont les effets sont cependant loin de faire l'unanimité, tant parmi les dirigeants, acteurs de ces mouvements, que parmi les observateurs, analystes financiers ou académiques. Fusion, acquisition, diversification, alliance, intégration..., autant de manœuvres destinées à favoriser la croissance qui ont dans un premier temps suscité un engouement certain avant de provoquer un scepticisme non moins généralisé. Pour tenter d'y voir un peu plus clair et évaluer les divers leviers de croissance que peuvent actionner les entreprises, il convient tout d'abord de ne pas confondre direction de la croissance et mode de croissance.

En effet, la croissance peut s'effectuer dans quatre directions différentes et être mise en œuvre par le biais de trois modes différents. En ce qui concerne les directions de la croissance tout d'abord, l'entreprise peut :

- se développer en restant dans le cadre de ses propres activités, en accroissant sa pénétration des marchés sur lesquels elle est déjà présente ;
- se substituer à certains de ses fournisseurs ou clients, en intégrant des activités en amont ou en aval de son activité d'origine ;
- étendre son offre de produits ou services, en se diversifiant vers des activités nouvelles pour elle, plus ou moins proches de ses activités d'origine ;
- élargir sa couverture géographique, en proposant son offre à des clients dans des zones ou des pays nouveaux par le biais d'une stratégie d'expansion internationale.

Chacune de ces directions peut être mise en œuvre de trois manières distinctes :

- par croissance organique, ou interne, l'entreprise déployant ses propres ressources pour se développer dans l'activité choisie ;
- par croissance externe, c'est-à-dire par le biais de fusions ou acquisitions, l'entreprise se développant dans l'activité visée en absorbant d'autres entreprises déjà présentes dans l'activité en question ;
- par le biais d'alliances et de partenariats, c'est-à-dire en coopérant avec d'autres entreprises, le plus souvent déjà présentes dans l'activité visée.

Une entreprise qui souhaite se développer doit donc prendre deux décisions distinctes et généralement successives. L'une concerne la direction poursuivie, l'autre le mode de développement choisi pour y parvenir. Si ces deux grands types de manœuvres sont souvent confondus, ils n'en restent pas moins séparés : le choix entre ces différentes options repose à la fois sur une analyse fine des caractéristiques de l'entreprise, notamment de ses ressources, et sur une excellente compréhension de l'environnement.

Ainsi, lorsque le groupe Pinault-Printemps-Redoute décide d'étendre son activité en se développant à l'international, il peut soit ouvrir par ses propres moyens de nouveaux magasins – à l'image de ce que fait la Fnac en Espagne et au Portugal –, soit racheter des acteurs locaux – comme cela a été fait avec Ellos en Scandinavie ou Brylane aux États-Unis, dans le domaine de la vente par correspondance –, soit encore conclure une alliance stratégique avec un partenaire implanté à l'étranger – comme l'a fait Conforama en Italie avec le groupe d'ameublement Emmezeta. On voit ainsi que le même groupe, PPR, choisit alternativement chacun des trois modes de croissance possibles pour se développer dans une direction : l'international. Les autres directions de la croissance peuvent de la même façon être mises en œuvre par chacun des trois modes.

Le tableau suivant récapitule l'ensemble des choix que doit faire toute entreprise qui cherche à se développer.

Tableau n° 1 : Les stratégies de croissance

	Même secteur	Amont/Aval	Industries différentes	Nouveaux marchés géographiques
Croissance interne	CONCENTRATION	INTÉGRATION VERTICALE	DIVERSIFICATION	GLOBALISATION
Coopération				
Fusions-acquisitions				

Source : Karnani

LES STRATÉGIES DE PÉNÉTRATION ACCRUE OU CROISSANCE HORIZONTALE

Croître au sein de ses propres activités ne peut être obtenu qu'en augmentant ses parts de marché au détriment de ses concurrents et/ou en développant la demande, grâce à l'innovation. Les bénéfices de la croissance horizontale reposent principalement sur la réalisation d'économies d'échelle, le développement de l'apprentissage et l'accroissement du pouvoir de négociation vis-à-vis de ses clients ou de ses fournisseurs.

La croissance horizontale ne peut néanmoins être une fin en soi, mais doit, pour être réussie, s'accompagner au minimum d'un maintien et préférablement d'une amélioration de la profitabilité. En effet, croissance et profitabilité sont trop souvent des vases communicants : pour accélérer sa croissance, l'entreprise baisse ses prix et sacrifie ainsi sa rentabilité. Une simple baisse de prix comme moyen de faire croître ses parts de marché est d'autant plus dangereuse qu'elle est aisément imitable par les concurrents présents sur le marché et peut aboutir rapidement à une guerre des prix, indissociable d'une baisse significative et généralisée de la profitabilité. Seule une croissance rentable est un objectif souhaitable. Pour parvenir à cet objectif, il faut que, grâce à des économies d'échelle, la croissance permette à l'entreprise de réduire ses coûts dans des proportions plus importantes que la baisse des prix qui alimente cette croissance. Faute d'avoir intégré ce principe, le distributeur américain K-Mart, malgré une forte croissance de son chiffre d'affaires, a été contraint de se déclarer en cessation de paiement au début des années 2000 ; sa croissance rapide, loin de favoriser sa rentabilité, n'a fait qu'accroître ses difficultés financières.

L'une des façons de croître tout en préservant sa rentabilité est d'innover. Très souvent, l'innovation permet à l'entreprise de réduire ses coûts de façon significative et durable. L'un des moyens les plus efficaces d'innover pour réduire les coûts consiste à repenser en profondeur le *business model* de l'entreprise, c'est-à-dire sa façon de gérer et d'organiser sa chaîne de valeur. IKEA est ainsi parvenu à une position de leader sur son marché grâce à une reconstruction de la chaîne de valeur traditionnelle de l'industrie du meuble. En effet, l'entreprise s'est développée sur un modèle de production sur stock – contrairement aux autres acteurs du secteur qui produisent à la commande – d'éléments standardisés, reléguant une partie de la fabrication au client, chargé de finaliser l'assemblage de son meuble. Ce modèle innovant a permis à IKEA de faire considérablement baisser ses coûts de fabrication et de gestion par rapport à ses concurrents tout en offrant à ses clients une disponibilité immédiate du produit à un prix très avantageux.

D'autres formes d'innovation qui ne s'accompagnent pas d'une baisse des coûts, mais peuvent au contraire justifier une augmentation des prix, sont également susceptibles de mener à une croissance horizontale rentable. Lorsque Danone lance Actimel, il développe le marché des produits laitiers en générant de nouveaux besoins. De même, SAP AG parvient à développer fortement son chiffre d'affaires grâce à une constante innovation technologique et une excellente compréhension des besoins des entreprises, qui ont abouti à la création puis à l'extension du marché des progiciels de gestion intégrés.

Si l'innovation, sous ses différentes formes, représente un moyen efficace et rentable de croître dans ses propres métiers, une pénétration accrue du marché peut également être réalisée par le biais d'une concentration du secteur, c'est-à-dire à travers l'affaiblissement ou la disparition de certains concurrents. Une telle stratégie est particulièrement pertinente en présence de multiples petits acteurs et/ou sur des marchés à faible niveau de croissance. La consolidation de secteurs comme les agences de publicité relève d'une telle logique.

L'INTÉGRATION VERTICALE

Très en vogue il y a quelques décennies, l'intégration verticale – c'est-à-dire l'extension des activités de l'entreprise vers un secteur fournisseur ou client de l'activité de base – n'est plus une voie de développement très prisée. Bien au contraire, la tendance dominante est aujourd'hui à l'externalisation. Pourtant, lorsque l'on interroge les dirigeants d'entreprise, la tentation de l'intégration verticale reste forte. Cela tient à un certain nombre de mythes à la vie dure :

- l'élimination d'intermédiaires, les « circuits courts » allant directement de la matière première à l'utilisateur final, permettrait de réduire les coûts ;
- mieux contrôler la chaîne de valeur réduirait la dépendance vis-à-vis de prestataires extérieurs et accroîtrait l'efficacité des opérations ;
- plus on internaliserait une part importante de la valeur ajoutée, plus on ferait de bénéfices…

En réalité, ces arguments ne résistent pas à l'analyse : l'élimination d'intermédiaires n'est profitable que si l'entreprise peut remplir la même fonction plus efficacement. Avoir le choix entre plusieurs fournisseurs, ou distributeurs, est une façon bien plus efficace de réduire sa dépendance que de se substituer à ces fournisseurs. Rien ne sert d'internaliser des activités qui représentent une part même importante de la valeur ajoutée, si ces activités sont peu rentables (par exemple, l'acier représente une part non négligeable du coût d'une automobile, mais il serait absurde pour un constructeur de vouloir internaliser cette fourniture dans la mesure où la production d'acier n'est pas une activité très rentable et que, par conséquent, les sidérurgistes « subventionnent » les constructeurs).

En fait, c'est l'existence ou non d'un marché fonctionnant de manière efficace qui doit dicter la décision d'intégration verticale. S'il existe de nombreux fournisseurs et clients, que le composant considéré est suffisamment standardisé pour que l'on puisse changer de fournisseur aisément, il y a peu de raisons de s'intégrer. Si, en revanche, le composant en question est très spécifique au client et qu'il y a peu de fournisseurs possibles, cela peut être une raison de chercher à s'intégrer. Surtout, si le composant considéré donne à l'offre de l'entreprise un caractère ou un avantage particulier, s'intégrer verticalement peut être une façon d'empêcher les fuites vers la concurrence. À l'inverse, externaliser un composant essentiel à la différenciation de l'offre de l'entreprise, c'est presque à coup sûr le rendre disponible aux concurrents et par là même lui ôter son pouvoir de différenciation. Si, pendant des décennies, IBM a été une entreprise très intégrée, produisant pour elle-même la plupart des composants électroniques utilisés dans ses ordinateurs, c'est parce qu'elle considérait ces composants comme essentiels aux capacités de ses machines et ne voulait à aucun prix qu'ils soient disponibles pour ses concurrents. Si IBM a perdu sa position dominante dans la micro-informatique, c'est parce que, contrairement à son habitude, elle a décidé d'externaliser le micro-processeur (à Intel) et le système d'exploitation (à Microsoft) équipant ses PC. Dès lors, ces composants ont été utilisés par tous les concurrents pour fabriquer des « clones » du PC d'IBM, faisant perdre à celui-ci tout caractère spécifique et l'entraînant dans une guerre des prix. Au total, parce qu'elle est très liée à l'activité d'origine de l'entreprise, l'intégration verticale doit moins être analysée comme une forme d'expansion de l'entreprise que comme l'une des facettes de sa stratégie concurrentielle. Une entreprise doit donc s'intégrer, moins pour l'activité ou le chiffre d'affaires supplémentaire que cela lui procure que parce que cela la renforce dans son métier de base. À l'inverse, si elle ne peut en attendre une consolidation de sa position dans ce métier de base, une entreprise a le plus souvent plus à perdre qu'à gagner en s'intégrant verticalement.

La diversification

Après une phase d'engouement marqué au cours des années 1960-1970, la diversification – qui amène l'entreprise à se développer vers des activités nouvelles plus ou moins liées à ses métiers d'origine – tente beaucoup moins les entreprises depuis les années 1980, notamment dans les pays développés. En effet, le rapprochement, au sein d'une même entité, d'activités différentes, surtout lorsqu'elles présentent peu de similitudes, engendre des contraintes de gestion et des surcoûts importants. La diversification est considérée comme une dispersion des ressources et un affaiblissement de l'identité de l'entreprise. Les marchés financiers pénalisent d'ailleurs les entreprises trop diversifiées par une « décote conglomérale ». Cette prise de conscience a conduit nombre d'entreprises à recentrer leur activité au cours des années 1980-1990. Ainsi, après de multiples diversifications, le groupe Suez a choisi de se concentrer sur deux métiers, l'énergie et l'environnement.

L'exemple de certains groupes diversifiés, dont le plus emblématique est General Electric, prouvent néanmoins que diversification ne rime pas forcément avec faible profitabilité. Plus récemment, la réussite du constructeur de micro-informatique Dell dans les imprimantes et les écrans de télévision démontre l'intérêt d'une stratégie de diversification bien menée.

Les raisons traditionnellement avancées pour justifier les stratégies de diversification sont la répartition des risques entre plusieurs activités, la maximisation de la taille de l'entreprise, l'allocation de ressources disponibles à des activités plus rentables ou à plus fort potentiel de développement, et la mise en place de synergies liées à l'utilisation commune d'actifs ou de ressources tels que des circuits de distribution, des sites ou processus de fabrication, des clients, des fournisseurs, des matières premières ou des compétences. Ainsi, à la fin des années 1970, Procter & Gamble, alors exclusivement présent sur les marchés de la grande consommation, exploite son centre de recherche fondamentale sur les détergents pour développer des médicaments. Ces recherches ont notamment abouti au lancement de Didronel, médicament leader dans le traitement de l'ostéoporose et, avec lui, à la création d'une activité de pharmacie au sein du groupe de grande consommation. L'entrée du groupe sur cette nouvelle activité était motivée par l'ampleur des marges et les potentiels de croissance du marché de la santé par rapport aux métiers traditionnels de Procter & Gamble.

Depuis, nombre des bénéfices supposés de la diversification ont été remis en question. Des marchés financiers efficaces permettent aux actionnaires de diversifier leur risque de manière moins coûteuse en investissant simultanément dans plusieurs sociétés, rendant inutile et même contre-productive, la diversification au niveau des entreprises. La course à la taille, quant à elle, n'a d'intérêt que s'il s'agit de taille dans un domaine d'activité, permettant ainsi des économies d'échelle. Une course à la taille par simple juxtaposition d'activités différentes ne présente aucun intérêt stratégique. L'argument des ressources excédentaires qui ne trouveraient plus à s'investir dans le métier de base et imposerait donc une diversification ne tient plus, si l'on reconnaît aux actionnaires le droit de décider eux-mêmes des investissements qu'ils souhaitent faire. Il suffit de rendre à ces actionnaires les ressources excédentaires (par distribution de dividendes ou rachat d'actions), charge à chacun d'eux de les ré-investir (ou non d'ailleurs) comme bon lui semble. Enfin, des fiascos comme celui de Vivendi ont révélé que la diversification annoncée dissimulait en fait la « construction d'empires », laquelle construction servait davantage les intérêts des dirigeants que ceux des actionnaires.

Le seul argument en faveur de la diversification qui résiste à une analyse approfondie est celui des synergies. Encore faut-il ne pas attendre de synergies là où elles n'existent pas, ou ne pas les surestimer lorsqu'elles existent effectivement. Imaginer des synergies entre deux activités parce qu'elles ont des clients communs par exemple est très souvent trompeur : la très grande majorité des acheteurs de voitures achètent aussi des chaussettes ; il est évident que, malgré cela, il n'y a aucune synergie entre les deux activités. Moins évidemment absurde, tous les acheteurs d'automobile achètent de l'essence, pourtant, il n'existe là non plus aucune synergie entre ces activités. Pouvoir ranger des activités diverses sous une même étiquette conduit souvent aussi à imaginer des synergies qui n'existent pas. Eastman Kodak, le géant de la pellicule photographique par exemple en a fait les frais : définissant leur métier comme étant celui de « l'imagerie » et constatant que la photocopie faisait également partie de ce domaine, l'entreprise n'a pas hésité à aller défier des concurrents aussi puissants que Xerox ou Canon. Cette diversification désastreuse a prouvé que derrière l'étiquette commune de « l'imagerie » se cachaient des activités totalement distinctes par leur technologie, leurs clients, la distribution, etc., sans aucune source de synergie possible.

Même lorsque des synergies existent réellement, elles peuvent être difficiles à exploiter. Par exemple, l'utilisation d'une même force de vente pour deux activités distinctes n'est possible que si cette force de vente n'est pas déjà saturée par son activité d'origine et qu'en outre elle a la capacité et surtout la volonté d'absorber ces nouvelles responsabilités. Ainsi, suite à la formation d'une alliance avec Europcar, Accor s'est aperçu qu'il était difficile de mettre en œuvre les synergies entre ses activités d'hôtellerie et la location de voitures bien qu'elles appartiennent toutes deux au secteur du tourisme et qu'elles soient distribuées dans les mêmes agences de voyages. Le groupe Accor a finalement cédé sa participation dans Europcar, faute de pouvoir réaliser les synergies attendues. Dans le meilleur des cas, lorsque, des synergies peuvent effectivement être mises en œuvre, leur matérialisation suppose des coûts et des délais. Il est par conséquent fondamental d'évaluer correctement les gains effectifs liés aux synergies avant toute décision de diversification.

Mais, lorsque des synergies existent effectivement et que l'entreprise est capable de les mettre en œuvre efficacement, la diversification peut être une stratégie de développement très pertinente. Disney représente à cet égard, un exemple de diversification réussie. En effet, l'entreprise est parvenue à déployer efficacement la franchise de ses personnages au sein d'activités aussi différentes que les dessins animés, les films (Miramax), les parcs de loisir, la télévision (ABC, Disney Channel, HBO), les hôtels et la vente de produits dérivés. Disney a ainsi réalisé un chiffre d'affaires de 2 milliards de dollars sur la base du personnage du *Roi Lion* alors que le dessin animé n'a représenté qu'un chiffre d'affaires de 50 millions $. Le regroupement de ces diverses activités a permis à Disney de récolter l'intégralité des bénéfices et de coordonner avec précision le lancement de nouveaux personnages au sein des différents circuits.

L'EXPANSION INTERNATIONALE

L'une des formes les plus en vogue de développement de l'entreprise depuis quelques années est la croissance à l'international. Avec l'engouement pour la globalisation, beaucoup d'entreprises voient dans des marchés comme la Chine ou l'Inde de nouveaux eldorados où elles pourront, pensent-elles, décupler leurs ventes. Mais derrière la fascination pour des marchés apparemment sans limite, se cache en fait une certaine incompréhension du phénomène de globalisation. Si la globalisation représente une opportunité pour des entreprises comme Carrefour ou Michelin qui vont chercher des centaines de millions de clients supplémentaires en Chine ou au Brésil, elle est aussi une menace pour beaucoup d'autres entreprises qui voient débarquer sur leur marché domestique des concurrents nouveaux dont elles ignoraient jusqu'à l'existence quelques années auparavant. Qui en France aurait pu imaginer à la fin du XXe siècle que le premier producteur mondial de téléviseurs deviendrait, dès 2003, une entreprise chinoise, TCL, qui en plus rachèterait les activités du champion national Thomson dans le secteur ? Si la globalisation conduit les grandes multinationales « traditionnelles » à s'étendre encore davantage au niveau mondial, elle fait également émerger de nouveaux venus dans de nombreux secteurs. Surtout, la globalisation ne touche pas – et ne touchera pas à l'avenir – toutes les entreprises dans les mêmes proportions. Certaines entreprises ne pourront survivre que si elles s'internationalisent à marche forcée alors que d'autres prospéreront tranquillement, tout en restant centrées principalement sur leur marché national, voire régional.

Pour y voir plus clair sur ce sujet, il convient d'examiner la question au niveau sectoriel. Certains secteurs d'activité, que l'on peut qualifier de « globaux », offrent un potentiel d'économies d'échelle très important et, de plus, de par la nature de leurs produits ou services, n'exigent qu'une faible adaptation de l'offre aux conditions particulières de chaque marché local ou régional. Dans ces conditions, plus un concurrent aura une présence significative dans de nombreux pays, plus il aura une production importante et plus il bénéficiera des économies d'échelles propres au secteur. Cela se traduira par un avantage de coût qui lui permettra de dominer et éventuellement d'éliminer des concurrents devenus trop petits parce qu'ils auront trop tardé à s'internationaliser. Dans d'autres secteurs au contraire, les économies d'échelle potentielles sont faibles et la nature des produits ou services exige une adaptation poussée aux spécificités du contexte local. Dans ces conditions, l'avantage de coût d'une multinationale sera faible alors même qu'elle devra faire des investissements nouveaux d'adaptation de ses produits dans chaque pays et souffrira en outre d'être moins intégrée au tissu économique et social local. Dans de tels secteurs, que l'on qualifie souvent de « multi-domestiques », même de petites entreprises locales peuvent résister efficacement à l'arrivée de concurrents multinationaux présents dans le monde entier.

Il est donc essentiel pour toute entreprise de faire un diagnostic précis du caractère plus ou moins global ou, à l'inverse, multi-domestique, de son secteur d'activité. Si le secteur est fortement global, il n'y a pas d'autre option que de s'internationaliser, si possible davantage et plus tôt que ses principaux concurrents. Il conviendra également de n'adapter ses produits ou services à chaque marché que de manière limitée, sur des facteurs absolument nécessaires, en veillant à ce que l'investissement correspondant ne soit pas trop onéreux. La micro-informatique ou l'électronique grand public sont des secteurs qui correspondent à ce modèle. Tous les concurrents qui restent dans ces secteurs sont des groupes fortement internationalisés qui offrent les mêmes gammes de produit partout dans le monde, en ne les adaptant aux conditions locales que sur des détails mineurs (standards TV, voltage, langue des notices d'utilisation, etc.). Les ordinateurs que vend Dell en Argentine ou en

Suède sont les mêmes et ne diffèrent que sur des détails de ce type. Dans un secteur global, la bataille concurrentielle a lieu d'emblée au niveau mondial et, lorsqu'une entreprise comme Dell s'implante pour la première fois dans un nouveau pays, elle bénéficie immédiatement de l'avantage concurrentiel qu'elle s'est créé ailleurs dans le monde.

Si, en revanche, le secteur est multi-domestique, l'internationalisation de l'entreprise n'est pas un impératif absolu, mais le choix d'un vecteur de croissance. L'avantage tiré d'une présence globale étant faible, les entreprises locales performantes peuvent résister très efficacement à la concurrence de multinationales, même si celles-ci sont de taille considérablement plus importante. Les concurrents n'ont souvent pas d'autre choix que d'adapter très fortement leurs produits ou services à chaque contexte local, s'ils ne veulent pas rester marginaux sur le marché. De ce fait, la concurrence se joue pays par pays et une même entreprise peut très bien réussir dans un pays donné et échouer lamentablement dans un pays voisin. Dans ces secteurs, l'avantage concurrentiel doit être recréé dans chaque nouveau pays où l'entreprise souhaite s'implanter. Un bon exemple de secteur multi-domestique est celui de la restauration rapide : les économies d'échelle y sont faibles et les habitudes alimentaires diffèrent suffisamment pour qu'il soit nécessaire d'adapter le produit. Ainsi, malgré tout le symbole que représente McDonald's, souvent considéré comme la « world company » par excellence, l'entreprise adapte en fait très largement son offre à chaque pays. Elle ne sert en général aucune boisson alcoolisée, mais considère que maintenir cette politique dans un pays comme la France lui ferait perdre trop de clients. En Inde, elle a choisi de ne pas servir de bœuf (un comble pour le « roi du steak haché » !) et offre à la place un *veggie burger* végétarien. Les segments de clientèle auxquels s'adresse en priorité l'entreprise sont aussi très différents par pays (cols bleus aux États-Unis, enfants et adolescents en Europe, jeunes adultes des catégories sociales aisées dans les pays du tiers-monde) ce qui exige de repenser à la fois les menus et l'agencement des restaurants. Enfin, l'entreprise est moins dominante qu'il n'y paraît dans de nombreux marchés. En Amérique centrale, elle est très fortement concurrencée par la chaîne locale Pollo Campero, alors qu'un concurrent philippin, Jollabee's, lui crée bien des soucis dans plusieurs pays d'Asie du Sud-Est.

Le caractère plus ou moins global ou, au contraire, multi-domestique de leur secteur doit donc largement déterminer la stratégie d'expansion internationale des entreprises. Plus important encore que le constat que l'on peut faire à un moment donné, c'est l'évolution de ce caractère qui doit dicter la stratégie. En effet, de nombreux secteurs qui ne sont pas « globaux », au sens où nous l'avons défini ici, risquent de le devenir dans un avenir plus ou moins proche. Les entreprises doivent adapter leur stratégie en conséquence et même, si possible, anticiper cette évolution. Ce qui nous conduit à nous poser la question : pourquoi un secteur se globalise-t-il ? Deux tendances vont jouer un rôle déterminant dans cette évolution : l'accroissement des économies d'échelle, d'une part, et l'homogénéisation de la demande, d'autre part. Or, l'évolution économique semble conduire dans de nombreux secteurs à un accroissement significatif des coûts liés à la connaissance (R & D, intangibles, marques, etc.), qui pour l'essentiel sont des coûts fixes, au détriment des coûts de matières ou de fabrication, qui eux sont des coûts variables. Comme les coûts fixes s'étalent sur les volumes de production, ils accroissent les économies d'échelle potentielles dans le secteur et favorisent les concurrents les plus gros, c'est-à-dire ceux qui vendent leurs produits partout dans le monde ou presque. Dans le même temps, l'homogénéisation de la demande résultant des déplacements de population, du développement de la communication et de l'émergence d'une culture de masse de plus en plus standardisée au niveau mondial, réduit significativement les besoins d'adaptation des produits. De plus, ces deux tendances convergentes se renforcent l'une l'autre. Dans l'automobile par exemple, les voitures vendues en Europe et aux États-Unis sont aujourd'hui beaucoup plus semblables qu'elles ne l'étaient, il y a vingt ans. Cela permet à un constructeur comme Ford de bénéficier d'économies d'échelles accrues en vendant les mêmes modèles ou presque (comme la Ford Focus) de part et d'autre de l'Atlantique.

Toute entreprise doit donc s'interroger périodiquement sur les tendances sectorielles qui risquent à terme d'accroître les économies d'échelle potentielles du secteur et de réduire les exigences en termes d'adaptation locale des produits. Si l'industrie se globalise, l'expansion internationale n'est plus une option de croissance mais un impératif stratégique ; si, à l'inverse, le secteur semble durablement multi-domestique, cette expansion devient une option parmi d'autres, au même titre que la pénétration du marché, l'intégration verticale ou la diversification.

LES MODES DE DÉVELOPPEMENT

Chacune des directions stratégiques précédemment détaillées peut être réalisée alternativement par croissance interne, fusions-acquisitions ou alliances stratégiques. Si les dirigeants sont conscients que ces moyens représentent effectivement des mécanismes alternatifs, peu d'entre eux néanmoins comparent les bénéfices de chacun de ces modes avant de sélectionner le plus adapté à la direction de croissance choisie, à leurs ressources propres et aux caractéristiques de l'environnement. En effet, chaque entreprise a tendance à utiliser le mode qui lui est le plus familier, c'est-à-dire celui qu'elle a déjà éprouvé dans le passé, alors qu'il n'est pas forcément le plus adapté à la situation. C'est pourquoi, il nous paraît important d'approfondir les spécificités de chacun de ces modes.

Le développement interne – ou croissance organique – suppose une expansion à partir des ressources propres, développées en interne par la firme. L'avantage principal d'un tel mode est sa maîtrise complète par l'entreprise qui permet de dimensionner et d'orienter les ressources avec précision. De plus, la croissance organique constitue le moyen de stimuler l'apprentissage et de renforcer les ressources internes.

La croissance interne revêt aussi certains inconvénients. Elle suppose en premier lieu la détention des ressources fondamentales nécessaires à un tel développement. Ainsi, lorsque Procter & Gamble décide de se développer dans la pharmacie, il doit se doter de l'ensemble des compétences spécifiques à cette nouvelle activité, en particulier d'une force de vente dédiée à visiter les médecins prescripteurs, des équipes chargées des aspects réglementaires et politiques (gestion des relations avec les autorités pour demande d'autorisation de mise sur le marché, fixation des prix...). De plus, le développement et le déploiement de telles ressources destinées à construire une nouvelle activité, conquérir de nouveau marchés ou simplement faire croître significativement son volume, suggèrent des délais importants. Finalement, la croissance organique semble particulièrement adaptée lorsque la direction de développement mobilise des ressources pré-existantes dans l'entreprise. En particulier, la poursuite d'une croissance horizontale sur un marché en expansion ou le déploiement de ressources non utilisées vers des métiers connexes justifient en général le choix d'un mode interne.

Par opposition à la croissance interne précédemment explicitée, les opérations de fusions-acquisitions impliquent le rapprochement d'au moins deux entreprises, à l'origine distinctes et indépendantes, au sein d'une même structure juridique, sous la responsabilité majoritaire d'un même actionnariat.

Les acquisitions représentent un mécanisme de croissance très prisé par les dirigeants d'entreprises qui y voient le moyen de croître rapidement et facilement sans prendre trop de risques puisque l'activité est déjà développée au moment de l'acquisition. Les chiffres de l'évolution des transactions donnés par le cabinet d'études Dealogic en témoignent largement : après un net ralentissement au début des années 2000 lié à la crise économique, encore aggravé par les événements du 11 septembre 2001, le volume des fusions-acquisitions, tant international qu'européen, a repris sa croissance. L'année 2006 a marqué un nouveau record avec un volume de transaction à 3 368 milliards de dollars (soit 2 634 milliards d'euros), dépassant ainsi le précédent record de l'année 2000.

Néanmoins, les résultats des fusions-acquisitions démontrent que ces opérations ne sont pas toujours des réussites, loin de là. En particulier, les études montrent que, dans la plupart des cas, les principaux gagnants sont les actionnaires de l'entreprise cible. En effet, les fusions-acquisitions sont coûteuses, tant au moment de l'opération, *via* le paiement de la prime d'acquisition, que lors du processus d'intégration. La mise en place des synergies escomptées impose des restructurations, réorganisations et autres cessions d'actifs qui retardent et affaiblissent les gains escomptés. Ainsi, la fusion entre Chrysler et Daimler-Benz, réalisée en 1998, est indiscutablement aujourd'hui un échec. Au lieu des réductions de coûts liées à la mise en place de synergies, Chrysler, pourtant modèle de profit durant les années 1990, a annoncé des pertes de plusieurs milliards d'euros après la fusion, alors que le marché américain était, dans le même temps, en forte croissance. Plus grave encore, trois ans après la fusion, la valeur du nouveau groupe était inférieure à celle de Daimler-Benz seul avant la fusion ! La fusion s'est finalement soldée par une cession de Chrysler en août 2007 à un fonds d'investissement new-yorkais, Cerberus Capital Management. Au global, la fusion est estimée avoir coûté plus de 12 milliards de dollars, en destruction de valeur, au cours de ses neuf ans d'existence. Cette perte de valeur concerne non seulement Chrysler, acheté par Daimler Benz en 1998 pour 36 millions de dollars et revendu pour 7,4 millions de dollars en 2007, mais également Daimler, dont les résultats financiers se sont largement détériorés au cours de la période, notamment en raison des difficultés à gérer la fusion.

En définitive, pour être justifiées, les acquisitions doivent générer des synergies suffisamment importantes pour compenser la prime d'acquisition et les coûts de restructuration. La mise en place d'économies d'échelle de grande envergure en constitue l'exemple le plus clair et concerne les stratégies de pénétration du marché et d'internationalisation dans des secteurs d'activité réellement globaux.

Par ailleurs, les fusions-acquisitions constituent aussi un mode pertinent dans certaines circonstances. Les acquisitions permettent un développement rapide en offrant un accès immédiat à des ressources et compétences non détenues en interne. Elles se justifient donc notamment dans le cadre de diversification ou d'internationalisation exigeant des ressources nouvelles rares et difficiles à développer en interne ou lorsqu'il est important de prendre des positions rapides sur un marché en phase de stabilisation. En outre, le mécanisme des fusions-acquisitions, lorsqu'il concerne des acteurs appartenant à un même secteur d'activité, se traduit par une concentration du secteur et donc par la réduction du nombre d'acteurs. Par conséquent, les fusions-acquisitions horizontales génèrent un accroissement du pouvoir de négociation et une diminution de la concurrence. Cet effet est particulièrement bénéfique lorsqu'il s'agit d'un secteur en stagnation ou en déclin. En effet, de telles opérations évitent de rajouter de la capacité sur un marché déjà excédentaire et permettent, à l'inverse, de l'assainir grâce à une réduction du nombre d'acteurs.

Les alliances stratégiques, enfin, se caractérisent également par le rapprochement de deux ou plusieurs entreprises, mais les entreprises restent dans ce cas indépendantes, voire concurrentes. Les alliances sont des arrangements volontaires entre firmes impliquant des échanges, le partage ou le co-développement de produits, technologies ou services, accompagnés ou non d'un investissement capitalistique. Les alliances peuvent impliquer ou non la création d'une entité séparée, intermédiaire neutre ou *joint-venture*. Elles peuvent également revêtir différentes formes juridiques allant du simple contrat de coopération à la création d'une structure propre telle que le GIE (Groupement d'Intérêt Économique) français ou la *joint-venture* en passant par des prises de participation financière. Ce mode d'organisation connaît un engouement marqué depuis plusieurs années et fait souvent figure de choix idéal permettant d'éviter les inconvénients des fusions-acquisitions, tout en en captant l'essentiel des avantages.

Les alliances présentent néanmoins des inconvénients. Elles impliquent tout d'abord un partage des profits qui limite les bénéfices réels que recueille chacun des partenaires. Ensuite, le fonctionnement même de l'alliance est souvent difficile dans la mesure où toute décision exige l'accord de deux parties – ou plus – qui n'ont pas forcément les mêmes objectifs et intérêts. Enfin, l'alliance est par définition, réversible et interdit par conséquent toute rationalisation qui empêcherait les deux parties de rompre l'accord pour revenir à leur situation initiale. Ce mode de développement n'est donc pas adapté lorsqu'on recherche en priorité des économies d'échelle. L'alliance stratégique est par conséquent peu adaptée à une croissance par pénétration du marché.

En revanche, les alliances présentent des avantages lorsqu'on cherche à combiner ou à acquérir des ressources. Elles permettent d'abord de cibler les ressources, ou activités mises en commun, là où les acquisitions imposent le rachat de l'entreprise cible dans sa globalité. De plus, l'accès aux ressources du partenaire est rapide et n'est pas subordonné à un processus d'intégration coûteux, parfois néfaste à la préservation des ressources visées. De cette façon, Cisco et IBM sont parvenus à tirer parti de leurs compétences réciproques pour étendre la distribution de produits de réseau : Cisco s'est appuyé sur la force commerciale d'IBM alors qu'IBM a bénéficié de la compétence produit de Cisco pour étendre sa gamme de services, notamment à travers IBM Global Services.

Enfin, la formation d'alliance vise à partager les risques et les coûts inhérents au lancement de projets très coûteux, dont la réussite reste incertaine. Par conséquent, l'alliance semble particulièrement adaptée dans des contextes de risque élevé, qu'il soit lié au secteur d'activité, au marché considéré ou à l'écart de connaissance entre les deux partenaires. Ainsi, l'alliance représente un mode adapté pour les stratégies de diversification liée dans des secteurs à forte intensité technologique comme la mise en commun des ressources nécessaires au développement d'un nouveau médicament. Ainsi, Aventis et Procter & Gamble ont formé une alliance pour développer et commercialiser une nouvelle génération de médicaments contre l'ostéoporose (Actonel) dans l'objectif de partager les coûts et les risques inhérents à ce type de lancement. De même, l'internationalisation vers de nouveaux pays, caractérisée par un risque fort et qui exige des compétences que l'entreprise ne détient pas, mais qu'elle peut trouver auprès d'un partenaire local, justifie également souvent l'utilisation de ce mode.

Tableau n°2 : Avantages et inconvénients de chaque mode de développement

	Avantages	Inconvénients
Croissance interne	Contrôle total des opérations 100 % des profits Facilité d'intégration des nouvelles activités Compatibilité culturelle	Lent Incertain Consommateur de ressources Barrières à l'entrée
Alliance	Complémentarités Réversibilité Partage des investissements Apprentissage	Partage des profits Conflits avec le partenaire Perte de contrôle Création/renforcement d'un concurrent
Fusions-acquisitions	Contrôle total Rapidité Amélioration instantanée de la position concurrentielle	Prime de contrôle Difficulté d'évaluation Problèmes de mise en œuvre Coût de l'intégration

Tableau n°3 : Les stratégies de croissance, d'après Karnani (1999)

		Direction de la croissance			
		Pénétration accrue du marché	Intégration verticale	Diversification	Internationalisation
Mode de croissance	Croissance organique	Procter & Gamble	Nouvelles Frontières	Crédit Agricole Pacifica	Carrefour au Japon
	Fusions-acquisitions	Pepsico	Thomas Cook-Havas	Axa - Banque Directe	Wal*Mart au Royaume-Uni (Asda)
	Alliances stratégiques	Coca-Cola Danone	Accor - Carlson Wagons-Lits Travel	GAN-CIC	Wal*Mart - Seiyu au Japon

Différents modes de croissance pour une même orientation

Dans un même secteur d'activité, les entreprises peuvent utiliser des modes différents pour poursuivre une même direction de croissance. Les exemples suivants montrent que, pour chacune des directions de croissance précédemment explicitées, il existe des cas de croissance interne, d'alliance et de fusions-acquisitions qui remplissent des objectifs bien spécifiques.

Des acteurs du marché des boissons ont développé une stratégie de pénétration accrue du marché, alternativement par croissance interne, alliance et fusions-acquisitions. Ainsi, Pepsico a racheté Tropicana lorsque son rival Coca-Cola a choisi de former une alliance avec Danone pour développer la marque concurrente Minute Maid et bénéficier de la caution de spécialiste du frais du leader français de l'agroalimentaire. Dans le même secteur d'activité, l'entreprise Procter & Gamble a développé en interne la boisson fraîche Sunny Delight.

Dans le secteur du tourisme, la stratégie d'intégration verticale a été menée grâce aux trois modes. Nouvelles Frontières a développé, en interne, son propre réseau de distribution. De son côté, Accor, spécialiste de l'hôtellerie, a choisi de conclure une alliance avec Carlson Wagons-Lits Travel, acteur majeur du secteur des agences de voyage. Thomas Cook enfin, groupe diversifié dans le secteur du tourisme, a récemment racheté le réseau Havas.

Les stratégies de diversification entre banque et assurance ont été réalisées de diverses façons. Ainsi, le Crédit Agricole a créé l'assureur Pacifica alors que le GAN et le CIC scellaient une alliance. De son côté, Axa a racheté Banque Directe en 2002 pour s'introduire sur le marché de la banque.

Enfin, les acteurs de la grande distribution ont mené des stratégies agressives d'internationalisation à la fois par croissance interne, alliances et fusions-acquisitions. Ainsi, Carrefour s'est introduit au Japon en ouvrant son propre magasin alors que Wal*Mart a conclu une alliance avec Seiyu, acteur majeur de la distribution locale. Dans un autre marché, le Royaume-Uni, Wal*Mart a souhaité s'introduire rapidement et a choisi de racheter l'acteur anglais Asda en juin 1999.

Ces exemples prouvent finalement qu'il est possible d'utiliser les trois modes pour poursuivre chacune des quatre grandes orientations stratégiques selon les objectifs recherchés et les caractéristiques de l'environnement.

CE QU'IL FAUT RETENIR

- Il est important de distinguer la direction de croissance et le mode choisi pour la réaliser.
- La pénétration du marché, notamment par innovation, est une direction à privilégier.
- L'intégration verticale ne doit pas être vue comme une forme d'expansion mais dans le cadre d'une consolidation de son métier d'origine.
- La diversification n'est pertinente que dans le contexte de partage de ressources apportant suffisamment de synergies effectives pour compenser les surcoûts.
- L'expansion internationale est indispensable dans les secteurs d'activité réellement globaux ; elle n'est une option de croissance que dans les secteurs multidomestiques.
- La croissance organique est particulièrement adaptée à une pénétration accrue du marché, lorsque celui-ci est en forte croissance.
- Les fusions-acquisitions présentent le double avantage d'être rapides et d'accroître la concentration ; elles sont particulièrement adaptées dans les secteurs stables.
- Les alliances permettent surtout d'accéder à des ressources, particulièrement utiles dans les cas de diversification liée et d'internationalisation.

BIBLIOGRAPHIE DE RÉFÉRENCE

J. CANALS, *Managing corporate growth*, Oxford University Press, Oxford, 2000.

P. DUSSAUGE, B. GARRETTE, *Les Stratégies d'Alliance*, Éditions d'Organisation, 1995.

J.H. DYER, P. KALE, H. SINGH, « When to ally and when to acquire », in *Harvard Business Review*, juillet-août 2004.

A. KARNANI, « Five ways to grow the market and create value », in *The Financial Times*, 18 octobre 1999.

E.T. PENROSE, *The theory of the growth of the firm*, Basil Blackwell, London, 1959.

Partie 4

MARKETING

Marketing

Les fondamentaux

Par JEAN-MARC LEHU

Le marketing est, au sein de l'entreprise, la fonction qui consiste à concevoir l'offre d'un produit ou d'un service en fonction de l'analyse des attentes de consommateurs précisément identifiés et ciblés, en tenant compte des capacités de l'entreprise, des différents coûts, ainsi que de toutes les contraintes de l'environnement dans lequel l'entreprise évolue. En 2004, l'American Marketing Association a proposé de le redéfinir en ces termes : « *Le marketing est une fonction organisationnelle et un ensemble de processus pour la création, la communication et la délivrance de valeur aux consommateurs et pour la gestion de la relation client de telle manière qu'ils puissent bénéficier à l'organisation ainsi qu'à ses parties prenantes.* »

ÉTUDE DE MARCHÉ

Démarche consistant à collecter méthodiquement et systématiquement toutes les informations (historique, nature et volume de la demande, caractéristiques de la concurrence, barrières à l'entrée, conditions politiques et légales, opportunité conjoncturelle, lobbies, ...) concernant un marché, de manière à appréhender le plus précisément possible son potentiel, ainsi que les risques éventuels qu'il comporte. Elle peut être menée dans un but de prospection initiale ou de développement. L'analyse des informations recueillies doit permettre de répondre aux différentes questions soulevées par le marketing et faciliter ainsi le choix du décideur. Elle peut être complétée par d'autres études comme, par exemple, des études documentaires (collecte d'informations secondaires telles que dossiers, rapports, études de marché passées, archives, ...) et des études de motivations (collecte d'informations sur les raisons conscientes ou non pouvant expliquer le comportement du consommateur).

BESOIN

Expression d'une nécessité, le besoin est caractéristique d'une insatisfaction, de degré variable, ressentie par un consommateur. La démarche marketing classique débute par l'identification d'un besoin chez certains consommateurs eux-mêmes identifiés, puis détermine de quelle manière il est possible d'y répondre en fonction d'impératifs techniques, financiers, et commerciaux. Un besoin peut être d'ordre physiologique (alimentation, soif, sommeil, ...) ou psychologique (statut social, sécurité, affection, pouvoir, reconnaissance, ...). Il ne cesse qu'avec l'appropriation individuelle ou collective du bien nécessité. Les besoins ont fait l'objet de nombreuses typologies dont la plus célèbre reste encore celle établie par Abraham Maslow à partir de 1943, en une hiérarchie (souvent présentée sous la forme d'une pyramide) synthétisée en 1954 en cinq « besoins basiques » qui sont dans l'ordre : besoins physiologiques (*physiological needs*), besoins de sécurité (*safety needs*), besoins d'appartenance (*love needs*), besoins d'estime (*esteem needs*) et besoins de s'accomplir (*need for self-actualization*).

CIBLE

Fraction de la population répondant à certains critères (démographiques, économiques, sociodémographiques, géographiques, situationnels ou psychographiques) et à laquelle on destine un bien, un service ou une information. Les individus qui la composent représentent une ou plusieurs parties prenantes de l'entreprise destinés à être sensibilisés par une action de communication (bouche à oreille, publicité, relations publiques, promotion des ventes, marketing direct, mécénat, sponsoring, *street marketing*, marketing furtif, marketing viral, ...) directe ou indirecte. La cible peut ainsi être le prescripteur, le décideur, l'acheteur ou enfin le consommateur/

utilisateur final du bien ou du service. On parlera de cœur de cible pour désigner le sous-ensemble de cette fraction de la population qui constitue l'objectif essentiel et auquel l'entreprise destine son message ou son offre en priorité.

CONSUMÉRISME

Action collective des consommateurs ayant pour objectif de s'informer sur les produits offerts à la consommation, de défendre leurs droits en tant que consommateurs et de favoriser le respect de l'environnement. Le consumérisme porte essentiellement sur les caractéristiques et la qualité des produits, des services et des canaux de distribution, sur les prix pratiqués, sur la qualité et la clarté de l'information présente sur le contenant (composition, date limite de consommation, modalité(s) d'utilisation, ...). Né au début du XXe siècle aux États-Unis, il s'est surtout développé dans le courant des années 1960, notamment après la publication de la *Consumer Bill of Rights* (1962), définissant quatre droits fondamentaux : droit à la sécurité, droit d'être informé, droit de choisir et droit d'être entendu. Dans une optique objective et constructive, le marketer doit le considérer comme une opportunité et un allié, plutôt que comme une contrainte ou une menace.

SEGMENTATION

Découpage du marché en sous-ensembles homogènes d'individus, selon un ou plusieurs critères *ad hoc* (voir CIBLE). La segmentation est caractéristique d'une stratégie marketing différenciée autorisant une décomposition en autant de politiques commerciales que de segments identifiés. Elle offre ainsi la possibilité de mieux adapter chaque politique aux caractéristiques du segment auquel elle s'applique, dans le souci d'une plus grande efficacité. Le choix des segments peut être apprécié notamment sur la base de sept principaux critères : mesurabilité, taille attirante, rentabilité potentielle, homogénéité, accessibilité, caractère discriminant par rapport aux autres segments et stabilité dans le temps. À l'extrême, elle conduit à un marketing *one-to-one*, où chaque individu est considéré comme un segment. La sursegmentation représente la définition de segments trop étroits pour que leur exploitation demeure rentable. On parlera de segmentation *post-hoc* pour décrire un découpage fondé sur l'étude des comportements passés.

POSITIONNEMENT

Ensemble des caractéristiques données à une entreprise, une marque ou un produit afin de le(la) différencier de ses concurrent(e)s et lui offrir ainsi une place plus distincte dans l'esprit des éléments de la cible. Le positionnement est défini au vu de la catégorie à laquelle appartient l'élément concerné et par rapport à son/ses avantages concurrentiels. Ces caractéristiques distinctives peuvent être évaluées très tôt, avec des tests de concept pendant lesquels on mesurera essentiellement l'intérêt du concept et sa perception par les consommateurs au regard de l'offre concurrente, pour enfin déterminer si ce positionnement est ou non susceptible de déclencher l'attitude ou le comportement recherché dans des conditions profitables. Il peut donc exister différents positionnements possibles pour un même produit, mais, au-delà de son potentiel estimé, il importe que celui qui est retenu soit clair, justifié et cohérent pour être perçu par la cible tel que souhaité.

MARKETING MIX

Combinaison et dosage des différentes variables marketing (produit, prix, force de vente, services, marque, circuit de distribution, communication, lobbying, ...) à la disposition du décideur pour atteindre ses objectifs, en maîtrisant au maximum les contraintes humaines, techniques, financières, temporelles et géographiques, et en composant au mieux avec l'environnement socio-démographique, économique, concurrentiel, politique, légal, culturel, consumériste et écologique. Dès 1960, Jerome E. McCarthy symbolisa sous le sigle « 4P » les variables d'action essentielles : produit *(product)*, prix *(price)*, distribution *(place)* et communication *(promotion)*. Très mnémonique, l'expression est encore souvent utilisée, mais peut être complétée notamment par *politics* (environnements administratifs, légaux, consuméristes et politiques), *public opinion* (mouvements de l'opinion publique), *pleasure of the consumer* (satisfaction du consommateur dans le but d'obtenir sa fidélité).

IMAGE

Jugement de valeur porté par un individu sur une entreprise, un produit ou une marque. L'image est un élément à part entière de la valeur ajoutée perçue. Elle provient de la combinaison d'idées reçues, de valeurs réelles, de sentiments affectifs, d'impressions objectives ou subjectives, conscientes ou inconscientes, et contribue à la formation de la personnalité du produit, de la marque ou de l'entreprise. Elle peut donc s'avérer positive, négative ou neutre et varier considérablement d'un individu à l'autre. On utilise parfois le terme de « *goodwill* » pour désigner l'image de marque d'une entreprise, afin d'exprimer le degré de confiance que lui portent ses clients ou les consommateurs de ses produits. Il ne faut pas confondre l'image et la notoriété qui, pour sa part, exprime un simple niveau de connaissance qu'un individu peut avoir, spontanément, de manière assistée ou en apportant des preuve de cette connaissance, mais sans jamais y associer de jugement de valeur.

PUBLICITÉ

Technique de communication dont l'objectif est de modifier l'attitude ou le comportement des consommateurs à l'égard d'un produit ou d'une marque. On dit alors qu'elle cherche à « attirer » *(pull)* le consommateur vers le produit, comparativement aux techniques de promotion cherchant plus à pousser *(push)* ledit produit vers le consommateur. Il existe deux formes principales de publicité :

- la publicité connotative qui suggère plus qu'elle ne décrit. Le message recourt aux associations d'idées et aux implications que peuvent avoir le visuel, l'accroche, la mention du nom de la marque, … ;
- la publicité dénotative dont la signification est directe et le sens spécifique. Elle repose sur une approche souvent cognitive, à base d'arguments rationnels qui peuvent être compris sans laisser place à l'interprétation.

La publicité est qualifiée de subliminale lorsque le message visuel ou sonore ne peut être consciemment perçu par le destinataire, mais est censé frapper son subconscient.

Packaging

Utilisé en français, ce terme anglo-saxon regroupe avantageusement trois notions désormais intimement complémentaires :

- le conditionnement (contenant représentant la définition commerciale de l'unité de vente) ;
- l'emballage (protection mécanique du produit) ;
- le design intérieur ou extérieur (forme, matériaux, ergonomie et esthétique) d'un produit.

Pour les produits de consommation courante non vendus en vrac, il est devenu une variable stratégique du marketing mix, avec l'essor de la vente en libre-service. Judicieusement combinées, ces trois notions peuvent devenir un facteur de différentiation concurrentielle favorisant l'impact en linéaire et un vecteur de communication sur le lieu de vente contribuant à l'image du produit. Pour certaines catégories de biens, il est soumis à diverses contraintes légales (protection du produit, information du consommateur, sécurité d'utilisation, modalités de recyclage, ...).

Marketing

Puissance de la marque

Par JEAN-NOËL KAPFERER

Spécialiste international des marques, Jean-Noël Kapferer est professeur chercheur à HEC, Ph. D de Northwestern University (États-Unis). Il est l'auteur de dix livres sur les marques et la communication. Consultant auprès des entreprises, il anime également conférences et séminaires de direction partout dans le monde (États-Unis, Chine, Inde, Japon).

Adorée, adulée, critiquée, la marque est avant tout un outil de développement des affaires. Elle ne remplace pas le marketing, mais, une fois construite, elle constitue un avantage concurrentiel stratégique. Elle est source de profit et de valorisation boursière de l'entreprise. C'est pourquoi tous les acteurs économiques aujourd'hui veulent développer des marques, depuis les industriels jusqu'aux grands distributeurs ou fabricants de médicaments génériques ou compagnies aériennes à bas prix. La marque étend aussi son attrait hors de la sphère des produits et services : elle intéresse les pays, les villes, les équipes de sport ; de plus, les émissions et séries télévisées à succès se gèrent comme des marques.

Ce chapitre invite à une compréhension en profondeur de la logique de marque, de ses contraintes, de ses coûts et risques associés. Il synthétise aussi les étapes nécessaires à la création d'une marque forte et à sa croissance pérenne. Les trois mots clés de la marque moderne sont identité, innovation, expérience et proximité client.

Formule 1 : créer une marque leader

Nés en 1984 pour offrir une chambre de qualité au plus bas prix possible et le moins cher du marché, les hôtels Formule 1 sont non seulement devenus leader du segment qu'ils ont créé, en France et en Europe, mais c'est aussi la marque la plus connue d'hôtels dans notre pays avec plus de 64 % de notoriété spontanée. La réussite est totale avec plus de 7 millions de chambres vendues sur l'ensemble du réseau et un taux d'occupation moyenne record de 77 %.

C'est un cas exemplaire de construction de marque leader. Formule 1 illustre remarquablement de nombreux principes clés du management des marques.

Qui dit marque dit cible

Tout commence par l'identification d'un marché jusque-là inexploité, un océan bleu négligé par la concurrence : la majorité des personnes ne vont jamais à l'hôtel lors de leurs déplacements privés. Mais cela concerne aussi les ouvriers en déplacement sur les chantiers, les jeunes commerciaux, ... ; le frein principal est le prix. Certes, il existe des hôtels très bon marché, mais ils sont en centre ville et n'offrent pas les garanties de propreté et d'hygiène que les clients d'aujourd'hui attendent.

Qui dit marque dit innovation

L'élément innovant, voire disruptif, est de vouloir offrir au prix le plus bas (moins de 100 francs à l'époque) une chambre impeccable, bien insonorisée, avec une bonne literie et une hygiène irréprochable. Pour ce faire, il fallait casser un tabou de l'époque et encore d'aujourd'hui : supprimer un attribut que tout le monde estimait indispensable, afin de pouvoir offrir le prix le plus bas pour une chambre de qualité. Formule 1 innova en supprimant la salle de bains dans les chambres. L'impact sur les coûts de construction dont dépendent mathématiquement les prix de vente fut considérable. À cela s'ajouta une technique de construction faisant de Formule 1 l'une des premières manifestations dans le monde de ce que les cercles de management appellent désormais un « modèle *low cost* ».

Qui dit marque dit ressources et vitesse

De 1985 à 1990, l'innovation du concept crée l'adhésion du public. Formule 1 se développe alors à grande vitesse, ce qui permet de bâtir une notoriété rapidement par la simple vue des multiples Formule 1 qui ne cessent de bourgeonner le long des routes passantes, du fait aussi de l'identité originale du bâtiment, ce qui accroît sa visibilité, du fait enfin du panneautage signalétique pour indiquer où sont les Formule 1. La vitesse de développement fut un facteur clé de succès car elle permit d'associer la catégorie à Formule 1 (bénéficiant alors des avantages dits « du pionnier »), elle permit aussi de tirer les fruits de la satisfaction des clients. En multipliant les hôtels un peu partout, on permet aux clients qui veulent être fidèles et qui voyagent de transformer leur désir, leur « *goodwill* », en achat. Enfin, on bloque l'entrée de la concurrence. Le chiffre des deux cents hôtels en France est atteint en un peu plus de cinq ans.

Qui dit marque dit investissement en communication

Grâce à cela, Formule 1 peut accéder à un autre avantage concurrentiel : la télévision. Il faut en effet vendre beaucoup de nuitées pour dégager un budget suffisant pour faire de la publicité télévisée et creuser encore plus l'écart avec la concurrence. En deux ans, la notoriété spontanée passa de 25 à 50 %. En allant chercher au plus vite la taille critique, outre l'impact sur les prix du fait de la courbe d'expérience, on gagna un autre avantage concurrentiel face aux nombreux concurrents entrés depuis sur ce marché.

Ajoutons que, dans le succès de cette marque, le nom lui-même a joué un rôle positif : quand on vend à bas prix, il faut toujours valoriser les acheteurs. C'est ce que fait ce nom vrombissant, plein d'énergie et d'associations imaginaires fortes.

Aujourd'hui, un quart des hôtels Formule 1 est à l'international, essentiellement en Europe, où l'épopée continue.

LA VALEUR DES MARQUES

On n'a jamais autant parlé qu'aujourd'hui des marques, de leur omniprésence dans toutes les sphères de notre vie, de leur potentiel d'attraction sur les jeunes, par exemple, de leurs faits et méfaits ou de leurs déboires. En même temps, on n'a jamais autant parlé de discount, de *low cost*, voire de gratuité sur internet. De fait, le seul rempart à la guerre des prix est la marque : la marque est l'opposé de la démarque. Elle vise à signaler, voire à créer, une valeur ajoutée qui justifie le prix et le fait de ne pas chercher ailleurs, qu'il s'agisse de marque à bas prix (easyJet) ou à prix élevé (Lacoste). La marque met le prix en valeur(s). C'est pourquoi aussi la valeur boursière des entreprises repose sur la confiance attachée à leurs marques ou à la réputation attachée au nom d'entreprise (*corporate brand*) qui, de ce fait, constituent un vrai capital qu'il est possible de mesurer. Chaque année, est publié le *hit-parade* de la valeur financière des cent plus grosses marques globales. Google se retrouve en tête en 2008, avec une valeur de marque estimée à 86,057 milliards de dollars, en hausse de 30 % par rapport à la valeur estimée en 2007, Au palmarès des valeurs de marques, la première marque française n'est ni Michelin, ni Peugeot, ni BNP-Paribas, ni Danone, mais Louis Vuitton : à la 19e place, avec une valeur de marque estimée à 25,739 milliards de dollars, L'Oréal étant 38e avec 16,359 milliards.

Ces chiffres mesurent la valeur financière des marques, mais la valeur boursière des entreprises est bien supérieure. Par exemple, la capitalisation boursière de Google avoisine les 235 milliards de dollars. Cela veut dire que la marque elle-même, actif intangible, identifiable, séparable et cessible, représente 25 % de la valeur de l'entreprise. Dans d'autres secteurs, ce pourcentage est moindre, mais il n'en reste pas moins croissant. Par sa notoriété, son image et la relation de proximité construite avec ses clients, la marque crée d'abord un biais décisionnel (pourquoi continuer à utiliser Yahoo ?), de la fidélité (réachat), un attachement émotionnel, voire un engagement des clients dans la marque. Ces derniers en deviennent les ambassadeurs, les prosélytes et les premiers vendeurs. Or, on le sait désormais, un client fidèle est bien plus rentable car il est prêt à payer plus cher et reste imperméable aux sirènes de la concurrence. On saisit l'intérêt des financiers pour les marques, elles sont en effet des amortisseurs de risques. Les clients fidèles ne désertent pas leur marque à la première occasion.

À CHACUN SA MARQUE ?

On comprend alors que, dans le monde des affaires, chacun veuille créer la sienne pour jouir de cet effet vertueux qui a néanmoins ses coûts et contraintes. Bien que fustigeant les grandes marques, la grande distribution concentrée rêve d'imposer les siennes : de fait, 60 % des ventes de Décathlon, par exemple, se font sous ses propres marques (Wed'ze, Quechua, Inesys). Carrefour, Auchan, Monoprix mettent en avant leurs marques, dans leurs linéaires, pour inciter les consommateurs à essayer, à se faire une idée et à tester les différences.

Mais l'engouement pour les marques dépasse les sphères économiques habituelles. Des villes comme Saint-Tropez et Courchevel se sont érigées en marques afin de tirer parti de la manne financière que constituent les royalties des licences liées à l'usage du nom et du logotype, dûment déposés sur tous les produits dérivés (Tee-shirts, ...). Paris mène actuellement une réflexion identique. Les clubs de sport l'ont également compris depuis longtemps : le Manchester United ou le Real Madrid gagnent plus d'argent par les profits financiers liés aux produits dérivés, vendus partout dans le monde, aux sept ou huit millions de fanatiques du club que par les ventes de tickets aux spectateurs locaux. Les transferts de joueurs, tels Zinédine Zidane ou David Beckham, sont déjà payés par les ventes de Tee-shirts à leur effigie. Les dirigeants de chaînes de télévision sont devenus des producteurs de marques. Leur but est d'accroître les profits financiers en tirant parti de l'engouement du public pour une émission. Il suffit en effet de concéder le nom d'une émission à succès, *Ushuaia* par exemple, à un fabricant de shampoing, L'Oréal, qui cherchait au même moment à entrer sur le marché du gel douche pour contrer Henkel et ses marques phares Fa ou Timotéi.

Ainsi, la marque est partout. À quelle logique répond ce désir, cet intérêt des entreprises pour les marques, même les entreprises se battant sur les prix (Easy Jet, Ryan Air sont des marques ; les marques de médicaments génériques apparaissent sur le marché) ? En bref, parce que la marque est un outil de développement des affaires qui accroît la valeur perçue des produits ou services ; elle est source de fidélisation et devient, de ce fait, source de rentabilité accrue pour l'entreprise. On peut développer un business sans marque, mais celle-ci valorise l'entreprise. Aucun entrepreneur ne peut rester insensible à cet argument.

QU'EST-CE QU'UNE MARQUE ?

Il existe de nombreuses définitions de la marque. Toutes reflètent le point de vue où l'on se place : elles sont donc complémentaires. Par conséquent, il faut les intégrer et non les opposer.

Pour le consommateur, la marque est le nom d'un produit ou le signe qui le distingue.

Pour le juriste, la marque est un signe ou un ensemble de signes qui authentifient la provenance d'un produit ou d'un service et les différencient de la concurrence. Cet ensemble de signes englobe le nom de marque lui-même, le logotype, le symbole (Bibendum Michelin) et le design (forme de la bouteille de Coca-Cola ou d'Orangina). En droit, la marque existe dès lors qu'elle est déposée à l'INPI et dans chaque pays où elle est susceptible d'être présente un jour, sachant qu'il existe des conventions internationales pour assurer l'antériorité des droits dans plusieurs pays d'une zone géographique, dès lors que la marque est déposée dans l'un d'entre eux. Ce point est important car, dans la concurrence moderne, les idées qui réussissent ici sont vite développées ailleurs. Ainsi, le concurrent très officiel de Lacoste en Asie n'est autre que l'entreprise Crocodile Garments : une famille chinoise émigrée à Hong Kong y avait de longue date discrètement déposé le dessin du crocodile, copie servile du premier dessin du crocodile de René Lacoste, à un détail près : le crocodile regarde vers la gauche. Cette marque, pure contrefaçon, a joué sur l'antériorité de dépôt pour bloquer juridiquement l'entrée de Lacoste dans l'ex-colonie britannique dans les années 1970.

Créer une marque suppose des investissements durables. Il faut donc s'assurer que la valeur ainsi créée ne profitera qu'à la marque. Seul le dépôt des signes en tant que marque le garantit. Il en va des marques comme de la monnaie : elle est vite contrefaite.

En biens de grande consommation, les premiers à le faire sont la grande distribution concentrée exploitant son pouvoir de rétorsion sur ses fournisseurs pour imiter les emballages distinctifs des grandes marques afin de faire bénéficier leurs propres marques de distributeur d'un emballage créant une certaine confusion et induisant le consommateur à penser qu'il s'agit de la même qualité.

Toute propriété doit être défendue : l'imitation des signes de valeur constitue un préjudice, un cas de concurrence déloyale ou de parasitisme économique, capitalisant sur la confusion créée auprès des consommateurs d'attention moyenne.

Mais cette définition juridique ne capte pas assez le point essentiel : comment devient-on marque aux yeux du marché, c'est-à-dire comment acquiert-on de la valeur ?

Comment acquérir de la valeur

Notre définition de la marque est pragmatique : une marque est un nom qui influence le marché, qui devient un critère déterminant de choix. Un « *nom qui a du pouvoir* » pour reprendre l'expression de F. Bonnal. Notre perspective fait de la marque un résultat, alors que, pour le juriste, la marque a une date de naissance : celle du dépôt, de l'enregistrement. Pour nous, on ne naît pas marque, on peut le devenir éventuellement. Mais cela demande une discipline, une stratégie et des ressources pour devenir un critère de choix des clients. Il faut aussi du temps. De plus, bien des noms connus ne sont plus des marques aux yeux des clients et des distributeurs :

- soit parce qu'ils ont perdu leur pouvoir de différenciation, ils sont devenus génériques ou presque (Klaxon, Cumulus, Caddie, un Must, ...) ;
- soit parce qu'ils ne signifient plus rien, ils ne promettent plus de valeurs ajoutées par rapport à un produit sans marque, moins cher. Leur proposition est banalisée (comme le mot « Château » pour un vin).

Comment acquiert-on ce pouvoir de marché ? Cela nous conduit à la définition psychologique de la marque : « *Une marque est un nom (et ensemble de signes) auxquels sont associées des valeurs ajoutées, tangibles et intangibles.* » En conséquence, une marque est forte quand :

- ces valeurs sont fortes, donc très motivantes ;
- ces valeurs dépassent la performance produit : elles font qu'un produit est plus qu'un produit ;
- elle est le « prototype » de ces valeurs, le meilleur exemple, l'unique ;
- ces valeurs sont associées spontanément à la marque par un nombre croissant d'individus, acheteurs et même non acheteurs ;

- le tout avec un haut degré de certitude pour le client.

Plusieurs points de cette définition méritent une attention particulière.

La marque vend de la certitude

Il peut exister des produits sans marque meilleurs et moins chers, mais c'est oublier le problème du client. Le client achète de la certitude. Le premier service rendu au client est d'être une garantie. Par sa notoriété qui rassure, mais surtout sa constance dans la qualité, l'excellence de ses produits, un nom devient une marque : il acquiert cette image de garantie.

Cette certitude peut porter sur des valeurs tangibles ou intangibles. Ainsi, une chemise Lacoste vaut actuellement 90 $ dans la boutique Lacoste de la cinquième Avenue aux États-Unis, pays qui redécouvre l'élégance chic authentique liée à cette marque qui fête en 2008 ses 75 ans, après des années de diffusion massive de Ralph Lauren et de Tommy Hilfiger, inventions récentes du marketing.

Que rémunère le prix d'une chemise Lacoste aux États-Unis ? Deux certitudes. La première est celle de la qualité : aucune chemise en piqué maille au monde n'a la qualité d'une Lacoste. Cela tient à l'exclusivité du coton (Lacoste fabrique au Pérou car on y trouve le meilleur coton au monde) mais aussi à une fabrication exclusive. Chaque chemise Lacoste nécesite 2,5 km de fil de coton, d'où sa souplesse. On peut laver une chemise Lacoste chaque jour en machine, avec les lessives les plus modernes : elle ne bougera pas. La seconde certitude est celle d'être distingué. Par son emblème arboré sur le cœur, elle est un signe de distinction au sens propre comme au figuré. Elle représente une sorte de badge également : porter Lacoste aujourd'hui aux États-Unis comme en Chine ou en Inde ou au Brésil, c'est se sentir à la fois élégant et très décontracté, chic avec un esprit sportif, authentique, un peu « class ». L'ensemble de ces valeurs intangibles puisent dans l'histoire de la marque, dans son identité, dans la personnalité de René Lacoste, champion de tennis.

La force de la marque

La force de la marque repose sur la croissance systématique de ses clients, donc des personnes qui partagent ces certitudes. Pour cela, il faut déployer les valeurs de marque, les faire vivre par des investissements dans des nouvelles boutiques qui communiquent l'esprit et l'offre de Lacoste, mettent le client dans un bain expérientiel Lacoste, situées dans les quartiers chics et à la mode des villes internationales. On les fait aussi vivre par le sponsoring d'événements à forte notoriété, de champions de golf, de tennis et de voile. Enfin, par des campagnes de publicité globales, qui mettent en scène les nouveaux produits dans le système de valeurs de la marque.

La marque promet donc des valeurs certaines, tangibles et intangibles. Même une marque de luxe, qui est la promesse d'une distinction très forte, se doit de promettre une qualité hors pair. Certes, la marque doit faire un choix stratégique : est-elle avant tout fonctionnelle ou promet-elle avant tout de l'intangible (son positionnement) ? Mais une marque fonctionnelle doit toujours veiller à développer sa facette intangible car, en fin de compte, c'est la moins copiable par la concurrence. Même si la formule de Coca-Cola était rendue publique, seul Coca-Cola symboliserait l'Amérique. Toshiba est assurément leader mondial des portables, mais souffre de la concurrence par les prix de Dell et des importations chinoises. Or, Toshiba ne peut compter sur l'intangible comme autre source de valeur ajoutée, donc de fidélisation : Toshiba n'est pas Sony qui possède une facette de marque intangible très développée. Chacun imagine le monde Sony avec son imaginaire typé alors que l'identité de la marque Toshiba est culturellement inodore.

L'intangible est la clé de la différenciation des marques *Business to Business.* On s'impose par le service : logistique, délais, rapidité de livraison, réactivité, assistance aux clients, après-vente, hot lines, *call centers,* … L'intangible recouvre le design des produits et leur ergonomie. L'intangible désigne enfin la réputation elle-même et les bénéfices sécurisants ou flatteurs qu'elle procure aux clients (être client IBM ou client Easy Jet). Ce n'est pas le moindre paradoxe du monde moderne de voir que les nouveaux acteurs, dits « *low costs* », qui déstabilisent toutes les grandes marques ainsi que les marques de distributeur se sont bâties comme des vraies marques. Elles proposent, outre leur prix, un imaginaire valorisant qui fait qu'être client Aldi ou Lidl n'est plus le signe d'une extrême pauvreté, mais d'une attitude positive et libérée. Paradoxalement, bien que Carrefour ait voulu, en 1978, accaparer la valeur de la liberté (en lançant ses « produits libres »), la vraie liberté pour le client aujourd'hui, c'est de se libérer du lien que constituent les hypermarchés, forme excessive et dominante de la distribution qui a cassé la socialité des centres villes.

LA MARQUE : UNE SOURCE CONTINUE DE VALEURS AJOUTÉES

La marque, pour se développer, doit être plus qu'un repère de valeurs, mais de valeurs ajoutées. Antoine Riboud, fondateur du groupe Danone, disait à ses équipes : « *Ne dites pas que vous vendez des yaourts, vous vendez des Danone* », c'est-à-dire non pas un yaourt générique mais un yaourt supérieur, mélange de santé, de confiance, de qualité hors pair, de plaisir sensoriel organoleptique, mais aussi de modernité et, en même temps, de proximité (Danone nous accompagne depuis notre enfance, source d'émotions partagées en famille, entre amis, ...).

Fondamentalement, à quoi sert une marque ? C'est un repère de valeurs. Ce n'est pas un hasard d'ailleurs si les centres Leclerc ont repris notre terme pour dénommer leur marque de distributeurs. On sait que, société de consommation oblige, la profusion des nouveaux produits ne fait qu'augmenter le choix, donc la difficulté de choisir, et l'incertitude des clients. Il faut donc une solution pour réduire ce choix, aider le client à se repérer, à identifier immédiatement le produit qui va le mieux lui apporter les valeurs qu'il recherche, consciemment ou non. Cette solution est la marque.

En effet, une marque est bien plus qu'un nom connu ou un habillage ou un logotype, c'est une promesse, un contrat passé avec le public. Volvo veut dire « sécurité », Peugeot signifie « valeur sûre, dynamisme et esthétique », Lacoste veut dire « sportivité, décontraction et élégance », Ricard veut dire « joie de vivre, fête, optimisme et saveurs ». La notoriété de la marque (elle vient immédiatement à l'esprit des clients et des non clients) et son image permettent donc aux consommateurs de réduire la complexité de leur processus de décision et d'aller vers les propositions jugées certaines, à condition que l'écart de prix avec des produits sans marque soit acceptable, que la survaleur ne soit pas inférieure au surcoût.

Face à une concurrence qui ne cesse de progresser et à des prix de concurrents qui ne cessent de baisser, le rôle de la marque est donc de maintenir son avance sur son « contrat de base » et de continuer à réfléchir aux valeurs à ajouter pour répondre toujours mieux aux attentes en évolution du public. Quelles sont ces valeurs ajoutées, seules à même de justifier une prime de prix face à une concurrence dont les prix ne cessent de baisser ?

La sécurité, première fonction de la marque

Dans le domaine alimentaire, il existera toujours un fond d'inquiétude. Qu'est-ce que nous ingérons ? Ce sentiment de risque a été exacerbé depuis des mois avec la crise de l'ESB. Les grandes marques connues ne transigent jamais sur la qualité. Les acheteurs ont horreur de l'insécurité. C'est pourquoi le premier levier de la marque est la réduction du risque perçu. Ce dernier croît avec le prix, la technicité du produit ou l'importance du problème à résoudre. C'est pourquoi les patients sont attachés à leur marque d'aspirine ou de paracétamol : celle qui les soulage d'habitude immédiatement de leurs maux de tête.

La promesse de performance, deuxième valeur ajoutée

Il est de bon aloi de se moquer des marques de lessive. Or sait-on que le leader du marché en France comme en Europe est Ariel, la plus chère des lessives ? D'aucuns diront que c'est le résultat du matraquage publicitaire. La réponse est plus simple. Aujourd'hui, les consommateurs exigent tout : à la fois une lessive qui lave blanc, qui respecte les tissus, qui soit anti-bactéries, qui préserve l'environnement, le tout à basse température, économies d'énergie obligent. Seule la technologie permet de répondre à de telles exigences. À 100 degrés, en bouillant le linge tout se vaut. Pas à 45 degrés. Ariel est tout simplement la plus efficace des lessives et ne cesse de s'améliorer car la nature et le niveau des exigences des clients évoluent. Si, compte tenu de leurs revenus plus bas, ou d'une implication moindre, les clients ont un degré d'exigence plus faible, ils trouveront d'autres marques un peu moins performantes mais aussi moins chères : Dash, Bonux, Persil ou Omo. Si leur implication est encore moindre, ils achètent les marques de distributeur. Comme le montre cet exemple, les entreprises lancent plusieurs marques sur un même marché car à chaque nom de marque est attaché un niveau de performance, un contrat passé avec les consommateurs. On ne peut être un repère, une vraie marque donc, sans rester fidèle à ce contrat.

Le plaisir, troisième valeur ajoutée

Dans des pays développés, matures, saturés, les besoins sont satisfaits : il ne reste plus que les désirs. Veut-on simplement un chocolat aux noisettes ou un Milka ou un Suchard ? Souhaite-t-on un pastis ou le vrai Ricard, le créateur du pastis, source de convivialité solaire ?

L'image de soi, quatrième valeur ajoutée

C'est la fonction « badge » : dis-moi ce que tu consommes, je te dirai qui tu es, pourrait-on dire. La marque consommée en public doit donc être soucieuse de toujours valoriser son consommateur aux yeux des autres. Sinon, les clients vont préférer d'autres marques, à l'image plus conforme. C'est pourquoi toute grande marque doit veiller à maintenir la modernité de son image auprès des nouvelles générations, qui aiment bien remettre en cause les choix des générations antérieures. Mais il n'y a rien d'inéluctable. L'exemple de Coca-Cola en atteste. Cette fonction badge est essentielle pour les jeunes. Ceux-ci appartiennent à des tribus, dont le seul lien est le langage et les pratiques communes. Ce langage est fait de signes partagés : pour être dans la tribu, tout le monde doit porter, par exemple, les mêmes chaussures Nike, le même jean Gap. En Corse, on se doit de boire Corsica Cola ou l'eau minérale Saint-Georges dont la publicité dit : « 0 % de nitrates, 100 % corse ! ».

Les autres valeurs

Les valeurs de proximité vont de la disponibilité de la marque, à portée de main ou des lieux naturels de courses et de consommation, à la proximité mentale (notoriété) ou affective (une marque dont on se sent proche).

Les valeurs conversationnelles tiennent à la capacité de la marque à susciter l'étonnement, les conversations, d'être le *focus* des blogs : bref, d'être médiactive et d'animer une communauté de fans.

Les valeurs de service sont conférées par le packaging pratique, les formats pensés en fonction des circonstances de consommation. Ainsi, au fil des ans, la marque

Evian a apporté les innovations au niveau du conditionnement, qui rendent le transport des eaux minérales bien plus aisé. Amazon rend tout facile comme Dell.

Les valeurs esthétiques sont portées par le plaisir de regarder une élégante bouteille de Suze, en exergue sur une table, ou les dernières Peugeot, si ergonomiques et belles.

Les valeurs éthiques sont associées au comportement social et environnemental de la marque. Nike en a souffert récemment. Peut-on être la marque de la jeunesse, si ses ballons de football sont fabriqués par des enfants exploités chez les sous-traitants de Nike en Asie ? Le développement durable est désormais une attente de base des grandes marques.

Les valeurs citoyennes sont celles qui mettent en avant des bénéfices collectifs et pas seulement individuels (écologie, solidarité...).

Ces valeurs ajoutées, ou survaleurs, sont la seule justification du surprix payé pour la marque. Ce sont ces valeurs qui différencient et fidélisent, bien plus que toutes les techniques promotionnelles de fidélisation tant à la mode. On comprend alors que tant d'organisations aient envie d'avoir leur marque.

LES DEVOIRS DE LA MARQUE

Si la marque donne des droits (fidélité des clients, surprix qui rémunère la survaleur), elle donne aussi des devoirs. Une marque est une certitude de satisfaction, quels que soient le lieu, le moment et le contexte. Cette phrase anodine cache des difficultés considérables de mise en œuvre. Pourquoi, par exemple, y a-t-il si peu de marques de vin ? Car les producteurs ne peuvent garantir un volume suffisant, de qualité égale, quelle que soit l'année. Pourquoi est-il plus difficile de créer une marque de service ? Car le service dépend de l'interaction entre deux personnes (coiffeur et coiffé, restaurateur et convive, hôtesse et passager, ...). Or, si les machines et les robots produisent toujours le même produit, l'humeur des personnes est très variable. Il en résulte un sentiment de satisfaction intrinsèquement variable. La première chose que découvre l'enseigne lorsqu'elle décide de faire fabriquer des produits à son nom, est qu'elle est désormais juridiquement responsable de tout défaut.

Connue, la grande marque est responsable

Elle se doit d'être à l'avant-garde des contrôles de qualité, des avancées en matière d'hygiène. En cela, elle se distingue de la marque de distributeur. Celle-ci cache en effet volontairement le producteur (afin de pouvoir en changer à volonté, de ne pas en dépendre) et souvent ne porte pas le nom du magasin. Elle est donc moins soumise à la pression de la qualité et de la sécurité sans faille. Elle cherche à rogner sans cesse sur les prix de revient et pèse toujours plus sur les fournisseurs. Les petites PME n'ont alors d'autre choix que de se soumettre ou de se démettre. Les conséquences sont inéluctables : les récentes affaires de listériose l'ont montré. Quant à la maladie de la vache folle, aurait-on substitué des farines carnées à l'alimentation naturelle sans la logique exclusive du prix toujours le plus bas, obsession des hypermarchés et de la grande distribution en général ?

L'obligation d'innover

La marque a une obligation d'innover pour maintenir son contrat. Prenons une marque automobile située sur la sécurité. La sécurité n'a plus du tout le même sens aujourd'hui qu'il y a dix ans. Il faut donc en permanence actualiser le niveau de sécurité passive et active, pour continuer à être reconnu comme le référent de la sécurité automobile. Ceci est aussi vrai dans l'alimentaire, la médecine ou les services. La marque de distributeur, quant à elle, peut se contenter de rester dans le sillage de la grande marque et de copier les innovations qui ont du succès. Ainsi, elle n'a pas à investir en frais de R & D et elle ne prend aucun risque.

Les obligations de la marque tiennent donc à la fois au respect et au dépassement du contrat de marque. Le respect du contrat est un challenge pour les PME ou les entreprises en très forte croissance ou les entreprises reposant sur des licences géographiques. Comment assurer la même qualité de produit, de service, de logistique, de relation à tout moment, partout dans le monde ?

Être marque, c'est être et rester différent

Comment rester la référence mondiale du briquet jetable (Bic), si des importations chinoises arrivent à moitié prix avec des produits plus ludiques, d'impulsion, qui séduisent les buralistes et les clients ? Que reste-t-il de notre différence ? En marketing, la perception est la réalité, d'où l'importance de la communication, arme de la marque pour révéler les qualités cachées, invisibles mais existantes ou bien mettre en scène l'intangible, l'imaginaire de marque. La marque produit des biens, du lien (service, proximité, relation), mais aussi du sens et du signe. Que serait Dim, marque à bas prix, sans sa saga publicitaire ? On ne peut devenir et rester marque sans investir durablement en communication et en relation directe avec les clients.

La prime de prix

C'est bien parce qu'il y a ces valeurs ajoutées à force d'investissements en R & D, production, logistique, ressources humaines et marketing, qu'il y a prime de prix. D'ailleurs, pour évaluer la force d'une marque, on peut mesurer quelle différence de prix un consommateur serait prêt à payer par rapport à un produit identique, sans cette marque, ou sous-marque, inconnue.

C'est ainsi qu'on évalue aussi financièrement les marques. Les chiffres attribuant à la marque Danone, par exemple, une valeur de 4,5 milliards de dollars représentent la part des bénéfices attendus dans le futur, due à la marque elle-même (et non aux produits, à la distribution, à la force de vente, ...). Qui dit bénéfices dit donc que les coûts de la marque (marketing, communication, qualité totale du produit et des services) sont plus que couverts par la marge nette, donc par l'écart de prix. Or, il existe des marques notoires qui ne dégagent plus assez de rentabilité. Certes, elles ont une notoriété et une image (actifs de marque), mais leur part de marché décline et leur prime de prix les handicape. C'est ce que reprochait Nestlé à Perrier en septembre 2004. À quoi sert une marque, si elle ne permet plus un fonctionnement économique favorable ? Pour les financiers, une marque même connue n'est pas forte, si elle ne permet pas de gagner de l'argent.

LES ÉTAPES DE LA CONSTRUCTION DE LA MARQUE

La marque vise à l'éternité. Autant il existe un cycle de vie des produits, autant la notion de cycle de vie de marque prête à caution. Le but de la plupart des marques est de durer : elles échappent à l'obsolescence grâce au mécanisme vertueux du renouvellement systématique des produits et des signes, à la recherche de marchés de croissance, toujours renouvelés, ou de débouchés internationaux (marque globale). On ne peut donc pas parler de cycle de vie de la marque.

Ce fut d'ailleurs l'objet du conflit opposant LVMH au cabinet Morgan Stanley. L'une des analystes vedettes de ce cabinet, qui fait et défait les réputations boursières, avait émis l'avis selon lequel Louis Vuitton entrait en phase de maturité (référence directe à l'idée d'un cycle de vie) et, à ce titre, on devait donc effectuer une décote du titre de LVMH. Les tribunaux ont tranché en faveur de LVMH et condamné Morgan Stanley. Sans parler de cycle de vie, on doit néanmoins rappeler les étapes de la marque.

Définir la plate-forme de marque

La marque se veut un repère durable de valeurs ajoutées, un contrat. Puisque la marque est un contrat normatif et général, il faut le connaître et le spécifier de façon explicite.

Pour manager la marque, c'est-à-dire l'équilibre entre diversité, adaptation au marché et capitalisation, il faut un outil de management de la cohérence. C'est la plate-forme de marque avec ses deux constituants : l'identité de marque et son positionnement.

L'identité de marque résume les traits identitaires de la marque, tangibles et intangibles : ceux qui lui donnent sa singularité, son autorité, son authenticité, sa légitimité et son attractivité. L'identité peut être symbolisée par un prisme, connu sous le nom de « prisme d'identité ». Ce prisme nous rappelle qu'une marque possède un physique (signes tangibles de reconnaissance, attributs spécifiques), mais aussi une personnalité, un fond culturel (système de valeurs), un mode relationnel spécifique au marché. Enfin, elle développe une image de ses acheteurs (reflet) et nourrit leur mentalisation (comment ils se vivent à travers elle). Le prisme d'identité de la marque dit ce qu'elle veut et ne veut pas être. Elle est transverse à tous les produits et à tous les pays.

Le positionnement, quant à lui, spécifie le bénéfice unique et fort apporté par la marque par rapport à quelle concurrence et pour la cible choisie : c'est « l'unicité ». Le positionnement est l'angle de vente de la marque contre les concurrents retenus pour le segment choisi. C'est donc l'avantage déterminant que l'on est en avant : il est exclusif et très valorisé. À la différence de l'identité de marque, le positionnement de la marque peut varier selon les pays ou les continents et dans le temps. Ainsi, Evian est passé de l'eau des bébés à l'eau des Alpes puis à l'eau de l'équilibre, puis à la force de l'équilibre, puis à l'eau de santé globale, pour s'arrêter actuellement à l'eau de jeunesse. Ces repositionnements sont rendus nécessaires par l'usure du thème précédent : en effet, les clients évoluent et une nouvelle concurrence par les prix apparaît. Ils sont néanmoins tous cohérents avec l'identité profonde d'Evian.

Le choix de la plate-forme engage car la marque se construit par l'accumulation des expériences du client à tous les points de contact. Par conséquent, les valeurs de marque doivent imprégner et guider chacun de ces points de contact : produit, magasin, publicité, sponsoring, mécénat, *call center,* site Internet, *consumer magazines* ou *fanzines*.

Faire croître la marque

L'entreprise ne survit que si elle croît. La bourse elle-même attend toujours plus de croissance de l'entreprise. La marque doit donc croître. Cette croissance va poser un problème nouveau car on ne peut se répéter à l'infini. En conséquence, pour croître, la marque devra changer tout en restant elle-même.

Aujourd'hui, la concurrence est telle, que la croissance ne consiste plus à gagner un client, mais à accroître sa part des achats de ce client. Mais, avant les techniques, n'oublions pas la puissance du produit de l'excellence opérationnelle dans la création de la fidélité, du réachat. Ainsi, dans la chaîne européenne de restauration rapide de qualité Courtepaille, il n'y a aucun programme de fidélité. Il est vrai que pour moins de 12 euros, il y a peu de restaurants où le service soit aussi souriant et la nourriture aussi joyeuse. Mais les marges y sont si serrées que la rentabilité d'une carte de fidélité est apparue, jusqu'à ce jour, comme douteuse : enthousiastes, les clients reviendraient de toute façon.

On ne doit donc pas négliger les stratégies d'accroissement de fidélité (réachat) agissant au niveau strictement comportemental. Leur action est immédiate : elles accroissent le taux de nourriture de la marque et créent une barrière à la sortie. Les compagnies aériennes et les offres promotionnelles couplées aux cartes de magasin l'ont démontré. Dans les ventes de produits banalisés, face à la concurrence des *low costs,* outre le service, les cartes de fidélité jouent un rôle essentiel dans l'équation économique. Ainsi, dans les stations-service, près de 40 % du volume d'essence est en fait vendu aux clients porteurs de leur carte de fidélité.

Une troisième source de croissance de la marque consiste à étendre la pertinence de ses produits actuels. Ainsi, la fameuse crème Nivea a étendu à la fois le spectre de ses applications (mains, corps, visage) et de ses destinataires (femmes, jeunes femmes, enfants, bébés, hommes). Ce faisant, la marque a accru le volume *per capita* : chaque client consomme plus.

La marque peut aussi élargir le champ des situations de consommation et d'achat. C'est la fonction des nouveaux formats (emballage) de permettre une meilleure adaptation à une consommation itinérante, hors domicile, solitaire ou à plusieurs.

Mais cela passe aussi par de nouveaux circuits de distribution et d'accessibilité. Par exemple, la marque Fleury-Michon, leader des plats cuisinés frais sous vide prêts à consommer, étend sa distribution bien au-delà des hypermarchés et des supermarchés : en stations-service, mais aussi en chaîne de restaurants (Graine d'Appétit), en distributeurs automatiques pour toutes les entreprises et collectivités n'ayant pas de restaurant d'entreprise et, pourquoi pas demain, dans les hôtels Formule 1 ou dans les trains TGV ?

Pour poursuivre ce mouvement, on doit procéder à des extensions de ligne ou de gamme : par exemple, enlever le sucre du produit pour le faire consommer par les plus de 35 ans (Coke light et Coke Zero) ou bien supprimer la caféine ou les deux. La marque peut aussi développer une ligne de produits complémentaires (tout parfum développe une ligne de produits pour le bain par exemple). Les marques doivent d'abord épuiser tous les moyens d'assurer leur croissance en travaillant sur le produit de base.

Enfin, l'internationalisation est une source de croissance retenue très tôt pour avancer plus vite sur la courbe d'expérience et diminuer la pression des distributeurs d'un seul pays. Il y a plus de différences entre une famille de cadres et une famille d'ouvriers français, qu'entre celle-là et une famille de cadres américaine. L'homogénéisation des modes de vie est telle, que les marques envisagent désormais leur croissance non plus à l'intérieur des frontières, mais au moins aux plans régional, continental, voire mondial. Il est vrai que la distribution s'internationalise elle-même (Carrefour est présent de la Chine au Brésil). Les événements médiatiques sont mondiaux (Formule 1, Mondial, Jeux olympiques, ...). Les séries télévisées, véhiculant des stéréotypes mondiaux, sont mondiales. L'Internet lui-même fait disparaître les distances. Amazon vend dans le monde entier. La question posée aux marques est celle du rythme de leur expansion internationale et du degré d'adaptation aux différentes cultures. Ainsi, Nescafé est certes une marque mondiale, mais, suivant les pays, la recette n'est pas la même. Le goût café des Suisses n'est pas celui des Américains, des Anglais, des Allemands ou des Français. À l'inverse, les produits innovants ont moins besoin de s'adapter : la glace Magnum ou le Big Mac sont identiques dans le monde entier.

La croissance par l'extension de marque

L'extension est une nécessité dans la vie d'une marque. Elle en signe la croissance, le changement d'envergure et l'adaptation au marché. Bic, de leader des stylos à bille est devenu une marque leader mondial des briquets et des rasoirs jetables, et même des planches à voile. Hewlett Packard concurrence désormais Canon et Nikon avec ses appareils photo digitaux. Moulinex est parti du fameux moulin à légumes pour se déployer entre autres sur les cafetières et les robots ménagers. Dim a commencé par des chaussettes, puis des bas et collants féminins. C'est désormais aussi une marque de sous-vêtements. Danone vend des yaourts, mais aussi des biscuits sous son nom en Europe de l'Est et en Asie mais aussi de l'eau Dannon aux États-Unis. Salomon est passé des fixations de sécurité pour les skis aux chaussures de ski, puis de randonnée, puis aux skis eux-mêmes, avant d'entrer dans le marché des rollers, des *in line skates,* puis du snowboard avant celui du surf. Ces extensions ont jalonné la mutation et la croissance de ce leader mondial des sports de glisse.

Comment choisir les extensions ? Comment choisir les territoires d'extension d'une marque, ses nouveaux marchés ? À partir de la marque elle-même : son identité, ses valeurs, son positionnement mais aussi ses compétences clés et sa clientèle.

En effet, le choix d'une catégorie pour l'extension de marque, outre son taux de croissance et sa profitabilité, doit être tel qu'il exploite les actifs exclusifs de la marque (image, identité, compétence clé) afin de maximiser les chances de succès sur ce nouveau marché.

Conquête et fidélité

Aujourd'hui, on ne jure plus que par la fidélisation : un client fidèle est plus rentable. Mais, à trop s'adapter à ses meilleurs clients, la marque perd de vue les attentes émergentes des clients à venir, des nouvelles générations, souvent très différentes de celles des clients actuels. Or, pour durer la marque doit refuser ce type d'alternative.

Peu de variables segmentent autant que l'âge. Chaque tranche d'âge possède en effet une unité, façonnée par le fait qu'elle a vécu les mêmes événements historiques, les mêmes joies, qu'elle est liée par les mêmes problèmes. Or, la transmission des us et coutumes se fait de plus en plus par ses pairs et non par sa famille. En conséquence, c'est aux marques elles-mêmes d'assurer désormais l'apprentissage trans-générationnel. Mais il est délicat d'avoir été consommé par ses aînés : chaque génération se crée ses propres marques et rejette celles des générations antérieures. Il y a donc nécessité d'un marketing à deux étages, appelé « dual ».

Le client actuel est certes la source de profit immédiat. Mais il faut, en même temps, travailler sur l'établissement de liens avec les autres générations, sinon le futur est compromis

Ainsi, Mercedes a constaté que sa clientèle vieillissait. Pour modifier en profondeur la tendance et prendre pied chez les 35-40 ans, Mercedes a abandonné un trait d'image jusqu'alors indissociable de la marque : le luxe. La marque a cherché à se doter de nouveaux attributs – l'empathie, l'hédonisme et la solidarité – pour séduire des automobilistes moins âgés. Cela s'est traduit par le lancement d'une offre très diversifiée, loin du monolithique tri-corps automobile. On a ainsi découvert un petit roadster, un 4 x 4, un monospace (la fameuse Classe A), autant de signes révélateurs que la marque écoutait désormais le marché et ses nouvelles façons de vivre.

D'autres marques se déclinent pour s'adapter à la segmentation par âge : Armani crée Emporio Armani, Boss lance Hugo, Christian Lacroix crée Bazar.

Carte Bleue : la marque en tous points remarquable

Qui aujourd'hui n'a pas sa Carte Bleue ? Cette assimilation à la catégorie entière des cartes de paiement est la rançon du succès. Peu de marques, en fait, ont à ce point créé un changement radical dans notre vie quotidienne, au point de symboliser à elles seules cette révolution. Il est vrai que, souvent, le leader (l'innovateur) se donne en vocabulaire en même temps qu'il livre un produit révolutionnaire. C'est fréquent lorsque l'innovation s'est imposée à tous et est entrée dans la vie courante au point que l'on ne sait plus comment on a fait pour vivre sans elle. C'est le cas de Walkman, de Velux, de Scotch ou de Post-it. Par de nombreux côtés, Carte Bleue, en tant que marque, est bien unique.

En premier lieu, la marque inclut le nom du produit tangible qui lui sert de support et atteste de son existence. Elle s'appelle « Carte Bleue ». La seconde originalité formelle de Carte Bleue est l'absence de symbole, en dehors de la puissance symbolique du bleu, couleur préférée en Occident. Il faut lire « Carte Bleue » pour la reconnaître : le nom de marque est écrit dans un rectangle bleu. Ici, point de symbole de centurion romain ou de globe terrestre, seule la marque est nominative.

Une autre spécificité de la marque est qu'elle n'est pas toujours bleue. Certes, son logo est bleu, mais, pour apporter toujours plus de services au-delà de la carte nationale qui est bien bleue, Carte Bleue a créé une gamme de cartes bien adaptées à des clientèles particulières qui ont des attentes différentes. Or, ces cartes ont toutes une couleur spécifique en même temps qu'elles ont un nom (Carte Bleue Visa, Carte Bleue Visa Premier, ...). En effet, il faut bien différencier les produits en même temps qu'il faut permettre au porteur de se distinguer, de se valoriser.

La quatrième originalité de Carte Bleue est une stratégie d'alliances permanentes conduisant à un « co-branding », une double signature, voire triple, sur le support physique : la fameuse carte « Carte Bleue ». En effet, chaque Carte Bleue étant liée à un compte courant bancaire, la marque de la banque apparaît déjà sur le petit support plastique, avec une volonté de se l'approprier par des couleurs propres à la banque elle-même. Puis vient s'ajouter la marque Visa pour les services à l'international. C'est l'addition des marques Carte Bleue (socle valorisant et chaleureux) et Visa qui crée de la synergie.

À quoi tient cette valeur affective de la marque ? À son fonds sécurisant, au sentiment d'une familiarité bienveillante, à la satisfaction d'être servi par le pionnier, à la reconnaissance de la facilité incommensurable qu'apporta la Carte Bleue, ce qui en fait le symbole de la fluidité totale et de la sécurité des transactions. On comprend qu'avec la montée de l'e-commerce, on ait apprécié l'innovation « e-Carte Bleue » qui poursuit et actualise la mission de la marque dans l'univers croissant des transactions sur Internet. Encore un service innovant et marquant de Carte Bleue, en attendant les autres signes de vitalité et de pertinence.

CE QU'IL FAUT RETENIR

- La marque est un contrat : il faut le connaître pour le respecter.
- La marque se construit par la somme des expériences à tous les points de contact avec les clients : elle va donc bien au-delà de la communication.
- La marque naît de l'innovation qui reste l'oxygène et la raison d'être de la marque.
- La marque doit à la fois respecter son identité et surprendre.
- La marque doit fidéliser et conquérir.
- La marque doit travailler sur les clients d'aujourd'hui et ceux de demain.
- On ne peut croître sans changer un peu.
- Même pour les marques dites « globales », le business est toujours local.
- La marque est un outil de développement des affaires ; il faut l'utiliser, non la vénérer.

BIBLIOGRAPHIE DE RÉFÉRENCE

Catherine BECKER, *Du Ricard dans mon Coca*, Éditions d'Organisation, 2002.

Jean-Noël KAPFERER, *Les marques : capital de l'entreprise*, Éditions d'Organisation, 2008.

Jean-Noël KAPFERER, *Ce qui va changer les marques*, Éditions d'Organisation, 2005.

Jean-Noël KAPFERER, *The New Strategic Brand Management*, Kogan-Page, 2008.

Patricia KAPFERER, Tristan GASTON-BRETON, *Carte Bleue - La petite carte qui a changé la vie*, éd. du Cherche-Midi, 2004.

Patricia KAPFERER, Tristan GASTON-BRETON, *Le style René Lacoste*, éd. L'Équipe, 2008.

Hélène LACROIX-SABLAYROLLES, *Etes-vous vraiment orienté clients ?*, éd. Dunod, 2002.

Jean-Marc LEHU, Anne BONTOUR, *Lifting de marque*, Éditions d'Organisation, 2002.

Jacques NEYRINCK, *Les paradoxes du marketing*, Éditions d'Organisation, 2000.

Marie-Claude SICARD, *Ce que marque veut dire*, Éditions d'Organisation, 2001.

Claude SORDET, Judas PAYSANT, Claude BROSSELIN, *Les marques de distributeurs jouent dans la cour des grands*, Éditions d'Organisation, 2002.

Jean-François VARIOT, *La marque post-publicitaire*, éd. Village Mondial, 2001.

Marketing

CRM

Par Jean-Marc Lehu

Jean-Marc Lehu est maître de conférences en marketing à l'université Paris 1 Panthéon Sorbonne. Il intervient également comme conseil auprès d'entreprises, en marketing et en communication.

Le CRM (*Customer Relationship Management*), désigne la conception, le développement, la mise en place et l'administration d'une stratégie optimisant la relation qu'une entreprise développe avec ses clients. Sur le fond, la stratégie n'est pas nouvelle, car toute entreprise aspire logiquement sous une forme ou sous une autre à développer son activité de cette manière. Mais le rôle et l'importance stratégiques du CRM en font désormais un atout concurrentiel essentiel et incontestable. Il est devenu vital de fidéliser les meilleurs clients et de développer leur potentiel. Pourtant, de nombreux projets CRM ont échoué par le passé. La raison principale : une mauvaise interprétation des implications stratégiques d'une démarche de CRM. Comprendre ce que représentent la satisfaction et la fidélisation client, ainsi que les liens qui les unissent, puis appréhender la conception d'une stratégie relationnelle et le développement d'une relation de confiance, est l'objet de cette section.

Starbucks

La première *coffee shop* a été ouverte en 1971 à Seattle (États-Unis) par trois associés, Jerry Baldwin, Gordon Bowker et Zev Siegel. Ce n'est qu'en 1982 que Howard Schultz rejoint l'entreprise. Mais, convaincu que le concept n'était pas encore le bon, il crée alors de son côté en 1985 une nouvelle chaîne de *coffee bars*, Il Giornale. En 1987, avec l'appui d'investisseurs, Howard Schultz rachète Starbucks et utilise le nom pour renommer l'ensemble de ses *coffee bars*. En 2008, l'enseigne Starbucks était présente sur la devanture de plus de 15 756 *coffee bars* dans 43 pays. Et son *customer relationship management* ne s'arrête pas à sa carte de fidélité co-brandée Visa.

Une gestion de la relation client intégrée et cohérente

Toujours diversifier l'offre pour renouveler la satisfaction du client ! L'une des forces fidélisatrices de Starbucks n'est pas d'offrir le meilleur café. De nombreux concurrents offrent sans conteste de bien meilleurs expresso et autres cappuccino. Le but est d'offrir la combinaison gustative la plus proche possible du goût du client qui se présente au comptoir. Et avec plus de 87 000 combinaisons, le pouvoir est clairement entre ses mains, quitte à lui proposer du chocolat ou du thé Tazo (acquis en 1999). Certes, d'aucuns pourront également voir dans cette variété poussée à l'extrême et une prestation à la demande, un handicap potentiel réel. C'est en partie vrai, dès lors que le processus de choix des clients en est ralenti d'autant, ce qui peut pénaliser l'optimisation de l'activité. Mais au moment où nombre de consommateurs revendiquent leur spécificité, pour ne pas dire leur identité propre, le positionnement – qui n'est pas sans rappeler celui qui fit le succès de Subway dans le sandwich – semble cohérent.

Il s'agit également d'accompagner le plus possible les clients de la marque dans leur vie quotidienne. C'est ainsi que, dès 1993, l'enseigne débuta un partenariat avec les librairies Barnes & Nobles pour y installer des corners Starbucks ; et que, l'année suivante, elle entrait dans les hôtels Starwood (à l'époque ITT-Sheraton, puis dans la filiale Westin en 1996), puis chez Host Marriott International en 2000 et Hyatt l'année suivante. La marque embarquait également dès 1995 avec United Airlines.

Des expériences complémentaires au service de la fidélisation

1997 marque un autre tournant de la relation de Starbucks avec ses clients, dès lors qu'elle proposa ses premières machines expresso, les Starbucks Barista. Associée à la vente de café en grains ou moulu, cette initiative permettait à Starbucks d'accompagner son client potentiel y compris jusque dans son foyer, pour lui permettre de confectionner son propre café. Après s'être associé à Pepsi pour la commercialisation de Frappucino en bouteille (1996), l'enseigne débuta en 2005 la commercialisation des Starbucks Discoveries, des RTD (*Ready-to-drink* – boissons prêtes à boire) à base de café. Très tôt convaincue de l'intérêt du *branded entertainment*, la marque investit aussi dans la musique (rachat de Hear Music en 1999) et proposa à ses clients, en partenariat avec HP, la possibilité de graver des CD dans certaines boutiques Starbucks en 2004. L'enseigne s'associa même avec Concord Records cette année-là pour le lancement de l'album de Ray Charles, *Genius Loves Company* (qui remporta 8 Grammy Awards). En 2006, cet investissement dans le monde du divertissement prit la forme d'une coproduction du film *Akeelah and the Bee*, avec Lionsgate et 2029 Entertainement. Autant d'éléments qui illustrent une innovation permanente de la marque et la perception de la nécessité d'une gamme sans cesse renouvelée. Mais également une prestation de service associée à des expériences de consommation elles aussi diversifiées en permanence.

Une stratégie de marque engagée

Quelle que soit la réussite commerciale de l'enseigne, elle n'est pas le fruit d'un seul et unique objectif financier. Si, comme la plupart des grandes marques globales, Starbucks fait l'objet de critiques parfois acerbes et d'une communication parasitaire véhiculée par le Web, la marque prend pourtant soin d'entretenir une image sociétale positive, aujourd'hui essentielle pour le maintien d'une relation client solide et durable. Partenaire de United Nations Global Compact depuis 2004, la sixième entreprise la plus admirée au monde (classement *Fortune* 2008) prend très au sérieux la responsabilité sociétale (premier rapport annuel en 2002), avec notamment des programmes caritatifs, des bourses et la distribution de livres via la Fondation Starbucks, le développement de cafés certifiés Fair Trade, la préservation de l'environnement, des partenariats avec Oxfam, Save the Children, African Wildlife Foundation ou encore le Croissant Rouge.

En janvier 1992, Robert Kaplan et David Norton présentaient, dans *Harvard Business Review*, un nouveau tableau de bord prospectif *(balanced scorecard)* à propos de la performance des entreprises. Dépassant les seuls indicateurs financiers traditionnels, il intégrait des indicateurs d'apprentissage et d'innovation, d'autres représentatifs des processus internes et d'autres concernant la perception de l'entreprise par ses clients. Les attentes d'un client portent en général sur le temps, la qualité, la performance et le service, et sur le coût. Combinées, ces variables déterminent la valeur de l'offre faite à un client. Elles constituent autant d'objectifs à atteindre, afin de développer l'activité de l'entreprise et améliorer sa performance. Le CRM doit permettre de maximiser cette performance en développant, protégeant et améliorant la relation client.

DE LA SATISFACTION À LA FIDÉLISATION DU CLIENT

Dans tout système concurrentiel, une entreprise aspire à satisfaire ses clients. Si elle n'y parvient pas, ils finiront par opter pour l'offre d'autres acteurs du marché, contraignant l'entreprise qui les aura déçus à disparaître. Mais si l'affirmation introductive est d'une logique presque banale, il n'est pas toujours simple et facile de satisfaire un client aujourd'hui.

Pourquoi et comment satisfaire un client ?

Si l'entreprise cherche à satisfaire ses clients, ce n'est ni pour le plaisir de ces derniers, ni par philanthropie. L'entreprise ne fait que répondre à une obligation concurrentielle. Sans concurrence sur son marché, l'objectif de la satisfaction de ses clients est secondaire, voire volontairement éludé. Les clients n'ont pas d'autre choix que de consommer les produits ou les services qui leur sont proposés. Le seul objectif pertinent est alors la réduction maximale des coûts et la maximisation corollaire des profits, quitte à n'avoir que des clients insatisfaits. Mais dans un contexte de globalisation des marchés, ces écosystèmes monopolistiques sont de plus en plus rares. Par nature, un environnement concurrentiel introduit la possibilité d'une alternative. L'entreprise doit alors impérativement se soucier de la satisfaction de ses clients, décrite depuis toujours comme la source génératrice de leur fidélité. A priori, un client satisfait ne peut que devenir un client fidèle. Une démarche marketing élémentaire a permis d'identifier avec précision un besoin. L'offre de l'entreprise y répond au mieux. Le client est satisfait ! S'il est totalement satisfait, il renouvellera ses achats en faveur de la marque qui a su répondre à son attente. Or, un client fidèle est censé générer une activité plus importante et plus rentable pour l'entreprise, qu'un client occasionnel. Il paraît donc essentiel de satisfaire un maximum de clients, sinon la totalité d'entre eux. CQFD ! Simple, mais également simpliste.

Le lien potentiel entre satisfaction et profits est avéré, même si sa puissance peut toutefois varier largement, d'un secteur à un autre. Mais il s'agit d'un lien potentiel. Par ailleurs, si la satisfaction est en principe définie comme un état psychologique positif exprimant le contentement d'un individu, la définition de la manière d'obtenir cette satisfaction est beaucoup moins simple. L'étude de la satisfaction client requiert désormais des modèles multi-attributs, dès lors que l'origine de la satisfaction ne se résume généralement pas à un seul attribut de l'offre, mais à la combinaison parfois complexe de plusieurs d'entre eux. Pire, le nombre et le poids de ces attributs peuvent varier considérablement d'une offre à une autre, d'un individu à l'autre, d'une situation d'achat à une autre, multipliant ainsi à l'infini les combinaisons possibles. Parmi les principaux attributs pris en compte par un client, figurent notamment la notoriété et l'image de la marque, la qualité perçue ou expérimentée, le prix absolu ou relatif, le lieu et le mode de distribution, l'accessibilité de l'offre, l'image statutaire du bien, l'humeur et les sentiments de l'individu… autrement dit, des attributs tantôt objectifs, tantôt subjectifs. Essayer de satisfaire un client ne consiste donc pas (plus) à répondre favorablement à l'un de ses besoins, mais parallèlement à plusieurs de ses attentes. L'offre qui parvient à maximiser la combinaison des réponses positives aux différents attributs précités, maximise par la même occasion ses chances de voir le client séduit, opter pour elle.

La satisfaction du client est sans aucun doute un élément essentiel pour que puisse exister naturellement un lien positif – et si possible pérenne – entre ce client et l'offre. Mais, lorsqu'il s'apprête à faire des achats, un client utilise son propre système référentiel, pour apprécier la qualité de l'offre qui lui est faite par rapport à ce qu'il en attend, d'où l'intérêt majeur des études marketing en amont pour tenter de déterminer, avec le plus de précision possible, les attentes de la cible. Plus le client visé aura la sensation que la qualité perçue de l'offre est supérieure à la qualité qu'il espérait, plus sa satisfaction potentielle sera élevée, plus il sera incité à l'achat. Si de surcroît, lors de la consommation ou de l'utilisation du produit ou du service, la qualité réelle confirme ou excède la qualité perçue au moment de l'achat, alors la satisfaction sera maximisée. Les conditions seront dès lors favorables à un renouvellement de l'achat en faveur du même produit ou de la même marque.

C'est pour cette raison que la satisfaction fait (ou devrait faire) l'objet d'une étude attentive de la part les entreprises s'engageant dans le CRM. Si le feed-back (remontée d'informations) de la force de vente et les enquêtes de satisfaction menées auprès des clients (si possible régulièrement) sont les techniques les plus usuelles permettant de cerner et d'analyser les sources de leur satisfaction, l'entreprise peut également mettre à profit son service clients. Véritable centre névralgique et source d'information stratégique potentielle, le service clients (ou service consommateurs dans certains cas) permet notamment l'analyse des réclamations (manifestations d'insatisfaction). Dans *Business@The Speed of Thought*, Bill Gates écrit que : « *Vos clients les plus mécontents sont votre plus grande source de savoir.* » Si les clients satisfaits qui expriment leur contentement à l'entreprise sont exceptionnels, rares sont aussi les clients insatisfaits qui entreprennent cette démarche (moins de 5 % des mécontents en moyenne). C'est dire que ceux qui contactent l'entreprise sont essentiels, non seulement pour comprendre les motifs d'insatisfaction qui sont probablement communs à de nombreux autres clients, afin d'y remédier le plus efficacement possible. Mais également parce que plusieurs études s'accordent pour affirmer qu'un client mécontent qui est écouté, compris et si possible dédommagé (ou qui voit simplement sa source de mécontentement corrigée) est un client qui peut être « récupéré ». Bien souvent, le client qui communiquera positivement en faveur de la marque ou du produit a posteriori. Le dialogue doit être ici privilégié. La version 2000 de la norme Iso 9001 lie d'ailleurs la satisfaction clients à la performance des systèmes de managements soumis à un processus de normalisation ; sans pour autant toutefois, spécifier les outils de mesure *ad hoc*.

Susciter une fidélité naturelle et rentable

La satisfaction ne constitue que la première étape dans la quête de la fidélité dudit client. Or, depuis le courant des années 1980, les marketers s'accordent pour constater que le consommateur moderne a profondément changé. Plus et mieux informé, il est désormais plus exigent et plus difficile à satisfaire. Confronté à une offre surabondante et à une communication média et hors média pléthorique, il est aussi souvent plus indécis. Sollicité par de nouveaux modes de vie et multipliant les activités, il est également sujet à une succession d'attitudes et de comportements dont la logique est des fois très incertaine, intégrant même parfois dans son jugement des considérations sociétales, écologiques, éthiques ou humanitaires. D'où le rôle fondamental de la collecte d'information pour développer un projet CRM, afin de mieux cerner et décrypter ses intentions, ses besoins et ses attentes. Or, la multiplication des informations contribuant à la compréhension de son comportement a rendu la tâche techniquement et scientifiquement difficile. D'autant plus que ce consommateur changeant impose désormais une stratégie multicanal. L'entreprise se doit d'utiliser une base de données, notamment pour accroître le nombre de variables prises en compte. Entrent alors en scène le *datawarehousing* et le *datamining*.

Du *datawarehousing* au *datamining*

Pour être réellement efficace, le CRM implique la gestion performante de nombreuses informations (sociodémographiques, comportementales, résultats d'enquêtes, ...) concernant le client. Pour y parvenir, deux impératifs doivent être atteints. En premier lieu, il faut pouvoir se souvenir de toutes ses informations. C'est le rôle du *datawarehousing*. Un *datawarehouse* est un entrepôt de données, autrement dit, une mégabase informatique de données transversales, constituée afin de stocker de gros volumes de données détaillées, durables, datées et classées. En second lieu, il faut également pouvoir exploiter ces données qui, pour des multinationales, peuvent très vite représenter plusieurs téraoctets (1 000 000 000 000 octets – normes IEC 1998). C'est le rôle du *datamining* qui désigne le processus d'extraction, de filtrage, de traitement, de croisement, d'analyse et de synthèse de grandes quantités d'informations stockées dans la mégabase.

L'utilisation d'une base de données est incontournable pour gérer et exploiter utilement le maximum de données liées à la traçabilité client. Couplées aux enquêtes de satisfaction, elles permettront notamment de valoriser et hiérarchiser les critères de satisfaction par type de client. Il existe de multiples solutions logiciels, plus ou moins intégrées, pour centraliser ou relier entre elles le maximum d'informations possible et déterminer une typologie des clients, correspondant aux ambitions stratégiques de l'entreprise. Mais à lui seul, l'outil informatique ne fait pas la stratégie. Nombre de projets CRM ont échoué pour cette seule raison. Mais s'il a été testé dans un environnement similaire à celui de l'entreprise, s'il est sélectionné et paramétré au vu des ambitions stratégiques de l'entreprise et s'il est interfacé, alimenté, géré et mis à jour en conséquence, alors il peut s'avérer un investissement rentable par rapport à son coût total de détention (TCO, *Total Cost of Ownership*). Des indicateurs peuvent ensuite suivre l'évolution du portefeuille de clients ou d'un segment particulier. Ces indicateurs permettront de mieux connaître la valeur actuelle ou potentielle des clients, de même que les différences pouvant exister entre eux. L'atout fondamental de tels outils réside naturellement dans leur capacité de segmentation ; le calcul de la valeur d'un client déterminant l'investissement corollaire le plus pertinent à son égard.

Les indicateurs de mesure

Plusieurs indicateurs peuvent mesurer ou juste suivre l'évolution de la fidélité des clients. Parmi les plus utilisés, on en retiendra trois qui désignent une analyse de la valeur d'un client.

RFM : les variables retenues sont la récence *(recency)*, c'est-à-dire la date du dernier achat ou temps écoulé depuis ; la fréquence *(frequency)*, ou périodicité moyenne des achats sur la période considérée ; la valeur monétaire *(monetary)*, ou montant des achats réalisés par ce client sur la période étudiée.

FRAT : les variables retenues sont la fréquence *(frequency)*, ou périodicité moyenne des achats sur la période considérée, la récence *(recency)*, ou date du dernier achat ou temps écoulé depuis ; la valeur *(amount)*, ou montant des achats réalisés par ce client sur la période étudiée et le type (*type*) de produit acheté par le client.

LTV : *Life time value*. Cet indicateur réunit la valeur effective (valeur actuelle nette) et la valeur potentielle d'un client. Elle peut donner lieu à une modélisation complexe permettant d'intégrer de nombreux coûts et l'investissement réalisé pour acquérir, puis conserver à moyen / long terme un client identifié.

Ce suivi comportemental, accompagné d'un dialogue avec le client, doit permettre d'adapter l'offre en permanence et si possible d'anticiper les attentes du client. Si l'offre est renouvelée en permanence, la fidélité peut alors s'exprimer naturellement. Sinon, un besoin de diversité ou simplement une envie de nouveauté pourrait l'amener à se détourner de sa marque habituelle. Par ailleurs, en investissant de manière différenciée suivant la valeur de ses clients, l'entreprise évite des dépenses marketing sur des segments dont le retour sur investissement est peu probable. Dès lors, le but n'est plus de fidéliser les clients satisfaits, mais avant tout de satisfaire totalement les clients les plus fidèles, afin de conserver leur fidélité et d'accroître leur valeur. De récentes études ont démontré qu'une amélioration de 1 % dans la rétention pouvait augmenter la valeur client de 3 à 7 %. Une telle fidélisation peut alors s'avérer très rentable et constituer la base propice à une stratégie de CRM performante.

La gestion stratégique de la relation client

Un projet de CRM nécessite une approche stratégique rigoureuse en amont. Le piège d'une myopie marketing est ici potentiellement important, compte tenu des solutions opérationnelles prêtes à l'emploi qui sont parfois proposées. En 1960, Theodore Levitt a décrit ce phénomène comme une vision à court terme conduisant à des décisions souvent purement tactiques. Au contraire, l'entreprise doit avoir la vision la plus large possible de ses activités et de son environnement, afin de concevoir un plan à moyen-long terme, qui permette d'obtenir naturellement la fidélité de ses meilleurs clients. Lorsqu'elle décide de centrer son activité sur le client, l'entreprise ne peut pas l'envisager au niveau de l'un de ses départements et agir différemment dans les autres. Seule une interrelation synergique entre ses différents départements (R & D, marketing, production, commercialisation, logistique, finance et comptabilité, ressources humaines, administration, …) peut permettre la conception et la mise en œuvre d'une démarche de CRM cohérente, tant en interne qu'en externe.

Concevoir une stratégie relationnelle

La première étape incontournable réside dans la sensibilisation en faveur du projet CRM de l'ensemble des personnels. Aucune gestion de la relation clients ne saurait être performante, sans une gestion préalable tout aussi performante de la relation employés, d'où le sigle ERM (*Employee Relationship Management*) parfois utilisé. En d'autres termes, avant d'essayer de fidéliser un client, il importe d'abord de s'assurer de la fidélité et de la motivation de son personnel. Cette dynamique interne indispensable se retrouvera du *front office* jusqu'au *back office* et ne négligera pas les activités éventuellement sous-traitées ou externalisées. C'est souvent un important travail de communication et de pédagogie qui doit être réalisé, afin que chacun puisse appréhender clairement les enjeux du projet CRM pour toute l'entreprise. Il doit conduire à définir les rôles et les responsabilités de chacune des fonctions de l'entreprise et de chaque employé en particulier. Il doit également permettre de déterminer les modalités de collecte, de codage, d'accès et de circulation efficaces de l'information client, dans toute l'entreprise.

Pendant cette phase de sensibilisation, le plus difficile, pour un producteur, se situe parfois dans la mobilisation des acteurs externes, notamment les partenaires de la distribution. Alors qu'ils constituent un maillon essentiel de la chaîne de satisfaction-fidélisation, ces derniers ne perçoivent pas toujours leur propre intérêt à participer au projet CRM de leur fournisseur. Dans le pire des cas, ils peuvent constituer un écran altérant la visibilité de la clientèle finale et leur absence de participation peut mener à l'échec du projet. Un producteur doit utiliser les résultats d'enquêtes de satisfaction clients ou d'actions de *mystery shopping*, pour informer les distributeurs sur leurs enjeux communs et les convaincre de devenir partenaires du projet, dans le cadre d'une relation gagnant-gagnant.

Mystery shopping

Les pseudo-achats, ou achats mystères, représentent une technique de contrôle qui consiste à envoyer des enquêteurs dans des points de vente, en s'y présentant comme des clients ordinaires. Le but est de tester anonymement le point de vente ou directement les vendeurs. Cette démarche permet notamment de vérifier le respect des conditions générales de vente recommandées, la compétence et la motivation de la force de vente, de même que l'accueil et la qualité du service en général.

Le cadre participatif en place, la deuxième étape consiste à mettre à profit l'ensemble des informations collectées pour analyser le portefeuille clients, afin de procéder à la segmentation la plus pertinente possible d'un point de vue marketing, technique et financier. Les critères de segmentation, utilisables de façon monadique ou combinée, sont multiples et variés (caractéristiques sociodémographiques, localisation géographique, ancienneté, RFM, FRAT, LTV, ...). Mais, dès lors que le CRM aspire à la fidélité des clients de l'entreprise, il est possible de distinguer initialement quatre catégories eu égard au type de relation que ces clients entretiennent avec la marque. Hormis sa simplicité de mise en application, l'avantage de cette segmentation est qu'elle permet à l'entreprise de différencier les politiques marketing utilisées pour chacun des segments.

Le premier segment regroupe les clients exceptionnels au sens où ils ne consomment les produits de l'entreprise qu'exceptionnellement. Le marketing utilisé est alors un marketing indifférencié, car tout autre investissement ne serait a priori pas rentable.

Le deuxième segment rassemble les clients occasionnels pour lesquels est appliqué un marketing différencié. La fréquence et le volume de leurs achats sont plus importants que pour les clients exceptionnels. Ils justifient donc une attention particulière sans pour autant concentrer tous les efforts de l'entreprise sur eux.

Le troisième segment réunit les clients réguliers pour lesquels est retenu un marketing concentré, conçu spécifiquement pour ce segment d'après les résultats de l'analyse des informations collectées à leur sujet au fur et à mesure de leurs achats. La régularité de leur consommation fait de ces clients des cibles a priori propices, pour devenir exclusifs.

Le quatrième segment est composé des clients exclusifs, autrement dit ceux qui, pour une catégorie de produits ou de services donnée, ne consomment que ceux de la marque concernée. Ces clients fidèles se voient offrir un marketing personnalisé dont l'investissement est justifié par le chiffre d'affaires ou le profit qu'ils génèrent.

Plus on progresse vers le quatrième segment, moins le segment concerné comporte d'individus et plus il autorise la poursuite d'un marketing relationnel personnalisé. Lorsque le potentiel sera très important, la relation pourra être individualisée jusqu'à conduire à une stratégie marketing *one-to-one*.

Marketing one-to-one

Cette stratégie marketing favorise une approche personnalisée de la relation client, pour laquelle une entreprise s'adresse à un client à la fois. Le marketing *one-to-one* (marketing *1to1* ou marketing 1:1) nécessite une parfaite connaissance de tous les clients de l'entreprise et de chacun d'eux en particulier. Il repose sur un marketing beaucoup plus interactif afin de déterminer la *life time value* (LTV) de chaque client et de les différencier par rapport à leurs besoins. L'expression fut proposée par Don Peppers et Martha Rogers en 1997, dans *Enterprise One-to-One* : « *Au lieu de se concentrer sur un seul besoin à la fois et de s'efforcer de trouver le maximum de consommateurs qui ont précisément ce besoin, l'entreprise 1:1 qui attaque le marché par le consommateur et non par le produit va se concentrer sur un seul consommateur à la fois et essayer de satisfaire le maximum de ses besoins.* »

Les technologies modernes de l'information ont considérablement facilité l'identification et la compréhension des clients. Elles permettent de réunir et d'exploiter un plus grand nombre de données et de déterminer plus facilement, plus finement et plus rapidement, l'approche marketing *ad hoc*, qu'il convient de proposer à chacun. La stratégie relationnelle déployée est dès lors plus efficace, sans pour autant négliger son objectif de rentabilité. Dans une certaine mesure, elles peuvent permettre une personnalisation de masse, offrant la possibilité d'avoir une approche relationnelle de base, dès le premier segment des clients dont le contact est pourtant exceptionnel. Offrant plus de réactivité, elles permettent d'adapter l'offre en temps réel. Dans certains cas, le CRM pourra même devenir proactif, ce qui se révèle être rapidement un atout majeur dans un environnement de plus en plus concurrentiel. Cependant, ce qui est à la portée de l'entreprise l'est également désormais très vite à celle de ses concurrents.

Développer une relation de confiance personnalisée

En déterminant avec précision le potentiel de chaque client identifié, sa vie durant, le CRM permet d'améliorer l'efficacité de la force de vente en accroissant les taux de transformation. Certaines tâches peuvent même être automatisées (SFA, *Sales Force Automation*). Concentrant les efforts, le CRM contribue à améliorer les ventes et les marges, tout en réduisant les coûts. Il favorise également la réduction des cycles de vente. L'objectif marketing n'est alors plus seulement de concevoir et de fabriquer le produit répondant aux mieux aux attentes du client à un instant donné et offrant à l'entreprise un atout concurrentiel incontestable à ce moment-là. Le CRM doit permettre d'aller au-delà :

- en déterminant la meilleure manière (à qui, quand, où, comment) de commercialiser ce produit. *Mr. Bricolage analyse ses clients, le type et le dynamisme de la zone d'implantation notamment pour déterminer la nature du référencement de ses points de vente ;*
- en permettant la réalisation d'une segmentation de la clientèle, qui soit la plus fine possible tout en demeurant rentable. *Connue initialement pour sa bouteille de pur jus d'oranges pressées, Tropicana (Pepsico) multiplie aujourd'hui les variétés et les conditionnements en offrant plusieurs dizaines de références ;*
- en identifiant les leviers de maximisation de la satisfaction de chaque type de client, en initiant un véritable dialogue permanent avec eux. *Pour répondre à leur préférence, plutôt que des cadeaux, la jardinerie Jardiland envoie à ses clients fidèles, des bons d'achat dès qu'ils ont cumulé suffisamment de points ;*
- en découvrant quand renouveler l'offre et de quelle façon faire évoluer le produit, tout en conservant la fidélité du client. *En France, dès 1987, en parallèle de ses hamburgers, McDonald's introduisit une gamme de salades dans son offre, anticipant ainsi les attentes pour une alimentation équilibrée ;*
- en repérant dans quelle mesure il est possible de modifier la nature et le mode de consommation du client pour le produit. *Whiskas utilise une stratégie multicanal offrant aux clients de recevoir des échantillons gratuits d'aliments pour animaux domestiques, afin de découvrir de nouveaux produits.*
- en définissant comment l'entreprise peut compléter l'offre initiale et ainsi générer de nouvelles opportunités complémentaires de consommation. *En s'alliant à Nivea (Beiersdorf) en 1998, Philips a développé Cool Skin, un nouveau mode d'utilisation (humide) du rasoir électrique ;*

- en établissant la gestion idéale des contacts avec le client, en fonction de l'évaluation de leur valeur *(scoring)* et de la perception de leur souhait. *La couleur de leur carte (verte, or, platine ou noire) informe American Express que ses clients n'ont pas les mêmes caractéristiques et donc la même valeur ;*
- en diminuant l'attrition *(churn)* représentée par les clients perdus pour cause d'insatisfaction ou partis car souhaitant changer de produit. *L'enseigne Champion considère immédiatement la gravité du problème et le vecteur de communication utilisé par un consommateur mécontent, pour adapter sa réponse le plus rapidement possible ;*
- en établissant le meilleur *workflow* quant à la nature, la qualité, les conditions de stockage ainsi que la circulation de l'information client dans l'entreprise. *L'assureur danois Tryg Baltica centralise numériquement toute information provenant d'un contact client (direct, lettre, téléphone, télécopie, e-mail, événement proactif, ...) ;*
- en réduisant les multiples procédures administratives de gestion du portefeuille clients. *En France, Samsung Electronics dispose d'un service clients géré par Vitalicom reposant sur le principe du zéro papier absolu.*

Mais, pour parvenir à réunir tous ces avantages et les maintenir dans le temps, le gestionnaire du programme doit également pouvoir éviter le piège de la surenchère irréfléchie de bénéfices accordés au client. Sinon, bien que conservant peut-être son efficacité, le CRM déployé risquerait vite de ne plus être rentable. Un produit ou un service peut être décliné – voire amélioré – par la concurrence, de même que son prix, son circuit de distribution et, dans une certaine mesure, sa communication. Or, au-delà de la satisfaction, la fidélité d'un client repose légitimement sur l'avantage concurrentiel que le client a de consommer une marque plutôt qu'une autre. C'est donc sur le nom de la marque que le CRM devra construire une relation de confiance avec le client. Grâce à son statut, son comportement, son image et ses valeurs notamment, la marque doit progressivement devenir symbolique de toutes les attentes du client. Symbole de qualité, de performance, de service, de gain de temps, de prix avantageux et de renouvellement de l'offre, mais également symbole de respect de valeurs sociétales partagées.

Il importe enfin de maintenir le CRM dans un cadre déontologique et éthique. Les dérives potentielles sont nombreuses. Pour bien servir un client, il est essentiel d'être renseigné le plus et le mieux possible à son sujet. L'Internet peut ainsi être un vecteur très favorable au CRM : contact interactif direct et personnalisable, exclusivité concurrentielle (site dédié), rapidité et disponibilité (accès possible 24 h/24), faible coût entre autres. Mais, comme tout vecteur mis à profit par le CRM, il ne doit pas devenir un moyen d'information (collecte et envoi) poussé à outrance, pouvant très vite franchir les limites du respect de la vie privée du client. Une démarche *opt-in* (sollicitant préalablement l'accord du client) est toujours préférable pour ne pas contrarier les fondements de la relation de confiance que l'entreprise aspire développer et entretenir avec son client, sa vie durant.

Audi

En 1899, près de Cologne en Allemagne, August Horch créa une petite entreprise de construction automobile. Suite à un conflit légal, en 1910, le nom Audi est retenu. La marque fut rachetée en 1964 par Volkswagen (VW). Elle employait 53 347 personnes en 2007 et a commercialisé 964 151 véhicules Audi (26,3 % en Allemagne). Cette année-là, le chiffre d'affaires total (incluant Lamborghini et d'autres fabrications VW) était de 33,6 milliards d'euros pour un résultat net de 1,758 milliard.

Une stratégie de CRM privilégiée

Dans l'automobile, le CRM peut paraître difficile en raison de l'espace temps existant entre deux achats et de l'hyper concurrence que connaît le marché. Mais sur le créneau du luxe, le réachat se fait tous les 2-3 ans au lieu des 3-5 ans (moyenne du secteur), les opportunités de contact sont nombreuses et les possibilités de personnalisation du véhicule et de l'offre sont importantes. Décidé au plus haut niveau, le CRM a réellement débuté chez Audi en 1999, face à la pression concurrentielle et afin d'améliorer fidélité et réachat de la part des clients. Dans ce secteur, la sensibilisation et l'implication du réseau de revendeurs sont essentielles pour le succès du CRM, non seulement pour s'assurer que le niveau de service offert correspond au positionnement de la marque et aux attentes corollaires des clients, mais également pour obtenir une remontée d'informations de qualité. En 2003, des actions sur l'Internet ont été développées et confiées au département marketing (désormais indépendant de celui de VW) en charge du CRM pour plus de cohérence et de synergies.

Une base de données centralisée et des outils complémentaires

Cœur de la démarche CRM d'Audi : la base de données clients KuBa (Kundendatenbank), élaborée avec mySAP CRM, plate-forme utilisée dans le reste du groupe. Cette base de données unique compile les bases existantes et centralise toute l'information client, quel que soit le point de contact – mySAP est aussi connecté au système CTI d'Audi pour un accueil téléphonique personnalisé – afin d'optimiser le *workflow* et accélérer l'analyse de données clients mises à jour en continu. À l'issue, un datamining *ad hoc* favorise la segmentation du portefeuille clients sur la base de la valeur de chacun et la création d'offres très ciblées. KuBa comporte déjà plus de 700 000 clients, 600 000 véhicules et des millions d'interactions clients. En 2004, Audi a déployé une solution IBM en ligne pour gérer plus efficacement (réduction des coûts *via* l'harmonisation des processus internes, suppression des erreurs éventuelles de planning, intégration plus naturelle dans un processus de vente, ...) ses demandes d'essais de véhicules. Cette nouvelle application est totalement intégrée à la plate-forme SAP et sa flexibilité permet d'autres opérations marketing. Une carte Visa a été lancée aux États-Unis avec FirstUSA autorisant un cumul de points pour des ristournes sur l'achat de véhicules ou de pièces. Plusieurs entreprises (Sony, Exxon, Starbucks, Orvis, Home Depot, Bose, ...) sont partenaires. Dans certains pays, Audi diffuse aussi un magazine (150 000 exemplaires en France), exclusivement dédié à la marque.

Une image de marque protégée

Malgré des logiques de collaborations croisées (études et fabrication), un groupe multimarque (Volkswagen, Seat, Skoda, Seat, Audi, Bentley, Bugatti et Lamborghini) comme VW doit préserver l'identité de chacune d'entre elles, pour éviter le cannibalisme. Audi est une marque de prestige, sportive et technologique. De plus en plus distinct des points de vente VW, chacun des 5 000 revendeurs dans le monde est soutenu par Audi pour la formation de son personnel et la mise en valeur de ses showrooms, afin de respecter le positionnement de la marque et offrir une seule et même image originale.

CE QU'IL FAUT RETENIR

- La pleine et entière satisfaction du client est un préalable nécessaire mais non suffisant pour obtenir sa fidélité.
- Une stratégie globale orientée client doit toujours précéder le choix des techniques opérationnelles, pour une parfaite coordination dans l'entreprise.
- Il est nécessaire de sensibiliser, d'impliquer et de fidéliser l'interne en amont, afin de susciter sa motivation à participer pleinement au projet CRM.
- Le CRM repose sur une chaîne de valeur ininterrompue et renouvelée en permanence, d'où le rôle essentiel des partenaires amont et aval.
- Un véritable dialogue entre l'entreprise et ses clients doit permettre de les intégrer le plus en amont possible dans le processus d'innovation.
- Le client représente un capital potentiel à long terme que la relation commerciale doit renforcer à chaque opportunité de contact.
- Le CRM ne pourra être efficace et rentable que si l'entreprise parvient à développer une vraie relation de confiance entre le client et la marque.
- Le client n'est pas « roi », mais il est plus aguerri aux techniques marketing, conscient de ses droits et de son pouvoir. Le respecter en toutes circonstances doit être le *modus operandi*, d'un CRM moderne et performant.

BIBLIOGRAPHIE DE RÉFÉRENCE

Pierre ALARD et Pierre-Arnaud GUGGEMOS, *CRM, les clés de la réussite*, Éditions d'Organisation, 2004.

Stanley BROWN, *CRM – La gestion de la relation client*, Village Mondial, Paris, 2006.

Yan CLAEYSSEN, Anthony DEYDIER et Yves RIQUET, *Le marketing direct multicanal*, Dunod, 2006.

Philippe DÉTRIE, *Les réclamations clients*, Éditions d'Organisation, 2007.

Laurent HERMEL et Albert LOUPPE, *Développer son capital client*, AFNOR, 2004.

René LEFÉBURE et Gilles VENTURI, *Data Mining*, Eyrolles, Paris, 2004.

Jean-Marc LEHU, *Stratégie de fidélisation*, Éditions d'Organisation, Paris, 2003.

Lars MEYER-WAARDEN, *La fidélisation client*, Vuibert, 2004.

Pierre MORGAT, *Fidélisez vos clients*, Éditions d'Organisation, 2004.

Ed PEELEN, Frédéric JALLAT, Eric STEVENS, Pierre VOLLE, *Gestion de la relation client*, Pearson Education, 2006.

Partie 5

GESTION DES OPÉRATIONS

Gestion des opérations

Les fondamentaux

Par PHILIPPE-PIERRE DORNIER

LE *SUPPLY CHAIN MANAGEMENT* AU CŒUR DE LA GESTION DES OPÉRATIONS

Le Supply Chain Management (SCM) est une affaire trop sérieuse et trop complexe pour être laissée entre les mains des seuls spécialistes : son caractère transversal multifonctionnel, et souvent interfonctionnel ou inter *business units*, le positionne définitivement au niveau de la direction générale. Il recouvre l'ensemble des activités liées à la gestion des flux physiques et des flux d'information associés et ceux du fournisseur du fournisseur au client du client.

Le SCM relève d'une vision « concurrentielle » de la logistique, c'est-à-dire qu'il vise non seulement à rendre les meilleurs services logistiques au moindre coût (*trade-off*) mais également à démarquer l'entreprise par des services nouveaux et différenciés selon les attentes des différents segments de marché (marketing logistique des services de *Supply Chain*), voire à modifier sensiblement les règles du jeu dans les relations de l'entreprise avec ses fournisseurs et/ou ses clients.

Le SCM n'est jamais simple à mettre en place : son caractère éminemment transversal (trans-produits, trans-géographique, trans-fonctionnel...) impose une forte implication de la direction générale dans tout projet de mise en place de véritable mode de management en SCM. Le SCM reconfigure la carte de distribution des pouvoirs non seulement au sein de l'entreprise, notamment en proposant une répartition différente du pouvoir décisionnel dans les centres de production et de distribution, mais également dans les chaînes de mise à disposition des produits aux clients. Il bouleverse les organisations et les processus. C'est pourquoi, encore aujourd'hui, peu d'entreprises ou de groupes ont mis en place un réel mode de management horizontal de type SCM.

LA QUALITÉ, L'INCONTOURNABLE NÉCESSITÉ DANS LA GESTION DES OPÉRATIONS

La qualité recouvre un champ extrêmement vaste. Les entreprises ont intégré ce concept dans le cadre de la mise en place d'outils de management de qualité totale (ou *Total Quality Management*, TQM). La visée de l'obtention de haut niveau de qualité exige des changements profonds dans le comportement des individus et dans celui des organisations. Son intégration dans les activités d'une entreprise s'opère généralement par trois voies différentes.

Le premier angle concerne son apport au client. La qualité correspond à la mise à disposition des clients des produits et services conformes à leur spécification et donc à leurs attentes.

Le deuxième angle est celui du coût d'obtention de la qualité et le coût de la non-qualité. Ne pas produire de la qualité génère un coût (produits non conformes, rebuts, retours, non satisfaction du client, ...) et mettre en place les moyens nécessaires à l'obtention des bons niveaux de qualité génère également un coût (de prévention, des organisations mises en place, ...).

Enfin, la qualité est abordée sous un troisième angle qui est celui de ses outils de gestion. Elle nécessite l'interrogation régulière des clients pour connaître leur niveau de satisfaction, la mise en place d'outils d'analyse statistiques, ceux d'analyse des causes (diagramme d'Ishikawa ou diagramme causes-effets) et le déploiement de procédures permettant la certification par des organismes *ad hoc* (ISO).

La qualité totale exige la mise en place d'une amélioration continue appelée « kaizen ». C'est une démarche d'améliorations concrètes réalisées rapidement par une équipe terrain comprenant des compétences multiples.

LES ACHATS, UNE FONCTION EN PLEIN ESSOR

Nombreux sont les produits et les services pour lesquels le poids des achats représente plus des deux tiers du prix de revient du produit (automobile, téléphone portable, ...). Ce poids économique et la prospection plus large des marchés pour y rechercher les fournisseurs confèrent à la fonction achat une dimension stratégique de plus en plus marquée.

La supervision et la connaissance de ses marchés fournisseurs conduit le responsable achat à mettre en œuvre les outils du marketing achat qui l'aident à acquérir une bonne vision sur le marché potentiel de ses fournisseurs et sur l'évolution de leurs offres. Il est amené à travailler en interne, dès la conception du produit, de telle manière à coopérer à la résolution de la question « faire ou faire faire ». Enfin, il lui est nécessaire de négocier et de contractualiser avec les fournisseurs. Les cahiers des charges ne cessent de s'enrichir et intègrent des composantes associées par exemple à la prestation logistique attendue par le fournisseur. Dans le domaine automobile, le fournisseur doit pouvoir s'engager sur la mise en place de processus de livraison qui garantissent des mises à disposition de pièces en bord de chaîne dans des délais chiffrés en minute après la passation de la commande.

Dans le cadre des démarches de qualité totale, l'acheteur procède à des audits réguliers des fournisseurs et des fournisseurs potentiels soit pour les certifier et les faire entrer sur la liste des fournisseurs, soit pour s'enquérir qu'ils travaillent bien selon les normes spécifiées dans les cahiers des charges initiaux.

LE STOCK, OUTIL DE BASE DE LA PRODUCTION DES OPÉRATIONS

Le stock est partout : en en-cours de livraison, dans les camions, en en-cours de process de fabrication, en produit fini dans les usines, dans les entrepôts, en dépôt chez le client, ... Il est physique (dans les lieux de stockage), mais il est également logique (dans les bases de données).

Le stock ne doit pas être abordé comme un concept différent de celui des flux. C'est simplement un flux temporairement de vitesse nulle.

Il est « stock outil », pour faire face à la gestion normale des activités entre deux réapprovisionnements, il est « stock de sécurité » pour faire face aux aléas (de consommation ou de réapprovisionnement) ou il est encore « stock spéculatif » quand il est constitué pour anticiper des variations de prix.

Dans un contexte où le loyer de l'argent est bon marché, une valorisation des flux au coût financier, s'ils représentent des montants importants, n'en est pas pour autant la source principale de coûts. C'est l'obsolescence qui représente une source importante de coûts en matière de gestion des stocks.

La technologie, maîtriser un avantage concurrentiel

La technologie recouvre l'ensemble des connaissances et des savoir-faire mis en œuvre pour concevoir, fabriquer et distribuer des produits physiques ou mettre à disposition des prestations de services. La technologie constitue une ressource fondamentale pour le succès de toute entreprise et l'excellence dans ce domaine confère un réel avantage compétitif (introduction des commandes de vol électriques sur les Airbus). La maîtrise de la technologie apparaît indispensable pour le développement des produits, tout spécialement dans les secteurs de haute technologie, dans les processus de fabrication et de circulation physique, ainsi que pour la mise en œuvre d'un soutien opérationnel tout au long de l'exploitation de la fonction commercialisée. On peut également considérer qu'il existe une technologie propre aux outils de gestion, notamment celle mobilisée dans les systèmes d'information complexes, de type ERP ou CRM par exemple.

L'entreprise doit savoir mettre en place une gestion de ses ressources technologiques sur la base d'un inventaire identifiant celles qu'elle doit maîtriser par elle-même et celles qu'elle décide d'acquérir à l'extérieur.

Dans un univers changeant, le maintien des compétences clés exige la conjugaison d'une veille technologique permanente et intensive avec un management des ressources humaines dédiées aux processus technologiques.

LA PRODUCTION, L'ÉQUILIBRE COÛT / QUALITÉ

Les opérations de production réclament une gestion dédiée. Les outils de production représentent fréquemment des dimensions clefs parmi les avantages concurrentiels dont dispose l'entreprise. C'est la maîtrise de la technologie du process de production et de sa mise en œuvre quotidienne qui représente un atout pour l'entreprise (par exemple, pour la fabrication des semi-conducteurs, pour l'assemblage automobile, pour la fabrication des pneus…).

Les usines connaissent deux mouvements qui se combinent : celui de la délocalisation pour profiter du faible coût de la main-d'œuvre sur certaines zones géographiques et celui de la spécialisation de telle manière à pouvoir gagner en effet d'échelle et en effet d'expérience.

La production peut être gérée en flux poussés (par les prévisions) ou en flux tirés (par les commandes). Généralement, le processus utilisé combine les deux natures de flux.

De plus en plus fréquemment, la valeur ajoutée d'un produit se diffuse tout au long de la chaîne de mise à disposition du produit au client. Chaque rupture de charge est utilisée pour adapter le produit aux spécificités attendues par le client.

LES PROCESSUS, UN COMPOSANT CLÉ DE L'ANALYSE DE LA GESTION DES OPÉRATIONS

Les processus sont situés au cœur de la gestion des opérations. Ils sont définis comme l'enchaînement d'opérations élémentaires qui permettent de transformer des inputs en outputs. Les processus peuvent être regroupés en grandes familles :

- les processus continus qui s'apparentent à la mécanique des fluides (processus de fabrication de boisson ou de produits pétrochimique) ;
- les processus de masse (produits électroménagers) ;
- les processus par lots (produits textiles) ;
- les processus en mode projet (réalisation unitaire).

Les processus doivent être cartographiés et analysés de telle manière à en mesurer la contribution en matière de valeur ajoutée, à en définir les règles de décision et à mettre en place soit des modes d'amélioration continue soit des reengineering plus approfondis.

LE JUSTE-À-TEMPS : UNE TECHNIQUE D'AMÉLIORATION DES FLUX

Les systèmes productifs se sont orientés vers des modes de fonctionnement en flux tendus. Ils ont pour vocation d'éliminer tous les supports intermédiaires qui désolidarisent de manière trop nette un acteur de la chaîne de production de maillon suivant ou précédent.

Le juste-à-temps est l'une de ces techniques. Elle met en œuvre un pilotage des flux en mode « tiré » (*pull*). L'échelon aval de la production tire la production et l'échelon amont ne produit que ce qui lui est demandé. Les niveaux de stock intermédiaire sont préalablement définis et réduits. La méthode Kanban est la plus connue. Elle est basée sur la circulation de cartes réelles ou virtuelles (informatisées) entre les ateliers de telle manière à déclencher les fabrications. De ce fait, toute défaillance des outils de production peut avoir des effets négatifs. C'est la raison pour laquelle le juste-à-temps nécessite la mise en place de techniques de maintenance préventive afin de limiter les défaillances imprévues des machines.

LES PRÉVISIONS À L'ORIGINE DU PILOTAGE DES FLUX

Dans de très nombreux cas, les temps de réponse des opérations de production sont plus longs que les délais attendus par le client. De même, les délais d'approvisionnement de certaines pièces sont parfois tels qu'il faut savoir anticiper les besoins. C'est le propre des activités de prévisions d'apporter les réponses afin de gérer cette déconnexion temporelle.

L'horizon des prévisions est très différent selon le type de questions posées : il va du besoin d'une vision à plusieurs décennies (investissement dans une flotte d'avions ou sur un site industriel) à quelques jours (planning de production).

Un ensemble d'outils techniques a été développé et mis en place dans les entreprises : régression linéaire, séries chronologiques (moyennes mobiles, lissage exponentiel, …). Toutefois, la question principale n'est pas la maîtrise technique de l'outil mais celle de son utilisation : qualité des informations introduites en amont, comportement des prévisionnistes en fonction de l'environnement managérial qui est le leur, entre autres.

LA FLEXIBILITÉ : L'EXERCICE DÉLICAT DE L'ÉQUILIBRAGE CHARGE-CAPACITÉ

Une unité opérationnelle doit pouvoir adapter, en temps réel, sa capacité de production à la charge qui se présente. Les fluctuations souvent importantes de la demande réclament une grande flexibilité des outils de production. La non-adaptation de la capacité à la charge produit soit des ruptures, soit des sur-stocks, soit des coûts additionnels et des risques de non-qualité.

Dans le cas de certains process, process continu dans les métiers du « feu » (sidérurgie, verre, …) ou dans les services (hôpitaux), la flexibilité est faible. Mais dans de très nombreux autres cas, les entreprises ont fait de cette recherche de flexibilité un enjeu majeur. Polyvalence des compétences humaines, polyvalence des moyens de production, mise en place d'opérations de post-manufacturing (fabrication en dehors de l'usine), conception des produits ont permis de trouver des sources d'adaptation sur des espaces de temps limités de la capacité à la charge.

Gestion des opérations

Supply Chain

Par Philippe-Pierre Dornier

Professeur à l'ESSEC au département logistique et production, Philippe-Pierre Dornier a été également directeur des 3e cycles puis directeur de la formation permanente du groupe ESSEC. Président de Newton.Vaureal Consulting, cabinet de conseil spécialisé dans la gestion des opérations, il est administrateur de plusieurs entreprises.

Sous la pression de la montée en puissance des offres de services associés au produit physique (délai de livraison, fonctionnalité mise à disposition, reprise, ...), des stratégies industrielles (délocalisation, spécialisation des unités de production, ...), des stratégies achat *(sourcing global)*, des stratégies commerciales et marketing (multiplication des références, promotions, ...) la gestion des opérations (ensemble des processus qui ont pour vocation de transformer des inputs en outputs) et le *supply chain management* (ensemble des flux physiques et des flux d'information du fournisseur du fournisseur au client du client) occupent désormais une place prépondérante dans la réussite de la mise en œuvre des stratégies des entreprises.

Agissant à la fois sur la dimension stratégique, pilotage (gestion logique des flux) et exécution, la gestion des opérations et le *supply chain management* doivent savoir produire les niveaux de performance qui sont attendus de ces fonctions en combinant la maîtrise des flux physiques et celle des flux d'information associés, la prise en charge avec des moyens internes et l'externalisation en faisant appel à des prestataires logistiques, les intérêts propres à une entreprise et ceux de l'ensemble de la chaîne qui met à disposition les produits aux clients.

Airbus, une supply chain sous contrainte

Airbus est un succès industriel de l'Europe économique. 2003 a marqué l'année où pour la première fois de son histoire, l'avionneur a livré plus d'avions que son principal concurrent Boeing. C'est en 1970 qu'un consortium s'est créé entre des entreprises françaises et allemandes rejointes plus tard par des entreprises espagnoles et anglaises. En 2001, l'entreprise est enfin devenue une seule entreprise, 80 % des parts étant détenus par EADS (European Aeronautic Defence and Space Company, fruit de la fusion entre Aerospatiale Matra SA en France, Daimler Chrysler Aerospace AG en Allemagne et Construcciones Aeronauticas SA en Espagne), et 20 % par BAE Systems en Angleterre.

La gestion des opérations en général et la supply chain en particulier revêtent un caractère particulièrement complexe chez Airbus, du fait de la concentration des contraintes qui pèsent sur ce type d'industrie. Cet exemple révèle ainsi de manière accentuée les principales difficultés qui pèsent généralement sur une *supply chain*.

Tout d'abord, les contraintes de politique industrielle ont conduit à la multiplicité et l'éparpillement des sites industriels. Cette situation rend la gestion des flux structurellement complexe : c'était le prix à payer pour construire l'entreprise. Chaque partenaire majeur a souhaité qu'en échange de son apport initial dans l'entreprise, une réciprocité d'activité industrielle lui soit garantie dans son pays. Ainsi, aujourd'hui, les ailes de toute la gamme de produits Airbus sont fabriquées en Angleterre, des éléments de l'empennage arrière sont fabriqués en Espagne, les tronçons de l'avion sont fabriqués soit en France, soit en Allemagne, l'assemblage est fait en France ou en Allemagne (Toulouse ou Hambourg) et l'aménagement commercial des cabines est réalisé également soit en Allemagne, soit en France. En comptant les sites de développement et ceux de production, Airbus a seize sites à travers le monde, essentiellement en Europe, entre lesquels la gestion des flux doit être organisée de manière aussi rationnelle que possible sous les contraintes ainsi imposées. Le *supply chain management* se révèle ainsi être « au service de... ». C'est une activité de l'entreprise qui doit s'imprégner d'une grande somme de contraintes qui lui sont imposées et composer avec.

En deuxième lieu, les contraintes issues du sourcing des produits avec une mondialisation des fournisseurs, a impliqué la mise en œuvre d'une *supply chain* mondial. L'industrie aéronautique réclame des compétences pointues qui sont présentes à travers le monde. C'est pourquoi, Airbus est amené à travailler avec près de 1 500 fournisseurs présents dans trente pays, dont 800 sont aux États-Unis. Le flux d'approvisionnement est ainsi à organiser en cherchant à faire converger vers le site d'assemblage au moment voulu, en quantité voulue et, bien entendu, en qualité voulue, les différentes pièces. Ces flux sont d'autant plus difficiles à gérer que l'industrie aéronautique dans son ensemble doit se soumettre à l'observation d'une grande qualité dans les transports et les stockages afin de sauvegarder l'intégrité des pièces qui généralement sont de grande valeur.

Troisième nature de contraintes, celles liées au design des produits. Elles nécessitent la mise en œuvre de moyens de transport, de stockage et de production hors normes qui peuvent différer d'un produit à l'autre. Ainsi, le nouvel A380 qui mesure 73 m de long, 79,2 m d'envergure et 30,4 m de haut sur ses trains d'atterrissage a nécessité la mise en œuvre d'équipements exceptionnels et d'infrastructures pour assurer le transport et la manutention de ses différentes composantes (aménagement portuaire à Langon, 185 km de route aménagée, 9 km de routes créées), le tout pour un budget d'investissement de 152 millions d'euros. L'ensemble de cette solution opérationnelle a été développé spécifiquement pour ce produit et ses composantes, les solutions antérieures mises en œuvre pour les gammes court et moyen courrier A320 ou long courrier A330 et A340 n'étant pas compatibles avec les dimensions de l'A380.

En quatrième point, les contraintes réglementaires impliquent un *tracing* pièce à pièce afin de savoir l'origine d'une pièce et son statut actuel. Eu égard à la sécurité imposée aux compagnies aériennes, il est d'une absolue nécessité de suivre pièce à pièce les composants assemblés sur chaque avion. La *supply chain* est donc étroitement imbriquée avec la fonction achat : refus de pièce à la réception pour non conformité, manquants, endommagement au cours du transport sont autant de raisons qui conduisent la fonction *supply chain* et les achats à établir une étroite coopération.

Enfin, en cinquième et dernier point, citons les contraintes imposées par le marketing des produits. Chaque compagnie aérienne souhaite un aménagement cabine spécifique lié au positionnement adopté et au type de liaison sur lequel l'avion est affecté. Si chaque avion est unique dans sa structure générale, chaque pièce étant identifiée, sa structure générale est identique à la motorisation près. Mais il devient spécifique lorsque son aménagement cabine débute, chaque compagnie imposant son design intérieur, voire ses propres fournisseurs. De plus, les aléas de changement impromptu imposé par les compagnies clientes sur l'aménagement de la cabine peuvent être nombreux.

L'industrie aéronautique se place, par ailleurs, dans un contexte d'activité particulièrement cyclique qui rend la prévision difficile et l'adéquation charge/capacité incertaine. Après le pic d'activité de 1999 pour Boeing et Airbus, seules entreprises à fabriquer des avions de plus de 100 places, en 2003, c'est un volume de près de 30 % inférieur à ce record qui a été produit. *A contrario*, au moment de pics d'activité, la capacité de production étant limitée et peu extensible, le moindre retard pris sur l'assemblage d'un avion ou de sa cabine commerciale, génère soit des retards en cascade, soit des reprises sur piste, en dehors des chaînes de fabrication.

La maturité croissante d'Airbus sur les questions logistiques a conduit l'entreprise à externaliser la plupart de l'exécution de ses opérations logistiques auprès de prestataires, tant entre ses sites que sur ses sites mêmes qui réclament de nombreuses manutentions et des transports internes. Libérer de la pression de l'exécution, la fonction *supply chain* d'Airbus a pu mieux se consacrer, d'une part, au pilotage des activités (planification, suivi, réaction) et, d'autre part, à la conception des solutions dont elle a besoin pour faire évoluer son niveau de performances ou pour accueillir des nouvelles gammes de produits (A380).

FINALITÉ DE LA GESTION DES OPÉRATIONS ET DU *SUPPLY CHAIN MANAGEMENT*

Où se situe la complexité ?

La gestion des opérations est dans le fait concret. Si elle se nourrit de concepts, c'est pour mieux concrétiser son action. Son appréhension est d'autant plus difficile que l'observation des actes élémentaires qui la composent sont souvent très simples et d'une pratique courante : opérations de manutention, de stockage, de transport, de saisie d'information, entre autres. Mais ce qui rend le sujet complexe, c'est la convergence d'un certain nombre de contraintes dont nous ne citerons que les trois principales :

- la combinatoire des nombres : un nombre de références croissant mis à la disposition des clients (180 000 références dans un grand hypermarché, 200 000 références gérées chez Schneider Electric), des points de livraison qui s'accroissent avec les marchés (13 000 points de livraison pour Schneider Electric), des installations en grand nombre disséminées dans le monde (19 usines pour Schneider Electric) ;
- l'espace temps qui se contracte. Ce qu'on demandait de réaliser en quelques jours ou en quelques semaines est demandé aujourd'hui en quelques heures (service de transport « *over the night* ») ou en minutes (cahier des charges logistiques imposé à certains équipementiers pour la livraison de chaîne de montage automobile exprimé en minute entre l'envoi de la commande et la livraison en bord de chaîne) ;
- l'espace géographique d'intervention est aujourd'hui universel. La délocalisation, le *sourcing* mondial, l'ouverture de certains marchés ont considérablement élargi le champ physique des interventions des entreprises. Elles doivent savoir conduire leurs opérations dans des contextes d'intervention très différents.

C'est ce cadre général qui a rendu aujourd'hui la gestion des opérations et le *supply chain management* très complexes dans l'approche qu'il faut leur consentir.

Les objectifs visés

La gestion des opérations concerne tant le secteur industriel, avec des problématiques très hétérogènes du secteur de l'informatique (vente de fonctionnalité et donc haut niveau d'exigence sur la mise à disposition des pièces de rechange) à celui des produits laitiers (flux poussés en provenance des exploitations agricoles et demande du marché plus aléatoire sur un produit à faible durée de vie), que celui de la distribution, qu'elle soit *B to B (Business to Business)* ou *B to C (Business to Consumer)* ou, enfin, le secteur des services (restauration rapide ou secteur médical).

Définitions fondamentales

Gestion des opérations : ensemble des processus et des opérations élémentaires qui les composent et qui permettent de convertir des flux d'entrée en flux de sortie.

Supply Chain : flux physiques et d'information associés intégrant l'ensemble des entreprises intervenant de l'approvisionnement des matières et des composants jusqu'à l'utilisation finale du produit ou du service, son retrait et son élimination.

Logistique : partie de la *supply chain* regroupant principalement l'ensemble des opérations physiques conduites au sein d'une entreprise.

Pour une entreprise donnée, le management de la *supply chain* vise un objectif particulier : produire au meilleur coût une partie des services proposés par l'entreprise (disponibilité des produits, délai, fiabilité de la mise à disposition, ...). Nos sociétés de consommation qui ont rendu l'accès facile à un très grand nombre de produits ne mesurent plus la difficulté que représente le seul fait de rendre la disponibilité de l'offre possible. Mesurons le soulagement que procure une réponse à une demande de disponibilité d'un produit ou d'un service en particulier. La phrase « Oui, c'est disponible ! » a la valeur de rendre possible l'acte commercial. Au-delà de cette contribution fondamentale à la satisfaction du client, l'aptitude à délivrer de manière effective cette disponibilité chez le client, qu'il soit interne ou externe, est une autre composante de l'offre de service que le *supply chain management* propose : le délai, la fiabilité du délai, la qualité de la prestation (adéquation des emballages et des moyens de manutention, qualité du produit et du service délivrée *in fine*), la mise à disposition d'informations relatives aux opérations en cours *(tracking)* ou passées *(tracing)*.

Les objectifs visés par le *supply chain management* sont inscrits dans une vision coopérative de la gestion des opérations, car les gisements de performances se situent essentiellement dans la maîtrise des interactions et dans la bonne synchronisation des tâches d'exécution concrète. Certes, l'entreprise se préoccupe avant tout des opérations qui lui incombent directement, mais elle le fait en tentant d'établir une vision qui intègre les contraintes et les objectifs des autres entreprises impliquées sur la même logique de chaîne et qui contribue in fine à mettre à disposition du client un produit ou un service. La performance de l'ensemble et de chacun se situe ainsi en partie par une meilleure intégration des processus qui se trouvent aux interfaces des acteurs.

Prenons quelques exemples :

- coopération dans le format des produits : la mise au standard des colis, dès la sortie des entrepôts du fournisseur, évite des repalettisations au moment de la réception dans les entrepôts du client ;
- coopération dans le pilotage des processus : le choix fait dans la grande distribution de confier à certains fournisseurs la proposition de la nature et de la quantité des approvisionnements à lancer pour le distributeur, celui-ci se contentant de les valider (processus de GPA – gestion partagée des approvisionnements) donne la possibilité de minimiser les ruptures en linéaire et de réduire le niveau des stocks sur l'ensemble de la chaîne de mise à disposition des produits ;
- coopération en matière d'échange d'information : l'ouverture et la mise à disposition de ses plannings de production de la part de Renault à certains de ses équipementiers apporte un meilleur suivi de ses plannings et surtout des changements en cours. Cette mise à disposition autorise des adaptations plus rapides qui tendent à limiter des ruptures d'approvisionnement chez ses équipementiers…

L'atteinte de ces objectifs se mesure afin de rendre l'évaluation de la performance *supply chain* maîtrisable. Des taux de service sont mis en place et sont consolidés à fréquence régulière pour mesurer les services délivrés par l'entreprise. Les coûts logistiques sont identifiés et remontés au sein d'un tableau de bord. De même, le montant des investissements nécessaires à la conduite des opérations est susceptible d'être mesuré et suivi.

LES ENJEUX DU *SUPPLY CHAIN MANAGEMENT*

Les enjeux du *supply chain management* sont devenus si sensibles que des organisations se sont créées autour de cette problématique : directeur *supply chain*, chef de flux ou *supply chain manager*, *supply chain développement manager*… Rares sont les fonctions qui ont ainsi émergé au cours des quinze dernières années, non seulement dans les entreprises mais également au niveau des comités de direction. Ces fonctions *supply chain* présentent la caractéristique d'évoluer de manière constante afin de s'adapter aux équilibres nouveaux dans lesquels la gestion des opérations et la *supply chain* doivent s'inscrire. Ainsi, s'il a fallu disposer de gestionnaires opérationnels pour pouvoir faire face au management d'unités opérationnelles de plus en plus grandes (un grand entrepôt peut couvrir une surface de 50 000 à 100 000 m^2), il a fallu également disposer de compétences en matière de système d'information et de gestion de projets.

Les enjeux associés à la bonne maîtrise de la *supply chain* sont de trois ordres :

- une contribution directe à la création d'avantages concurrentiels ;
- un appui à la mise en œuvre de stratégies d'entreprise ;
- une diminution des capitaux immobilisés dans les opérations logistiques.

Envisageons chacun d'entre eux.

Contribution directe à la création d'avantages concurrentiels

La compétition entre entreprises a pris des formes très diverses. Mais l'accession, rendue beaucoup plus facile pour toutes, aux technologies et aux capacités de production les plus performantes et les moins chères ont conduit à exacerber, d'une part, le rôle différenciateur des services proposés aux clients et, d'autre part, la capacité à maîtriser l'ensemble de la chaîne des opérations au moindre coût. C'est pourquoi la *supply chain* a acquis une dimension stratégique.

Les avantages concurrentiels qui y sont recherchés sont relatifs soit à des services fournis (disponibilité, délai, ...), soit à la maîtrise des coûts opérationnels. Les services proposés ont pris une importance d'autant plus grande que la notion même de services occupe une place plus importante dans les modes de consommation. Les consommateurs ont tendance ainsi à abandonner l'achat d'un produit physique en leur substituant l'achat de services (fonctionnalité attachée au produit physique).

Quant aux coûts de la *supply chain*, ils sont de l'ordre de 10 % en moyenne du prix de vente du produit, mais avec des différences importantes selon qu'ils concernent des produits à haute valeur ajoutée (informatique, cosmétique, ..., de l'ordre de 3 % mais avec une grande valeur absolue) ou des produits à faible valeur ajoutée (eaux minérales, produits alimentaires de base, 15 % mais avec une valeur absolue faible).

Ils recouvrent les principaux postes suivants :

- les coûts de transport, qu'ils soient amont (entre le fournisseur et l'entreprise), internes (entre des entités opérationnelles de l'entreprise) ou aval (distribution) ;
- le coût financier des stocks ;
- le coût de l'entreposage (infrastructures et personnels) ;
- le coût des systèmes d'information dédiés au *supply chain management* ;
- le coût de l'organisation et des traitements administratifs.

Appui à la mise en œuvre de stratégies d'entreprise

Les appuis aux stratégies qu'elles soient de distribution, de *sourcing* ou industrielles rendent le *supply chain management* de plus en plus intimement lié à la stratégie globale de l'entreprise.

Dans le domaine industriel, les sous-coûts industriels générés par la délocalisation des productions ou par la spécialisation des usines n'ont d'intérêt que si les surcoûts logistiques qu'elles génèrent (relocalisation et groupage des produits sur les zones de consommation) ne viennent pas trop sensiblement obérer les économies ainsi réalisées.

De même, les distributeurs ont associé leur stratégie achat et leur stratégie commerciale au développement de solutions logistiques qui les rendent possible.

Demander à des fournisseurs non plus de livrer directement les points de vente, mais des plates-formes de groupage et de dégroupage permet d'obtenir des diminutions des prix de vente (livraison massifiée, par contenant homogène et sur un faible nombre de points). Ainsi, dans le secteur de la grande distribution, des plates-formes *cross-docking* ont été mises en place. Elles réceptionnent sur des durées très brèves (quelques heures) des livraisons provenant de fournisseurs multiples pour recomposer des chargements multifournisseurs à destination des points de vente. Elles ont permis de passer de quelque 80 livraisons quotidiennes à des hypermarchés à une douzaine aujourd'hui, grâce à des remplissages de camion bien meilleurs.

Le distributeur a su mettre en place une solution *supply chain*, en interposant entre ses points de vente et ses fournisseurs des entrepôts qu'il gère. Si le surcoût que représente pour lui la prise en charge de l'entrepôt et de la distribution terminale n'excède pas l'économie d'achat réalisé auprès des fournisseurs justifié par la livraison non plus des points de vente, mais des entrepôts intermédiaires, le différentiel est une économie nette pour lui.

De même, une tendance de fond, en matière de stratégie commerciale, est de focaliser le point de vente sur ses missions commerciales. Le rôle historique dual du point de vente combinant à la fois fonction commerciale et fonction logistique de proximité (stockage des produits) tend à s'estomper au seul profit de la fonction commerciale. Deux raisons à cela :

- afin de pouvoir continuer à bénéficier des meilleurs prix relatifs à des livraisons massives ;
- afin de trouver un palliatif à la disparition des surfaces de stockage au sein même des points de vente, des réseaux d'entrepôts sont développés en amont. Ces réseaux consolident la somme des micro-surfaces initialement situées dans les points de vente et permettent un réapprovisionnement à grande fréquence des points de vente, tout en continuant à bénéficier des meilleurs tarifs des fournisseurs pour des commandes groupées.

Prendre la mesure d'un investissement logistique majeur

L'entrepôt Carrefour de Vert-Saint-Denis a atteint son régime de croisière en 2002. Son exploitation a été confiée à un prestataire logistique, Norbert Dentressangle et son ingénierie à Thales Engineering. Il est dédié à l'approvisionnement en produits textiles des 221 hypermarchés français et a pour vocation de traiter 52 000 références par an représentant 350 millions de pièces textiles. Il dispose de 104 quais pour la réception (maxi 175 camions par jour) et l'expédition (maxi 250 camions par jour) et d'une capacité de stockage de 85 000 palettes et de 2,5 millions de pièces sur cintre. L'entrepôt est équipé de 100 lecteurs codes barres fixes et de 200 micros portables radio fréquences.

Le coût de l'entrepôt a été de 106 millions d'euros hors foncier, dont 62 millions pour le process et 44 millions pour le bâtiment.

Carrefour a pris la décision de basculer une partie de ses flux d'importation arrivant au Havre du vecteur routier vers le vecteur fluvial. Ce sont ainsi 3 800 camions annuels de moins et 130 tonnes de CO_2 supprimées qui épargnent l'atmosphère.

Diminution des capitaux immobilisés dans les opérations logistiques

Le niveau des capitaux immobilisés dans les opérations logistiques peut être considérable. Ces capitaux immobilisés sont dus principalement :

- aux montants des stocks avec les risques de dépréciation qui y sont attachés. Pour un groupe industriel réalisant 15 milliards d'euros de chiffre d'affaires, 2,5 mois de stock représentent 3,1 milliards d'euros immobilisés ;
- aux investissements immobiliers. Le mètre carré d'entrepôt non équipé est à valoriser, hors foncier, à un prix moyen de 400 euros pour des entrepôts de base. Un groupe de distribution qui décide de créer en propre en Europe un réseau de dix entrepôts doit débourser 60 millions d'euros, auxquels il faut ajouter le prix de l'équipement de l'entrepôt (environ 30 % supplémentaires) et le prix d'acquisition du foncier ;

- ou aux investissements dans des outils logistiques tels que flotte de camions ou process automatique en entrepôt. L'entrepôt automatisé de 100 000 m^2 de Carrefour, à Vert-Saint-Denis, a été construit pour gérer l'approvisionnement en produits textile de ses hypermarchés. Il représente un investissement total de 108 millions d'euros hors foncier.

Eu égard à cette intensité capitalistique des opérations logistiques, l'entreprise recherche à minimiser les montants investis, en particulier en achetant les prestations logistiques auprès de prestataires dédiés à ces métiers.

Les principaux chantiers stratégiques

La *supply chain* est une résultante contrainte par les stratégies et les choix opérés par de nombreuses autres fonctions. Ces contraintes se modifient avec une grande rapidité. L'une des principales dimensions du *supply chain management* est donc l'ingénierie permanente des solutions à mettre en œuvre afin de ne pas empêcher ou limiter le déploiement de la stratégie d'entreprise.

Les principaux chantiers sur lesquels les responsables *supply chain* engagent leurs projets sont les suivants :

- l'amélioration de la flexibilité en volume et en diversité des produits traités qui passe en particulier par l'externalisation des opérations d'exécution ;
- un travail plus intensif avec les fonctions Recherche & Développement et marketing afin d'améliorer les temps de mise sur le marché des nouveaux produits et de réduire le coût logistique des produits tout au long de leur durée de vie ;
- la mise en œuvre d'une approche service différenciée par segment de clientèle qui passe par l'indispensable travail à mener en matière de cahier des charges services ;
- la mise en œuvre d'une approche partagée entre plusieurs acteurs de la *supply chain*. Face à une approche dédiée par client, la garantie de l'obtention des meilleurs coûts passent par une mutualisation des opérations entre acteurs de la supply chain ;
- les renforcements des exigences en matière d'environnement et de sécurité. En particulier, les organisations logistiques sont directement concernées par la récupération et le traitement des produits usagés.

LES TROIS NIVEAUX D'INTERVENTION

Le *supply chain management* met en place deux natures d'intégration fonctionnelle de la gestion des flux. L'intégration horizontale présente l'intérêt de créer une plus grande cohérence entre des activités abordées traditionnellement de manière désintégrées, alors même qu'elles présentent une grande cohérence opérationnelle. Elle agrège, sous une même responsabilité, des activités qui jusqu'alors étaient éclatées sur différentes fonctions (achat, production, distribution, après-vente, ...). L'intégration verticale traite des processus de manière complémentaire sous l'angle soit de leur planification, soit de leur déploiement, de leur exploitation et de leur contrôle.

Ainsi, la gestion des opérations comprend trois niveaux d'intervention clairement identifiés et qui réclament des natures de compétences, des outils de gestion et des modes d'intervention différents :

- le niveau stratégique ;
- le niveau de pilotage ;
- le niveau d'exécution.

Le niveau stratégique

Le niveau stratégique permet de mettre en cohérence la stratégie de gestion des opérations avec celle plus large de l'entreprise et vice versa. Les stratégies opérationnelles amènent à choisir les solutions avec lesquelles les flux vont être gérés, à la commande, sur stock, différentiation retardée pouvant comprendre une phase de production sur stock puis une phase de finalisation à la commande. Ce niveau stratégique permet également de traiter des questions telles que : Dois-je faire de la logistique un business ? La question de la filialisation de l'exécution des opérations peut se poser. A contrario, il est possible d'envisager l'externalisation auprès d'un prestataire logistique.

Alcatel est un exemple d'évolutions successives de stratégie *supply chain* après la grande crise de l'industrie des télécommunications dans laquelle cette entreprise a failli sombrer en 2001-2002. Ainsi, Alcatel Mobile, division en charge de la téléphonie mobile, a dû adapter sa stratégie *supply chain* aux différentes évolutions auxquelles elle a été confrontée :

- effondrement des volumes de commandes en 2001 et accroissement spectaculaire des stocks dû également à un choix d'engagement de commandes fermes auprès de certains fournisseurs, avec pour objectif de limiter des ruptures commerciales auxquelles l'entreprise avait été confrontée au cours des années euphoriques de 1999 et 2000 ;
- externalisation des moyens de production auprès de Flextronics ;
- apparition de nouvelles gammes technologiques ;
- en 2004, rapprochement avec l'industriel chinois TCL qui prend 55 % des parts de l'activité.

Dans un tel contexte, la *supply chain* a dû trouver le moyen de s'adapter à chaque nouveau contexte. Or, les cycles d'adaptation de la *supply chain* sont souvent très inertes par rapport aux cycles économiques ou, pour le moins, en décalage avec la capacité d'adaptation d'autres fonctions de l'entreprise. Modifier une architecture de réseau physique, changer les processus dans la gestion opérationnelle, déployer un nouveau module de système d'information s'inscrivent dans des perspectives de temps qui sont souvent très longues pour répondre aux exigences du moment. À ne pas y prendre garde, les gains avérés en matière de *supply chain* peuvent se transformer en surcoût dans le cas de changements de l'environnement auquel la *supply chain* se serait insuffisamment préparée.

Un secteur comme celui de la construction aéronautique est également exemplaire du point de vue de la nécessaire adaptation permanente de la stratégie *supply chain*. Les fluctuations de volume, l'émergence de nouveaux appareils, les recherches d'économie sur les coûts de manière à pouvoir faire face aux creux des cycles économiques, conduisent à l'élaboration de stratégie *supply chain* qui reposent sur de nouvelles organisations dédiées à ces métiers chez Airbus et à des projets d'ampleur (meilleure intégration des flux fournisseurs sur les chaînes de montage), pour rendre effective, à terme, sur le terrain les approches retenues.

Des questions clés de la stratégie supply chain

Dans son rôle de designer de la réponse *supply chain*, le responsable de la fonction supply chain doit apporter des réponses aux questions suivantes :

- la conception du produit lui confère-t-il des caractéristiques compatibles avec sa vie logistique à venir (fragilité, aptitude à la manutention, coefficient d'utilisation de l'espace, maintenabilité, ...) ?
- quel est le réseau optimal à mettre en œuvre pour gérer au mieux les flux de matières, composants, produits, pièces de rechange, retour (nombre de niveaux d'entrepôts et localisation, fonctionnalité des entrepôts, mode de transport, mode de manutention et d'emballage, ...) et quel est le déploiement des stocks qu'il faut mettre en œuvre au sein du réseau ?
- quel niveau de coopération entre les différents acteurs de la chaîne ?
- quel processus mettre en place entre flux tirés et flux poussés ?
- quel système d'information représente le meilleur choix ? Faut-il déployer un *Adavanced Planning System* (APS) permettant d'avoir une approche plus intégrée entre les niveaux opérationnels, pilotage et stratégique ?
- quelle organisation et quelle mesure de la performance ?

Mais il est une question fondamentale qu'il est nécessaire de traiter très en amont dans la démarche stratégique *supply chain*, c'est celle du cahier des charges services (SLA, *Service Level Agreement*). Il consiste à bien définir à tous les niveaux de la supply chain ce que sont les attentes en matière de services attendus.

Le niveau de pilotage

Une fois la réponse *supply chain* définie et déployée, sa mise sous contraintes d'exploitation, du fait du traitement effectif des flux générés par les activités de l'entreprise (anticipation des ventes et opérations menées sur prévisions ou réaction à des ventes), réclame des décisions tactiques quotidiennes. La nature des questions à traiter est alors la suivante :

- quel est le niveau de stock par référence et comment l'adapter aux évolutions des contraintes ?

- quelle quantité à commander au fournisseur ?
- quel déploiement du stock sur les différents entrepôts ?
- à quel entrepôt affecter la préparation d'une commande ?
- quelle capacité de stockage et de transport anticiper ?
- comment gérer les sous-capacités de stockage et les surcapacités ?

C'est au cours du traitement de ce niveau de responsabilité que le *supply chain management* révèle son besoin en information de qualité, en capacité de transaction et en outils d'aide à la décision pour faire face à la complexité résultant du nombre, des faibles délais de réaction, de la multiplicité des situations.

Le pilotage des opérations logistiques est ainsi devenu l'une des pierres angulaires de la gestion de la *supply chain*. Ce niveau est très largement assuré par des ressources internes à l'entreprise. Mais de nouveaux acteurs économiques sont en train de formaliser des offres et tentent de proposer la prise en charge de ce niveau de pilotage logistique à des entreprises clientes. Ce sont les offres des *Fourth Party Logistics*. Ces entreprises qui se veulent être des non assets company, c'est-à-dire des entreprises sans immobilisation lourde (surface d'entreposage, camions, ...), proposent à des donneurs d'ordre d'assurer le pilotage quotidien de leurs activités, en trouvant au jour le jour les meilleures solutions opérationnelles.

Le niveau d'exécution

La concrétisation des efforts de conception et de pilotage ne se mesure que dans l'exécution des opérations. Les promesses de services données aux clients sont-elles tenables ? Transport d'approche entre les différents niveaux d'infrastructures, préparation de commande, emballage, chargement, déchargement, transport de livraison, remise des produits aux clients sont-ils exécutables avec le bon niveau de productivité et de qualité. C'est l'ensemble de la bonne exécution de ces opérations sur le terrain qui permettent d'assurer la finalité du *supply chain management*.

La difficulté de réalisation est à la mesure de la taille des infrastructures qui produisent les activités logistiques. Pour des entrepôts gérant un haut niveau de valeur ajoutée (opérations de production au sein de l'entrepôt), un ratio de personnel est de 1 personne pour 100 m^2. Dès lors, pour un entrepôt de 70 000 m^2, ce sont

700 personnes qui y travaillent. La proportion d'intérimaires dans ces métiers peut être assez élevée, par le fait de la faible attractivité de la composante opérationnelle de la profession. Supposons que le taux d'absentéisme soit de 8 % en début de semaine, c'est 56 personnes qu'il faut réussir à intégrer pour boucler la charge de la journée et des jours à venir... C'est la difficulté des métiers opérationnels. La difficulté de la maîtrise de ces différentes facettes a conduit de nombreuses entreprises à confier l'exécution des opérations aux entreprises du secteur des prestataires logistiques (les *Third Party Logistics*, ou TPL). Le recours à ces spécialistes permet de disposer d'une plus grande professionnalisation dans l'exécution des opérations et une capacité à variabiliser plus facilement les coûts, grâce à une plus grande mutualisation.

Les principaux outils opérationnels utilisés dans le *supply chain management* sont les moyens de transport, les entrepôts, les moyens de manutention associés à l'ensemble des systèmes d'information nécessaire pour assurer le pilotage de la complexité opérationnelle. En effet, la multiplicité des tâches à opérer réclame, là encore, un support en matière de système d'information qui recouvre, pour le moins, la saisie et le stockage des données transactionnelles et, au mieux, la mise en place d'une activité d'optimisation des moyens sur une maille de temps court terme avec suivi de la bonne réalisation des événements.

ORGANISATION ET SYSTÈME D'INFORMATION

Organisations, acteurs et métiers

Les organisations *supply chain* jouent un rôle fondamental dans l'atteinte des résultats logistiques. L'atteinte des objectifs de la *supply chain* sont du ressort d'un grand nombre de fonctions et les compétences ne peuvent donc pas être exclusivement concentrées au sein même d'une fonction centrale. Un équilibre est à trouver entre la capacité à gérer à un niveau centralisé et à un niveau local.

Par ailleurs, le changement fréquent de posture de la *supply chain* dans les entreprises réclame une adaptation rapide des compétences. En cas d'externalisation, les profils de compétences recherchés vont s'exprimer en matière de gestion de projet, de pilotage logique et de développement de système d'information.

Le management des organisations *supply chain* se fait grâce au suivi de ses performances. Cinq grandes dimensions pèsent naturellement sur l'évaluation de l'organisation *supply chain*. Ce sont :

- la qualité de service : indicateur principal de la perception du client sur la production fournie par les opérations logistiques ;
- les stocks : par leur qualité, les stocks influent sur le montant du cash-flow immobilisé et sur les dépréciations à terme que leur obsolescence est susceptible de générer ;
- la planification, en particulier la qualité des prévisions, a un impact direct sur la productivité, sur le niveau des stocks et *in fine* sur la qualité de service ;
- l'entreposage réclame des moyens matériels et humains importants, parmi lesquels la productivité doit être correctement positionnée ;
- les transports sont une partie importante des coûts en matière de logistique et nécessitent une attention particulière.

Chacune de ces composantes peut être observée selon les processus qui la soustendent, la productivité des organisations qui y sont dédiées, les infrastructures et les systèmes d'information.

Dans son énoncé, la maîtrise de la performance logistique est simple : elle est réalisée dès que, concomitamment, le niveau de service qui a été préalablement défini a été atteint et que les coûts logistiques ont été minimisés.

Pour parvenir à ce *trade-off* entre grande masse, faut-il encore être capable de réaliser une mesure de la performance de toutes les composantes constitutives soit de la qualité de service, soit des coûts. Cette évaluation passe par trois étapes prioritaires, à savoir :

- la définition claire des processus ;
- la connaissance des meilleures pratiques et la fixation des objectifs. Mettre en place une évaluation de sa performance sans chercher à la positionner par rapport à un référentiel permet certes un suivi dans le temps, mais ne permet pas la fixation d'un objectif motivé. C'est pourquoi la recherche de référents est une étape indispensable à la bonne évaluation de la performance logistique ;

- la mesure de la performance par rapport à ses objectifs. La mesure des indicateurs représente souvent la plus grande difficulté. Elle est dépendante de la disponibilité des informations et de leur fiabilité soit en interne, soit en externe.

Les solutions système d'information

La complexité de la *supply chain* mettant en œuvre, de manière interactive, un grand nombre d'acteurs et portant sur des combinatoires de flux infinies ne peut être réduite qu'au prix d'un investissement conséquent dans des systèmes d'information de plus en plus sophistiqués. Les systèmes d'information *supply chain* répondent à trois natures de besoins.

Le premier besoin est celui de la connaissance des informations de base. Les bases de données – qu'elles concernent les clients, les points de livraison, les articles, les emplacements de stockage, les commandes, les moyens de transport – sont un outil indispensable au *supply chain management*. La saisie, la consolidation et le stockage de toutes les informations de nature transactionnelle et opérationnelle (une entrée en stock, un ordre de transport, une preuve de livraison) doivent être saisis, tracés et stockés. Cette catégorie de problèmes fait appel à des systèmes d'information transactionnels et d'exécution de la chaîne qui suivent l'ensemble de la chaîne logistique, de la prise de commande au passage des ordres auprès des fournisseurs pour les approvisionnements en intégrant toutes les applications de gestion d'entrepôt, de gestion industrielle et de gestion des transports.

Un deuxième besoin est celui d'échanges entre les acteurs. Les systèmes d'information *supply chain* se trouvent de plus en plus souvent en interface avec trois autres familles d'outils logiciels :

- le CRM *(Customer Relationship Management)*, du côté des ventes ;
- le SRM *(Supplier Relationship Management)*, du côté des achats ;
- le PLM *(Product Lifecycle Management)*, du côté de la gestion de la vie du produit.

Le développement d'approches coopératives interentreprises, de type CPFR *(Collaborative Planning Forecasting and Replenishment)*, révèle une demande croissante en système d'information à l'interface d'acteurs peu habitués à échanger entre eux. La collecte et la diffusion des informations dans des lieux géographiques très divers, répartis sur toute la surface du globe, et dans un délai aussi court que possible représentent un important challenge. Les systèmes d'information *supply chain* comprennent donc une importante composante télécommunication.

Enfin, un troisième besoin est celui d'outils d'aide à la décision : prendre des décisions rationnelles dans un univers aussi complexe exige le recours à des outils d'optimisation ou de simulation. Ce sont des systèmes de planification optimisée – *Advanced Planning Systems* (APS) ou progiciels de *Supply Chain Planning* (SCP) – qui combinent des visions à long, moyen et court terme. L'optimisation d'opérations précises telles que celles d'une flotte de transport à programmer au quotidien pour des tournées de livraison ou celles des préparations de commande dans un entrepôt. Il s'agit principalement des outils d'optimisation, basés sur des algorithmes de programmation linéaire ou des heuristiques. C'est la couche du *Supply Chain Execution* (SCE).

Pour supporter les développements engendrés par ces besoins, quatre grands courant technologiques viennent révolutionner le monde des solutions *supply chain* : les applications d'intégration de systèmes hétérogènes (EAI), la puissance de traitement des systèmes, l'Internet (communication interactive de plusieurs entreprises dans des conditions de simplicité, de sécurité et de facilité de déploiement indispensables) et les nouvelles technologies comme le *Radio Frequency Identification* (RFID).

Les systèmes de traçabilité trouvent leur origine dans les applications de transport express comme celles proposées par les grands intégrateurs mondiaux comme DHL, Fedex ou UPS. L'objectif visé par la traçabilité est double :

- s'assurer d'abord que tous les intervenants fassent remonter les informations associées aux événements jalonnant la vie de l'ordre de transport, en s'appuyant sur les technologies d'EDI et de WEB / EDI ;
- permettre l'accès par le chargeur à ces informations le plus souvent par Internet, la principale clé d'accès étant le numéro de commande afin d'avoir une base de données fiable pour alimenter son *call center* et ses propres outils de pilotage pour réagir à toute dérive identifiée.

Enfin, pour bien optimiser, il faut anticiper. Un grand nombre de dysfonctionnements trouvent leurs origines à l'extérieur de l'entreprise, lorsque les clients modifient leurs commandes ou leurs prévisions ou lorsque le fournisseur livre avec retard. Si ces événements ne peuvent pas être éradiqués, il y a cependant beaucoup à gagner à les connaître le plus tôt possible. Cela a ouvert la voie aux solutions de collaboration qui permettent de partager prévisions et engagements dans un dialogue étroit client/fournisseur par système d'information interposé. Les pionniers ont été les entreprises de distribution et leurs fournisseurs ainsi que les sociétés de l'informatique comme DELL ou IBM. Certains groupements professionnels comme l'*ECR Group (Efficient Consumer Response)* encouragent ces pratiques et soutiennent des processus normalisés comme le CPFR. Ces solutions sont mises en œuvre au sein d'Extranet fournisseur, à l'initiative d'un donneur d'ordre ou au sein de places de marché digitales.

La logistique, acteur du changement des réseaux *supply chain* : le cas Géodis

Géodis est un cas exemplaire d'entreprise qui révèle la nouvelle face du management des *supply chains*. L'entreprise entre dans le schéma d'externalisation d'une partie des opérations *supply chain* en les prenant en charge pour le compte de tiers. Mais sa proposition d'assistance aux entreprises dépasse la seule mise à disposition de moyens. En l'espace de quelques années, les prestataires logistiques ont mobilisé de très importants moyens afin de devenir des producteurs de résultats. Gestionnaire de flux leader en France, ce prestataire logistique figure parmi les tout premiers opérateurs européens dans l'organisation de la *supply chain* d'entreprises industrielles et de distribution avec un chiffre d'affaires de 3,22 milliards d'euros en 2003. Pour faire face à l'ampleur des besoins de ses 80 000 clients, tant en matière de couverture géographique qu'en matière de volumes et de complexité croissante des opérations demandées, l'entreprise a étendu, en quelques années, ses moyens. Elle mobilise aujourd'hui 23 500 collaborateurs, dont 7 000 à l'international, 17 000 véhicules moteurs et semi-remorques et plus de 3 millions de m^2 d'entreposage sur 680 sites opérationnels, grâce à un réseau mondial présent dans 120 pays. En matière de système d'information, près de 1 million de messages EDI sont traités quotidiennement.

Géodis est un spécialiste multimétiers, *supply chain*, logistique (entreposage), route, messagerie, *Overseas* (transport internationaux par mer ou par air) qui couvre l'ensemble de la chaîne de valeurs. Son évolution l'a conduit à s'engager non plus sur des obligations de moyens (mise à disposition de moyens de transport ou de stockage) mais sur des obligations de résultat qui se traduit de plus en plus souvent par un engagement sur une optimisation de coûts redéfinie annuellement, pendant toute la durée du contrat de prestation.

La dimension des contrats pris en charge ne cesse d'augmenter. Ces opérations d'externalisation représentent de très importants enjeux pour les donneurs d'ordres et des enjeux financiers considérables pour leurs prestataires (les contrats annuels portant sur plus de 100 millions d'euros annuels ne sont pas rares). En 2004, Géodis a alors signé un nouveau contrat de prestations logistiques en Europe avec IBM. Ce contrat s'inscrit dans la lignée de plusieurs opérations successives qui avaient permis depuis 1998 d'agréger plusieurs dimensions qui illustrent l'hétérogénéité et la complexité des solutions *supply chain* à mettre en œuvre :

- assurer les opérations logistiques de tous les produits finis et pièces détachées d'IBM sur la France, l'Allemagne, l'Italie, l'Espagne et le Portugal ;
- opérer la reverse logistique des PC en fin de contrat leasing, leur test et leur remise à niveau éventuelle ;
- être en charge de toute la logistique amont et aval de l'une des plus importantes usines européennes, celle de Dublin.

Dans le cadre de ces contrats successifs, Géodis avait déjà été amené à reprendre des actifs immobiliers importants d'IBM et des équipes de personnels totalisant plus de 800 personnes. Cette reprise avait eu lieu, dans un premier temps, dans le cadre de la création d'une filiale commune entre IBM et Géodis qui, in fine, avait été revendue en totalité à Géodis.

Le cadre de ses relations avec IBM traduit une forte tendance dans le domaine des attentes des clients de la prestation logistique. D'une part, IBM ne souhaitait plus contracter pays par pays, mais avoir un contrat avec un LLP *(Lead Logistics Provider)* pour toute l'Europe (15 pays). Ce prestataire est le contact unique d'IBM et il a en charge de sous-traiter lui-même certaines parties du contrat auprès d'autres prestataires logistiques. De plus, le client souhaitait pouvoir bénéficier d'offres *door to door*, allant directement des usines vers les clients finaux. Géodis s'est vu confier la distribution des produits finis, la reverse logistique et les opérations de douane sur l'ensemble de l'Europe.

La responsabilité de pilotage en tant que *Lead Logistics Provider* (LLP), également appelé « *Managing Vendor* » (MV), est et doit être la même, à savoir :

- globalement, l'optimisation permanente des flux à travers notamment la recherche permanente de massification (multiclients), le reengineering continu des processus (macro et micro) et la (re)définition des évolutions fonctionnelles, voire techniques, requises au sein des outils systèmes d'information retenus ;
- opérationnellement, la coordination des contractants (« 3 PL »), qu'ils soient internes (*business units* GEODIS) ou externes.

Géodis devient alors le donneur d'ordre opérationnel unique *(Order Management)* et l'entreprise est l'interface unique (*Single Point Of Contact*, SPOC) entre le client et l'ensemble des prestataires. Elle réalise le contrôle et la consolidation de la facturation des prestataires, la consolidation puis la remontée des KPIs/KOIs, la gestion proactive des alertes avec des propositions d'actions préventives puis correctives, suivi des plans d'actions correctives validées.

CE QU'IL FAUT RETENIR

- Le SCM est stratégique en ce sens qu'il doit permettre à l'entreprise de renforcer sa position concurrentielle au sein de sa filière, c'est-à-dire se mettre en mesure de créer de la valeur par une meilleure intégration avec ses fournisseurs et canaux d'approvisionnement en amont, ses clients et canaux de distribution en aval, ses prestataires en latéral et, surtout, de renforcer sa capacité à « capter » la valeur ainsi créée.
- Au-delà des aspects techniques et opérationnels que le supply chain management et la gestion des opérations suggèrent spontanément, la nature même des objectifs visés réclame une solide capacité managériale. Il doit mettre en place une organisation avec des compétences métiers, mais aussi du savoir-être pour pouvoir mettre en place une équipe SCM avec une vue transversale et partagée.
- Il faut savoir trouver le juste équilibre entre la dimension systémique et conceptuelle indispensable à l'élaboration des solutions d'ensemble intégrant en un tout la géographie, le secteur et des fonctions diverses et le sens pratique terrain que réclame la mise en œuvre opérationnelle des solutions *supply chain.*
- Le *supply chain management* impose la capacité de réfléchir à des horizons de temps très variés : le responsable supply chain doit avoir une vision claire de son marché, de son positionnement, de ses clients et de leurs besoins et pouvoir se projeter sur trois à cinq ans, de manière itérative et glissante. Mais son organisation doit être capable de traiter également l'incident journalier qui rend difficile la tenue d'un engagement à l'égard d'un client particulier pour une commande donnée.
- Si, en première approche, le *supply chain management* met en avant les flux physiques qui sont les raisons mêmes de son existence, les systèmes d'informations sont une composante absolument nécessaire pour assurer la cohérence et la fluidité des données pour l'aide à la décision.
- Le responsable du *supply chain management* doit être capable d'adapter sa structure, les compétences dont il s'entoure, ses process et ses outils de SCM aux changements permanent d'environnement et de contraintes : il a une obligation d'anticipation des besoins de ses marchés et une nécessité de veille économique

et technique car les solutions opérationnelles qu'il met en œuvre font preuve d'une inertie naturelle pas toujours compatible avec le rythme de changement des contraintes qui les déterminent.

- La tension des solutions *supply chain* mises en œuvre (concentration des dépôts, délai de réponse raccourci, ...) rend le fonctionnement de l'ensemble du dispositif opérationnel sensible à la défaillance de l'un de ses maillons. La performance de l'ensemble est donc liée à la performance de son maillon le plus faible. Il faut donc disposer d'un plan de secours (*back up* opérationnel) qui assure un recouvrement rapide d'un niveau de performances minimum durant une période de crise.
- Un vrai directeur SC & Opérations participe directement aux décisions d'investissement industriel et en infrastructures opérationnelles. Cela veut dire que ce n'est pas simplement un bon logisticien qui optimise une gestion de flux sous contrainte (ce qu'il fait en mode courant d'exploitation) mais également un décideur en investissement qui dimensionne et structure un outil industriel et opérationnel sous contrainte de flux prévisionnels, traitant ainsi le problème « dual » d'optimisation logistique, il accède *ipso facto* au niveau du *board*.
- Le levier le plus structurant de la construction d'un SCM est de façon définitive constitué par les processus, car ce sont eux qui permettent d'intégrer de façon efficace les différents maillons de la chaîne logistique (de bout en bout) et les différents horizons de planification (LT / familles de produits, MT / catégories de produits, CT / SKU). Bien entendu, l'intégration des processus passe par les SI : en la matière, les NTIC, notamment autour des plates-formes Web, sont un puissant support à l'intégration des processus, par leur capacité à faire communiquer des systèmes en environnements techniques hétérogènes. Demeure la question des standards de communication, qui suivent l'héritage des EDI et l'étendent au Web-EDI, et qui suivent naturellement des développements intrasectoriels (normes de l'automobile, de la chimie, du *retail*, de l'électronique, de l'aéronautique, ...), c'est-à-dire qui suivent tout simplement la voie des SC.
- Avant de vouloir s'intégrer avec son environnement (amont, aval ou prestataires) toute entreprise doit d'abord intégrer ses SC en interne, au risque de faire face à des situations ingérables, stratégiquement et opérationnellement : « tirer »

sur une structure mal intégrée ne pourra qu'en accroître les dysfonctionnements. Mettre en place un SCM, ça doit donc commencer toujours par « chez soi ».

BIBLIOGRAPHIE DE RÉFÉRENCE

Sunil CHOPRA, Peter MEINDL, *Supply Chain Management*, Prentice Hall, 2nd edition, 2003.

Martin CHRISTOPHER, *Logistics and Supply Chain Management*, Prentice Hall, 2nd edition, 1998.

Harald DICKHOFF, Richard LACKES, Joachim REESE, *Supply Chain Management and Reverses Logistices*, Springer Verlag, 2003.

Philippe-Pierre DORNIER, Michel FENDER, *Supply Chain Management et logistique globale* (2e éd.), Éditions d'Organisation, 2007.

Philippe-Pierre DORNIER, Ricardo ERNST, Michel FENDER, Panos KOUVELIS, *Global Operations and Logistics*, John Wiley & Sons, 1998.

Nathalie FABBE-COSTES, Jacques COLIN, Gilles PACHE, in *Faire de la recherche en logistique et distribution*, éd. Vuibert, FNEGE, 2000.

Edwards FRAZELLE, *Supply Chain Strategy*, McGraw-Hill, 2002.

Michael HUGOS, *Essential of Supply Chain Management*, John Wiley & Sons, New Jersey, 2003.

Larry RITZMAN, Lee KRAJEWSKI, *Management des opérations*, Pearson Education, 2004.

Philippe VALLIN, *La logistique - modèles et méthodes du pilotage des flux*, éd. Economica, 2003.

Alexandre K. SAMII, *Mutations des stratégies logistiques en Europe*, éd. Nathan, 1997.

Six Sigma

Par MAURICE PILLET

Maurice Pillet est professeur à l'université de Savoie, à Annecy, au département Qualité, Logistique Industrielle et Organisation (IUT). Ses recherches au laboratoire SYMME portent sur l'amélioration de la performance industrielle. Il est auteur de plusieurs ouvrages de référence en matière de qualité et conseille de nombreuses entreprises.

Parmi les différentes approches pour améliorer la performance des entreprises, Six Sigma prend aujourd'hui une place de choix. Née aux États-Unis, l'approche Six Sigma bénéficie désormais d'une diffusion mondiale et s'affirme comme étant incontournable pour un management performant. Souvent classée parmi les méthodes qualité, c'est aussi une nouvelle approche de management, fondée sur une certaine culture de la qualité visant à la réduction de la variabilité. Bâti autour d'une démarche de résolution de problème DMAICS (Définir, Mesurer, Analyser, Innover, Contrôler, Standardiser), Six Sigma intègre le management des ressources humaines, la gestion par projets et la capitalisation des compétences. Nous proposons dans ce chapitre de faire le point sur les différents aspects et les avantages de Six Sigma, et de développer les raisons qui doivent pousser les entreprises à l'adopter.

Le cas Ordiplus

La société Ordiplus est un assembleur d'ordinateurs. Son métier consiste à acheter des composants informatiques pour livrer à ses clients des ordinateurs clés en main configurés à la demande. La société qui est en forte croissance, grâce à une politique de prix très agressive, se trouve pourtant confrontée à deux problèmes majeurs qui pourraient mettre en péril le développement de l'entreprise : une grande difficulté pour livrer les produits finis dans les délais promis, ainsi qu'une diminution importante de sa rentabilité. Les nombreux retards de livraisons sont à l'origine de la majorité des plaintes reçues par le tout nouveau service qualité de l'entreprise. Ce problème devient tellement critique que l'entreprise est en train de perdre sa crédibilité et a déjà perdu plusieurs clients.

Paul, le jeune responsable qualité n'est pourtant pas resté sans rien faire pour améliorer le service rendu au client. Plusieurs réunions ont déjà rassemblé les différents acteurs de l'entreprise pour tenter de trouver un remède efficace à ce problème. Toutes ces réunions de crise se terminent avec une liste de remèdes a priori efficaces, mais qui parfois ne font que renforcer le problème. Par exemple, pour éviter d'être en rupture de composants, il avait été décidé d'augmenter les stocks de composants. Après application de la mesure, on s'est rendu compte que le problème n'était pas résolu. Les composants en stock devenaient très vite obsolètes et ne correspondaient pas à la demande des clients. Non seulement le problème n'était pas résolu, mais l'augmentation du capital investi en stock grevait le budget de l'entreprise et contribuait à diminuer encore sa rentabilité.

Les réunions se terminaient inexorablement par une liste de « YAQUA, FAUQUON » traduits en actions à réaliser. Toutes ces actions qu'il fallait entreprendre étaient « chronophage » ; elles consommaient un temps précieux à tous les collaborateurs sans avoir la certitude qu'elles permettraient de régler le problème.

Après plusieurs mois perdus à lancer de nombreuses actions inefficaces, Paul avait acquis la conviction qu'il fallait changer de méthode. Il fallait aborder ce problème autrement, de façon structurée avec une démarche de projet, et des responsabilités bien définies. Mais il ne voyait pas très bien comment structurer son approche et empêcher que l'on continue à se précipiter sur la première solution qui vient à l'esprit.

Au cours d'une réunion professionnelle sur la qualité, Paul avait écouté l'exposé d'un *black belt* (spécialiste Six Sigma) d'une entreprise multinationale d'origine américaine sur les avantages considérables qu'on pouvait tirer de l'application de Six Sigma. Les bénéfices par chantier s'élevaient parfois à plus de 100 000 euros pour des projets d'une durée moyenne de quatre à six mois. De plus, les sujets traités étaient très divers. Ils étaient parfois très techniques comme l'amélioration d'un produit ou la conception d'un produit nouveau, mais étaient parfois liés à l'organisation de l'entreprise. Après la réunion, Paul avait pris contact avec le spécialiste Six Sigma. La conversation lui avait permis de comprendre que les bénéfices de cette méthode dépassaient le simple gain financier, déjà appréciable. Les bénéfices de Six Sigma pouvaient se résumer dans :

- l'amélioration de la satisfaction des clients ;
- l'amélioration de la marge de l'entreprise ;
- l'amélioration de la qualité des produits ;
- la réduction des temps de cycles ;
- la réduction des coûts.

Cela semblait correspondre parfaitement à son problème, mais ce qui marchait pour une multinationale pouvait-il s'adapter à la structure de PME d'Ordiplus ? Une nouvelle conversation avec le spécialiste Six Sigma a convaincu Paul de la démarche. Six Sigma allait lui fournir non seulement une démarche structurée de résolution de problème, mais aussi les moyens de manager le processus de changement. Sa décision était prise : l'avenir de l'entreprise devait passer par l'adoption de Six Sigma.

LES ENJEUX DE SIX SIGMA POUR L'ENTREPRISE

Il n'y a pas d'entreprise prospère à long terme avec des clients insatisfaits. La prospérité de l'entreprise passe obligatoirement par l'amélioration constante de la qualité du service rendu aux clients. C'est sur cette évidence qu'est construit Six Sigma. Son objectif est donc économique : l'accroissement de la rentabilité à l'entreprise, mais ses moyens d'action sont techniques avec les effets cumulés suivants :

- une diminution des rebuts, retouches et plus généralement des coûts de non-qualité ;
- une amélioration de la disponibilité des ressources et du Taux de Rendement Synthétique (TRS) qui définit le ratio entre le temps d'utilisation d'une ressource et le temps au cours duquel cette ressource produit de la valeur ajoutée ;
- de meilleures parts de marché consécutives à l'amélioration de la qualité des produits.

L'un des principes de base de Six Sigma est la réduction de la variabilité. En effet, l'insatisfaction d'un client vient toujours d'un écart entre une situation attendue et une situation réelle. Cet écart provient en grande partie de la variabilité des processus qui trouve son origine dans les variabilités :

- sur les matériaux ;
- dans les procédures ;
- sur les conditions dans lesquelles évolue le processus ;
- etc.

Ces variabilités font partie de la nature même du vivant. C'est elle qui donne cette formidable diversité qui nous entoure. Si l'on considère le travail d'un artiste, on recherchera cette « folle » variabilité qui donnera l'unicité de l'œuvre. Mais si l'on considère un point de vue industriel, on doit lutter contre et cela demande un effort considérable et structuré. L'objectif de Six Sigma sera de concentrer les caractéristiques du produit vendu autour de la cible attendue par le client.

LES DIFFÉRENTS ASPECTS DE SIX SIGMA

Six Sigma est plus qu'une méthode, c'est une philosophie de la qualité, un mode de management, des outils de résolution de problème, … Pour en saisir le sens, il faut en comprendre ses différents aspects tels que :

- une stratégie de percée ;
- un indicateur de performance permettant de mesurer la situation de l'entreprise en matière de qualité ;
- une méthode de résolution de problèmes DMAICS (Définir, Mesurer, Analyser, Innover / améliorer, Contrôler, Standardiser / pérenniser) permettant de réduire la variabilité sur les produits ;
- une organisation des compétences et des responsabilités des hommes de l'entreprise ;
- une démarche de projets.

Six Sigma : une stratégie de percée

Si l'on veut réellement progresser, il faut être ambitieux. Le but d'une démarche Six Sigma ne doit pas être de gagner quelques euros, mais des dizaines de milliers d'euros. L'une des questions que l'on doit se poser avant d'entreprendre une action est : est-ce que ça vaut le coup (coût) d'y aller ?

Six Sigma n'a pas pour vocation d'être un outil d'amélioration continue. D'autres approches telles que le Kaizen le font déjà très bien. Six Sigma doit permettre la percée. Pour illustrer la différence qui existe entre le progrès permanent et le progrès par percée, on peut prendre le cas des décès sur les routes. Pendant que dans le sud de l'Europe, on se contentait de faire de l'amélioration permanente (amélioration des véhicules, suppression des points noirs, …), le nord de l'Europe utilisait des méthodes qui remettaient en cause la place de l'automobile dans la société. Le résultat est flagrant avec un nombre de décès deux fois plus important pour ceux qui se sont contentés de faire de l'amélioration continue.

L'introduction de Six Sigma traduit en partie cette évolution avec la volonté de changer de rythme dans l'amélioration de l'entreprise. L'amélioration continue est nécessaire, mais les logiques de l'amélioration continue ne peuvent pas faire de percée. Pour pouvoir en effectuer une, il faut une remise en cause plus fondamentale. Il faut remettre à plat le processus, le produit ou les mentalités.

Six Sigma : un objectif qualité

Pour progresser, il faut mesurer le niveau de qualité actuel et pouvoir se donner un objectif vérifiable. Six Sigma signifie donc un niveau de qualité que l'on souhaite atteindre et qui sera mesuré en nombre de Sigma (z). La qualité sera d'autant plus grande que le nombre de sigma sera élevé. Ainsi, une qualité « z = 3 Sigma » donnera 66 810 DPMO (Défauts par Million d'Opportunités), une qualité « z = 6 Sigma » donnera 3,4 DPMO. Le but de la méthode Six Sigma est donc d'atteindre au moins le niveau « z = 6 Sigma », d'avoir en conséquence moins de 3,4 DPMO comme taux de non-conformité. Il y a de ce fait une relation directe entre la non-conformité et le z du processus qui est donné ci-dessous.

Z (Nombre de sigma)	1	2	3	4	5	6
DPMO (Défauts par Million d'Opportunités)	697 672	308 770	66 810	6 209	232	3,40

Illustrons ce calcul par l'exemple du nombre d'accidents automobile par habitant. En France, en l'an 2000, il y a eu 180 000 accidents répertoriés pour 60 millions d'habitants, cela fait un DPMO de 3 000. Le tableau donne un z entre 4 et 5, un calcul plus précis donne : z = 4,2. Atteindre Six Sigma sur cet objectif impliquerait une véritable percée dans la façon de voir les déplacements automobiles pour atteindre 204 accidents par an ! Mais, même si on n'atteint pas rapidement le z de 6, l'amélioration du z de 4,2 à 5 représenterait déjà une nette amélioration du processus.

Six Sigma : une démarche de résolution de problème

Les six étapes DMAICS de la démarche Six Sigma

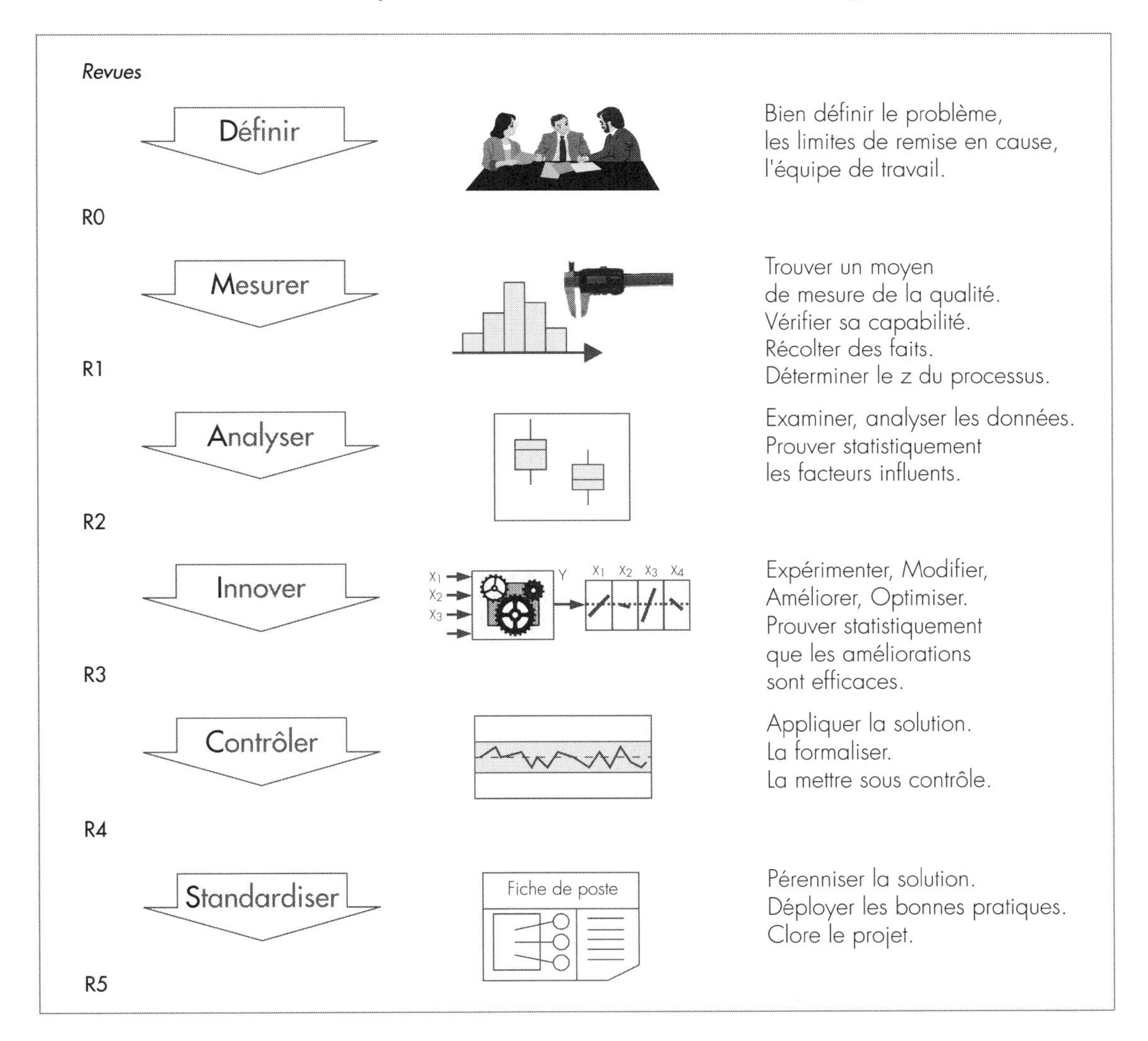

Pour atteindre cet objectif, on utilisera une démarche de résolution de problème bien cadrée, le DMAICS. La formalisation d'une démarche structurée à l'intérieur d'une entreprise offre plusieurs avantages :

- elle permet de servir de guide dans l'avancement de la résolution du problème ;

- elle permet d'avoir un langage commun à tous les acteurs de l'entreprise ;
- elle favorise la démultiplication des actions à un coût de formation réduit.

La démarche de résolution de problème de Six Sigma se décline en six étapes DMAICS (Définir, Mesurer, Analyser, Innover/Améliorer, Contrôler, Standardiser). En suivant scrupuleusement ces six étapes, le technicien, même s'il n'est pas expert en statistique, pourra avec un minimum de formation atteindre l'objectif de variabilité fixé.

Chacune de ces étapes est judicieusement placée (avec un guide) pour savoir ce qu'il est indispensable de faire afin d'atteindre l'objectif :

- bien définir le problème, l'intérêt de passer du temps et d'engager des ressources ;
- se poser les questions suivantes : est-ce que je sais caractériser le processus que j'étudie ? Est-ce que je dispose d'un moyen pour le mesurer correctement ?
- prendre le temps d'analyser les choses avant de se jeter sur la première solution venue ;
- enfin, lorsque la compréhension des tenants et aboutissants est suffisante, mettre en œuvre les améliorations et vérifier leurs impacts ;
- mettre en place les moyens, méthodes et outils pour que la solution retenue soit « sous contrôle » ;
- pour terminer, s'assurer de la pérennité des solutions et déployer les bonnes pratiques aux autres processus.

Six Sigma : une démarche de management, une organisation des compétences

Le fait de mieux formaliser une démarche de résolution de problème ne suffit pas à créer une stratégie d'entreprise. Il faut être capable de démultiplier les chantiers pour atteindre l'aspect stratégique. Six Sigma intègre donc tous les aspects de cette démultiplication au travers :

- du rôle et de la formation des hommes ;
- de la formalisation de la démarche ;
- de la gestion de projets ;
- des objectifs stratégiques qui seront fixés.

Pour mettre en œuvre une telle approche, il faut des hommes ayant des compétences et des responsabilités bien définies. Mettre en œuvre Six Sigma, c'est aussi former son personnel et déterminer des rôles particuliers aux individus qui vont conduire le changement. Dans la définition des rôles de chacun, l'entreprise General Electric a proposé de donner les noms de *white belt*, *green belt*, *black belt* (ceinture noire), *master black belt* et *champion*. Si les noms changent d'une entreprise à l'autre, on parle par exemple d'équipier, de pilote, de coach, les fonctions doivent être remplies pour garantir le succès du déploiement de Six Sigma dans l'entreprise.

Le pilotage d'une démarche Six Sigma doit, comme pour toute autre activité, avoir les quatre couches : stratégique, tactique, opérationnelle, conduite et suivi.

Deux personnes sont très importantes dans la conduite d'une démarche Six Sigma : le *black belt*, ou pilote Six Sigma, et le *champion*.

Le *black belt* a pour rôle de piloter le groupe de travail. Il est affecté à 100 % sur l'avancement des projets Six Sigma. Son rôle est le suivant :

- il anime le projet au travers des six étapes ;
- il forme et anime le groupe de travail ;
- il utilise les outils et la méthode Six Sigma.

Pour pouvoir être *black belt*, il faut cumuler deux compétences : une compétence dans les outils de la qualité, en particulier dans les outils statistiques, et une compétence dans le management d'une équipe.

Le *champion* est choisi par le patron de l'entreprise. Il a la responsabilité du déploiement de Six Sigma dans un secteur de l'entreprise. Typiquement, un champion est un responsable exécutif avec un haut niveau de responsabilité. Il peut être responsable d'un site ou occuper une fonction importante dans l'entreprise. Il doit faire partie du comité de direction.

Le *champion* doit superviser les *black belt* d'une unité de l'entreprise. Il s'investit dans le choix des projets à réaliser et fournit un support en faisant disparaître, si besoin est, les barrières culturelles. Il doit s'assurer que les ressources sont disponibles, tant en hommes qu'en matériels.

Les *champions* sont très importants, ils donnent la cohésion à la démarche Six Sigma, en reliant chaque projet aux objectifs stratégiques de l'entreprise et en évitant la variabilité … dans la méthode.

Six Sigma : un management par projets

La démultiplication des chantiers Six Sigma dans l'entreprise permet d'obtenir des gains cumulés significatifs, tant pour l'entreprise que pour les clients. Pour gérer cette multitude de chantiers, il faut également une approche structurée, que fournit le management par projets.

L'aspect management par projets est déjà très marqué par la structure de la méthode : Six Sigma en six étapes. Le *champion* joue un rôle prépondérant dans cette gestion par projet. En effet, il fixe un objectif, un planning et évalue l'avancement des travaux au travers de revues obligatoires pour valider le passage d'une étape à l'autre. Tous les chantiers sont répertoriés, suivis et ont un impact validé sur les objectifs stratégiques de l'entreprise.

L'affectation des ressources est également très présente dans le management de Six Sigma. Faire partie d'un projet Six Sigma demande de la disponibilité, qui doit être gérée dans le projet. Outre les ressources humaines, on doit également gérer les ressources financières de l'entreprise pour disposer d'un budget afin de pouvoir investir dans la re-conception du processus.

LA CONDUITE D'UN PROJET SIX SIGMA : LE DMAICS

Le cœur de la démarche d'amélioration des performances dans une démarche Six Sigma est l'approche DMAICS (Définir, Mesurer, Analyser, Innover, Contrôler, Standardiser). Nous allons détailler un peu cette démarche.

Étape 1 : définir

But de l'étape

Cette étape va permettre de bien cerner les contours du sujet et de poser correctement le problème. Elle se décompose en deux sous-étapes majeures. La première consiste à déterminer le sujet de travail le plus adapté dans le cadre de la stratégie de l'entreprise. La seconde consiste, une fois le sujet sélectionné, à réaliser un état des lieux en se posant clairement les questions :

- Quel est l'objectif recherché ?
- Quel est le périmètre du projet ?
- Qui doit travailler sur ce projet ?
- Quel est le planning du projet ?
- Etc.

La conduite de l'étape (prédéfinition du projet)

Pour résoudre un problème, il faut l'avoir parfaitement défini au préalable. Il faut identifier :

- un vrai problème, cela signifie un écart notable entre des performances attendues et mesurées ;
- un vrai client, cela signifie un client motivé par la réduction de l'écart ;
- des gains significatifs justifiant le temps et l'énergie que l'on va dépenser ;
- un périmètre limité garantissant une durée d'action entre six mois et un an.

La prédéfinition du projet consiste à identifier dans le secteur de l'entreprise concerné quels sont les projets susceptibles d'être conduits. Il s'agit ensuite de les classer en fonction du potentiel de gain et de la difficulté pour aboutir *a priori*. La question à laquelle on doit répondre est la suivante : est-ce que ça vaut le coup (le coût) d'y aller ?

La conduite de l'étape (définition du projet)

Après avoir sélectionné le problème sur lequel on doit se pencher, on cherchera dans cette étape à décrire précisément le client, son insatisfaction et la grandeur Y qui permet de traduire cette insatisfaction.

1. Création du groupe de travail

Ce travail doit impliquer le plus rapidement possible l'équipe du projet. La première phase de la définition sera donc la formation de l'équipe composée des acteurs principaux suivants :

- le *black belt*, ou pilote, qui aura en charge la conduite du projet. Outre ses connaissances sur la méthode Six Sigma, il est souhaitable qu'il ait des connaissances opérationnelles sur le sujet ;
- le *champion* qui a en charge le déploiement de Six Sigma et qui doit pouvoir libérer les ressources nécessaires ;
- le « pilote » du processus qui sera la référence en matière de connaissances opérationnelles ;
- le comptable du projet qui doit suivre les gains et les coûts du projet ;
- l'équipe composée de personnes formées à la méthode Six Sigma.

Dès le début, il faut impliquer tous les acteurs en les formant par une introduction à la méthode, l'exposé des différents outils qui seront utilisés et des revues qui seront réalisées entre chaque étape.

2. Identifier les caractéristiques clés *(Critical To Quality, CTQ)*

À ce stade, le projet est défini, mais il faut clarifier un certain nombre de points pour bien identifier la « Voix du client » :

- Quelles sont les caractéristiques critiques pour le client, leurs cibles, leurs limites ?
- Quelle est la situation actuelle et la situation espérée ?

3. Identifier le processus et son environnement

Connaissant les objectifs à atteindre pour le client, le groupe doit maintenant se focaliser sur l'identification du processus qui permet de fournir le produit ou le service. Cette phase est réalisée principalement grâce à la cartographie du processus qui peut se faire selon différentes formes suivant le degré de détail nécessaire. Le but est de faire apparaître les différentes étapes du processus, les entrées et les sorties.

4. Écrire la charte du projet

Enfin, cette première étape se conclut par la rédaction de la charte du projet. Le projet doit avoir un titre clair afin que l'équipe se reconnaisse derrière ce titre. Un membre de l'équipe doit pourvoir dire « Je travaille sur le projet : zéro réclamation sur le produit X28 » par exemple. Cette charte du projet résume l'ensemble des travaux qui ont été réalisés dans cette étape. Elle vaut pour engagement du groupe et est la base de la revue R0 (voir figure p. 255) réalisée entre le *champion* et le *black belt*.

Étape 2 : mesurer

But de l'étape

Cette étape est un élément essentiel de l'apport d'une démarche Six Sigma. Beaucoup d'entreprises n'ont pas cette culture de la mesure. Elles ont parfois un grand nombre de chiffres disponibles, mais ceux-ci sont inexploitables ou inexploités. Les principales raisons de cette pauvreté dans l'exploitation des données sont :

- des processus de mesure qui ne sont pas adaptés et qui créent parfois plus de dispersion que le processus étudié ;
- une récolte des données mal conçue qui rend inexploitable les tableaux de données.

L'objectif de cette étape est d'évaluer correctement la situation actuelle de la performance des processus impliqués par rapport aux différentes exigences des clients.

La conduite de l'étape

1. Valider le processus de mesure

Pour mener à bien un projet, il faut disposer d'une réponse mesurable Y, si possible de façon continue, traduisant la satisfaction de l'exigence du client. Si on ne sait pas mesurer correctement, toute analyse qui suivra risquera fortement d'être erronée ou demandera un nombre très élevé de données. Il faut donc identifier deux processus élémentaires :

- le principal processus et ses cinq M (Moyen, Milieu, Méthodes, Matière, Main-d'œuvre) qui produit le service ou le produit ;

- le second processus de mesure également avec ses cinq M (**M**oyen, **M**ilieu, **M**éthodes, **M**esurande, **M**ain-d'œuvre) qui permet d'évaluer la satisfaction du client.

Un élément important du processus de mesure est le moyen de contrôle. Il doit être rattaché aux chaînes d'étalonnage lorsque la grandeur mesurée est normalisée et doit posséder les propriétés de justesse et de linéarité. Ce sera la première vérification à réaliser. Mais il faut également tenir compte des quatre autres M. Le processus de mesure doit avoir les propriétés de « répétabilité » (plusieurs mesures dans les mêmes conditions doivent donner un résultat similaire) et de reproductibilité (indépendance de la mesure à un changement de condition de mesure). On doit vérifier que les variations imputables à la mesure sont faibles devant les variations de la réponse Y.

2. Observer le procédé

Disposant d'un moyen de mesure adapté, on peut mettre en place des campagnes de relevés et d'observations du processus qui permettront de faire l'analyse de l'existant sur des données factuelles afin de pouvoir apporter la « preuve statistique ».

On doit observer quatre éléments :

- les Y (sorties du processus constatés par le client) ;
- les entrées du processus provenant des processus fournisseur ;
- les commandes et variables du processus ;
- les indicateurs d'état du processus.

Le but de ces relevés est de pouvoir mettre en regard la réponse Y du système aux différents paramètres X pouvant avoir une influence sur le processus. Cela se fait à partir de feuilles de relevés, extraction de la base de données de l'entreprise, suivi des processus.

3. Estimer la « capabilité » du processus

Fort de ces relevés, dont on aura pris la précaution de vérifier la pertinence, on peut alors mesurer de façon précise la « capabilité » du processus en évaluant son « sigma » (le z du processus).

Étape 3 : analyser

But de l'étape

Conformément à toutes les méthodes de résolution de problème, Six Sigma impose une phase d'analyse avant de modifier le processus. Les étapes 1 et 2 nous ont permis de faire une cartographie du procédé afin d'identifier les X potentiels et de récolter des faits sur la base de moyens de mesure capables. Cette étape nous permettra d'analyser ces données afin d'identifier les quelques X responsables d'une grande partie de la variabilité. L'analyse portera d'abord sur Y (sortie du processus) puis sur les X et sur les relations que l'on peut mettre en évidence entre les X et les Y.

L'un des points essentiels de Six Sigma consiste à ne rien toucher sur le processus avant d'atteindre l'étape Innover/Améliorer. Le but de l'étape Analyser est de jouer le rôle d'entonnoir à X. Dans l'étape « Mesurer », le groupe de travail a déjà sélectionné un nombre de X restreint par rapport à tous les X potentiels. À l'issue de cette étape, seuls quelques X potentiels resteront candidats pour apporter une amélioration au processus. La phase « Analyser » va porter sur l'analyse descriptive des X et des Y et l'analyse relationnelle entre les X et Y.

La conduite de l'étape

Lors de cette phase, on ne cherche pas à apporter de modification au processus, mais à comprendre les règles qui régissent son fonctionnement. Pour cela, on fait deux types d'analyse :

- une analyse descriptive des caractéristiques observées afin de détecter d'éventuelles anomalies comme la présence de valeurs aberrantes, une non-normalité qui sont sources d'informations ;
- une analyse relationnelle afin de comprendre en quoi les X ont une influence sur la caractéristique Y que l'on cherche à améliorer.

Cette étape fait largement appel aux différents outils statistiques. Il n'est pas dans l'objectif de cet ouvrage de les détailler. Le lecteur pourra consulter la bibliographie spécialisée pour maîtriser ces points.

1. Analyse du comportement des Y et des X

Lors de la phase « Mesurer », on a lancé un plan de collecte de données. On dispose désormais d'un tableau d'observation sur une période donnée pour les Y et pour les X. La première démarche consiste à analyser les données. Cette analyse peut comporter :

- une étude du comportement par rapport aux spécifications existantes ;
- une analyse statistique (moyenne, écart type, présence de valeurs aberrantes, ...) ;
- une analyse de normalité et l'analyse des causes en cas de non-normalité ;
- une analyse des variations dans le temps des caractéristiques afin de vérifier si la caractéristique est sous contrôle (utilisation des cartes de contrôle) ;
- une analyse des chutes de « capabilité ».

2. Analyser les relations entre les X et les Y

L'étude du comportement a consisté à regarder les X et les Y de façon indépendante, nous allons maintenant chercher à comprendre quels sont les X qui expliquent la variabilité des Y. À la fin de cette étape, on doit avoir identifié clairement les variables sur lesquelles il est nécessaire d'agir afin d'ajuster le paramètre de sortie Y sur la valeur désirée et de réduire sa variabilité. La question à laquelle on doit répondre est la suivante : lorsqu'un X bouge, est-ce que cela a de l'influence sur le Y ?

Pour répondre à cette question, on pourra s'aider d'outil graphique comme la boîte à moustache. Mais cette observation n'est pas suffisante dans une approche Six Sigma, il faut apporter la preuve statistique. Pour cela, on va utiliser des tests statistiques qui nous permettront de connaître le risque pris lorsqu'on dit qu'il y a un écart significatif entre deux situations.

3. Hiérarchiser les X et identifier les X responsables de la plus grande partie de la variabilité

Après avoir mis en évidence les principales causes de variation par les analyses statistiques réalisées sur les données récoltées lors de l'étape « Mesurer », il faut désormais hiérarchiser les causes afin de connaître quels sont les X sur lesquels les efforts les plus importants devront être apportés lors de l'étape « Innover/Améliorer ».

Les outils nécessaires pour cette hiérarchisation sont encore des outils statistiques tels que l'analyse de la variance, la régression multiple ou encore les plans d'expériences.

Étape 4 : innover, améliorer

But de l'étape

Après avoir déterminé les sources potentielles de la dispersion lors de l'étape d'analyse, il faut maintenant améliorer le processus afin de le centrer sur la cible et de diminuer sa variabilité. C'est le but de cette étape qui peut se dissocier en quatre phases :

- une phase de créativité dans laquelle le groupe de travail doit imaginer les solutions que l'on peut apporter pour atteindre l'objectif ;
- une phase d'expérimentation pour ajuster les paramètres du processus ;
- une phase d'analyse des risques ;
- une phase de planification des changements.

La conduite de l'étape

1. Générer des solutions

Si dans les étapes précédentes, on s'est interdit de modifier la configuration du processus pour ne pas perturber la saisie des données, il faut ici, au contraire, imaginer les modifications que l'on peut apporter au processus pour atteindre l'objectif fixé en début de projet.

Les modifications peuvent être des modifications technologiques importantes, mais aussi des modifications sur le niveau des X pour ajuster la valeur de Y sur la cible souhaitée et diminuer sa dispersion.

Les outils utilisés dans cette phase seront :

- le déballage d'idées pour développer la créativité du groupe et générer un maximum de solutions potentielles ;
- les outils de classification permettant de choisir parmi les différentes solutions proposées les plus prometteuses qui seront testées.

2. Valider les solutions par une démarche expérimentale

Cette phase de génération de solution est suivie d'une étape très importante : la phase expérimentale. L'expérimentation est indispensable pour deux raisons :

- trouver la meilleure configuration des facteurs ;
- prouver statistiquement l'amélioration apportée.

En effet, à l'issue de l'étape Analyser, on a identifié les facteurs X responsables de la variabilité de Y. Mais il reste à trouver la meilleure configuration de chacun de ces X, sachant qu'il est possible qu'il existe des interactions entre l'ensemble de ces X. À la fin de cette étape, on doit avoir trouver une configuration du processus de production qui permet d'atteindre le niveau de qualité Six Sigma.

3. Analyser les risques

Chaque fois que l'on modifie quelque chose sur un processus, il faut se poser la question suivante : quels sont les risques que cette modification fait peser sur mon client ? Aussi, avant de valider définitivement le plan de mise en œuvre de la solution, on doit réaliser une étude de risque, en réalisant une AMDEC (Analyse des Modes de Défaillances, de leurs Effets et de leurs Criticités).

4. Planifier la mise en œuvre de la solution

Une fois la solution retenue, on doit planifier la mise en œuvre de cette solution. Cette planification doit prendre en compte l'identification des différents acteurs de ce changement qui dépassent souvent le cadre du groupe de travail Six Sigma. On doit considérer également les différentes tâches à réaliser et leurs liaisons afin de pouvoir réaliser un Gantt.

Étape 5 : contrôler

But de l'étape

Le processus ayant été amélioré à l'étape 4, il faut désormais tout mettre en œuvre pour garantir que ces améliorations seront maintenues et que le processus ne se dégradera pas. Le but de cette étape est donc de mettre en place la structure permettant de contrôler le processus. Les outils de base de cette étape seront la documentation du poste de travail et les cartes de contrôle.

La conduite de l'étape

À ce stade de l'étude, les quelques X responsables de la grande partie de la variabilité sur Y sont identifiés. Nous devons tout mettre en œuvre pour contrôler ces X afin de garantir la satisfaction du client.

1. Déterminer les tolérances pour les X critiques

Les étapes précédentes ont permis de faire la liaison entre la caractéristique critique pour le client Y et les caractéristiques X. La première phase de l'étape « Contrôler » consistera à valider les tolérances utilisées sur les caractéristiques X afin de garantir Y.

2. Mettre les X critiques sous contrôle

Après avoir validé les cibles et les tolérances sur les X critiques, il faut mettre en œuvre toutes les actions pour garantir le respect de la cible. En effet, au-delà du respect de la tolérance, Six Sigma nécessite de respecter le centrage des caractéristiques sur la cible. Pour cela, on doit d'abord formaliser les règles de pilotage et d'intervention sur le processus au travers de documentation du poste de travail, mais aussi de méthode et d'habitude de travail qui facilite le respect de la cible.

Enfin, il faut donner les moyens aux opérateurs de détecter au plus tôt les décentrages par rapport à la cible, en utilisant un suivi graphique de la performance (cartes de contrôle). Toutes les caractéristiques critiques susceptibles de dériver en position ou en dispersion devront faire l'objet d'un tel suivi.

3. Éliminer les causes d'erreur

La meilleure façon de garantir que le processus reste sous contrôle consiste à introduire des points « zéro défaut » garantissant la qualité des produits. Plutôt que de chercher à éliminer le défaut par un contrôle, il faut rechercher un dispositif qui évite de produire le défaut. C'est le but des points « zéro défaut » appelés également « *poka yoke* ».

La standardisation aide aussi à la réduction du nombre d'erreurs. Par exemple, l'utilisation systématique du rouge pour les rebuts, l'utilisation des points jaunes pour les points qui méritent une maintenance préventive.

Un autre point important dans l'élimination des causes d'erreur et la documentation du poste de travail. Chaque amélioration apportée doit être formalisée dans une documentation qui peut prendre la forme :

- d'une instruction de travail ;
- d'une instruction de contrôle ;
- d'une procédure ;
- etc.

Étape 6 : standardiser / pérenniser

But de l'étape

Le but de cette dernière étape est de mettre en place l'ensemble des procédures pour que la solution choisie devienne pérenne. Cette étape permettra également de faire le bilan du projet, de diffuser dans l'entreprise les résultats et de diffuser les bonnes pratiques sur d'autres postes là où c'est possible. Enfin, c'est le moment de la reconnaissance envers les membres du groupe afin qu'ils aient un juste retour des efforts accomplis.

Cette étape est parfois confondue avec l'étape « Contrôler ». Cependant, de plus en plus d'entreprises séparent en deux cette phase finale d'un projet Six Sigma pour mieux souligner les notions de standardisation et de pérennisation qui ne peuvent intervenir qu'après la mise sous contrôle du processus. De même, la conclusion et le bilan du projet sont des phases importantes qui ne sont pas du domaine de la mise sous contrôle du processus.

La conduite de l'étape

Après l'étape « Contrôler », les caractéristiques essentielles sont sous surveillance, nous devons désormais tout faire pour pérenniser la solution.

1. Simplifier là où c'est possible la solution adoptée

L'expérience montre qu'il est parfois plus facile de faire des progrès sur un sujet que de conserver le bénéfice des progrès dans le temps. C'est notamment le cas lorsque l'application d'une solution demande un effort particulier. S'il est possible de faire ces efforts pendant un certain temps, il y a fort à parier qu'avec le temps, la discipline se relâchera, on fera de moins en moins d'efforts et les bénéfices de l'action s'estomperont.

Le maintien de la solution dans le temps demande de la simplicité. Avec le recul de l'application, on doit se poser la question : Est-il utile, possible de simplifier l'application de la solution adoptée ?

2. Identifier les « bonnes pratiques » et dupliquer

Lorsqu'une bonne pratique est identifiée dans le cadre d'un projet Six Sigma, on doit la formaliser et la déployer dans les autres secteurs de l'entreprise.

3. Faire le bilan du projet, comparer

Le bilan du projet doit être financier, technique, humain et méthodologique.

Enfin, on peut clore le projet en remplissant la fiche de clôture du projet et en documentant tous les éléments de suivi des projets Six Sigma. Il faut alors communiquer sur la conduite du projet. Chaque projet est une expérience, la faire partager apporte :

- une réflexion a posteriori toujours intéressante pour celui qui expose le projet ;
- une expérience supplémentaire pour ceux qui suivent l'exposé ;
- des idées sur d'autres projets qui pourraient être lancés ;
- des idées sur des démultiplications possibles ;
- etc.

Pour terminer, la convivialité étant source de créativité dans les groupes, il ne faut pas hésiter à fêter les résultats pour en stimuler de nouveaux.

CONCLUSION

L'évolution naturelle des produits et des services fournis par les entreprises va naturellement vers une complexification croissante. Se contenter de faire de l'amélioration de productivité sur les moyens de production n'est plus suffisant aujourd'hui. On ne pourra pas faire l'économie de démarches structurées qui permettent d'améliorer grandement la productivité dans les démarches de résolution de problèmes ou les démarches de conception.

Six Sigma a justement pour objectif cette amélioration de productivité. Plus de résultats pour moins d'efforts. En structurant les étapes, en définissant bien les rôles, en organisant les projets, Six Sigma permet de mettre de la cohérence dans les actions de progrès. Chacun ne joue plus sa partition individuellement, il y a désormais un orchestre et le résultat est beaucoup plus « harmonieux ».

Ne pas utiliser Six Sigma, c'est se condamner à creuser une tranchée avec une pelle et une pioche alors qu'une pelleteuse mécanique est à disposition. La performance d'une entreprise ne dépend pas que de ses outils matériels, elle dépend de plus en plus des démarches et outils permettant de démultiplier la puissance intellectuelle de ses collaborateurs.

Six Sigma chez Ordiplus

Paul devient un *black belt*

À l'issue de la réunion professionnelle, Paul, responsable Qualité de la société Ordiplus, avait acquis la conviction que la démarche Six Sigma allait l'aider à améliorer les performances de son entreprise. Mais mettre en place Six Sigma ne peut pas se faire sous la forme d'un projet isolé. Il faut que sa mise en place soit cohérente avec la stratégie de l'entreprise. Cela nécessite entre autres l'implication de l'ensemble de la hiérarchie de l'entreprise. De plus, Paul n'est pas très familiarisé avec les concepts de Six Sigma, notamment les aspects statistiques. Le projet commencera donc par une phase de formation générale sur la démarche Six Sigma pour l'ensemble des collaborateurs impliqués. Deux personnes suivront une formation plus poussée :

- Vincent, directeur de l'entreprise, jouera le rôle de champion ;
- Paul aura le rôle de *black belt*. L'amélioration de la qualité de service aux clients de la société sera son projet pilote. Il sera épaulé par un consultant qui jouera le rôle de *master black belt*.

Après cette étape de mise en train, le projet démarre rapidement avec comme objectif l'amélioration radicale de la performance de l'entreprise. Le but d'un projet ne doit pas être une simple amélioration continue, avec Six Sigma on doit chercher la percée !

Le premier DMAICS chez Ordiplus

Après avoir mis en place une gestion par projet, Paul commence à suivre méthodologiquement les six étapes de Six Sigma : le DMAICS. Chaque étape est validée par une revue de projet avec le *champion* pour garantir le respect de la méthode et l'attribution des ressources nécessaires.

Définir

Au début de cette étape, Paul constitue son équipe et planifie le travail. Dans un second temps, l'équipe réalise une cartographie du processus qui conduit à la satisfaction du client et identifie clairement les caractéristiques critiques (les Y critiques). L'ensemble est résumé dans un diagramme SIPOC *(Supplier, Input, Process, Output, Customers)* qui résume le processus et ses entrées/sorties. L'étape « Définir » donne lieu à une charte du projet qui traduit l'engagement de l'équipe.

Mesurer

Pour analyser les sources de perte de performance, l'équipe met en place, pendant 15 jours, un système de relevé de délai et d'encours, à chaque poste de travail. Toutes ces données enrichissent la cartographie du processus.

Analyser

L'analyse de ces données montre que l'origine des retards provient souvent d'un manque de composants. Parfois, ce manque touche des composants susceptibles d'être rapidement obsolètes, mais également des composants plus standard comme des alimentations électriques. De plus, on s'aperçoit qu'il est quasiment impossible de satisfaire le client dans le délai requis, si une partie au moins des éléments n'est pas pré-assemblée afin de gagner du temps.

Innover

Pour améliorer la situation, l'équipe conclut à la nécessité de modifier la conception des ordinateurs et introduit la différentiation au plus tard. Les parties standard seront désormais assemblées par système de flux tirés, la personnalisation du produit n'étant réalisée qu'en fin de ligne d'assemblage. De plus, une analyse des types de stock a été réalisée et a conduit à dissocier les règles de gestion en fonction du risque d'obsolescence. Plus le composant est risqué, moins le stock est important.

Contrôler

Après avoir validé l'amélioration considérable apportée par ces actions, l'équipe met en place un tableau d'indicateurs validant la satisfaction des clients. Ces indicateurs sont revus mensuellement par l'équipe de direction. Les nouvelles procédures sont formalisées et tous les collaborateurs sont formés.

Standardiser

Les améliorations apportées sont standardisées et dupliquées aux autres produits de l'entreprise. On suit la pérennisation des progrès.

Ce premier projet se termine avec succès. Les clients sont extrêmement surpris de la nouvelle qualité des délais. Paul reçoit son diplôme de *black belt* et Vincent commence déjà à imaginer de nouveaux projets et de nouveaux *black belts* pour que Six Sigma devienne désormais le moteur de progrès de son entreprise.

CE QU'IL FAUT RETENIR

- Six Sigma est une approche d'amélioration des performances par « percée » centrée sur la satisfaction des clients.
- L'objectif est de changer de façon radicale les performances de l'entreprise.
- Six Sigma est fondée sur une démarche de résolution de problèmes en six étapes, le DMAICS (Définir, Mesurer, Analyser, Innover, Contrôler, Standardiser).
- Six Sigma implique l'ensemble de l'entreprise au travers d'une structure de management qui précise parfaitement les rôles et les objectifs de chaque acteur : le *champion*, le *black belt*, le *master black belt*, etc.
- L'ensemble des chantiers Six Sigma de l'entreprise est organisé et structuré par une gestion de projets rigoureuse garantissant mise en œuvre pertinente et efficace de l'ensemble des projets.
- Si vous faites du Six Sigma :
  - respecter les règles, ne pas prendre de raccourcis ;
  - accepter de perdre du temps pour l'analyse, ce n'est jamais du temps perdu, le temps des améliorations viendra !
  - adopter la notion de preuve statistique, raisonner sur des faits ;
  - utiliser les statistiques, ne pas hésiter à se former, à échanger avec d'autres entreprises, à participer à des congrès ;
  - ne pas oublier la sixième étape : la standardisation pour pérenniser.

BIBLIOGRAPHIE DE RÉFÉRENCE

Forrest W. BREYFOGLE, *Implementing Six Sigma*, John Wiley & Sons, 1999.

Subroto Roy CHOWDHURY, *Vous avez dit Six Sigma ?!*, éd. Dunod, 2004.

Daniel DURET, Maurice PILLET, *Qualité en production - De l'ISO 9000 à Six Sigma*, Éditions d'Organisation, 2001.

Georges ECKES, *Six Sigma en action*, éd. Village Mondial, 2003.

Harry MIKEL, R. SCHROEDER, *Six sigma*, Doubleday, 1999.

Maurice PILLET, *Six Sigma - Comment l'appliquer*, Éditions d'Organisation, 2003.

Partie 6

COMMERCIALISATION

Commercialisation

Les fondamentaux

Par MARC FILSER

CANAL DE DISTRIBUTION

Le canal de distribution, appelé par certains auteurs « canal marketing », est composé de l'ensemble des institutions qui participent au transfert du produit ou service du producteur à l'acheteur final. Le canal de distribution comprend, outre le producteur, trois catégories principales d'agents :

- les intermédiaires, dont la mission est de contribuer à la création de valeur ou à la réduction des coûts de distribution, en centralisant des opérations qui peuvent bénéficier d'effets d'échelle ou d'expérience (exemples : les grossistes et les courtiers) ;
- les prestataires logistiques sont chargés de la réalisation des opérations de transport, de stockage et parfois d'adaptation ultime du produit aux spécifications désirées par les acheteurs ;
- les détaillants réalisent la mise à disposition du produit auprès de l'acheteur final, souvent à travers des points de vente.

Les décisions de gestion du canal résultent de l'interaction des stratégies de ces différents acteurs dont les objectifs ne coïncident pas toujours.

E-BUSINESS

On regroupe sous le terme « e-business » toutes les activités économiques utilisant le support d'Internet pour être réalisées. Ces activités peuvent être ordonnées selon deux critères :

- la nature des opérations réalisées : on distinguera ainsi des activités de mise à disposition d'informations en libre accès pour le public, d'échange d'informations entre des agents et, enfin, de réalisation de transactions (commerce électronique proprement dit, ou e-commerce) ;
- le statut des agents en interaction à travers le support électronique : on distinguera ainsi des activités réalisées entre les entreprises *(Business to Business,* ou *B to B*), entre les entreprises et les clients *(Business to Consumer,* ou *B to C*), et enfin entre les clients eux-mêmes *(C to C)*.

Le e-business peut être développé par des institutions qui se spécialisent exclusivement dans l'activité sur Internet (*pure players,* ou firmes *all click*). Le plus souvent, il est mis en œuvre par des opérateurs développant aussi une activité dans la sphère physique (firmes *click and mortar*).

COMPORTEMENT DU CONSOMMATEUR

L'analyse du comportement du consommateur permet d'expliquer et de tenter de prévoir les décisions d'achat et de consommation des ménages. Trois familles de facteurs sont retenues par ces analyses :

- les variables caractérisant les processus internes de décision de l'individu : perception et traitement de l'information, apprentissage, formation des attitudes, évaluation après achat, états affectifs ;
- les variables décrivant l'environnement du consommateur : environnement économique, social, culturel ;
- enfin, les variables décrivant les moyens d'action mis en œuvre par les entreprises pour influencer les choix des individus.

Les plus anciens modèles explicatifs du comportement du consommateur accordent une place centrale aux processus d'acquisition et de traitement de l'information (modèles cognitivistes). Ils sont complétés depuis le début des années 1980 par des modèles accordant davantage d'importance aux dimensions symboliques de la consommation et à l'analyse de l'expérience gratifiante qu'elle constitue pour le sujet (modèles expérientiels).

MERCHANDISING

On regroupe sous ce terme l'ensemble des actions mises en œuvre par les détaillants pour organiser la présentation des produits dans les commerces de détail. Le merchandising concerne trois catégories d'activités :

- la conception intérieure du point de vente : elle prend une importance croissante dans la mesure où le magasin est en lui-même une source de gratifications pour le client, indépendamment des produits qu'il propose à la vente. Le terme de *retailtainment,* contraction de *retailing* et *entertainment,* est parfois utilisé pour désigner des magasins qui accordent une grande importance à l'atmosphère et à la mise en scène des produits présentés ;
- la répartition de la surface de vente entre les différentes catégories de produits ;
- la répartition de l'espace en rayon (le linéaire) entre les marques et les références. Ces décisions résultent souvent d'une âpre négociation entre les fournisseurs et les détaillants.

GÉOMARKETING

On désigne sous ce terme l'ensemble des méthodes d'analyse qui prennent en compte l'influence de l'espace géographique sur les comportements d'achat. Ces méthodes partagent une même démarche générale : l'espace est découpé en cellules homogènes et l'on va ensuite utiliser ces cellules comme unités d'analyse élémentaires pour observer des comportements d'achat, mesurer la sensibilité à des actions publicitaires (par exemple, la distribution de catalogues promotionnels de grandes surfaces dans les boîtes aux lettres) ou enregistrer les résultats des actions d'une entreprise et parfois de ses concurrents (par exemple, les ventes réalisées par les VRP dans les secteurs dont ils ont la charge).

Le géomarketing est à la fois un outil descriptif (visualisation de l'activité de l'entreprise) et un outil d'aide à la décision (simulation de l'impact d'un programme d'action commercial, selon les secteurs géographiques).

Ces méthodes sont massivement utilisées par les détaillants qui utilisent systématiquement, comme base de leur stratégie commerciale, la notion de zone de chalandise, c'est-à-dire l'espace où résident tous les clients d'un magasin. Elles servent enfin à identifier des cibles potentielles pour des actions de marketing direct utilisant l'envoi postal ou le téléphone.

B to B

Une entreprise peut réaliser l'essentiel de son activité en vendant des biens de grande consommation destinés au public ou, au contraire, vendre des produits ou services destinés à d'autres entreprises. Ces relations inter-entreprises sont familièrement désignées sous le vocable *B to B (business to business)*.

Des différences importantes distinguent ces marchés du marché grand public :

- la décision d'achat n'est presque jamais le fait d'un individu isolé, mais plutôt d'une structure formalisée en charge des approvisionnements. La segmentation et la communication des fournisseurs doivent pendre en compte ce caractère collectif de la décision ;
- les produits ou services achetés peuvent avoir un caractère éminemment stratégique pour le client, dans la mesure où ils peuvent conditionner la qualité de sa propre production. Les critères de choix d'un fournisseur accorderont en général une large place aux caractéristiques techniques des produits ;
- les achats s'inscrivent fréquemment dans le contexte d'une relation durable que les institutions ont souvent intérêt à préserver, par exemple pour garantir la régularité des approvisionnements sur des marchés cycliques.

PRÉVISION DES VENTES

L'anticipation du volume d'activité est primordiale pour optimiser l'utilisation des capacités de production. L'entreprise est confrontée à deux problèmes distincts en matière de prévision des ventes :

- prévoir les ventes de produits ou services existants : les méthodes de prévision se fondent alors sur les données des ventes antérieures et recourent soit à des méthodes de prolongement des tendances (moyennes mobiles, lissage exponentiel, méthode Arima ou Box-Jenkins), soit à des modèles économétriques qui font dépendre le niveau des ventes d'un ensemble de variables explicatives (par exemple, les budgets publicitaires des différentes marques) ;
- prévoir les ventes de nouveaux produits ou services : il est alors impossible d'extrapoler des tendances passées, et les méthodes utilisées se fondent à la fois sur des enquêtes déclaratives réalisées auprès de clients potentiels, soit sur des expérimentations, notamment des marchés-tests.

PROMOTION DES VENTES

La promotion des ventes regroupe l'ensemble des techniques mises en œuvre par un producteur ou un détaillant pour faire acheter un produit ou service pendant une période délimitée. Elle se différencie donc de la communication publicitaire qui peut poursuivre d'autres objectifs que l'accroissement des ventes à court terme.

On distingue communément les actions promotionnelles développées par le producteur et celles réalisées à l'initiative des détaillants.

Les moyens affectés par les producteurs aux promotions ont régulièrement augmenté sous l'influence de deux évolutions :

- la pression des détaillants qui voient dans les opérations promotionnelles (réduction de prix, mise en avant, animation) un moyen efficace de développer leurs ventes et de communiquer à leur clientèle une image de « discounter ». Le financement des actions promotionnelles est souvent assuré par les fournisseurs dans le cadre de la coopération commerciale ;

- la prise en compte du fait que la très grande majorité des décisions d'achat des consommateurs est prise en magasin et donc influencée directement par les conditions d'offre en linéaire. L'efficacité d'une action promotionnelle pourrait être souvent supérieure à celle d'un budget publicitaire de même montant.

MARQUES DE DISTRIBUTEURS

La fonction principale de la marque est d'aider le consommateur à choisir un produit en le différenciant des produits concurrents. La montée en puissance des grands réseaux de distribution a conféré aux enseignes un statut désormais comparable à celui de la marque des producteurs. Les détaillants ont donc développé, depuis le milieu des années 1970, des marques propres (ou marques de distributeurs, MDD), qui poursuivent deux objectifs :

- offrir aux consommateurs une alternative aux marques nationales avec des produits, dont la qualité est garantie par l'enseigne et dont le prix est significativement inférieur à celui des marques nationales ;
- renforcer le pouvoir de négociation des détaillants face aux producteurs : lorsque la MDD du détaillant a une forte part de marché dans une catégorie de produit, le détaillant n'est plus dépendant de la présence de telle ou telle marque nationale, ce qui renforce sa position lors des négociations de référencement.

L'importance prise par les MDD conduit désormais les grandes surfaces à les développer dans toutes les catégories de produits (alimentaire, textile, équipement de la maison), mais aussi à développer un véritable portefeuille de MDD. En alimentaire voisinent désormais dans de nombreuses enseignes une MDD de milieu de gamme, des MDD thématiques (produits Bio, produits du terroir, produits exotiques) et une MDD de premier prix.

FORCE DE VENTE

La force de vente est chargée par le fournisseur d'assurer la diffusion de ses produits ou services auprès de clients, industriels ou distributeurs le plus souvent. Son rôle est aussi d'assurer la prospection de clients potentiels. La prise de conscience de l'importance du caractère relationnel de l'action marketing, notamment dans le cas de produits complexes exigeant une intégration étroite du client à la conception de l'offre du fournisseur, a renforcé l'importance de la force de vente.

Sa gestion pose des problèmes spécifiques de management :

- définir les modalités de rattachement de la force de vente à l'entreprise, allant de l'intégration (force de vente salariée exclusive) à des contrats d'agence (VRP) ;
- choisir le mode de rémunération des vendeurs et l'articulation entre rémunération fixe et part proportionnelle à l'activité ;
- définir les modalités d'évaluation de la performance de la force de vente, notamment de toutes les activités qui ne sont pas directement productrices de chiffre d'affaires.

Commercialisation

Distribution

Par Marc Filser

Professeur de sciences de gestion à l'IAE de Dijon (université de Bourgogne), Marc Filser est directeur du Centre de recherche en marketing de Bourgogne (CERMAB). Il a publié de nombreux ouvrages et articles de recherche dans le domaine du comportement du consommateur et de la gestion de l'entreprise de distribution.

La distribution regroupe l'ensemble des activités nécessaires à la mise à disposition du produit ou service auprès de l'acheteur final. Le canal de distribution réunit les institutions qui vont prendre en charge l'ensemble des activités nécessaires à cette mise à disposition. Il se compose des producteurs, d'intermédiaires (négociants, grossistes, courtiers), de détaillants et de prestataires spécialisés, notamment pour la prise en charge des activités logistiques de transport et de stockage. La mise en place d'un canal de distribution résulte de l'interaction des objectifs et des ressources de tous ces acteurs qui cherchent à la fois à maximiser la valeur créée pour le client et à minimiser les coûts. La gestion du commerce de détail, c'est-à-dire de la relation entre le canal et l'acheteur final, constitue un domaine d'activité spécifique. La double dynamique du comportement de l'acheteur et de l'environnement technique et concurrentiel du canal confère au commerce de détail une grande instabilité, ce qui exige des entreprises de ce secteur réactivité et flexibilité. Enfin, le secteur de la distribution voit son évolution influencée par les tendances lourdes qui modèlent l'environnement économique : mondialisation des marchés, innovations technologiques, transformations de l'environnement socioculturel.

La création de valeur par le canal de distribution : l'industrie automobile en Europe

L'industrie automobile a considéré depuis son origine que la fonction de distribution était une source fondamentale de création de valeur. Les constructeurs automobiles ont donc mis en place des canaux de distribution complexes, caractérisés par le contrôle très étroit exercé par le producteur sur les distributeurs. Reposant sur des pratiques strictes de distribution sélective, ces canaux sont remis en cause en Europe par la nouvelle réglementation de la concurrence dans ce secteur.

Le modèle traditionnel de distribution automobile en Europe

Le modèle traditionnel de distribution adopté par l'industrie automobile en Europe repose sur deux principes : un contrôle strict de la politique de distribution par le constructeur et une organisation hiérarchique des formes de distribution en fonction de l'importance des marchés. Le contrôle exercé par le constructeur se traduit par des points de vente mono-marque, et la hiérarchisation par le recours à des formes contractuelles spécifiques selon les marchés géographiques. Sur les marchés les plus importants en volume, le constructeur intègre l'activité de distribution (succursale). Dans le périmètre territorial alloué à chaque succursale, les secteurs les plus importants sont confiés à des concessionnaires exclusifs et le maillage territorial est complété par des agents de la marque rattachés aux concessions.

Le recours aux concessionnaires est fondamental pour le constructeur : le concessionnaire est en effet propriétaire du stock de véhicules qu'il détient en magasin et assure son financement, déchargeant ainsi la trésorerie du constructeur.

Plus globalement, le contrôle du réseau permet au distributeur de disposer d'un levier d'action très important sur le marché, notamment lorsqu'un nouveau modèle est lancé : le constructeur est assuré de disposer d'une exposition maximale du produit sur le marché dans les conditions de vente qu'il a lui-même définies.

En contrepartie, le réseau bénéficie de l'exclusivité de l'accès aux pièces d'origine du constructeur, ce qui lui garantit une certaine légitimité aux yeux des clients pour assurer les opérations de maintenance, qui constituent une importante source de rentabilité pour les distributeurs.

La remise en cause du modèle traditionnel et les nouvelles options stratégiques

Deux facteurs se conjuguent pour remettre en cause ce modèle traditionnel de distribution.

Depuis une dizaine d'années, les progrès techniques dont bénéficient la conception et la fabrication des automobiles entraînent deux conséquences majeures pour le réseau de distribution. D'abord, le cycle des opérations de maintenance s'est considérablement allongé, ce qui se traduit par un nombre plus faible d'opérations par véhicule. En second lieu, la nature de la maintenance a profondément évolué : la part de l'électronique embarquée rend désormais nécessaires des équipements spéciaux très coûteux et des compétences techniques qui sortent du champ de la mécanique traditionnelle. Ces deux évolutions conduisent à la concentration des opérations de maintenance sur un nombre réduit de sites, nettement moins nombreux que les points de vente du réseau, mais exigeant des investissements très lourds (bancs de contrôle, financés par les constructeurs dans leur réseau). L'évolution des compétences requises par la maintenance conduit à l'apparition de réseaux spécialisés, rarement filiales des constructeurs et plus souvent indépendants (Feu Vert, Norauto).

L'Union européenne a défini, en 2002, les nouvelles règles qui s'appliqueront à la distribution automobile à partir de 2005 :

- possibilité pour un distributeur d'ouvrir plusieurs points de vente sans requérir l'accord du constructeur ;
- passage de la distribution exclusive à la distribution sélective qui permet la création de distributeurs multimarques ;
- séparation des activités de vente et d'après-vente ;
- accès des réparateurs indépendants aux informations techniques des constructeurs ;
- libéralisation de l'accès aux pièces d'origine.

Ces évolutions de l'environnement peuvent conduire à l'émergence de puissants distributeurs automobiles (multimarques et multipoints de vente), en même temps qu'à une remise en cause du modèle économique de la distribution traditionnelle qui visait à créer des marges dans l'après-vente pour compenser la faiblesse des marges en distribution. Le contrôle de l'après-vente, à travers l'agrément par les constructeurs de concessionnaires pouvant pratiquer la maintenance, devient un enjeu majeur pour les grandes marques.

Les constructeurs automobiles doivent envisager de nouvelles stratégies de distribution dans un contexte caractérisé par l'affaiblissement de leur contrôle sur l'aval et la montée en puissance de distributeurs dont les objectifs stratégiques ne convergeront pas systématiquement avec les leurs.

LA PLACE DE LA DISTRIBUTION DANS LA STRATÉGIE DE L'ORGANISATION

La prise de conscience de l'importance de la fonction de distribution dans la gestion des organisations a été favorisée par plusieurs évolutions des marchés :

- l'émergence, dans tous les pays industriels, de très grandes entreprises de distribution, dont la taille est souvent supérieure à celle des plus grandes entreprises industrielles (le détaillant américain Wal Mart est devenu en 2001 la plus grande entreprise mondiale, supplantant à cette place General Motors et Exxon Mobil). Le rapport de forces entre industriels et commerçants s'est alors inversé en faveur de ces derniers ;
- l'évolution du comportement de l'acheteur le conduit à effectuer, le plus souvent sur le lieu de vente, des décisions d'achat qui étaient auparavant préparées longtemps à l'avance en recueillant un maximum d'informations de sources différentes. C'est désormais l'information disponible en magasin, donc diffusée par le détaillant, qui est déterminante. Et l'influence des opérations promotionnelles de mise en avant des produits dans le magasin est souvent comparable à celle des plus lourdes campagnes de communication publicitaire. Il est donc primordial pour le fournisseur de tenter d'influencer à l'avantage de sa marque les actions menées en magasin par le détaillant ;
- la frontière qui séparait produits et services s'est progressivement estompée. La vente d'un produit incorpore de plus en plus de prestations de services (maintenance et après-vente, crédit, assurances). Le client va donc souvent acheter une offre globale associant produit et services, ce qui exige du fournisseur de ce produit un travail supplémentaire d'intégration des prestations proposées à la vente.

Alors que la démarche traditionnelle du marketing ne conférait aux décisions de distribution qu'un rôle accessoire, l'importance stratégique et opérationnelle de cette variable d'action est désormais prise en compte.

La fonction stratégique

Les décisions de distribution de l'entreprise peuvent constituer une source de compétence distinctive par rapport à ses concurrents.

Plutôt que de s'engager dans une stratégie de développement de marque coûteuse et incertaine, une entreprise industrielle peut choisir de se spécialiser dans la fabrication de produits sous marque de distributeur (MDD) pour le compte des détaillants. Elle se concentre alors sur son activité industrielle et logistique. Le producteur français de chocolat Cantalou est ainsi devenu l'un des plus importants producteurs européens en se spécialisant dans la fabrication de MDD.

À la fin des années 1970, la compagnie aérienne American Airlines a anticipé la banalisation du transport aérien, et l'affaiblissement de l'attachement des clients à une compagnie précise. Elle a entrepris de développer un système électronique de distribution centralisée de toutes les compagnies aériennes afin de rationaliser la distribution des billets à travers les différents canaux de vente possibles (agences de voyages, bureaux de vente). Elle a ainsi mis en place la première forme de système de distribution globale, devenu aujourd'hui le système Sabre, leader sur le marché. Elle est ainsi devenue un intermédiaire auquel doivent recourir ses concurrents pour réaliser la vente de leurs billets.

Le contrôle de tous les niveaux du canal de distribution, de la production au consommateur final, est un facteur important de maîtrise du marché. Coca-Cola doit une large part de son succès à l'intégration de tous les niveaux d'intermédiation de son produit et à la couverture optimale de son marché à travers une stratégie de distribution de masse qui vise à rendre le produit disponible partout et à l'instant où le consommateur est susceptible de le désirer.

Ces trois exemples illustrent le caractère stratégique des décisions de distribution. Une politique de distribution originale peut créer des barrières à la concurrence, soit parce que les concurrents pourront plus difficilement atteindre leur cible de clientèle (exemple de Coca-Cola), soit parce que le niveau de service proposé sera supérieur à celui de la concurrence (Sabre), soit encore parce que les effets de volume nécessaires dissuaderont l'entrée de nouveaux concurrents (fabrication de marques de distributeurs ou de produits « premier prix »).

La fonction opérationnelle

La gestion de la distribution comporte également un important volet opérationnel. La dynamique des marchés exige des entreprises une grande réactivité par rapport à la demande. La durée de vie d'un produit sur un marché est souvent très courte : quelques semaines pour un titre musical à succès ou un modèle de vêtement tendance. La demande est donc souvent massive et concentrée dans le temps, ce qui impose une capacité de réponse très rapide. Le client supporte très mal les ruptures de stocks ; il exige une disponibilité des produits en toutes circonstances (exemple de la demande d'eau de source pendant la canicule de l'été 2003 en France). Enfin, l'offre proposée en magasin doit être accompagnée de services pour aider le client dans son achat et contribuer à la promotion du produit.

Alors que la surface de vente moyenne des magasins augmente régulièrement, la difficulté à trouver de la place en magasin pour les nouveaux produits n'a jamais été aussi critique. Les décisions relatives à la constitution des assortiments sont donc complexes et mobilisent l'énergie des équipes de vente des fournisseurs et des équipes d'achat dans les centrales de référencement des distributeurs lors des campagnes annuelles de négociation.

LA GESTION DU CANAL DE DISTRIBUTION

Le canal de distribution est défini comme l'ensemble des institutions qui vont permettre le transfert du produit ou service du producteur à l'acheteur final. Le canal se compose du producteur, de distributeurs intermédiaires et de détaillants en relation avec le client final. Producteurs et distributeurs s'efforcent d'exploiter à leur avantage le fonctionnement du canal à travers des décisions de gestion qui vont déterminer la répartition des fonctions du canal entre les acteurs, définir l'organisation du canal, c'est-à-dire sa structure et ses processus de régulation, puis tenter d'optimiser les fonctions économiques et relationnelles du canal.

Les fonctions du canal

L'existence du canal de distribution se justifie par la nécessité de réduire les séparations entre l'activité de production et l'achat par le consommateur. Quatre séparations vont être prises en compte par le canal :

- une séparation spatiale : le produit est de plus en plus rarement fabriqué à proximité des lieux d'achat. Dans le cas de services, il est souvent souhaitable de rendre le service le plus proche possible du client, notamment à travers le commerce électronique. Le canal de distribution va donc prendre en compte ces flux de transport ;

- une séparation temporelle : le producteur détermine le volume optimum de ses séries à fabriquer en fonction de ses coûts industriels et notamment de l'existence d'effets d'échelle. Il peut soit fabriquer à l'avance des stocks qui seront progressivement mis sur le marché, soit au contraire regrouper des commandes fermes et produire ensuite. Il existera donc un décalage entre la chronologie de la production et celle de la demande, et la distribution devra constamment faciliter l'ajustement entre offre et demande à travers l'organisation de stocks ;
- une séparation informationnelle : le client a besoin d'être informé de l'existence des produits et services et de leurs caractéristiques. Comme il n'est pas économiquement rentable pour tous les producteurs d'assurer eux-mêmes la promotion de tous leurs produits et services auprès de l'acheteur final, le canal de distribution va remplir une fonction très importante d'information des acheteurs à travers les points de vente et à travers les supports d'information qu'ils diffusent ;
- une séparation juridique enfin : l'achat suppose un transfert de propriété du bien ou service. C'est encore une fonction du canal d'assurer la réalisation de ces transactions dans des conditions fiables et économiques pour toutes les parties concernées.

Le canal de distribution va traiter ces quatre formes de séparations en organisant deux séries de flux distincts :

- les flux physiques de produits sont supportés par le canal logistique, qui va chercher à optimiser les opérations de transport, de stockage et éventuellement de finition du produit (par exemple implanter le système d'exploitation sur un micro-ordinateur au moment de la vente au client, adapter les logiciels d'un téléphone mobile au pays auquel il est destiné) ;
- le canal transactionnel supporte les flux d'informations nécessaires au fonctionnement du canal : prévisions de ventes, négociations, commandes, paiements, traitement de l'après-vente et des relations avec les clients.

Les formes d'organisation du canal

L'importance des fonctions stratégiques et opérationnelles du canal exige la mise en place d'une organisation des relations entre les membres du canal afin de maximiser son efficacité (réalisation des fonctions de distribution) et son efficience (minimisation du coût des ressources engagées pour réaliser ces fonctions).

Deux formes d'organisation opposées définissent les extrémités d'un continuum des modes d'organisation possibles :

- le canal traditionnel fonctionne selon les principes de la loi de l'offre et de la demande. Producteurs et intermédiaires réalisent des transactions ponctuelles qui ne les engagent pas au-delà du très court terme. Ce canal permet naturellement d'obtenir une très forte flexibilité, mais rend plus aléatoire la réalisation d'économies d'échelle. À Paris, le fonctionnement du Sentier, dans le secteur de la confection, ou encore les Marchés d'Intérêt National (MIN), dans la filière des fruits et légumes, correspondent à ce mode de distribution ;
- à l'opposé, le canal intégré réunit tous les niveaux du canal, de la production à la vente au détail, sous l'autorité d'une même entité économique et juridique. Les succursales des banques et des constructeurs automobiles illustrent cette stratégie d'intégration. Les objectifs sont alors de réduire l'incertitude pouvant résulter des choix stratégiques des intermédiaires, et de chercher à réaliser un maximum d'économies d'échelle.

Entre ces deux formes extrêmes prennent place deux formes intermédiaires d'organisation du canal :

- le canal administré voit l'une des institutions prendre le contrôle du fonctionnement des autres niveaux du canal à travers son pouvoir d'influence. Même si les autres niveaux du canal sont économiquement et juridiquement indépendants, ils acceptent les normes fixées par le leader du canal, souvent en raison de la légitimité qui lui est attribuée. La distribution sélective en parfumerie est un exemple de canal administré par les entreprises productrices ;
- le canal contractuel permet de stabiliser les relations entre les membres du canal à travers un contrat qui spécifie les engagements respectifs des membres du canal pour une durée fixée. Le contrat de concession ou d'agence, la chaîne volontaire, la coopérative de détaillants et la franchise sont les principales formes de contractualisation des relations dans les canaux.

Le choix d'une forme d'organisation du canal doit pendre en compte non seulement des paramètres économiques et stratégiques, mais aussi des contraintes légales et institutionnelles : les autorités nationales et supranationales de la concurrence veillent en effet attentivement à ce que des pratiques de distribution sélective n'aboutissent pas à des positions anticoncurrentielles. La distribution sélective est notamment très réglementée, et son champ d'application possible de plus en plus restreint.

La gestion économique du canal

La théorie microéconomique identifie précisément les deux objectifs de la gestion du canal de distribution : maximiser l'utilité du client final et minimiser le coût de distribution. Si les évolutions du volume des ventes et de la part de marché constituent des indicateurs indirects de la création de valeur pour le client et de l'adéquation de l'offre du canal aux attentes de la clientèle, la minimisation du coût de distribution pose des problèmes plus délicats. Deux catégories de coûts de distribution doivent en effet être distinguées :

- des coûts techniques de distribution, qui peuvent être appréhendés par les instruments classiques de la comptabilité analytique : coût du transport, coût du stockage, coûts de la non-qualité (ruptures de stock, pertes et détériorations). L'évolution des systèmes d'information rend la mesure de ces coûts accessible assez facilement ;
- des coûts de transaction, c'est-à-dire les coûts supportés par un membre du canal au titre de l'existence et du fonctionnement de ce canal. Selon la théorie des coûts de transaction, ceux-ci seront d'autant plus élevés que les agents doivent détenir des actifs spécifiques, c'est-à-dire réaliser des investissements dédiés exclusivement à un partenaire, et que les autres agents sont susceptibles d'adopter un comportement opportuniste, c'est-à-dire de tirer parti de leur position favorable dans le canal pour obtenir des bénéfices au détriment de leurs partenaires.

La prise en compte du coût global de distribution est un facteur déterminant dans l'adoption de nouvelles pratiques de gestion du canal :

- l'arbitrage entre une centralisation mondiale des achats par les distributeurs *(global sourcing)* et des approvisionnements locaux : la centralisation peut permettre de bénéficier d'effets de volume, donc de prix, mais accroît la vulnérabilité en matière de coûts de transport et de coûts de transaction (incertitude sur la fiabilité de fournisseurs peu connus, risque de dépendance à l'égard d'un fournisseur qui peut être tenté par des conduites opportunistes) ;

- l'organisation des flux physiques et des échanges d'information dans le canal s'appuie sur de nouvelles pratiques de gestion de la chaîne d'approvisionnement *(Supply Chain Management)* : définition concertée des prévisions de ventes par les distributeurs et les fournisseurs, centralisation de la gestion des stocks, coordination des actions promotionnelles décidées par les producteurs et par les détaillants (pratiques de gestion concertée de planification des approvisionnements, *Cooperative Planning and Forecasting of Replenishments*) ;
- l'arbitrage entre intégration et délégation de la distribution est influencé par la prise en compte des coûts de transaction. Dans la distribution textile, par exemple, la franchise est de moins en moins utilisée par les plus grands détaillants mondiaux au profit du succursalisme qui garantit un contrôle strict des pratiques commerciales des magasins et du fonctionnement du canal : Gap, H & M et Zara pratiquent une croissance intégrée de leurs magasins.

La gestion des relations dans le canal

L'analyse des coûts et de la création de valeur pour le client doit être complétée par la reconnaissance du caractère inter organisationnel du canal de distribution : les institutions qui le composent développent des relations qui ne se réduisent pas aux seuls indicateurs économiques. Les aspects comportementaux du fonctionnement du canal doivent également être pris en compte. Ils s'articulent autour de deux problématiques interdépendantes.

Le pouvoir et le conflit : l'analyse des phénomènes de pouvoir est au cœur de la compréhension des processus transactionnels. Une institution qui bénéficie d'un certain pouvoir sur les autres, grâce à sa taille ou son expertise dans un domaine particulier, cherchera souvent à l'exploiter pour améliorer les termes des transactions qu'elle réalise. Mais l'institution subordonnée peut tenter de se soustraire à ce pouvoir, ou encore de le combattre. Le fonctionnement du canal de distribution peut ainsi être appréhendé en distinguant des stratégies d'affrontement, de résistance ou d'évitement, mais aussi en analysant les situations de conflit et les actions engagées pour tenter de les résoudre. Ces phénomènes de pouvoir et de conflit sont plus fréquents sur des marchés de produits aisément substituables, pour lesquels de nombreux fournisseurs sont en concurrence et où le prix est le principal critère de négociation. Le développement des pratiques d'enchères inversées *(reverse auctions)* sur les places de marché électroniques est une forme particulièrement exacerbée de l'affrontement transactionnel entre membres d'un même canal.

La confiance et la coopération : sur de nombreux marchés, les transactions ne peuvent se réaliser que si les membres du canal sont prêts à s'engager dans une relation à long terme qui exige un minimum de confiance réciproque. Une telle situation est très fréquente sur les marchés industriels : il n'est pas rare que le producteur confie aux distributeurs des fonctions stratégiques de relations avec la clientèle, ce qui exige une confiance mutuelle. Cette confiance devient parfois un véritable actif incorporel qui contribue de manière décisive à la création de valeur. De nombreuses recherches empiriques ont pu montrer que la consolidation de la relation de partenariat entre les membres du canal était la stratégie la plus économique en cas de forte incertitude autour des caractéristiques de la demande et lorsque le produit est accompagné de services importants.

Les pratiques de coopération entre producteurs et grande distribution

Des pratiques standardisées d'échanges d'informations et de concertation entre industriels et détaillants se sont développées, favorisées par les progrès des échanges de données informatisées.

L'ECR (Efficient Consumer Response) vise à définir les choix d'assortiment en fonction des attentes de la clientèle d'une enseigne et à organiser les flux d'approvisionnements en vue de minimiser à la fois les coûts logistiques et les ruptures de stocks.

La gestion par catégories *(Category Management)* consiste à déléguer à un fournisseur principal *(Category Captain)* la constitution de l'assortiment, la définition du merchandising et la politique d'approvisionnement pour une famille de produits.

Le *Supply Chain Management* recouvre l'organisation de l'ensemble des interactions entre les participants au canal logistique. Sa mise en œuvre s'appuie notamment sur l'exploitation des gains de productivité procurés par des innovations techniques telles que la traçabilité électronique des produits (*Radio Frequency Identification*, ou RFID).

Le *Trade Marketing* regroupe l'ensemble des pratiques de concertation permettant d'optimiser les actions promotionnelles et commerciales développées à la fois par les fournisseurs et les détaillants.

La gestion du canal de distribution mobilise des ressources importantes. Elle exige en particulier le développement d'un système d'information permettant d'évaluer l'adéquation de l'offre à la demande, la position concurrentielle du canal par rapport aux canaux concurrents, les principaux indicateurs économiques de la performance du canal, mais aussi le climat qui entoure les relations entre les membres du canal.

LA GESTION DE LA RELATION AVEC LE CLIENT

Si la gestion du canal représente un enjeu majeur de la politique marketing des firmes, la gestion du commerce de détail, c'est-à-dire de l'interface entre le canal et l'acheteur final, constitue une spécialité de gestion à part entière.

Typologie des formes de relation avec le client final

Si le commerce de détail est sans doute l'une des plus anciennes activités économiques de l'humanité, la diversité de ses formes de vente et la dynamique de leur évolution constituent ses principales spécificités. On peut distinguer les formes de vente en fonction de deux critères : le recours ou non à un magasin et le recours ou non à une relation personnelle lors de la vente. On distingue ainsi quatre types de vente :

- la vente en magasin avec relation personnelle est le prolongement de l'activité des boutiques de l'Antiquité. Le détaillant propose un assortiment en magasin et assiste le client lors de son achat (boutique textile, négoce de matériaux de construction) ;

- la vente en magasin libre-service est apparu vers 1920 aux États-Unis ; le libre-service consiste à proposer l'assortiment du point de vente en libre choix à la clientèle. Le supermarché (grande consommation) et le *cash and carry* (marchés professionnels) en sont des illustrations ;
- la vente personnelle sans magasin : le vendeur va au contact de son client pour le rencontrer à son domicile ou dans l'entreprise ;
- la vente sans magasin sans relation personnelle est le domaine de la vente à distance, d'abord par catalogue, puis à travers tous les modes de communication contemporains (*mailing*, téléphone, Internet).

Une caractéristique originale de la dynamique commerciale est la survie de toutes les formes de vente, y compris les plus anciennes (la tournée de Chine par exemple), en dépit de l'apparition de nouveaux formats de distribution. Chaque forme de vente possède en effet des attributs spécifiques qui la rendent plus ou moins attractive pour différents segments. Des formes de vente apparemment archaïques conservent ainsi une niche de clientèle qui reste attachée aux spécificités de leur offre.

La distribution en *B to B*

La distribution interentreprises recouvre deux catégories d'activités très différentes.

La distribution de produits très standardisés, facilement substituables en raison de la présence de nombreux fournisseurs : les approvisionnements de l'entreprise ne sont pas alors très différents de l'achat de produits de grande consommation. Les critères de prix, de disponibilité et de services lors de l'achat sont déterminants. La vente en détail peut être faite dans des points de vente spécialisés (*cash and carry* pour les entreprises de restauration, grandes surfaces spécialisées dans les fournitures de bureau) et par des circuits de vente à distance par catalogue, par téléphone ou par commerce électronique. Lorsque le client achète de très grandes quantités d'un de ces produits, il peut même trouver intérêt à recourir à des enchères inversées sur une place de marché électronique.

La distribution de produits techniques, faiblement substituables, stratégiques en raison de leur importance dans le cycle de production du client (composants, produits intermédiaires) : la procédure d'achat est alors plus complexe et met en œuvre des procédures d'interactions structurées entre acheteurs et fournisseurs potentiels. Les modalités de livraison du produit sont négociées spécifiquement afin de rechercher un mode de distribution le plus efficace possible.

Le commerce de détail

Le commerce de détail est devenu un secteur d'activité majeur dans les économies industrielles. Outre sa fonction économique d'accès à l'acheteur final, il est une source importante d'emplois et contribue de manière décisive à la vie sociale. Les débats autour des horaires d'ouverture des magasins en Allemagne et de l'ouverture dominicale en France attestent de l'importance que revêt aux yeux des consommateurs l'activité de fréquentation des commerces de détail.

Les principaux formats de vente au détail

La grande surface alimentaire (GSA) : supermarché (400 à 2 500 m^2) et hypermarché (plus de 2 500 m^2) proposent un assortiment à dominante alimentaire, complété par des lignes de produits non alimentaires plus ou moins développées. *Exemples : Wal Mart, Carrefour, Tesco.*

Le hard discount est un magasin dont l'assortiment est limité à une catégorie de produits (alimentaire, textile, bricolage). Le choix est réduit (souvent une seule référence pour un produit), les services inexistants, mais les prix sont en général les plus bas du marché. *Exemples : Aldi, Leader Price, Kaufland, Brico Dépôt.*

La grande surface spécialisée (GSS) propose un assortiment très complet pour une catégorie de produits (bricolage, sport, produits culturels, meubles). La gamme de prix est étendue et des services sont proposés à la clientèle, notamment en termes de conseils lors de l'achat. *Exemples : IKEA, Fnac, H & M.*

Le grand magasin : première forme de vente moderne apparue en 1852 en France (le Bon Marché), il propose un assortiment très large et très profond de toutes les catégories de produits, avec un personnel de vente nombreux pour conseiller le client. Facteur très important d'animation du centre des villes, il est sévèrement concurrencé dans tous les pays par le commerce périphérique. *Exemples : Galeries Lafayette, Karstadt, El Corte Inglès.*

La vente à distance regroupe toutes les formes de vente au détail qui ne recourent pas à un magasin pour assurer la relation avec l'acheteur final. On y trouve la vente par catalogue, par téléphone, par télévision interactive (téléshopping) et, bien sûr, le commerce électronique à travers Internet. *Exemples : La Redoute, Amazon.com*

Ce secteur a toujours été caractérisé par une intense concurrence : l'absence de barrières à l'entrée et la facilité d'imitation des innovations réussies confèrent au commerce de détail une dynamique d'évolution très rapide qui contraint les détaillants à une très grande flexibilité de leurs pratiques et de leur organisation pour répondre aux évolutions du marché.

Des pratiques standardisées d'échange d'information et de concertation entre industriels et détaillants se sont développées, favorisées par les progrès des échanges de données. Quatre domaines stratégiques caractérisent la gestion de l'entreprise de commerce de détail.

La localisation des points de vente

Le choix de l'implantation d'un nouveau magasin est une décision complexe, rendue plus difficile encore du fait des contraintes d'urbanisme commercial instaurées par la majorité des États (loi Raffarin de 1996, en France). Des modèles de simulation mettant en œuvre les méthodes du géomarketing permettent de calculer la zone de chalandise prévisionnelle du point de vente et le volume d'activité qu'elle est susceptible de procurer.

La conception de l'aménagement du point de vente et le merchandising

La surface de vente est toujours trop faible par rapport à la quantité de produits disponibles sur le marché. Le détaillant doit donc déterminer un assortiment optimum en fonction de la structure de sa clientèle, du positionnement qu'il a choisi, et de son environnement concurrentiel. Le mode de présentation de l'assortiment jusqu'au stade ultime du rayon relève du merchandising, souvent défini en concertation avec les fournisseurs. Deux styles d'implantation dominent le marché :

- l'implantation à partir des familles de produits, la plus traditionnelle ;

- l'implantation par univers qui cherche à regrouper les produits en fonction de catégories pertinentes pour le client (par exemple, tous les produits susceptibles d'être consommés au petit-déjeuner, qu'il s'agisse de produits frais, de boissons ou de produits d'épicerie sèche).

Le positionnement de l'enseigne

Le statut de l'enseigne du point de vente se rapproche de plus en plus dans l'esprit du consommateur de celui d'une marque. Le détaillant doit donc définir avec précision le territoire que son enseigne doit occuper par rapport à la concurrence et communiquer ce positionnement à travers les différents vecteurs de communication qu'il peut mettre en œuvre.

La politique de services

L'offre des détaillants s'est constamment enrichie pour incorporer une part croissante de services, qu'il s'agisse de services lors de la vente (livraison à domicile, crédit, caisses réservées à certains clients), ou de services périphériques (assurances, voyages, spectacles, formations). Le point de vente tend alors à devenir un espace de consommation complexe, que le client fréquente à la fois pour répondre à des besoins fonctionnels d'approvisionnements, mais aussi parfois comme un lieu de loisirs et d'expériences hédonistes. Les très grands centres commerciaux tels que Mall of America, à Minneapolis, ou Val d'Europe, en France, mais aussi des enseignes comme Nature et Découvertes ou Citadium fondent leur positionnement sur une offre de commerce expérientiel alliant achat et loisirs.

LES ENJEUX STRATÉGIQUES DE LA DISTRIBUTION

Le secteur de la distribution évolue sous la double influence de son environnement et de ses propres facteurs de dynamique interne. Trois évolutions majeures caractérisent les canaux de distribution contemporains.

L'internationalisation de la distribution

La mondialisation des marchés et des échanges induit une ouverture internationale des canaux de distribution, encore limitée, mais qui tend à s'accélérer.

L'élargissement des sources d'approvisionnement est une première forme d'internationalisation de la distribution. Non seulement les distributeurs n'hésitent plus à sélectionner des industriels établis très loin de leur marché domestique, mais ils s'engagent aussi dans la constitution de centrales d'achat internationales destinées à consolider les achats de plusieurs détaillants implantés sur des marchés géographiques distincts (donc non directement concurrents), en vue d'améliorer leurs conditions de négociation avec les fournisseurs. Le développement des places de marché électroniques a stimulé cette internationalisation des achats. Des places de marché électroniques impliquant des détaillants et leurs fournisseurs (Agentrics ou Retail Net par exemple) permettent désormais à plusieurs centaines de détaillants de disposer de structures communes pour repérer des fournisseurs *(e-sourcing)*, passer des commandes *(e-procurement)* ou élaborer des cahiers des charges pour des produits sous marque de distributeur *(e-tendering)*.

Le développement de réseaux internationaux de points de vente est une seconde forme d'internationalisation. Cette évolution récente est très rapide. Elle a conduit à l'émergence de détaillants multinationaux qui tentent d'optimiser les risques inhérents à cette stratégie en combinant des implantations dans des marchés en phase de maturité (Europe de l'Ouest, Amérique du Nord), des marchés à démographie stable et croissance économique forte (Europe de l'Est) et des marchés à forte dynamique démographique et économique (Asie du Sud-Est, Chine, Amérique latine). L'internationalisation concerne à la fois des détaillants spécialisés (IKEA, H & M, Zara), des distributeurs à dominante alimentaire (Carrefour, Metro, Wal Mart, Tesco) et, plus récemment, des détaillants électroniques (Amazon.com).

Le choix du degré d'intermédiation

Le canal de distribution le plus court, c'est-à-dire celui qui compte le moins d'intermédiaires entre le producteur et l'acheteur final, a longtemps été perçu comme la structure de distribution la moins coûteuse. Cette conception est largement remise en cause : le recours à des intermédiaires permet de réduire le coût de distribution, même s'il allonge le canal. C'est ainsi que le développement des centrales d'achat par les groupes de distribution au détail leur a permis d'améliorer constamment leurs conditions d'approvisionnement auprès de leurs fournisseurs, et ainsi leur rentabilité. Le choix du degré d'intermédiation optimal doit prendre en compte deux contributions possibles des intermédiaires à la réduction du coût de distribution :

- la réalisation d'économies d'échelle par la consolidation des volumes d'opérations : ce mécanisme est à l'œuvre dans les centrales d'achat, mais aussi dans la délégation à des prestataires logistiques d'activité supportant des coûts fixes importants (transport, stockage, opérations de groupage, éclatement, ou *cross docking*) ;
- la maîtrise d'effets d'expérience pour la réalisation de certaines opérations le long du canal de distribution. Cette contrainte prend, par exemple, tout son sens dans le cas du commerce électronique. En effet, le savoir-faire nécessaire pour concevoir un site de e-commerce et gérer les transactions en ligne avec les clients n'a rien de commun avec les compétences logistiques nécessaires pour assurer la distribution physique du produit jusqu'au client (logistique du dernier kilomètre). Le recours à une place de marché électronique spécialisée s'avère aussi un choix pertinent pour un détaillant traditionnel de préférence à la création *ex nihilo* d'une structure intégrée en raison de la spécificité des compétences nécessaires.

La conjonction de cette recherche d'effets d'échelle et d'expérience conduit au développement de formes organisationnelles complexes, combinant des activités intégrées et des activités déléguées à des prestataires extérieurs, suivant des modalités que la théorie des coûts de transaction ou la théorie de l'agence permettent généralement d'expliquer.

La généralisation de la distribution multicanal

Deux facteurs se conjuguent pour favoriser le développement de systèmes de distribution combinant plusieurs canaux pour assurer la distribution des produits ou services d'une même firme :

- d'une part, l'évolution du comportement du consommateur conduit à une fragmentation croissante des marchés, les segments étant de plus en plus étroits et instables, tandis que les exigences des acheteurs augmentent (possibilité d'accéder au produit ou service à n'importe quelle heure et en n'importe quel lieu par exemple) ;

- d'autre part, la croissance du commerce électronique conduit désormais pratiquement tous les agents économiques à envisager leur activité à la fois à travers des canaux physiques (stratégie *brick and mortar*) et à travers des canaux virtuels sur Internet complétant les canaux physiques (stratégie *click and mortar*).

La combinaison de ces différents canaux a fait apparaître de nouveaux problèmes de gestion pour les entreprises : comment réaliser une véritable convergence de tous les canaux pour qu'ils proposent la même offre à un client ? Comment traiter les différences de coûts entre canaux et les répercuter dans le prix de vente ? Comment éviter les conflits entre canaux intégrés et canaux délégués ?

Le secteur de la distribution est donc plus que jamais au cœur des stratégies de croissance et de concurrence des entreprises, qu'il s'agisse des producteurs de biens et services, des détaillants ou des intermédiaires.

L'émergence de la distribution multicanal : le secteur bancaire en Europe

La distribution est une activité primordiale pour le secteur bancaire. La banque est une activité d'intermédiation dont le canal de distribution remplit deux missions : collecter des ressources, et diffuser des produits et services. Le secteur bancaire européen n'échappe pas aux tendances à la concentration et à l'internationalisation de la concurrence qui caractérisent tous les secteurs d'activités. En outre, les progrès des techniques de traitement de l'information exercent un impact considérable sur les pratiques du secteur bancaire qui doit faire face à une série d'évolutions simultanées de grande ampleur dans son métier.

Nouvelles technologies et politique de distribution

Les technologies de l'information permettent d'envisager le fonctionnement du secteur bancaire sur des bases radicalement différentes des pratiques traditionnelles. Alors que la relation du client avec la banque passe à la fois par une présence physique de celle-ci à proximité du client (succursales) et par une relation personnelle du client avec un conseiller, il est envisageable de substituer à cette proximité personnelle et physique une proximité virtuelle en centralisant en un même lieu toutes les activités de support des relations avec la clientèle et en les rendant accessibles aux clients par le biais d'Internet ou du téléphone. L'intérêt économique de cette adaptation est aisément perceptible : si les activités de *back office* des banques sont depuis longtemps centralisées pour réaliser des effets d'échelle, les activités de *front office* sont totalement décentralisées dans le cadre de vastes réseaux de distribution (plusieurs milliers de points de vente pour les plus grandes banques à réseau européennes).

Deux options stratégiques principales sont envisageables par les banques :

- compléter l'offre des succursales existantes par une offre virtuelle (centres d'appel téléphoniques et services Internet). L'objectif est de concentrer l'activité des succursales sur la relation personnelle avec la clientèle, tandis que les opérations à faible valeur ajoutée seront déplacées vers des automates ou des prestations à distance ;
- réduire très fortement la présence physique en supprimant un maximum de succursales pour faire basculer toutes les activités, y compris de conseil,

vers la banque à distance. La forme ultime de cette stratégie est la pure banque virtuelle, sans aucune présence physique.

Les choix des banques européennes dépendent principalement du comportement de leurs clients et de la facilité à leur faire accepter la disparition de la relation personnelle :

- dans certains pays comme la Grande-Bretagne, où le client se déplace traditionnellement peu à la succursale, l'acceptabilité de la banque à distance a été très forte ;
- dans d'autres pays (France, Allemagne) où le client valorise au contraire le contact avec la succursale, le développement des nouvelles formes de distribution virtuelle est perçu comme un complément de l'offre physique qui ne saurait pour l'instant être réduite. L'échec de la banque en ligne britannique Egg sur le marché français met en évidence la nécessité de disposer d'un réseau de succursales ;
- enfin, les établissements spécialisés qui proposent une gamme de produits très restreinte (crédit ou épargne) semblent pouvoir recourir, partout en Europe, à une distribution à distance (exemple du Néerlandais ING).

Concentration et politique de distribution

La concentration des établissements pose également la question de la structure du canal de distribution issu de la fusion de deux réseaux. Deux stratégies opposées peuvent à nouveau être observées :

- en Grande-Bretagne, au Portugal et en Espagne, l'attachement du client à la « marque » du réseau est faible. Les rapprochements entre banques ont donc abouti à une réduction très forte du nombre de réseaux concurrents, chacun étant intégré sous une seule marque ;
- en France, en Italie ou en Allemagne, la segmentation de chaque réseau est très forte et se traduit par une grande fidélité du client à la marque bancaire. Les opérations de concentration ont consolidé les activités de *back office*, tandis que les réseaux restaient pratiquement inchangés et conservaient en tout état de cause les marques présentes avant le rapprochement.

Le secteur bancaire européen constitue une illustration très parlante des problèmes de distribution multicanal : co-existence de plusieurs technologies de distribution et co-existence de marques différentes pour chaque canal.

CE QU'IL FAUT RETENIR

- La gestion du canal de distribution doit poursuivre simultanément deux objectifs : assurer l'efficience économique du canal en même temps que la qualité des relations entre les membres du canal.
- Le fonctionnement du canal repose sur un équilibre fragile entre deux tensions antagonistes : la recherche du pouvoir et la nécessité de préserver la confiance.
- Plutôt que d'opposer les canaux de distribution sur les marchés industriels et les marchés de grande consommation, il est plus pertinent de distinguer les canaux de distribution de produits aisément substituables, standardisés, proposés par un grand nombre de fournisseurs, et les canaux de produits différenciés qui reposent sur le développement d'une forte interaction entre fournisseurs et acheteurs.
- Le recours à un intermédiaire spécialisé est souvent un moyen efficace de réduire le coût de distribution, grâce aux effets d'échelle et d'expérience que peut procurer cet intermédiaire.
- L'offre de prix bas par le commerce de détail est devenue une attente commune à la majorité des segments d'acheteurs. La différenciation des enseignes doit donc s'appuyer sur d'autres vecteurs de positionnement : composition de l'assortiment, théâtralisation de l'offre en magasin, services.
- Le développement du commerce électronique est très contrasté : le volume de transactions qu'il génère dans les relations interentreprises est très important, alors que son adoption par le public sur les marchés de grande consommation est plus graduelle. Le commerce électronique *B to C* reste tributaire de l'amélioration des circuits logistiques vers le client final, et ne semble pas devoir remplacer le magasin dont la visite demeure une importante source de gratifications pour le client.
- La multiplication des formes de vente au détail rend nécessaire la recherche de l'optimisation d'une distribution multiple pour tous les distributeurs, firmes et producteurs.

BIBLIOGRAPHIE DE RÉFÉRENCE

Marc BENOUN, Marie-Louise HELIES-HASSID, *Distribution - Acteurs et stratégies*, 3e éd., éd. Economica, 2003.

Enrico COLLA, *La grande distribution européenne*, 2e éd., éd. Vuibert, 2001.

André FADY, Valérie RENAUDIN et Dany VYT, *Le Merchandising*, 6e éd., éd. Vuibert, 2007.

Marc FILSER, Véronique des GARETS, Gilles PACHE, *La distribution : organisation et stratégie*, EMS, 2001.

Claire MARTICHOUX, *La promotion des ventes*, Éditions d'Organisation, 2003.

Gille PACHE et Alain SPALANZANI (dir.), *La gestion des chaînes logistiques multi-acteurs : perspectives stratégiques*, PUG, 2007.

Paco UNDERHILL, *La science du shopping*, éd. Village Mondial, 2004.

Commercialisation

Politique de prix

Par PIERRE DESMET

Professeur agrégé à l'université Paris-Dauphine et à l'ESSEC. Auteur d'ouvrages et d'articles en marketing dans le domaine du prix, de la promotion des ventes et du marketing direct avec un intérêt particulier pour les méthodologies.

Décider d'un prix paraît souvent une décision simple, notamment si l'on part des coûts auxquels on ajoute une marge. Or, la décision doit nécessairement prendre en compte d'autres acteurs dont les comportements vont influencer la rentabilité finale : les clients et la concurrence. Une bonne politique de prix doit s'appuyer sur la compréhension et l'anticipation des conséquences des décisions sur ces trois dimensions. La mise en œuvre de la politique de prix nécessite de comprendre que le prix est en fait le résultat d'une perception par le client et qu'il faut donc apporter un soin particulier à son expression et à sa communication. Pour cela, la politique tarifaire doit mettre en place différents compteurs des activités du client pour permettre de pratiquer différentes offres (prix unitaire, forfait) et être accompagnée d'une politique promotionnelle permettant de mettre en place des réductions temporaires.

Les enjeux de la Logan

La société Renault a décidé de lancer un véhicule d'entrée de gamme dans le segment des berlines, la Logan. Le positionnement du véhicule correspond à « la qualité satisfaisante pour un prix abordable ». Le véhicule répond, en effet, aux normes européennes en matière d'environnement et de sécurité et propose au client la simplicité, la fiabilité pour un prix significativement plus faible que celui des voitures de taille équivalente.

Quels marchés et segments ?

Le véhicule et son prix concernent plusieurs segments de clientèle. Il est d'abord destiné aux consommateurs des pays émergents dont le revenu est plus faible que celui des consommateurs d'Europe de l'Ouest. Il faut donc ajuster le prix de vente au revenu, réduire les coûts sans sacrifier la qualité exprimée par la fiabilité.

La Logan est aussi destinée aux marchés mûrs et importée en France. Sur le marché du neuf, elle cible plusieurs segments de clientèle :

- ceux ayant des contraintes de revenu (*primo* équipement des jeunes) ou de budget (multiples équipements) ;
- un segment qui ne valorise pas les équipements supplémentaires synonymes de complexité, d'inutilité et de risques de panne ;
- un segment à faible implication dans l'automobile pour qui elle n'est pas un équipement symbolique, expression de valeurs personnelles, mais un objet avec lequel ils ont un rapport distancié. Sur le marché

de l'occasion, un segment peut aussi être tenté par cette offre par une analyse du coût global de la voiture, intégrant prix d'achat et faibles frais d'entretien.

Quelle cohérence stratégique ?

Sur le marché automobile, la politique de prix adoptée par une large partie des producteurs consiste à maintenir, voire à augmenter, le niveau du prix moyen. Il faut donc limiter l'érosion de la valeur perçue qui découle de la diminution de la nouveauté perçue avec l'âge du véhicule. Cette valeur de nouveauté est donc relancée par des adaptations régulières de la carrosserie *(relooking)* ou compensée en fin de vie par l'ajout d'équipements accroissant la valeur utilitaire du véhicule. Les alternatives à bas prix n'existaient que sur le marché de l'occasion ou sur le marché neuf avec des marques étrangères peu connues, au réseau de service peu étendu, qui bénéficiaient d'une qualité perçue moindre. L'arrivée d'une offre crédible d'une marque forte sur un produit d'entrée de gamme fournit une alternative intéressante aux segments de marché qui recherchent un prix bas sans transiger sur la qualité. Au-delà du risque de baisse du prix moyen d'un véhicule, c'est l'ensemble du marché qui va prendre conscience du coût réel de la sophistication et de la nouveauté par l'existence de ce véhicule dont le prix peut devenir une référence. Il faudra alors justifier la valeur de tous les équipements supplémentaires.

Quatre décisions sont passées en revue : les principes généraux de la fixation d'un prix, les éléments clés pour comprendre la valeur, la politique tarifaire et ses variantes et, finalement, les évolutions permanentes ou promotionnelles du prix.

FIXATION D'UN PRIX

Fixer un prix, c'est rechercher une rentabilité maximale (ou un autre objectif) par un délicat équilibre à trouver entre la rentabilité unitaire et les volumes. Un prix unitaire plus élevé accroît la marge unitaire, mais a aussi tendance à réduire les volumes vendus. La compréhension de la relation prix-volume nécessite la prise en compte, d'une part, de la valeur perçue par le client et, d'autre part, des décisions et réactions des concurrents.

La politique de prix comprend toutes les décisions concernant les prix, qu'il s'agisse du prix d'un nouveau produit, de la décision de l'élaboration d'un tarif, d'une modification d'un prix (hausse ou baisse) ainsi que des promotions et remises qui fournissent des opportunités de baisses temporaires et ciblées.

Les étapes de la fixation d'un prix

Hiérarchiser les objectifs et les contraintes.

Connaître et respecter la réglementation.

Comprendre et mesurer les coûts.

Se placer dans le jeu concurrentiel.

Évaluer la demande.

Choisir une méthode de fixation du prix.

Fixer le prix.

Hiérarchiser les objectifs et identifier les contraintes

Le prix est une composante active du mix marketing. Sa fixation ne doit pas correspondre à une mécanique purement comptable, mais correspondre à une stratégie réfléchie. La décision est prise en fonction d'un objectif prioritaire, habituellement celui du maximum de profit, qui peut être modulé selon l'horizon temporel pris en compte pour la rentabilité.

L'objectif prioritaire

Il correspond généralement à une maximisation du profit à moyen terme. Cela nécessite d'intégrer les conséquences, immédiates et différées, des décisions de prix à la fois sur les ventes et sur les coûts. Augmenter le prix accroît la marge unitaire, mais fait normalement baisser les ventes et peut donc accroître le prix de revient car la capacité de production est moins bien utilisée et les coûts fixes sont les mêmes, ce qui, en retour, réduit le profit unitaire. Le critère de décision est simplifié lorsque les coûts ne sont pas directement pris en compte (très faibles coûts variables, capacité fixe), il suffit alors de maximiser le chiffre d'affaires ou la marge.

Enfin, la décision du prix peut, malheureusement assez souvent, correspondre principalement à un objectif de volume (maximisation du taux d'utilisation de la capacité de production ou maximisation de la part de marché). Notamment pour un producteur qui doit optimiser l'utilisation de son outil industriel, du fait de l'importance des coûts fixes, ou lorsque la position de leader sur un marché permet de bénéficier d'avantages de coûts spécifiques ou, enfin, parce que la commercialisation est indépendante avec un objectif de volume et un budget. Cette dernière stratégie, assez réductrice, a été souvent suggérée pour l'obtention d'un avantage de coûts durablement plus faibles grâce à la courbe d'apprentissage et aux économies d'échelles.

Au-delà de ces objectifs quantitatifs, l'intégration dans la gamme de prix très élevés ou très faibles correspond à un objectif d'image avec la modification de l'image de la marque ou de l'enseigne ou la valorisation par contraste des autres prix proposés.

Une décision de prix peut directement concerner la concurrence. Sont interdites, parce que anti-concurrentielles, les pratiques qui conduisent à une baisse de prix agressive dans le cadre d'une guerre de prix (interdiction de la revente à perte), ou de la fixation d'un prix à un niveau si bas qu'il dissuade l'entrée ou fait sortir du marché les concurrents (prix prédateurs).

L'horizon de la décision (court ou moyen terme)

Sur les marchés à maturité, l'horizon de court terme prévaut car les effets temporels des décisions sont limités. En revanche, pour les autres phases du cycle de vie, notamment sur les marchés en phase de lancement ou de croissance, le gain de nouveaux acheteurs, qui vont ensuite générer du réachat, peut être un objectif prioritaire. S'opposent alors deux stratégies dont l'une, le prix d'écrémage, maximise la marge unitaire par un prix très élevé alors que la seconde, le prix de pénétration, favorise le développement du nombre d'acheteurs aux dépens de la rentabilité immédiate. Cette dernière stratégie peut même aller jusqu'à la gratuité temporaire comme on a pu l'observer sur Internet. La stratégie d'écrémage permet un retour sur investissement plus rapide face à un nouveau marché, captif ou peu sensible au prix (innovateurs), sur lequel n'existe pas de prix de référence et protégé temporairement de l'entrée des concurrents attirés par les fortes marges. Elle repose sur l'hypothèse d'une élasticité au prix croissante avec le temps. La seconde vise l'acquisition d'une position dominante sur un marché et la restriction de la concurrence pour appliquer ensuite un prix rémunérateur en jouant sur l'inertie et l'habitude des utilisateurs.

La réglementation à respecter

Interdiction de la publicité trompeuse, mensongère ou de nature à induire en erreur.

Interdiction des ententes entre les vendeurs pour limiter la concurrence.

Interdiction de la revente à perte, en dessous du Seuil de Revente à Perte (SRP).

Interdiction du refus de vente.

Interdiction de l'abus de position dominante.

Interdiction d'imposer aux distributeurs un prix ou une marge.

Interdiction de la discrimination entre les acheteurs : à conditions d'achat identiques, prix identiques.

Interdiction des ventes liées.

Connaître et respecter la réglementation

Au-delà des secteurs pour lesquels l'État peut restreindre la liberté de fixation de prix (médicaments, livres), la réglementation repose sur le principe des bienfaits d'une saine concurrence entre les vendeurs. En plus du non-respect des engagements contractuels de base, sont donc interdites les actions susceptibles de réduire la concurrence ou de permettre un abus de position dominante.

Comprendre et mesurer les coûts

La compréhension et la mesure des coûts constituent un préalable indispensable à la fixation d'un prix qui, si l'entreprise dégage du profit, doit toujours leur être supérieur. Parce que les données internes sont mieux connues, les coûts constituent souvent le point de départ et, parfois, l'unique approche pour le calcul du prix.

L'activité comporte souvent deux composantes (production, commercialisation) dont les coûts répondent à des logiques différentes. Le coût de production d'une unité supplémentaire (coût marginal) est souvent très faible à un niveau de production donné comme le coût d'un passager supplémentaire dans un avion. Lorsque la production est continue, le coût variable unitaire regroupe les coûts directement proportionnels au volume produit. La différence entre le prix et le coût variable représente la marge unitaire qui contribue à la couverture des coûts fixes puis au profit. Le contrôle de gestion permet en outre d'obtenir, de manière historique ou prévisionnelle, le prix de revient ou le coût complet obtenu par la division du coût total (fixe et variable) par les volumes. Il est important de bien comprendre que ce prix de revient n'est pas fixe, mais dépend du niveau des volumes.

Le prix de revient des produits vendus prend en compte d'autres postes liés à la commercialisation des produits (coût du paiement et des impayés, effort de vente, rotation des stocks, démarque) ce qui explique que même avec un coefficient multiplicateur identique, les taux de marge diffèrent selon les produits.

Se placer dans le jeu concurrentiel

À côté de la valeur absolue du prix qui détermine la taille globale du marché, l'écart entre les prix des alternatives influence la décision relative de l'acheteur et donc la part de marché. En effet, un prix est toujours évalué relativement au contexte par rapport à une référence personnelle ou disponible (concurrence, prix barré).

Le prix est donc fixé, placé dans la structure des prix sur un marché. Cette structure dynamique est modifiée par l'arrivée de nouveaux produits et par la fréquente guerre des prix, une entreprise souhaitant capter un volume plus important par une baisse de prix. Un observatoire de la concurrence, une information sur les prix relatifs sont des éléments importants pour la prise de décision.

La sensibilité à l'écart de prix avec les concurrents directs est la plus forte : un marché est souvent organisé par zones de prix correspondant à des niveaux de qualité. La sensibilité au prix au sein d'une zone de prix est très forte. Mais le décideur doit aussi prendre en compte, d'une part, la concurrence des nouvelles offres qui proposent un prix attractif avec une qualité acceptable et, d'autre part, la concurrence entre réponses technologiques (transport aérien ou ferroviaire).

Évaluer la réaction de la demande au prix

Le prix doit être inférieur à la valeur perçue de l'offre, parfois exprimée sous forme d'un prix maximum acceptable, pour que l'achat soit effectué par le client. Chaque client ayant sa propre perception de la valeur, la demande correspond à une distribution des ventes probables à différents niveaux de prix.

La relation entre prix et volume est complexe et non monotone. Les réactions au prix ne sont pas linéaires et le client semble être réactif de manière plus stable à un prix relatif (écart de prix sur le prix actuel) : la distribution de la demande n'est symétrique qu'après une transformation logarithmique des prix (distribution log-normale). La partie centrale de la courbe (1) est décroissante : un prix plus élevé réduit le nombre de clients. Mais le prix est aussi information : dans la partie basse de la courbe (2), le prix est relié positivement à la demande : lorsque le client ne veut ou ne peut traiter précisément l'information, le prix est un indicateur de la qualité. Un prix trop faible peut entraîner le rejet d'un produit du fait d'un doute sur la qualité. Enfin, le prix est un attribut et peut amener à une demande non nulle, même pour des prix élevés (3) par une rareté et une désirabilité sociale.

La relation entre prix et volume

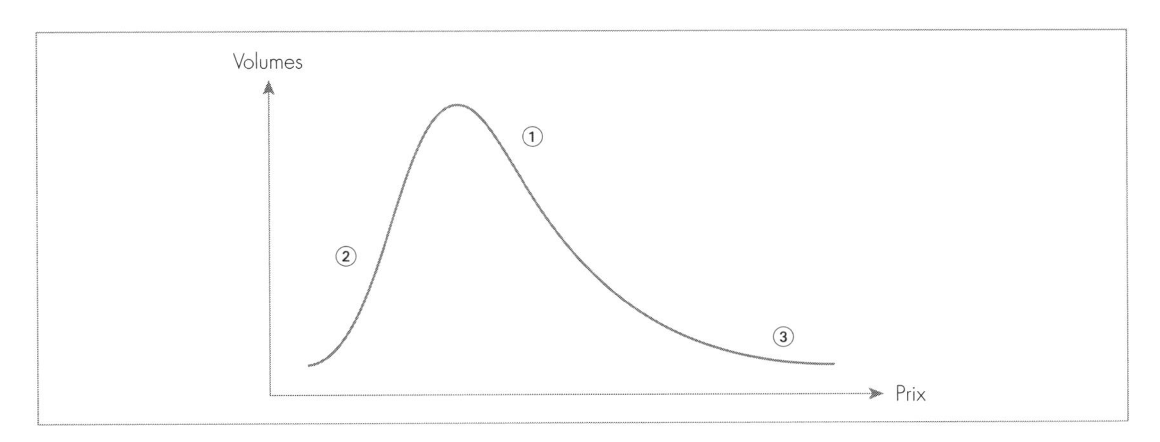

Deux autres facteurs sont à prendre en compte pour comprendre la réaction de la demande : la perception et les émotions. Le prix est le résultat d'une perception. Tant son expression (prix total ou à l'unité par exemple) que sa communication doivent faire l'objet d'un soin attentif. Il faut expliquer, donner des raisons aux décisions et modifications de prix sinon le client, par un processus d'attribution, inférera des raisons : « si le prix baisse, c'est parce que la qualité est moins bonne ». Enfin, le prix est l'objet d'un échange social avec, notamment des normes de réciprocité lors d'échanges répétitifs. L'abus de pouvoir et la fixation d'un prix trop élevé, la perception d'une tromperie peuvent créer des émotions négatives (colère) qui se traduisent par des comportements nuisibles à moyen terme (réclamation, rétorsion, rupture de la relation, bouche-à-oreille négatif).

La réaction de la demande à une variation de prix est mesurée par l'élasticité au prix. Celle-ci est habituellement négative car la demande se réduit lorsque le prix augmente. Lorsqu'elle est proche de -1, de petites variations de prix ne changent pas le montant du chiffre d'affaires. Plus l'élasticité prix est élevée en valeur absolue plus le taux de marge, et donc le prix, doit être faible. La valeur de l'élasticité permet au manager de comparer les conséquences financières de différentes options : vendre moins cher avec de gros volumes ou plus cher avec moins de volumes. Pour des produits de grande consommation, la valeur la plus fréquente serait inférieure à -2.

Élasticité de la demande au prix

L'élasticité au prix est le rapport de la variation en pourcentage des volumes vendus sur la variation en pourcentage du prix. Elle vaut par exemple -1,5 si les ventes passent de 100 à 70 (-30 %) lorsque le prix passe de 10 à 12 (+20 %). Elle est souvent négative, indiquant ainsi que, pour un prix plus élevé, les ventes seront plus faibles. Pour des produits de grande consommation, elle est évaluée à -2 avec de fortes différences selon les marchés, les circuits et les marques. La variation des ventes est créée par différents facteurs (accroissement du nombre d'acheteurs ou des quantités achetées) et peut ne résulter que d'un simple transfert des achats dans le temps.

La variation des volumes dépend de deux sources. La première correspond aux réactions des acheteurs actuels, influencées par la sensibilité au prix, ce qui peut les amener à anticiper et à augmenter leurs achats en cas de baisse de prix. La seconde concerne la variation du nombre des acheteurs, soit par l'importance du segment des clients peu fidèles mais très sensibles au prix qui vient gonfler momentanément le volume des ventes, soit par l'arrivée sur le marché de non-consommateurs. L'élasticité à court terme n'est donc pas représentative de l'accroissement du marché et il faut prendre en compte les effets à moyen terme.

La compréhension de l'univers de concurrence est importante : quel concurrent prend des volumes ou, au contraire, nourrit le développement des ventes ? Une mesure de l'intensité concurrentielle est la notion d'élasticité croisée qui relie, par un rapport, la variation des ventes en pourcentage d'un produit à la variation du prix en pourcentage d'un autre. Pour des produits en concurrence, elle est normalement positive, mais rarement symétrique. Elle serait plus élevée d'une marque de moindre qualité vers une marque de meilleure qualité.

Les études sur panels de consommateurs ou de distributeurs donnent une mesure de l'élasticité des ventes au prix par une approche statistique sur des données des ventes dans le temps, agrégées au niveau des magasins, dans un cadre naturel ou expérimental (zones tests, magasins témoins).

Choisir une méthode de fixation du prix

Plusieurs modes de fixation existent : la fixation par le marché (marché des changes, cours des matières premières), la fixation par le vendeur (produits standardisés), les devis et appels d'offres (produits et services spécifiques) et les enchères ascendantes ou descendantes (prestations spécifiques, produit rare et à faible marché). Ces modes peuvent être combinés et, par exemple, les enchères utilisées pour commercialiser des invendus en complément d'une offre à prix fixes.

La fixation du prix est faite de manière statique à partir des coûts antérieurs et périodique car les coûts d'élaboration et de communication d'une politique de prix peuvent être importants (coût de menu). Les faibles coûts et l'interactivité offerts par Internet permettent d'avoir une approche dynamique par un ajustement interactif du prix à la demande observée.

Le prix de marché

C'est la méthode la plus sommaire qui part d'un prix moyen de marché supposé refléter l'état actuel de l'équilibre entre l'offre et la demande, marginalement ajusté de différences de valeur perçue (immobilier).

La méthode coût plus marge

Elle consiste à appliquer un coefficient à l'une des composantes des coûts (méthode du coefficient multiplicateur), souvent la mieux connue comme le prix d'achat des matières premières, qui devient alors la clé de répartition des autres coûts. À noter que le taux de marge, justifiant le coefficient multiplicateur, est plus souvent calculé sur le prix de vente (marge en dedans) que sur le coût lui-même (marge en dehors). Facile et rapide à appliquer sur un grand nombre de produits, elle est utilisée dans le commerce sur le prix d'achat des marchandises. Lorsque le prix de revient varie, en fonction des quantités vendues, cette démarche n'est pas optimale.

La méthode du point mort

Elle vise à déterminer le couple (prix / niveau minimal des ventes) correspondant au seuil de rentabilité en présence de coûts fixes, au moins par palier de volume, d'un coût variable unitaire constant et en supposant la vente de tous les produits fabriqués. Le point mort est déterminé par le rapport des coûts fixes sur la marge unitaire. Le niveau de ventes est ensuite confronté à la taille du marché et aux ventes prévues. Cet outil, utilisé par les industriels, permet d'évaluer les conséquences des choix marketing qui influencent les coûts fixes (publicité), variables (commission des vendeurs, remises) ou le prix. Par exemple, combien faut-il vendre en plus, si l'on accroît le budget publicitaire (coûts fixes) d'1 million d'euros ?

Ces méthodes sont utilisées pour obtenir un premier cadrage des prix à pratiquer. Leur principal défaut est de ne pas prendre en compte les réactions de la demande aux prix envisagés.

La méthode du prix cible

Elle part de l'analyse de la structure des prix sur le marché pour positionner une offre (prix, qualité) et, dans un second temps, adapter le processus de production et les coûts pour atteindre le niveau de prix cible. Cette approche de maximisation de la valeur pour un prix donné, souvent faible, correspond à une approche « prix bas tous les jours » (EDLP, Every Day Low Price) pour un distributeur qui élimine les sur-coûts liés à la promotion et recompose la chaîne de valeur (partage des coûts avec le client, organisation spécifique générant des coûts plus faibles, meilleure exploitation des actifs, réduction de l'assortiment). Elle est de plus en plus utilisée et crée une concurrence d'une qualité acceptable à un niveau de prix très attractif pour les compagnies aériennes *(low costs)* ou la distribution maxi-discompte *(hard discount).*

Le prix selon la demande

On fixe le prix après intégration du niveau de la demande et de l'élasticité de la demande au prix en cherchant à maximiser le profit ou le revenu. La méthode des prix dynamiques, mise en œuvre particulièrement sur Internet, consiste à ajuster en permanence le prix au volume des ventes : si les ventes de la période sont importantes, le prix est augmenté. Dans la gestion du revenu *(yield management),* un arbitrage permanent est effectué entre les volumes (taux d'occupation) et le revenu moyen (par siège loué par exemple). Cette approche dynamique, réservée aux industries de capacité (transport aérien, hôtellerie, ...), nécessite un système d'information performant pour suivre et prévoir la demande sur les différentes classes tarifaires et moduler en permanence l'offre.

Fixer le prix

Quelle que soit la perspective initiale, la fixation d'un prix nécessite l'évaluation des conséquences du prix conjointement sur les trois dimensions qui influencent les effets du prix sur les volumes vendus et sur la rentabilité : coûts, demande, concurrence. La prise en compte des contraintes légales et des réactions des autres acteurs est aussi nécessaire. Par exemple, la réduction de prix diminue la marge absolue d'un distributeur lorsque celui-ci applique un coefficient multiplicateur. Une marge plus faible et une possible cannibalisation des ventes de sa marque de distributeur risquent de limiter son effort de vente pour promouvoir le produit.

Finalement, des ajustements marginaux peuvent être effectués en tenant compte de prix dits « psychologiques ». Certaines valeurs ou terminaisons spécifiques correspondent à des signaux vers les clients qui ont appris, par exemple, que les prix rompus (se terminant par des « 9 ») correspondent à des offres promotionnelles. Le vendeur va ainsi chercher à maximiser son revenu, tout en ne dépassant pas une barre symbolique, en se plaçant juste dessous.

DU PRIX À LA VALEUR

Comprendre et mesurer la valeur que le client accorde au produit permet d'évaluer le prix que l'acheteur est prêt à payer.

La valeur et ses composantes

La valeur est décomposée en une valeur perçue par l'utilisateur (valeur d'acquisition) correspondant aux différentes dimensions de l'offre (attributs, qualité, service, etc.) et une valeur perçue par l'acheteur (valeur de transaction) qui représente un écart temporaire entre le prix normal et le prix demandé. Cette valeur étant la limite supérieure que le client est prêt à payer, il est important de comprendre ce qui la constitue. La valeur doit être construite : lorsque des attributs d'un produit ne sont pas valorisés par le marché cible, il faut soit les éliminer, soit communiquer pour accroître leur importance. La valeur doit être communiquée par un positionnement qualité-prix clair : basique (qualité minimale et prix bas), bon rapport qualité-prix (le client est prêt à payer pour les caractéristiques qu'il valorise) ou haut de gamme-prestige avec une qualité élevée, une marque distinctive et un service étendu.

L'objectif est de faire tendre le prix vers la valeur. La valeur est subjective car les clients n'accordent pas la même importance aux caractéristiques. Ces différences sont d'abord traduites dans une segmentation de marché puis exprimées dans une gamme correspondant aux attentes de chaque segment. Un choix judicieux des caractéristiques spécifiques et exclusives permet d'éviter des transferts entre les segments. Cette segmentation se retrouve sur le marché par l'existence de seuils de prix entre les niveaux de qualité.

Si le prix est la contrepartie de la valeur, il est aussi un indicateur de la valeur. Un prix plus élevé signale un produit de meilleure qualité sous l'hypothèse d'une relation positive entre le prix et la qualité, notamment lorsque le client n'a pas une grande expertise du produit et qu'il perçoit de fortes différences entre les produits, que la qualité est difficile à évaluer de manière externe, que les conséquences d'une erreur de choix sont importantes (conséquence et réparation) ou que le prix du produit est faible par rapport au coût de l'achat.

L'interprétation du prix

Le prix n'est pas une variable objective. Communiqué au client, il fait l'objet d'une interprétation subjective : le prix est perçu. La perception de la cherté d'un prix s'effectue par rapport à un point de référence connu du client ou disponible dans son environnement. Autour de ce point, le client définit une zone de prix acceptables déterminée conjointement par une qualité perçue comme acceptable (prix minimum) et un prix maximum correspondant à la limite supérieure du budget alloué à la dépense. Ce cadrage du prix est influencé par la communication du prix qui peut proposer une référence (prix barré), donner une évaluation (« seulement »), exprimer le prix de manière attractive (1 euro par jour), utiliser un prix particulier pour justifier d'un effort promotionnel (prix rond ou rompu, par exemple 99,99 euros). Les variations de prix sont interprétées et, par défaut d'argument, justifiées par l'abus de pouvoir (hausse) ou la perte de valeur (baisse de prix). Il faut donc communiquer pour justifier ces modifications.

La sensibilité au prix

Un client est sensible au prix lorsqu'une variation ou une différence de prix influe sur sa décision d'achat. La sensibilité est reliée à l'importance du prix dans le choix qui peut être faible pour des raisons de situation (urgence du besoin, perception de faibles différences) ou de structure (faiblesse de la dépense, fort désir du produit…). Les études montrent que le budget consacré à l'achat (fréquence d'achat, montant moyen de l'achat) est lié positivement à la sensibilité prix.

Les principaux déterminants de la sensibilité au prix

L'importance globale de la dépense (fréquence × montant de l'achat).

La valeur nette de la dépense (hors prise en charge).

La force de la croyance dans la relation positive prix-qualité.

La possibilité de stocker et la durée de vie variable du produit.

L'accès à des offres alternatives.

L'homogénéité des offres.

La variation et les écarts des prix.

La facilité de la comparaison des prix.

Les études marketing fournissent les informations sur la mesure de la valeur perçue, des prix acceptables et de la sensibilité au prix ainsi que sur la compréhension des leviers qui influencent la sensibilité, qu'ils soient liés au produit ou au client. L'analyse conjointe estime la valeur accordée aux caractéristiques d'un produit au niveau individuel par une enquête sur l'intention d'achat face à différents produits, le processus de choix étant compensatoire entre les attributs. Il est possible d'évaluer la zone des prix acceptables en demandant au client, lors d'une enquête, son intention d'achat à différents prix proposés de manière aléatoire ainsi que les raisons de son refus éventuel, prix trop élevé ou doute sur la qualité (prix psychologiques). Les résultats de ces méthodes individuelles sont sensibles à la composition de l'échantillon et au réalisme du protocole de l'étude.

POLITIQUE TARIFAIRE

Pour exploiter toutes les opportunités en respectant le cadre légal, une politique de prix doit être créative dans la manière de valoriser l'offre et dans les outils de tarification.

Utiliser toutes les composantes de la valeur

Traditionnellement, un prix unique est fixé selon l'optique des coûts du vendeur, alors que la prise en compte des coûts et de la valeur recherchée par l'acheteur conduit à multiplier les dimensions de la tarification.

Les caractéristiques du produit représentent la première dimension car elles déterminent le niveau de qualité objective d'une offre. La prise en compte de la sensibilité relative aux différences de prix conduit à suggérer l'utilisation d'une échelle non linéaire pour fixer les extrémités de la gamme de prix autour du prix cible caractérisant l'offre.

Les remises et les ristournes sont la contrepartie de transfert au client d'une partie des économies réalisées sur les coûts liés à la transaction (facturation ou livraison unique, délai de paiement, ...). Les remises sur volume sont accordées en fonction du volume commandé et permettent une différenciation selon le type d'acheteur (détaillant, grossiste, centrale d'achat). Les paliers donnant accès aux niveaux de remise doivent être bien adaptés aux différents segments de marché.

L'unitisation (conditionnement de vente unitaire) permet d'imposer la vente d'un nombre minimal d'articles identiques ou de fixer la contenance des conditionnements. Cela permet de répartir les coûts à la vente (facturation, encaissement, négociation) sur un nombre minimum de produits ou d'absorber une hausse des coûts par une réduction des conditionnements sans modification de prix (cigarettes).

Le groupage *(bundling)* correspond à une offre composée de plusieurs produits ou services différents. En principe interdit (interdiction des offres liées), le groupage peut être légal comme dans l'offre de menus dans la restauration. Naturelle pour certains produits (ordinateurs), l'offre groupée permet, par la fusion des prix des composantes dans une offre unique, d'atteindre des volumes et une rentabilité plus élevés par la compensation des prix dans le cadre d'une enveloppe globale : un consommateur qui ne veut pas payer plus de 10 euros pour un repas et 5 euros pour une boisson achètera un menu à 15 euros alors qu'il n'aurait pas pris la boisson à 6 euros pour un menu à 8 euros.

Le prix des options correspond à la décision d'offrir un produit standard et des options ou services complémentaires facturés en supplément. Il s'agit, par exemple, de la voiture ou de l'assurance complémentaire d'un bien durable. Un produit « nu » permet d'afficher un prix facial plus bas et d'augmenter ensuite le panier moyen par l'ajout des options intéressantes. Pour les options produit, la dimension industrielle est à prendre en compte (coût de la monte). Le service, qu'il soit composante de l'offre (prestation de conseil) ou proposé lors de la vente ou en accompagnement de celle-ci (livraison, installation, paiement) est donc une importante dimension de l'offre.

La différenciation des prix conduit à ajuster les prix en fonction des coûts spécifiques et de la sensibilité au prix des cibles. Si la vente entraîne des coûts spécifiques (livraison), les prix peuvent être différenciés (prix géographiques). La discrimination, vente à des prix différents d'une même prestation selon des critères touchant l'acheteur, est interdite, mais il est possible de différencier l'offre et de laisser le client sélectionner celle qui lui convient.

Les méthodes de gestion du revenu *(yield management)* utilisent d'autres dimensions liées au temps et aux contraintes imposées à l'acheteur (possibilités d'échange ou de remboursement). Le découplage de l'achat et de l'utilisation permet alors de faire varier le tarif selon :

- le moment de l'utilisation : une utilisation simple correspond ainsi à des tarifs différents selon le taux d'utilisation (heures pleines / heures creuses), la période de pointe supportant l'ensemble des coûts fixes alors que le tarif de l'autre période est basé sur le coût marginal ;

- le délai entre l'achat et l'utilisation avec un prix décroissant, selon le temps restant à courir qui peut être complété par une mise aux enchères interactives lorsque les réseaux de distribution ne sont plus capables de traiter administrativement les demandes.

Étudier différents mécanismes de tarification

Le prix final payé est différent du prix annoncé pour la seule prestation principale. Dans ce mécanisme, on trouve l'affichage d'un prix hors taxes et le tarif avec droit d'entrée qui contraint le client à un paiement indépendant du total de la transaction (droit d'entrée, contribution aux frais d'envoi). La technique du prix partitionné accroît le revenu pour les petites transactions et avantage les gros clients.

Dans le cas du forfait, le prix demandé est indépendant du volume consommé ou associé à un volume maximal. Cette tarification permet de s'assurer d'un revenu régulier, tout en bénéficiant des unités achetées mais non utilisées, elle peut conduire néanmoins à une insatisfaction du client.

Les composantes de la politique de prix

La politique de prix consiste bien sûr à fixer les prix des nouveaux produits et à réévaluer régulièrement les prix de la gamme actuelle mais aussi de prendre d'autres décisions dont le manager sous-estime l'importance :

- l'élaboration du tarif : encore appelé « coût du menu » par analogie avec la restauration, le coût de l'élaboration et diffusion d'un tarif est non négligeable et conduit à s'interroger sur la fréquence et les conditions de remise en cause d'un tarif (évolutions des changes, des coûts) ;
- la complexité du tarif : un meilleur ajustement de l'offre aux besoins et caractéristiques des clients conduit à une tarification de plus en plus complexe, croisant de nombreux critères comme dans la téléphonie mobile (soir, week-end). Coûteuse à mettre en place et à mettre à disposition des vendeurs sans système d'information adéquat, cette complexité conduit aussi à une incertitude du client sur la bonne adaptation du tarif à ses besoins ;

- la centralisation / délégation de la décision prix. L'autonomie du vendeur permet une négociation plus rapide, mais elle a comme inconvénient une réduction de la marge. Au plan international, l'autonomie des filiales dans la fixation des prix peut conduire à des écarts importants, à des arbitrages et donc à une perte de contrôle des flux de produit ;
- la cohérence des tarifs entre zones géographiques : la segmentation de la politique de prix permet de s'ajuster à des différences de marchés, écarts de revenus, par exemple, pour une segmentation nationale. Dans les marchés ouverts, des arbitrages existent pour réduire ces écarts. Dans ce cas, la marchandise circule en dehors des réseaux contrôlés par l'entreprise (marché gris) et perturbe sa politique commerciale.

FAIRE ÉVOLUER UN PRIX

Les variations durables du prix

Les prix fixés sont en général relativement stables et révisés périodiquement (évolution de l'inflation) ou en fonction de l'évolution de l'environnement (évolution des coûts des matières ou du taux de change) ou de facteurs propres à l'entreprise (faible taux d'utilisation de la capacité). La décision peut aussi correspondre à une stratégie spécifique (gain de part de marché). Les réactions de la demande et de la concurrence sont souvent asymétriques : la clientèle accepte facilement une baisse de prix mais rechigne à accepter une hausse si celle-ci n'est pas bien justifiée. La concurrence réagit donc aussi de façon asymétrique et procède à un alignement très rapide, en cas de baisse de prix, alors qu'elle tarde ou refuse de suivre, en cas de hausse de prix. Ces deux réactions tendent donc à maintenir un statu quo.

La guerre des prix

Pour des raisons conjoncturelles ou stratégiques, un concurrent peut rechercher des volumes supplémentaires par une baisse de prix. La forte sensibilité des ventes au prix oblige souvent le concurrent à réagir très rapidement par un alignement, la situation pour les deux entreprises se résumant alors à une baisse de marge sans modification des volumes. Le déclenchement d'une guerre des prix est donc risqué, coûteux pour tous les acteurs, tout en ne permettant que très rarement d'atteindre l'objectif principal visé : l'éviction d'un concurrent. Les réactions face à une agression par les prix doivent, en fonction de l'importance et de la certitude de la menace, privilégier les réponses indirectes (par une autre technique, sur un autre marché ou pays) ou avoir recours à des solutions plus extrêmes (opposition frontale, retrait du marché).

Les réductions promotionnelles

Elles sont conditionnelles, voire ciblées, et limitées dans le temps. Elles peuvent prendre différentes formes et concerner le prix lui-même, une remise, un financement à taux préférentiel, un coupon ou un bon de réduction. La réduction d'un prix est une décision grave d'abord par l'effet de levier sur la réduction de la marge : offrir 10 % de réduction sur un produit vendu 100 avec une marge de 20 correspond à une réduction de 50 % de la marge et nécessite un doublement des volumes pour maintenir la marge. Ensuite, parce qu'une hausse ultérieure devra être fortement justifiée. Des variations fréquentes ou importantes sur le prix ont pour effet d'accroître l'attention portée au prix et la sensibilité.

Plus simple, moins cher et plus lisible

Une grille tarifaire rénovée

La compagnie aérienne nationale Air France a été obligée de réagir face à la dégradation de ses marges sur les courts et moyens courriers qui doivent faire face à la concurrence du TGV et des compagnies ariennes à bas prix *(low costs)*. La grille tarifaire est revue dans le sens :

- d'une plus grande cohérence par l'harmonisation des gammes tarifaires entre les marchés (domestique et européen) ;
- d'une plus grande lisibilité des principaux leviers : la valeur de l'anticipation, plus l'achat est anticipé, moins le prix est élevé et la valeur des contraintes (nuit du samedi au dimanche, contraintes de remboursement et d'échange) ;
- d'une entrée de gamme agressive sans contrainte avec des réductions allant jusqu'à 92 % par rapport au prix tarif qui vise autant le segment touristique que le segment affaires pour les entreprises les plus sensibles au prix (PME-PMI).

La menace des compagnies *low costs*

Les compagnies aériennes à bas prix ont en effet accru la perception de la cherté du vol des grandes compagnies, en proposant des prix très bas à partir d'un modèle économique différent mais très cohérent qui leur permet de réduire d'environ 50 % le coût par siège / kilomètre. Seule une partie de l'écart de prix est expliquée par un niveau de service réduit.

- ***Simplicité***

Simplicité et économie de moyens dans l'exécution du service parce que l'offre est simple et basique : pas de services complémentaires, de réservation de siège, service à bord minimal.

• *Attractivité*

Une politique de prix croissants en fonction du remplissage de l'avion qui permet d'annoncer, en toute légalité, des prix initiaux très bas, dont le niveau frappe les esprits d'autant qu'ils sont souvent exprimés en aller simple.

• *Positionnement cohérent*

Les lignes concernées sont des trajets courts, de point à point pour la desserte d'aéroports secondaires avec de fortes fréquences de service. Le positionnement est centré sur les prix bas. Le segment visé est celui du voyage d'agrément et du voyage d'affaires, pour les clients plus sensibles au prix qu'aux services.

• *Coûts réduits*

Le prix bas est possible de manière viable par une redéfinition de la chaîne de valeur et un strict contrôle des coûts :

- la réduction des coûts directs, notamment commerciaux (achat du billet en ligne, pas d'émission de billet) et de service à bord ce qui limite les frais de personnel ;
- la réduction des coûts par vol par des taxes d'aéroport plus faibles ;
- la recherche de gain de productivité pour le personnel et pour les avions avec un plus grand nombre de rotations ;
- la réduction des coûts d'entretien et de formation par la standardisation des avions.

La menace sur le long terme est importante, même si elle ne concerne pas l'ensemble des lignes. Comment une compagnie aérienne peut-elle réagir ? Tant la concurrence frontale et l'alignement sur les prix, malgré un modèle économique désavantageux, que le lancement de leurs propres compagnies *low costs* sont des stratégies difficiles.

CE QU'IL FAUT RETENIR

- Fixer un prix nécessite une bonne mesure et une compréhension des déterminants de l'ensemble des coûts de production (liés au produit) et de commercialisation (liés au client et à l'achat).
- Le prix de revient n'est qu'une information relative qui dépend des volumes produits et vendus. L'approche par le point mort permet de prendre en compte l'influence des volumes sur le prix de revient.
- Le prix doit couvrir au minimum les coûts variables. Au-delà, son niveau est fixé en tenant compte des réactions de la demande au prix, mesurées par l'élasticité.
- Plus l'élasticité de la demande au prix est forte, plus le taux de marge doit être faible.
- L'accroissement de la rentabilité vient de la possibilité de segmenter la clientèle et d'offrir une valeur adaptée à ce que chaque segment souhaite et accepte de payer.
- La communication du prix et sur les prix influence le choix des clients. Elle doit faire l'objet d'une attention aussi importante que la fixation du prix lui-même. Un positionnement clair, cohérent et stable doit être choisi en rapport avec le niveau de qualité et la valeur proposés.
- Le prix peut servir de variable de différentiation de l'offre dans le cadre d'une segmentation du marché car la sensibilité au prix dépend des clients, des produits et du contexte d'achat.
- Les effets du prix sur les volumes à court terme ne sont pas représentatifs des effets nets sur les ventes car ils sont composés en partie d'achats anticipés, de constitution de stocks et d'achats opportunistes.
- La sensibilité au prix s'accroît lorsque la variabilité du prix augmente. Plus on met en valeur le prix dans la communication ou les actions promotionnelles, plus la sensibilité s'accroît.

BIBLIOGRAPHIE DE RÉFÉRENCE

Pierre DESMET, Monique ZOLLINGER, *Le Prix,* éd. Economica, 1997.
Pierre DESMET, *Promotion des ventes,* éd. Dunod, 2003.
Hermann SIMON, Florent JACQUET, Franck BRAULT, *La stratégie prix,* éd. Dunod, 2000.
Kent B. MONROE, *Pricing : Making profitable decisions,* McGraw Hill, 2003.
Emmanuel ZILBERBERG, *Le Levier prix,* Éditions d'Organisation, 2003.

Partie 7

RESSOURCES HUMAINES

Ressources Humaines

Les fondamentaux

Par Thierry Picq

Gestion des Ressources Humaines (GRH)

L'appellation « Gestion des Ressources Humaines » (GRH) s'est, depuis une vingtaine d'années, progressivement substituée au terme « d'administration du personnel ». Le glissement sémantique marque une profonde transformation de la raison d'être de la fonction. D'une simple gestion administrative et juridique du personnel (recrutement, paie, contrats de travail, maintien de la paix sociale, ...), la fonction RH contribue désormais à la stratégie de l'entreprise, en développant son capital humain (c'est-à-dire l'ensemble des compétences individuelles et collectives des collaborateurs de l'entreprise). Les ressources humaines participent d'autant plus à créer un avantage concurrentiel durable qu'elles sont rares, porteuses de valeur ajoutée, non substituables et difficilement imitables. Dans cette perspective stratégique, les missions de la fonction RH consistent à attirer et fidéliser les talents, développer les potentiels et les compétences clés, soutenir l'intelligence collective et le transfert des savoirs, s'assurer des conditions de la performance humaine et organisationnelle, et contribuer, *in fine*, aux résultats de l'entreprise.

Recrutement

Malgré la crise de l'emploi, la guerre des talents fait rage. Les entreprises se battent pour attirer les meilleures ressources et cherchent à disposer d'un vivier pour créer un flux permanent d'entrées, indépendamment des postes à pourvoir à court terme. Une véritable politique de marketing RH est déployée auprès de populations cibles, pour séduire et attirer des candidats aujourd'hui mieux informés et plus exigeants (y compris sur les campus, avant l'entrée des jeunes sur le marché du travail). L'utilisation croissante d'Internet permet de communiquer largement sur une « marque employeur » attractive, tout en améliorant la productivité des outils de recrutement classiques : bourse d'emplois en ligne, recueil et tri automatisé des CV, aide à la sélection, voire entretien à distance, par webcam.

Enfin, le recrutement ne s'arrête pas une fois la porte de l'entreprise franchie. Les pratiques d'accueil (livret d'accueil, stage pour nouveaux entrants, parrainage, ...) se généralisent, de même que les périodes d'intégration s'allongent et font l'objet de suivis personnalisés précis.

FORMATION

La formation professionnelle a toujours été importante en France, sous l'impulsion de la loi de 1971. D'une logique contrainte, pour répondre à des obligations légales, les entreprises sont passées à une démarche stratégique volontariste de développement continu des compétences de leurs collaborateurs pour s'adapter, voire anticiper, des changements rapides et permanents. La formation quitte la salle de cours et ses méthodes de transmission de connaissances en face-à-face, au profit d'organisations du travail dites « qualifiantes », intégrant au cœur de l'activité opérationnelle quotidienne des dispositifs apprenants : tutorat et coaching en situation professionnelle, échange de savoir-faire entre pairs, formation-action, travail d'équipe, mise en situation apprenante, développement de supports d'apprentissage électroniques, affranchis du temps et de l'espace (*e-learning*, *knowledge management, ...*). Les individus deviennent de plus en plus responsables de leur employabilité : à eux désormais de maintenir leur portefeuille de compétences et de se former tout au long de la vie.

GESTION DES CARRIÈRES ET MOBILITÉ

Le modèle de carrière traditionnel s'est construit autour des principes d'appartenance à vie à une entreprise et de progression verticale dans un métier donné, par promotion hiérarchique. Ce modèle est aujourd'hui doublement remis en cause :

- à la mobilité verticale s'ajoutent désormais les mobilités horizontales (changements de fonctions ou de métiers) et géographiques (changement d'unités, voire de pays) ;
- à l'emploi à vie succède la flexibilité du travail qui dessine des trajectoires professionnelles de plus en plus discontinues : changements d'entreprises, d'emplois, alternance avec des périodes de formation, de chômage, entre autres.

La gestion des carrières à l'initiative de l'entreprise se limite de plus en plus à des profils ou situations particulières (cas des haut potentiels, reconversions après des restructurations, organigramme de remplacement des postes clés). La responsabilisation et l'initiative individuelle sont de plus en plus encouragées, dans une recherche d'employabilité qui apparaît désormais comme plus adaptée aux besoins et contraintes de flexibilité des salariés comme des organisations.

Des outils sont développés dans des grandes entreprises pour accompagner ce mouvement : bilans de compétences et dispositifs d'orientation professionnelle, bourses à l'emploi, coaching de carrière.

RÉMUNÉRATION

La rémunération reste un élément incontournable de la motivation des collaborateurs. Composée d'une partie fixe (liée à un positionnement dans une hiérarchie de postes) et variable (liée à l'atteinte d'objectifs) d'une part, d'une composante individuelle (liée à la performance d'un individu) et collective (liée à des résultats d'ensemble) d'autre part, la politique de rémunération résulte d'un mix qui reflète une culture d'entreprise qui encourage et récompense des comportements souhaités : notamment performance individuelle ou égalité de traitement, mercenariat ou cohésion sociale, individualisation ou travail d'équipe, valorisation des efforts ou des résultats.

Se développe aujourd'hui le concept de rémunération globale, composé d'éléments directs et indirects, bien au-delà du seul salaire (épargne salariale, stock-options, systèmes maladie et de retraite, avantages en nature, jours de congés, conditions de travail, ...), ainsi que des pratiques visant à associer plus directement les salariés aux résultats financiers de l'entreprise (intéressement, participation, épargne salariale, actionnariat direct, ...).

ÉVALUATION DES PERFORMANCES

L'évaluation des collaborateurs est un thème central de la gestion des ressources humaines. De l'évaluation dépendent notamment la rétribution, la formation, l'évolution de carrière et la mobilité.

Le modèle traditionnel de l'évaluation individuelle annuelle, menée par le seul supérieur hiérarchique est aujourd'hui remis en cause. Le développement du travail en équipes nécessite d'envisager des démarches d'évaluation plus collectives, multipliant les sources d'information (auto-évaluation, hiérarchiques, subordonnés, collègues de travail, clients, ...) en utilisant des outils du type 360°. Le champ de l'évaluation s'élargit également pour mesurer non seulement des résultats, mais aussi des contributions, des compétences, des comportements, des potentiels, ... Enfin, le dispositif annuel d'évaluation a posteriori est fréquemment complété par un dialogue permanent entre la hiérarchie et le collaborateur, dont l'intérêt est de « corriger le tir » le plus vite possible et qui correspond mieux à des rythmes de projets variables.

L'évaluation doit donc s'inscrire dans le cadre d'une culture de feed-back collectif et permanent, essentielle à l'efficacité des nouvelles formes d'organisation et facteur du développement de la confiance interpersonnelle.

GESTION PAR LES COMPÉTENCES

Jusqu'à présent, la GRH articulait ses outils autour de la notion de poste de travail ou d'emploi. Désormais, dans un contexte changeant et incertain, il apparaît de moins en moins possible de disposer de définitions de fonction précises et stables dans le temps.

On passe alors d'une approche statique de description de postes à une approche dynamique par les compétences détenues. Une compétence se définit comme la combinaison de savoir, savoir-faire et savoir-être mise en œuvre par un collaborateur dans le cadre d'une mission qu'il contribue, pour partie, à définir.

Ce modèle nécessite de pouvoir identifier et évaluer un état des lieux à un moment donné des compétences disponibles (en utilisant des outils de référentiels et de cartographies), de les mobiliser dans le cadre d'activités de plus en plus individualisées et d'en favoriser le renouvellement, pour faire évoluer à la fois le salarié et sa valeur ajoutée pour l'entreprise. Le développement des équipes autonomes, des structures par projets ou encore des organisations en réseau a renforcé également l'attention à l'égard des compétences collectives, non réductrices à la simple addition de compétences individuelles : capacité à travailler en équipe, à coopérer, à communiquer, à partager des connaissances et savoir-faire, entre autres.

GESTION DES HAUTS POTENTIELS

Certaines populations peuvent faire l'objet d'un traitement à part. Ce sont les cadres à haut potentiel, dont le profil ou le niveau de performance laissent à penser qu'ils pourront devenir les futurs dirigeants de l'entreprise. S'il revient aux managers de terrain d'identifier ces hauts potentiels, leur gestion est centralisée au niveau de la DRH. Informés ou non de leur statut de haut potentiel, en fonction des cultures d'entreprise, les cadres repérés bénéficient de dispositifs privilégiés :

- rémunération attractive (stock-options, primes exceptionnelles, avantages en nature, ...) ;
- parcours de carrières dits « formateurs », pour confronter (et tester) les futurs dirigeants à des situations à responsabilité croissante (direction d'unité, puis de filiales, mobilité internationale, participation à des projets stratégiques, ...) ;
- plan personnalisé de formation au management, au sein d'une université d'entreprise ou de *business schools* prestigieuses, avec un accent mis sur l'acquisition de compétences de leadership dans un contexte international ;
- accompagnement personnalisé (parrainage par un dirigeant, mise à disposition d'un coach, bilans de compétences réguliers, ...).

E-RH

La croissance du volume de données RH à traiter, leur dispersion sur des sites délocalisés et des besoins de cohérence et de visibilité pour gérer des processus transversaux (par exemple, la mobilité ou la rémunération) poussent au recours aux technologies de l'information appliquées aux RH. Plusieurs domaines sont concernés :

- la gestion administrative et comptable : paie, gestion des données administratives, suivi des temps et activités, …, souvent en utilisant des progiciels de gestion intégrée (ERP) ;
- l'aide à la décision managériale : recrutement en ligne, cartographie de compétences, simulation de politiques de rémunération, suivi automatisé d'activité ;
- l'accès direct pour les collaborateurs par un portail Intranet à des applications proposées par l'entreprise (e-learning, newsletter, forums d'échanges et *groupware*) ou à des modules de gestion de données personnelles (temps de travail, congés, notes de frais, épargne salariale, …).

Efficace en matière de réduction des coûts, mais aussi en termes de services rendus aux employés (simple, direct et rapide), l'utilisation massive des outils informatiques n'est pourtant pas exempte de risques : dépersonnalisation et standardisation des relations humaines, individualisation à l'extrême, excès d'informations inutiles, dépendance vis-à-vis des outils informatiques, e-surveillance et contrôle électronique.

GESTION INTERNATIONALE DES RESSOURCES HUMAINES

La dimension internationale des RH s'est développée parallèlement à la mondialisation croissante des activités de l'entreprise (multilocalisation de la production, diversification géographique des marchés, alliances et fusion-acquisitions internationales, …). Pour faire face au défi de la diversité des pratiques culturelles locales et des systèmes sociaux et juridiques nationaux, trois modèles principaux de GRH internationales sont identifiables :

- le modèle ethnocentrique : le siège social centralise et contrôle les activités RH et les filiales sont gérées par des expatriés. Ce modèle apporte de la cohérence évidente, mais peut provoquer de fortes résistances locales ;
- le modèle polycentrique : le siège social conserve en direct certains aspects stratégiques et transversaux de la fonction (gestion des hauts potentiels, recrutement des dirigeants, ...), mais délègue aux unités tout ce qui concerne les activités de gestion opérationnelle locale (recrutement, évaluation, ...) ;
- le modèle géocentrique (ou transnational) dans lequel l'organisation recherche et emploie des ressources compétentes à l'échelle mondiale, sans égard au pays d'origine. Les fonctions RH centrales ont pour mission de favoriser la mobilité, le travail en équipe multiculturelle, les échanges transnationaux et l'organisation en réseau.

La gestion des ressources humaines face au défi de la diversité

Par THIERRY PICQ

Docteur en sciences de gestion, Thierry Picq est professeur à l'École de Management de Lyon. Ses domaines d'intervention et de recherche portent sur les impacts humains des nouvelles formes d'organisation, en particulier sur le management de projet, l'animation des équipes transverses et des réseaux.

Reconnaître et accepter les différences n'est pas une démarche naturelle. L'histoire de l'humanité a montré jusqu'ici que des communautés marquées par des différences culturelles, religieuses ou ethniques, amenées à se côtoyer ont plutôt manifesté des comportements conflictuels, privilégiant la domination sur la recherche des moyens pour vivre en harmonie. La tolérance à la diversité constitue donc le grand défi historique de l'espèce humaine. Comme dans toute communauté, de nombreuses sources de diversité se côtoient au quotidien dans l'entreprise. L'alchimie des rencontres engendre des opportunités et des risques pour l'action collective, en fonction des comportements qui en résultent : synergie et coopération ou, au contraire, incompréhensions et conflits.

Généralement, les approches d'origine anglo-saxonnes abordent la question de la gestion de la diversité sous l'angle privilégié de la lutte contre les discriminations et de la mise en place de systèmes de traitement équitable des collaborateurs. Cette façon d'aborder le sujet, bien que tout à fait pertinente et légitime, nous semble cependant limitée car trop restrictive. L'objet de cet article est de défendre l'idée que le problème de gestion de la diversité se pose de façon bien plus large et dépasse les seuls aspects de GRH équitable, en s'inscrivant à la fois dans des objectifs de compétitivité économique et de développement social durable. Nous verrons enfin quelques exemples d'actions de GRH qui visent à valoriser la diversité et en faire un avantage concurrentiel.

Le cas ci-après est représentatif, quoique précurseur, de la situation dans les organisations modernes. Le défi de la diversité y est posé de façon spectaculaire, dans tout ce qu'il contient de plus complexe.

Alliance Crolles2

Des puces de plus en plus microscopiques

Les semi-conducteurs sont des éléments de silicium indispensables au fonctionnement des objets électroniques qui nous entourent, comme le téléphone ou l'ordinateur. Si leur puissance croît de façon exponentielle, leur taille ne cesse de diminuer, de l'ordre de 120 nanomètres pour les générations actuelles, avec l'ambition de pouvoir produire des puces de 45 nanomètres à horizon 2010. Maîtriser la matière au niveau du milliardième du centimètre vise à affranchir les composants des problèmes de dissipation thermique ou de gravure des circuits. On parle d'atteindre l'échelle moléculaire, voire atomique. Cependant, pour obtenir de tels résultats, les projets de R & D sont très pointus et les investissements énormes.

Un modèle organisationnel unique au monde

Pour répondre à ce formidable enjeu technologique, trois géants mondiaux du secteur ont imaginé une réponse organisationnelle innovante. Philips, ST Microelectonics et Freescale (anciennement Motorola Semi-conducteurs) ont co-investi dans un immense site de recherche en nanotechnologie, situé à Crolles, près de Grenoble. Son nom, Alliance Crolles2, symbolise bien la nature particulière de la relation qui unit les trois entreprises : mise en commun de ressources financières et humaines dans le domaine de la R & D, pour générer de nouvelles applications techniques et commerciales qui seront exploitées séparément par chaque société. Ainsi, les trois entreprises sont simultanément partenaires en amont, pour tout ce qui concerne la R & D, et concurrentes sur la partie aval de la chaîne de valeur. Un modèle stratégique original, qualifié parfois de « co-opétition ».

Ce qui se passe à Crolles est pour le moins innovant : depuis janvier 2001, trois concurrents, parmi les plus avancés du monde, s'allient pour partager des coûts énormes de recherche et développement. En matière de gestion des hommes, l'expérience est unique au monde par son ampleur. L'accord prévoit une parité des effectifs d'ingénieurs de R & D et pré-production provenant de chaque entreprise, avec une montée en puissance régulière jusqu'en 2005, où il est prévu plus de 1 200 personnes sur le site.

Unité dans la diversité

L'organisation opérationnelle de l'Alliance est composée quasi-essentiellement d'équipes projets mixtes, qui rassemblent en leur sein des salariés issus des trois entreprises. Le tout en conservant les systèmes de gestion des ressources humaines et des valeurs de leurs entreprises d'origine ; c'est bien là que se situe l'innovation principale. Les salariés ne sont pas détachés de leur société d'origine pour intégrer une nouvelle entité du type *joint-venture*. Ils restent des employés de Philips, ST Microelectronics ou Motorola, et demeurent soumis à leurs systèmes et règles de gestion respectifs. Concrètement, au sein d'une même équipe projet, chacun se réfère à des temps de travail, des politiques salariales, des modes d'évaluation, des règles de gestion des carrières ou des avantages sociaux qui diffèrent, en fonction de leur entreprise d'appartenance. Pourtant, tout le monde doit travailler ensemble vers un seul but : la réussite des projets de R & D et, de ce fait, celle de l'Alliance.

De multiples sources de diversité

Sur le plan des pratiques professionnelles et comportements au travail, l'enjeu de la diversité se pose également. Des ingénieurs de haut niveau, issus de multinationales à forte culture, doivent rapidement apprendre à travailler ensemble et faire converger leurs efforts au sein d'équipes projet mixtes, tendues vers des objectifs ambitieux, dans une ambiance de start-up propre aux activités de R & D technologique.

À ce contexte s'ajoutent les particularités marquées de cultures d'entreprise, entre le nord-américain Motorola, le jeune couple franco-italien qu'est ST Microelectronics et le géant historique néerlandais Philips. Enfin, la diversité culturelle s'exprime également au travers de la multiplicité des nationalités représentées sur le site, au sein des équipes projet : une vingtaine environ, dont des Français, des Hollandais, des Anglo-Saxons, mais aussi des Indous, des Asiatiques.

LA GESTION DE LA DIVERSITÉ SOUS L'ANGLE DE « L'ÉGALITÉ DES CHANCES »

Cette approche est née aux États-Unis vers 1960, sous l'influence d'un contexte social de lutte contre la discrimination raciale et de revendications pour les droits civiques.

Les fondements du modèle

L'histoire des peuples a montré comme il était difficile d'intégrer dans une communauté dominante des individus qui présentent un caractère différent (couleur de peau, religion, handicap...). L'attention sur ces sujets est particulièrement forte dans les entreprises nord-américaines, où la société, au sens large, est confrontée à l'enjeu d'intégration de diverses minorités (communautés noires, hispaniques, immigrées, homosexuelles, ...).

La diversité : une définition limitée à quelques dimensions

La diversité dans cette approche se limite aux aspects de nationalités, religions, pratiques sexuelles et handicaps. Plus récemment, surtout en Europe du fait du vieillissement de la population au travail, la question de l'âge a fait son apparition. Enfin, dans la grande famille des discriminations, le rapport entre hommes et femmes reste un thème majeur, y compris dans les sociétés occidentales développées. En France, ce n'est que très récemment que le débat sur la parité a gagné l'entreprise. La loi Génisson, qui affirme le principe d'égalité professionnelle entre hommes et femmes, ne date que de 2001. Dans les faits, on constate que les femmes se heurtent encore souvent à un « plafond de verre » invisible, mais qui limite leurs perspectives de carrière.

Le principe d'équité et de justice organisationnelle

Au niveau des entreprises, surtout nord-américaines, le principe est de proposer des politiques d'égalité des chances, qui visent à garantir une équité de traitement entre les collaborateurs, quels que soient leur couleur de peau, âge, sexe, communauté ethnique et religion d'origine.

Ce principe (appelé aux États-Unis « *equal employment opportunities* ») se traduit en pratique par des politiques, dispositifs et outils de GRH qui visent à déployer une « justice organisationnelle » dans des domaines sensibles comme l'accès à l'emploi, les promotions, les rémunérations ou les conditions de travail. L'hypothèse implicite de ce modèle est de privilégier la compétence et les résultats constatés, indépendamment des facteurs d'appartenance à telle ou telle catégorie.

Pour aller encore plus loin dans le soutien à des groupes minoritaires, des entreprises ont même instauré des pratiques dites de « discrimination positive » *(affirmative action)*, avec comme objectif de favoriser volontairement les membres de certaines communautés, en imposant par exemple l'usage des quotas dans le recrutement, la mise en place de formations dédiées à certaines catégories ou en garantissant des parcours de carrière « protégés ».

Les actions au niveau de la GRH

La mise en œuvre de politiques d'égalité des chances incombe naturellement à la fonction GRH, sous l'œil vigilant de la direction générale, de plus en plus consciente de l'impact de ce sujet pour l'image de l'entreprise. Tous les domaines d'intervention habituels de la GRH sont potentiellement concernés :

- en matière de recrutement, il est fréquent de trouver des objectifs de quotas de recrutement de collaborateurs issus de groupes minoritaires. Des canaux spécifiques d'accès à des ressources ciblées peuvent être mobilisés. Par exemple, les associations d'étudiants noirs des universités américaines sont particulièrement courtisées par les entreprises qui se positionnent contre la discrimination raciale ;
- la formation intègre des programmes spécifiques réservés à certaines populations. Par exemple, Hewlett Packard propose aux États-Unis des formations réservées aux homosexuels hommes et femmes. Ces mêmes entreprises encouragent la création de réseaux internes, pour que les communautés puissent échanger entre elles sur leurs problèmes et difficultés ;
- le management opérationnel se voit responsabilisé sur des objectifs d'égalité de traitement et sur la mise en place d'indicateurs de mesure du niveau de justice organisationnelle au sein de leurs unités ;

- certaines populations minoritaires peuvent faire l'objet d'une gestion et d'un suivi particulier : suivi du turnover, soutien aux hauts potentiels issus de groupes minoritaires, suivi des promotions, … Des entreprises affichent des chartes de la diversité, d'autres comme Accor, Adecco et Total ont nommé récemment des vice-présidents à la diversité, directement rattachés à la direction générale ;
- enfin, l'aspect sensible du sujet en fait un thème majeur de communication, surtout quand l'entreprise a développé des dispositifs visibles dans le domaine. La finalité est autant externe, pour élargir le vivier des candidats à l'ensemble des catégories de la société, qu'interne, pour valoriser des pratiques sociales plus justes.

Quel bilan établir ?

Quel bilan peut être dressé de ces pratiques de gestion de la diversité ? Il est incontestable que des progrès ont été réalisés, en matière d'égalité des chances dans l'entreprise, ne serait-ce que parce que le sujet n'est plus tabou ! Néanmoins, le chemin à parcourir vers une meilleure justice organisationnelle reste long et parsemé d'obstacles. En France, seules six entreprises du CAC 40 respectent la loi prévoyant un quota de 6 % d'employés handicapés. À diplôme égal, un candidat maghrébin a cinq à six fois moins de chances de décrocher un entretien d'embauche. À fonction et secteur d'activité équivalents, le salaire d'une femme est d'un tiers inférieur à celui de son homologue masculin. Les constats de ce type pourraient être multipliés à loisir et les discriminations constatées font rarement l'objet de poursuites et ne sont pratiquement jamais sanctionnées.

Quand l'objectif de communication l'emporte

Dans bien des cas, la gestion de la diversité se limite à un effet d'affichage, non reflété dans la réalité des pratiques de GRH au quotidien. Par exemple, le fait d'intégrer une femme ou un individu noir dans un comité de direction n'est-il pas souvent plus un alibi que le reflet d'un véritable souci d'égalité de traitement ? Dans un contexte où la guerre des talents fait rage, il est fréquent de constater un décalage important entre un discours externe politiquement correct, attractif et séducteur, et des pratiques internes, bien plus restrictives et inégalitaires qu'annoncées.

Sur la question de l'égalité entre hommes et femmes, les mentalités évoluent moins vite que les discours. Des affaires récentes, fortement médiatisées, de comportements sexistes parfois dégradants attestent de la violence ordinaire que subissent encore les femmes de la part de leurs collègues masculins. Le phénomène dit « des portes pivotantes » est un autre exemple d'effet pervers observé. Des femmes accèdent à des postes de dirigeants, mais sont exposées à de telles difficultés qu'elles partent rapidement, ce qui a pour effet de confirmer publiquement qu'elles ne peuvent effectivement pas assumer de telles responsabilités.

Ne pas remettre en cause le modèle dominant

On peut aussi reprocher à ces démarches de se limiter à un simple objectif de rééquilibrage, en assurant une meilleure représentation des minorités dans l'entreprise sans remettre en cause la présence d'éventuels groupes dominants. Par exemple, les femmes qui veulent faire carrière doivent se plier aux règles d'un modèle de management masculin, en termes d'organisation du temps et du travail en général. Pas question pour elles de remettre en cause le modèle !

De plus, le simple fait de reconnaître l'existence de communautés, surtout si leurs membres font l'objet de discriminations positives, change le regard de ceux qui n'en font pas partie. L'instauration de pratiques de GRH privilégiées et particulières attire naturellement l'attention sur ceux qui en bénéficient, … et suscitent la convoitise ! Par exemple, France Telecom a récemment décidé de définir le haut potentiel jusqu'à l'âge de 40 ans pour les femmes. Les hommes, dont la barrière fatidique est à 35 ans, revendiquent le même traitement. Paradoxalement, une volonté de réduire l'exclusion peut, dans les faits, exacerber des tensions et ressentiments.

Enfin, tout simplement, l'encadrement de proximité vit souvent ces politiques comme une contrainte supplémentaire, nuisible pour la performance, et, paradoxalement, pour la reconnaissance des seules compétences.

LA GESTION DE LA DIVERSITÉ SOUS L'ANGLE DE « LA VALORISATION DES DIFFÉRENCES »

Sous la double évolution du contexte social et des impératifs stratégiques et organisationnels que connaissent les entreprises, une autre conception de la gestion de la diversité émerge progressivement.

De nouvelles sources de diversité individuelles

Une plus grande diversité du corps social

Comme nous l'avons vu précédemment, l'attention portée à l'égalité des chances accentue le repérage de groupes sociaux distincts, sujets à traitements particuliers. Cette tendance à la fragmentation du corps social en sociogroupes différenciés se généralise et s'étend au-delà des seules minorités. En effet, sous la double influence d'une autonomie croissante des collaborateurs et d'un niveau d'éducation plus élevé, les employés expriment des aspirations, besoins et attentes vis-à-vis de l'employeur qui révèlent un renversement de la relation à l'emploi. Par exemple, chaque profil générationnel présente des caractéristiques et des attentes de plus en plus marquées concernant le travail. La GRH doit construire entre autres des outils spécifiques d'intégration des jeunes, de gestion de carrière des quadras et d'accompagnement du retrait progressif des seniors.

De même, les conditions d'exercice de l'emploi se fragmentent sous l'influence de la multiplication des emplois atypiques qui génèrent une hétérogénéité des temps de travail (temps plein, temps partiel, horaires décalés, ...) et des lieux de travail (travail sédentaire, itinérant, télétravail, asynchrone, ...).

Les pratiques de GRH se segmentent pour répondre aux caractéristiques, besoins et attentes de sous-populations de plus en plus différenciées. Mais le vrai défi porte sur la capacité à faire cohabiter ces différentes populations et à favoriser leur complémentarité pour créer de la richesse collective. Sinon, l'entreprise court le risque d'être le théâtre d'une cacophonie collective, à base de conflits intergénérationnels, d'incompréhensions culturelles ou de malentendus entre les domaines d'expertise.

Vers une individualisation de la relation

La tendance d'atomisation des relations sociales se généralise pour aboutir, dans certains cas, à une individualisation totale de la relation d'emploi. La personnalisation de la gestion des ressources humaines s'observe déjà pour certaines populations (hauts potentiels, experts, ...) ou dans certains métiers (haute technologie, R & D, services professionnels, ...) où la rétention des talents constitue un enjeu stratégique. Dans ces contextes, chaque individu est reconnu pour ses caractéristiques propres, son talent personnel (exprimé sous forme de compétences, expériences, capacité d'innovation), son comportement (motivation, engagement, capacité d'initiative, prise de risque) ou encore sa personnalité (traits de caractère, style et préférences personnelles, rôles privilégiés, ...). La GRH suit une logique de traitement de cas particuliers, en considérant de nouvelles sources de diversité, moins liées à des catégories et plus à des différences individuelles.

En bref, la GRH évolue d'un modèle de gestion de masse à des relations quasi individuelles. Cette tendance est d'autant plus forte que les individus sont fortement incités à développer « l'entreprise de soi », basée sur un portefeuille de compétences propre à chacun, facteur d'employabilité.

De nouvelles sources de diversité organisationnelle

L'évolution des organisations participe à cette fragmentation. En effet, pour répondre aux défis de la réactivité, de l'adaptation ou encore de l'innovation, le décloisonnement des fonctions et compétences est recherché partout. Des structures transversales sont mises en place : matrices à plusieurs dimensions (fonctionnelles, géographiques, produits / métiers), centres d'expertise communs à plusieurs unités, organisations transnationales ou *joint-ventures*. Des équipes temporaires et pluridisciplinaires plus ou moins formelles se superposent aux structures métiers permanentes et stables de l'entreprise. De telles organisations engendrent de la « diversité organisationnelle », dont on peut distinguer plusieurs types.

La diversité des formes d'organisation

Les nouvelles formes d'organisation conduisent progressivement à une plus grande porosité des frontières internes, entre services, fonctions, métiers et créent des interdépendances, au sein de structures permanentes (matrices) ou temporaires (groupes transversaux, équipes projet) qui favorisent leur confrontation directe. L'entreprise passe de la pyramide au réseau, ce qui génère une multiplicité de structures composites, qui souvent cohabitent, partagent des ressources et doivent s'articuler entre elles.

L'exemple de la cohabitation entre des équipes métiers et des équipes projets, dans le monde industriel, en est une illustration représentative. Des individus passent de la structure métier au mode projet et vice versa, ou participent aux deux dispositifs simultanément.

La diversité des appartenances institutionnelles

La dissolution des frontières organisationnelles est aussi externe, par l'intégration croissante des clients, fournisseurs ou partenaires, en amont dans la chaîne de valeur. Ce modèle « d'entreprise étendue » est déjà largement répandu dans des secteurs industriels comme l'automobile ou l'aéronautique, où des salariés de divers sous-traitants et partenaires extérieurs travaillent « en régie » chez le constructeur, qui se transforme en espace d'assemblage de sous-ensembles techniques développés par d'autres. Ainsi, se côtoient autour du même objet technique des contributeurs aux institutions d'origines et aux statuts différents : salariés du donneur d'ordre en CDI, partenaires externes sous contrats de missions précaires, sous-traitants, prestataires de services, intérimaires, voire représentants du client.

La complexité vient du fait que la forme d'emploi ne prédétermine pas l'importance du rôle et le niveau de responsabilité de celui qui l'occupe. Un sous-traitant peut occuper un niveau de responsabilité très élevé sur un projet. Les positions se répartissent et s'ajustent sur la base des compétences des acteurs en présence et non plus de leur statut.

Le cas Alliance Crolles2, présenté en introduction, va encore un peu plus loin, puisque ce sont cette fois des concurrents qui mettent en commun leurs ressources. Au-delà de la diversité des domaines de compétences apparaît l'enjeu de fédérer autour d'un même objectif des partenaires qui se réfèrent à des logiques institutionnelles et systèmes de gestion différents.

La diversité des contextes culturels

L'ouverture des frontières de l'entreprise est également géographique. L'internationalisation du monde des affaires, des marchés, des clients et des ressources « éclate » les activités des organisations sur plusieurs territoires. Les processus industriels et les équipes de travail ne s'arrêtent pas aux frontières nationales, mais intègrent désormais des effets d'échelle, des recherches de synergies et une mobilisation des ressources qui s'affranchissent de l'espace et des frontières. La GRH est confrontée au défi du management multiculturel.

L'internationalisation s'accompagne également de la présence physique de l'entreprise dans plusieurs pays. La GRH doit faire face à la pluralité des systèmes réglementaires, des pratiques sociales et des modes d'organisation du travail. Par exemple, l'intégration des pratiques religieuses dans le temps de travail est incontournable dans les pays musulmans. Comment répondre et s'adapter à ces diversités locales ? Comment assurer un minimum de cohérence et de synergie ? Est-il possible de définir des politiques d'ensemble ? Est-ce souhaitable ? Autant de questions qui interpellent la GRH.

Les fondements du modèle

Deux principes clés sous-tendent le modèle dit de « valorisation de la diversité » :

- le premier est la reconnaissance de multiples sources de diversité : diversités individuelles (en termes de personnalités, de compétences, d'attentes et d'aspirations, de relations à l'emploi, ...) et diversités organisationnelles (en termes de formes d'organisation, d'appartenance, de cultures professionnelles et nationales, ...). Toutes ces sources de diversité cohabitent et se superposent, au sein d'organisations transversales, où s'entrecroisent les contributions, les responsabilités, les domaines de compétences et les appartenances ;
- le second principe consiste à envisager ces multiples sources de diversité comme une véritable richesse, porteuses de valeur et d'avantages concurrentiels pour l'entreprise ; la formulation est simple, mais sa mise en œuvre particulièrement délicate ! Cette capacité à tirer parti des diversités, quand elle devient effective, peut être considérée comme une ressource immatérielle d'autant plus straté-

gique qu'elle est non imitable et non transposable telle quelle d'une entreprise à une autre. Elle dépend en effet de savoir-faire organisationnels et managériaux diffus au plus profond du fonctionnement intime des organisations.

Par rapport au modèle précédemment décrit, il ne s'agit plus de revaloriser des groupes minoritaires au sein d'une culture dominante, mais bien de remettre en cause l'idée même d'un groupe dominant. Le présupposé de la richesse du métissage culturel conduit à concevoir l'organisation comme un espace fluctuant où s'entrecroisent des approches et points de vue différents qui se côtoient, se transforment et co-évoluent au fur et à mesure de leur confrontation, en interne comme en externe. Nous sommes ici dans une recherche de culture ouverte à des socio-groupes différenciés, selon de multiples critères, et qui valorise les apports potentiels de chacun au profit d'un projet commun.

Ces principes induisent une vision résolument individuelle et contingente de la relation sociale, qui cherche à appréhender les apports distinctifs des acteurs, médiatisés par leurs profils, expériences, appartenances, cultures... en évitant les généralisations en termes de groupes d'appartenance (les femmes, les noirs, les seniors, les techniciens, les cadres, ...)

Le modèle de « valorisation des différences » ne s'oppose pas à celui de « l'égalité des chances », mais l'englobe. En effet, favoriser la présence de communautés particulières est aussi un moyen pour l'entreprise d'être représentative de la société et de refléter en son sein les segments de clientèle qu'elle vise. Ainsi, selon des études américaines récentes, près de 80 % des entreprises qui se préoccupent des carrières des femmes sont avant tout motivées par les impératifs économiques. De même, favoriser l'égalité des chances dans le recrutement est un moyen d'aller chercher un potentiel de ressources auprès de populations sous-exploitées jusqu'ici.

Quel rôle peut jouer la GRH pour accompagner et concrétiser dans les faits cette volonté exprimée de tirer parti des multiples formes de diversité qui parsèment les organisations modernes ? C'est ce que nous allons voir dans la partie suivante.

VALORISATION DE LA DIVERSITÉ : MAIS QUE FAIT LA GRH ?

Nous proposons ici d'évoquer quelques pratiques et dispositifs non exhaustifs mais représentatifs d'actions menées par la GRH dans une finalité de valorisation de la diversité. Des exemples qui se situent au niveau des individus, des équipes et des organisations seront successivement abordés.

Faire évoluer une culture dominante et contribuer à l'innovation

La maxime populaire « qui se ressemble s'assemble » est certainement l'un des principes de management le plus largement diffusé. La tendance naturelle dans les organisations est en effet de regrouper des profils proches, issus des mêmes réseaux, dotés des mêmes diplômes, …, sous l'hypothèse que la proximité relationnelle est un facteur d'efficacité. On a souvent reproché aux entreprises françaises de limiter l'accès aux postes à responsabilité à des diplômés d'écoles prestigieuses (Polytechnique, ENA, …), alors que certaines compagnies nord-américaines sont connues pour leur culture d'entreprise si forte qu'elle modèle les comportements et érode les différences individuelles.

Ces pratiques « de clonage » ou de dissolution des spécificités individuelles dans une culture d'entreprise ont souvent conduit au constat d'une perte de capacité d'innovation, de résistance au changement, de déficit de regard critique et, au global, d'un appauvrissement du corps social nuisible à sa capacité d'adaptation. Ne dit-on pas qu'une entreprise comme IBM a, par le passé, souffert d'une « pensée unique », porteuse d'arrogance et d'aveuglement collectif face à des signaux faibles annonciateurs de changements radicaux ?

La GRH est donc mobilisée pour garantir un certain degré de diversité humaine, facteur de remise en cause et d'innovation. Son apport se situe tout d'abord au niveau de l'analyse des profils individuels et de la gestion de la « variété requise » dans les situations les plus quotidiennes, qui amènent des individus différents à se rencontrer, communiquer et interagir. Des outils de repérage et d'analyse des profils individuels, comme le MBTI ou le TMS, sont désormais bien connus et largement utilisés dans de nombreux domaines applicatifs, par exemple, le recrutement, le bilan personnel, l'orientation professionnelle et l'utilisation optimale des ressources de chacun au sein d'une équipe.

Les politiques de recrutement doivent également encourager l'entrée de profils variés, par la mise en place de filières ouvertes et diversifiées. La question se pose également au niveau des comités de direction. Le comité exécutif d'EADS regroupe des dirigeants de six nationalités différentes. On est bien loin du profil franco-français qui caractérisait l'ancienne Aérospatial !

L'enjeu de la GRH est ensuite de veiller à l'intégration de profils originaux voire parfois « déviants », en accompagnant des parcours atypiques et en s'assurant de la capacité des unités opérationnelles à accueillir ces porteurs de diversité, parfois perturbant pour eux.

Les politiques de mobilité s'inscrivent dans cette perspective, de même que les politiques de gestion spécifique intergénérationnelle. Par exemple, Total incite à constituer des binômes de junior-senior, permettant au premier de s'enrichir de l'expérience du second.

Mais, au-delà de la diversité des profils, la performance de ces formes d'organisation hybrides dépend également de la capacité des individus à être efficaces dans des configurations organisationnelles multiples et simultanées. Dans ces organisations « éclatées », un même individu peut être amené à participer à plusieurs projets ou missions simultanées, et à y occuper des rôles différents. Comme en témoigne un dirigeant d'une société de services : « *Nous avons quitté une culture statutaire pour aller vers une culture des compétences, où l'on est capable d'admettre que l'on soit chef le lundi, que l'on ait un chef le mardi et qu'on soit à nouveau chef de quelque chose le mercredi !* » Il s'agit d'un véritable changement culturel, où les individus passent d'une logique du statut à celle de compétences contextuelles et fluctuantes.

En bref, l'activité humaine, individuelle et collective dans les organisations modernes, présente un caractère « éclaté » et multiforme incontournable, que doit pouvoir accompagner et soutenir la GRH.

Contribuer à l'efficacité des équipes multiculturelles et multidisciplinaires

Les organisations ont toujours été construites autour de la recherche de la meilleure concentration de compétences dans des fonctions spécialisées par métiers pour favoriser l'efficacité. Ce principe d'homogénéité a généré des cultures métiers fortes, c'est-à-dire des représentations et normes de comportements professionnels facteurs de proximité au sein d'un groupe, mais qui renforce la distance avec ceux qui ne les partagent pas. La production s'oppose, entre autres, au commercial, la culture financière à la culture technique, le siège aux filiales, les fonctionnels aux opérationnels.

Les nouvelles formes d'organisation créent une vraie rupture en créant un métissage et une hybridation des cultures professionnelles, au sein d'équipes transversales. L'exemple le plus spectaculaire est celui des équipes projets, qui réunissent autour d'une même table des individus représentant des métiers ou des domaines de compétences distincts et qui sont amenés à combiner leurs apports pour réaliser une production commune. L'enjeu n'est plus de coordonner des contributions expertes disjointes, mais de développer des capacités à coopérer et à combiner des apports qui dépendent directement des hommes en présence et de la qualité de leurs relations (compétences, niveau de confiance, engagement collectif, ...).

À la diversité des cultures professionnelles se superpose très souvent dans les équipes de travail une diversité des cultures nationales, régionales ou locales. De nombreux travaux de recherche spécialisés sur le management inter-culturel se penchent sur ces questions. La première difficulté est tout simplement celle du langage, essentiel pour se comprendre, dans des contextes qui ressemblent à de véritables tours de Babel. Derrière la question de la langue, surgit immédiatement l'enjeu de la diversité du sens et des interprétations que chaque culture met derrière les mots. De façon plus profonde, la diversité des cultures induit des divergences au niveau des valeurs fondamentales au travail, des méthodes d'organisation, des codes de comportement, du rapport au temps, des relations hiérarchiques ou des modes de management qui conduisent à des risques de malentendus ou conflits d'autant plus nombreux qu'ils se manifestent au détour de situations banales de tous les jours : communication, relation à l'autre, prise de décision ou organisation du travail.

Quel rôle peut jouer la gestion des ressources humaines dans le développement de la capacité collective à travailler de façon plus performante dans des équipes qui mixent des profils, expertises, nationalités et langages divers ?

La formation est bien évidemment un domaine d'investissement prioritaire. De nombreux programmes de formation des managers à l'interculturel sont offerts. L'expatriation, la participation à des projets transnationaux, la mobilité, les séjours de plus ou moins longues durées ou l'accompagnement individuel font partie de l'arsenal des outils RH pour développer une plus grande ouverture des managers à la diversité culturelle (qu'elle soit géographique ou professionnelle) et développer chez eux une « culture de l'interculturalité ».

En interne se développent depuis quelques années des structures appelées « universités d'entreprises », dont la mission est bien plus ambitieuse que celle du traditionnel centre de formation interne. Ces structures s'apparentent à des *learning hubs,* comme on le dit d'un aéroport, où se croisent les individus : compétences, idées et projets issus de différents métiers, pays, filiales d'un même groupe. Des structures comme Axa Université, Bic University ou l'Académie Accor fonctionnent comme de véritables laboratoires de l'intégration culturelle et de l'apprentissage de la valorisation de la diversité.

Mais la GRH ne se contente pas de créer des approches innovantes de formation ou d'apprentissage. Elle descend également de plus en plus au cœur même des équipes de travail, là où se joue au quotidien la confrontation des différences. La GRH est de plus en plus une fonction « détachée », au sein des équipes projets, avec des représentants RH impliqués du début à la fin dans un projet pour contribuer à l'animation des équipes transverses.

Contribuer à la performance des nouvelles formes d'organisation

La généralisation des structures matricielles et la multiplication des équipes transversales présentent des conséquences importantes sur les systèmes de gestion des ressources humaines. Ceux-ci ont été traditionnellement conçus pour s'assurer de la bonne adéquation des ressources humaines à des postes ou fonctions stables, bien repérés dans un organigramme.

La logique verticale de ces systèmes de gestion, qui se déclinent par grandes filières professionnelles ou par métiers, est percutée de plein fouet par l'apparition de dispositifs horizontaux, temporaires, mal définis au départ et pas toujours inscrits dans les structures formelles. Tant que leur nombre reste marginal, seuls quelques cas particuliers sortent des schémas traditionnels et peuvent être traités comme des exceptions. Quand le mode horizontal se généralise, c'est l'ensemble du système qui est questionné. Comment passer d'un modèle uniforme, planifié et stable à la simultanéité de projets aux rythmes et horizons différents ? Comment traiter un nombre toujours croissant de cas particuliers, tout en garantissant une certaine équité ? Comment intégrer une nouvelle logique de GRH, tout en conservant l'ancienne ? Comment gérer l'apparition d'une diversité des formes organisationnelles ?

Prenons l'exemple de l'évaluation de performance, pour un collaborateur qui participe à un projet transversal, le conduisant à intervenir pour une partie de son temps en dehors de son champ d'activité habituel. Qui est le mieux placé pour évaluer sa performance ? En pratique, les démarches de 360° se généralisent pour enrichir l'évaluation en l'ouvrant à l'ensemble des parties prenantes (hiérarchiques, collègues, subordonnés, autres membres de l'équipe, voire clients).

De même, en matière de gestion des carrières, mettre en place des équipes projets dans une organisation pyramidale enrichit les schémas classiques, purement verticaux, qui valorisent une maîtrise technique croissante et s'inscrivent dans la durée. D'un schéma de progression hiérarchique, des parcours horizontaux (où l'on passe de projet en projet) ou bien basés sur l'alternance entre projets et métiers sont désormais possibles. La gestion des carrières s'enrichit, mais se complexifie et s'individualise.

Aujourd'hui, la capacité d'une organisation à fonctionner de façon transversale dépend de la capacité des systèmes de GRH à accompagner, inciter et valoriser les individus qui sont engagés dans des activités et parcours qui sortent des schémas d'organisation classiques. La GRH est interrogée sur sa capacité à renoncer au modèle de la gestion uniforme au profit de systèmes mixtes, à géométrie variable, aptes à répondre à la multiplicité des formes organisationnelles et à la diversité de leurs exigences.

Cet enjeu concerne également les changements de périmètres organisationnels, liés à des mouvements stratégiques d'alliances externes, regroupements et autres fusions-acquisitions. Des entités organisationnelles aux métiers, compétences, valeurs et histoires différentes sont amenées à combiner leurs ressources vers un objectif proclamé de synergie.

Malheureusement, il est connu que deux tiers des fusions échouent, du fait du facteur humain, terme générique qui contient en vrac les incompatibilités culturelles, l'incapacité à coopérer, les résistances au changement et ressentiments de tous ordres qui s'expriment dans des opérations de rapprochement.

Beaucoup de dirigeants invitent la DRH à jouer un rôle plus stratégique. Voilà bien un domaine où l'apport d'une compétence RH peut avoir une incidence directe sur la stratégie ! Un exemple spectaculaire est celui de Cisco System, leader mondial des réseaux informatiques, qui a construit son développement sur une politique de croissance externe (plus de 70 acquisitions majeures en 10 ans). Cisco est certainement l'une des entreprises les plus avancées dans l'accompagnement RH des fusions-acquisitions. Une méthodologie en quatre grands points est systématiquement mobilisée dans tous les projets d'acquisition :

- avant la décision : un bilan social très qualitatif débouche sur une analyse d'opportunités / risques liée à la diversité (en matière de compétences, de caractéristiques humaines, ...) des employés de la société cible par rapport à ceux de Cisco ;
- lors de la prise de décision : une analyse des compatibilités permet d'identifier le meilleur « terrain d'atterrissage » des nouveaux employés au sein des équipes Cisco ;
- pendant l'étape d'intégration : accompagnement des managers confrontés à l'intégration et mise en place de dispositifs qui encouragent le transfert d'expérience ;
- après l'intégration : évaluation en continu du fonctionnement des nouvelles équipes.

Cette action stratégique des RH a permis à Cisco de faire baisser le taux de départ post-intégration de 18 à 6 % aux États-Unis.

Enfin, revenons pour terminer sur le cas de Alliance Crolles 2, annonciateur d'un nouveau modèle de positionnement pour les fonctions RH. L'innovation majeure, dans ce cas unique de constitution d'équipes à partir d'individus restant gérés par des entreprises concurrentes, concerne l'organisation des fonctions RH des trois entreprises. Chacune d'elle a détaché un DRH, chargé de participer à l'élaboration de politiques communes, qui intègrent et complètent les politiques des compagnies. Par exemple, la gestion des carrières fait l'objet d'une réflexion commune, pour répondre à l'enjeu de gérer des positions clés au sein même de l'Alliance. En matière de formation, chaque salarié bénéficie des parcours de formation offerts par son entreprise et des compléments propres à l'Alliance ont été créés.

Comme en témoigne Jean-Pierre Boyer, DRH de Philips sur le site, le rôle de DRH, dans ce contexte, n'est pas simple, car il intègre une double logique : celle de l'Alliance et celle de l'entreprise qu'il représente. Il s'agit bien d'une découverte « chemin faisant » de l'exercice d'un nouveau mode de la fonction RH, gardienne des spécificités de chaque système, tout en travaillant ensemble à harmoniser et à construire des règles communes. Voilà un bel exemple de création d'unité dans la diversité !

Terminons par une autre illustration spectaculaire, dans l'industrie cinématographique, cette fois. Si les scénarios des films de science-fiction ont souvent cherché à anticiper le futur, aujourd'hui, c'est la façon dont on produit et réalise un film qui fait du futur une réalité présente.

Le film de science-fiction

Beowulf est un film de science-fiction inspiré d'un poème épique du Moyen-Âge. Ce film à grand spectacle, avec Christophe Lambert dans le rôle principal, est en fait une première par l'organisation révolutionnaire qu'il a initiée : le réalisateur habite à Londres, la plupart des séquences ont été tournées en Roumanie, quelques infographistes se trouvent à Paris, d'autres en Israël et au Japon. Sans compter que la société chargée de coordonner les effets spéciaux est à Santa Monica, en Californie, où une douzaine de spécialistes travaillent sur les séquences filmées en Europe de l'Est.

Aussi, Larry Kasanoff, responsable de Threshold Entertainment, société hollywoodienne coproductrice du film, a voulu rassembler les équipes dispersées aux quatre coins du monde en créant Threshold Digital Research Labs (TDRL), le premier studio virtuel, numérique en ligne à l'échelle planétaire.

« La technologie des réseaux à haut débit s'est propagée dans le monde entier. Par ailleurs, il y a des professionnels de la création numérique un peu partout sur la planète. Pour la première fois dans l'histoire, la technologie permet de les réunir sans qu'ils aient à se déplacer. Aller à Hollywood juste pour visionner une séquence prend parfois beaucoup de temps et revient très cher. Aujourd'hui, c'est aussi simple qu'un coup de fil », constate Larry Kasanoff.

Pour *Beowulf*, 100 personnes au total communiquent entre elles *via* le réseau. Chacune a sa boîte aux lettres électronique. Mieux, elle peut aussi télécharger une séquence du film et la rejouer à volonté sur son ordinateur. Ce dernier, équipé d'une mini-caméra et d'un microphone, permet de dialoguer en vidéoconférence. Les infographistes ont ainsi la possibilité de travailler directement sur ce qu'ils voient à l'écran, grâce à des logiciels de dessin.

Chaque jour, le réalisateur visualise à distance le travail de ses équipes. Pour lui, l'avantage est double : il peut visionner les effets spéciaux créés avant même le tournage sur le terrain et apporter ses corrections rapidement. *« Grâce à ce système, nous avons économisé 30 % de temps pour réaliser les effets spéciaux. Quand un artiste finit son travail à Los Angeles, un autre prend le relais à Paris, puis un autre au Japon. La production ne s'arrête jamais »*, note Larry Kasanoff.

Sorti en mai 1999, *Beowulf* aura coûté environ 20 millions de dollars, soit nettement moins que le standard habituel pour un film de ce type. À terme, l'objectif de TDRL est de réussir à diviser les temps de production par deux, grâce au tout numérique et à la généralisation de l'emploi du studio virtuel en ligne à l'ensemble de la production.

De nombreux autres films ont, depuis 1999, reproduit le mode d'organisation expérimenté pour *Beowulf*, révolutionnant la façon de réaliser une œuvre cinématographique.

Ces formes extrêmes d'organisation sont observées non seulement dans l'industrie de la création artistique, mais également dans de nombreuses entreprises internationales qui saisissent l'opportunité d'un champ d'activité global pour concevoir des processus qui ne s'arrêtent jamais. Les projets ne connaissent ni repos ni vacances, ni jour ni nuit, grâce à une répartition judicieuse des ressources dans des fuseaux horaires différents. Par exemple, les équipes de R & D de Hewlett Packard sont réparties sur trois continents. Une équipe aux États-Unis peut ainsi contribuer à un projet, puis passer le relais à ses coéquipiers européens et profiter d'une nuit salvatrice pour reprendre le travail à l'endroit où leurs collègues asiatiques se sont arrêtés.

De même, dans l'industrie aéronautique, la conception de l'avion d'affaires de Dassault, le Falcon 7X, est une première mondiale, car l'avion a été construit à partir d'une maquette entièrement numérique. Une vingtaine de sociétés dispersées à travers le monde ont collaboré à ce projet. Le cycle de conception a été réduit de moitié (7 mois au lieu de14).

Des équipes dites « virtuelles » se constituent : elles regroupent des collaborateurs qui ne se connaissent parfois pas et qui collaborent de façon asynchrone au même projet. Le management à distance doit gérer, en plus de toutes les autres, une source particulière de diversité : celle des rythmes et temps de travail fragmentés dans différents fuseaux horaires.

Le modèle de la valorisation de la diversité s'exprime ici dans sa forme la plus complexe, explorant de nouvelles voies de création de valeurs et de mécanismes de socialisation humaine.

CE QU'IL FAUT RETENIR

- La diversité se retrouve dans toutes les communautés humaines et, donc, dans les entreprises.
- Le modèle d'égalité des chances vise à garantir une équité de traitement et à lutter contre les discriminations de toutes sortes.
- La gestion de la diversité, dans cette approche, se limite à quelques aspects (nationalité, religion, âge, origine sociale, ...).
- Le bilan de ces politiques d'équité, voire de discriminations positives, reste cependant mitigé.
- Une nouvelle approche, qui vise à valoriser les différences, tend à se développer dans les organisations modernes.
- De nouvelles sources de diversité, tant individuelles qu'organisationnelles, sont considérées.
- Dans cette approche, il s'agit moins d'ouvrir l'entreprise à la diversité que de mieux intégrer les diversités qui s'y manifestent déjà.
- Valoriser les différences vise à répondre à la fois à des objectifs de compétitivité économique et de développement social durable.
- La GRH joue un rôle essentiel pour faire de la diversité une ressource stratégique de l'entreprise.

BIBLIOGRAPHIE DE RÉFÉRENCE

COMMISSION EUROPÉENNE, « Promouvoir un cadre européen pour la responsabilité sociale des entreprises », in Livre vert, juillet 2001.

Anne-Françoise BENDER, Frédérique PIGEYRE, *Gestion des ressources humaines et diversité,* actes de la 5e journée d'étude du GDR Cadres, Paris, 20 juin 2003, http://gdr-cadres.cnrs.fr

Anne-Françoise BENDER, Egalité professionnelle ou gestion de la diversité, Quels enjeux pour l'égalité des chances ? , *Revue Française de Gestion*, vol. 30, n° 151, juillet-août 2004.

Joseph AOUN, *Manager une équipe multiculturelle : faire de la diversité une clé de la performance,* ESF Éditeur, 2004.

Roland GRANIER, Martine ROBERT, *Culture et structures économiques : vers une économie de la diversité ?* éd. Economica, 2002.

Jean Nizet, François Pichault, *Introduction à la théorie des configurations : du « one best way » à la diversité organisationnelle,* éd. De Boeck, 2001.

Benoît Théry, *Manager dans la diversité culturelle,* Éditions d'Organisation, 2002.

Taylor Cox, *Cultural diversity in organizations - Theory research and practice,* Berett-Koehler, 1994.

Michelle Mer Barak, *Managing diversity : Towards a globally inclusive workplace,* Sage Publications, 1995.

Thierry PICQ, *Manager une équipe projet*, éd. Dunod, 1999.

Gestion et accompagnement du changement

Par Jérôme Duval-Hamel

Professeur des universités en stratégie ; CAPA ; psychanalyste ; co-directeur de l'École de droit et de management - université Paris II Panthéon-Assas ; président de la chaire Dirigeance d'entreprise à ESCP-EAP ; administrateur général d'une institution internationale ; ancien membre de comités exécutifs de grands groupes.

Au fil des ans, les deux mots sont devenus indissociables. La « transformation » est incontournable, tant les entreprises font partie du vivant. Mais sa valorisation dans l'univers économique a elle-même évolué : aimé, vanté, mais aussi redouté, mélange d'attraction et de répulsion, le changement est désormais un *must*. Il faut en faire... beaucoup. La transformation est devenue un chantier cardinal du management, la capacité à la gérer est devenue une compétence recherchée, voire un prérequis indispensable pour les managers et les dirigeants.

Autre nouveauté : le management s'est enrichi de l'accompagnement des hommes et femmes. Cette pratique, qui avait tout d'*une* mode, s'est vite muée en *un* véritable mode de management. Désormais il est plus qu'opportun d'impliquer les parties prenantes au changement et de les accompagner. Michel Crozier n'a eu autant raison, lorsqu'il disait que le changement ne se décrète pas, car l'homme y est central.

Depuis une dizaine d'années, les cabinets de gestion du changement et les pouvoirs publics reconnaissent le développement des dynamiques d'accompagnement et d'implication. Même si les résultats ne sont pas toujours au rendez-vous, l'effort est quasi généralisé.

Geoxia : plus qu'un changement, une métamorphose !

Peu de personnes savent que le premier bâtisseur de maisons individuelles en France s'appelle Geoxia. En 2007, le groupe – 3 000 salariés et 14 marques parmi lesquelles Maisons Phénix ou Catherine Mamet – a ainsi commercialisé plus de 10 000 maisons.

Si l'entreprise est née en 1946, elle a connu un grand changement en 1999, lorsque Geoxia s'est détachée de Vivendi par le biais d'un LBO (*leveraged by-out*), le plus important à cette époque en France. Roland Germain, auparavant patron de la même activité au sein de Vivendi, et son équipe dirigeante prirent les rênes de Geoxia.

À cette époque, certes, le groupe est leader mais ses ambitions vont plus loin : Geoxia veut aussi s'imposer comme le premier opérateur d'habitat écologique. Il innove en proposant sur le marché en 2008 la première maison « éco-respectueuse ». Si le respect des normes environnementales implique un surcoût dans la construction, celui-ci est compensé par une économie d'énergie de 1 500 euros par an.

Pour réussir cette mutation à la fois structurelle et commerciale, la direction conduit, depuis plusieurs années, une politique fondée sur un souci permanent de distanciation et d'analyse stratégique, afin de comprendre et d'anticiper les différentes logiques, les jeux particuliers de tous les acteurs et parties prenantes, en mobilisant des paradigmes psychosociologiques sans tabou.

En voici les leviers fondamentaux :

- Pour le précurseur qu'est Roland Germain, on ne pouvait conduire un changement que si les salariés avaient confiance dans le « chef » et l'« équipe du chef », sinon, c'était le blocage assuré. Tout de suite, la direction a donc cherché à inspirer confiance, en mettant en valeur l'historique de l'équipe managériale, qui avait déjà su mener à bien des changements dans le passé, son intégrité, sa loyauté, les rendant légitimes aux yeux des salariés. Enfin, elle a multiplié les réunions, les visites de chantiers, en s'intéressant jusqu'aux problèmes d'intendance.

- Le risque dans les situations de transition est de voir le sentiment d'appartenance à l'entreprise se déliter, voire se rompre. Dans le cas de Geoxia, l'originalité de la démarche a moins consisté à mettre en avant la notion d'« appartenance au groupe », qu'à renforcer le métier et la performance en favorisant les progressions de carrière des opérationnels. Un métier reste un métier... quel que soit l'actionnaire ou le dirigeant.
- Autre signe particulier de la démarche de Roland Germain : avoir « décloisonné » en tenant le même discours, simple, à toutes et à tous, lors de réunions communes, quels que soient leur fonction et leur rang dans l'entreprise.
- Constamment les partenaires sociaux ont été mobilisés à travers un dialogue social nourri.
- Les clients, qui ne savent pas toujours ce qu'ils veulent, n'ont pas été oubliés : une communication des nouveaux produits a été élaborée. Eux aussi ont « grandi », ont été guidés afin de prendre conscience des évolutions de l'entreprise.
- Un suivi d'indicateurs clés, traduisant tant le niveau d'activité que l'état du climat social, a été mis en place. Un changement ne se conduit en effet pas à l'aveugle, et les performances ou contre-performances économiques ne suffisent pas à refléter, à elles seules, le bon fonctionnement ou non d'une entreprise.
- L'encadrement a été sécurisé alors que, trop souvent, c'est le contraire qui se produit : qui dit « changement », dit « changement d'hommes »...
- Roland Germain pensait qu'un changement n'était pas « un processus linéaire ». Il a toujours autorisé le droit à l'erreur à ses troupes, engendrant ainsi une « réassurance » à chaque étape.

Finalement, transformer une filiale en société mature, renouveler les produits, répondre aux demandes écologiques des clients, tout a été (bien) géré en même temps.

Par quoi est motivée cette prise en compte de l'humain ? Au-delà de tout discours ou philosophie, des considérations bien pragmatiques ont milité en faveur de cette évolution. On peut relever quatre facteurs ayant généré ce bouleversement :

L'ENVIRONNEMENT SOCIAL EST PLUS EXIGEANT

Les corps sociaux occidentaux, mais aussi des pays en voie de développement lorsqu'ils ont atteint un certain seuil, ne supportent plus que les transformations se fassent sans participation ou sans esprit de coopération, et plus globalement « sur le dos des salariés », « imposés et gérés à la va-vite ». « Dans les années 1990, constate un directeur d'usine, on était un vrai dirigeant que lorsqu'on réorganisait "à la dure", avec des licenciements en masse et des affrontements. Aujourd'hui, c'est le contraire. Il faut faire plus finement, en tenant compte de tous les *stakeholders*. L'entreprise et ses changements doivent être acceptés et non imposés. Cette acceptation doit être obtenue en interne et en externe. Sinon on est un mauvais manager. »

Les parties prenantes aux changements ont désormais moins d'hésitation à affirmer désaccord et refus. On assiste à une double légitimation : celle des transformations régulières des entreprises, et dans le même temps celle des résistances aux transformations. Grèves, mais aussi déstabilisation par voie de presse, refus d'exécuter les ordres, renversement du leader qui a décidé le changement, détérioration des outils, voire procédures judiciaires, résistance passive (ce que les Allemands nomment « démission intérieure »), absentéisme… voici autant de forme de résistance que l'on repère en entreprise. Il est donc primordial, pour le manager, de sonder la culture d'entreprise, de repérer les expériences traumatiques ou de succès du corps social afin de diagnostiquer son appétence et son expérience de la résistance au changement.

LE RAPPORT DE FORCES S'INVERSE

La raréfaction – pénurie de talents et globalement de salariés – leur donne plus de pouvoir et de liberté pour refuser un changement qui ne leur convient pas. Lors de fusions par exemple, on constate, notamment dans les pays anglo-saxons où l'on manque plus de cadres, que, lorsque le climat social engendré par l'opération ne va pas, les cadres le disent et menacent de partir, voire partent immédiatement. La peur du chômage fait plus obstacle aux mécontents des changements : « On ne peut plus se permettre de démotiver les salariés lors des changements car ils sont devenus une ressource rare », admet un DRH européen basé en Chine.

LA COMPLEXITÉ DES ORGANISATIONS CONTEMPORAINES

Les entreprises ont développé des organisations très sophistiquées (matricielles, en réseau, par projet, entreprises poreuses...) et ouvertes à un grand nombre de parties prenantes. Cette complexité est renforcée par la globalisation et l'internationalisation. Pour opérer des changements dans de tels contextes, il faut s'appuyer sur les hommes et femmes « locaux », au contact des réalités. Ils doivent enrichir les projets de changements et en assurer la mise en œuvre. « Ce contact du réel permet de garantir un changement concret, adapté en temps et en nature au terrain. Quand le président du directoire nous présente un projet de réorganisation, nous lui demandons de s'assurer que les opérationnels et le personnel sont associés et leur avis pris en compte. Le changement "hors sol", c'est-à-dire sans réalité opérationnelle mais seulement présent sur les documents *powerpoint,* est pour nous, reconnaît le président du conseil de surveillance d'un groupe allemand, un véritable risque. »

UN QUASI IMPÉRATIF JURIDIQUE

Le droit a évolué. Il a, dans de nombreux pays, renforcé les droits des salariés et limité le pouvoir de subordination, et par ailleurs, encadré le changement par un véritable arsenal juridique. Celui-ci est incitatif ou prescriptif, et même répressif : il impose des discussions, des consultations, des accords avec les représentants du personnel ; il a créé des chefs de responsabilité pénale applicables aux situations de changement ; une mauvaise gestion de l'accompagnement des personnes peut aller jusqu'à engager la responsabilité pénale des dirigeants et/ou de l'encadrement. N'oublions pas que la première plainte pour harcèlement moral en France était consécutive à un changement !

Cette évolution juridique est internationale. À l'heure de la globalisation, le manager doit être prudent et ne doit jamais oublier d'analyser les requis juridiques locaux… sans négliger ce qui est imposé par la culture sociale du pays ou de l'entreprise. Manager un changement dans les pays/entreprises germaniques et scandinaves suppose un véritable investissement d'accompagnement des salariés. Ignorer ces impératifs est vite préjudiciable pour le changement envisagé, mais aussi pour le responsable du changement…

Nous sommes convaincus que trop de changements échouent pour s'être concentrés sur les outils et pas assez sur les hommes, leurs réticences au changement et leur souhait de voir la perte générée par le changement compensée d'une façon ou d'une autre, généralement compatible avec les objectifs dudit changement.

Dans ce contexte de centralité de l'humain, les changements s'articulent autour de quatre axes.

CHANGER D'ÉTAT D'ESPRIT

En rythme de croisière, le mode de fonctionnement d'une organisation est souvent subordonnant et hiérarchique. Dans un contexte de changement, opération par essence complexe, on peut constater que ce modèle sera souvent remplacé par des processus plus participatifs, mêlant analyse et action.

Selon une enquête que nous avons effectuée auprès de dirigeants européens, ceux-ci attendent de leurs collaborateurs en charge de changements qu'ils atteignent les objectifs du changement mais tout en respectant les grands équilibres de l'entreprise. Ainsi qu'en atteste le PDG d'un groupe du CAC40 : « On ne veut pas un changement coûte que coûte. » Le président d'une holding suédoise résume la posture en ces termes : « Dans les vrais changements, il n'y a pas de place pour les petits chefs. Celui qui décide de tout, qui ne suit que sa vision, ne doit plus exister. La situation devient trop complexe du fait du changement envisagé. En période calme, on peut parfois décider seul, mais gérer un changement relève de la mécanique de précision. Ça se grippe très vite ! Il faut, certes, des capitaines qui savent garder le cap – en règle générale, nos collaborateurs le font bien – mais il faut aussi, et c'est plus difficile, composer avec l'environnement et finalement coordonner toutes les ressources. La “sur-présence” d'un chef risque d'écraser les équipes, de les terroriser et de rendre le changement vide de sens, peut-être impossible. Avant qu'ils changent les autres, j'attends de mes managers qu'ils remettent en question leurs pratiques et qu'ils les adaptent au changement prévu. Nous sommes dans le "sur-mesure". »

C'est cette reconnaissance de l'altérité, des autres, de leur puissance créatrice, résistante voire destructrice, qui fait la différence dans les opérations de changement. Il appartient au manager de l'incarner. Il relie, compose, réalise la conjugaison des différences, l'addition des talents et des compétences, en évitant les rapports de force dès lors qu'ils sont stériles. Il est celui par qui la relation doit devenir féconde. Hormis quelques rares cas, proches de l'« état d'urgence », il n'impose pas, il n'exclut pas les autres du processus de changement. Il doit apprendre à prendre du recul, à élargir ses points de vue, à lever ou à utiliser ses propres résistances et ses limitations sans changer de regard ni d'objectif.

À lui reviendra la responsabilité d'inspirer confiance puis de favoriser la naissance d'acteurs du changement, de développer la créativité dans l'organisation, de faire en sorte que chacun s'approprie, à sa manière, une part du changement en route. La démarche est écologique : c'est dans l'élégance que s'opère l'influence et c'est dans la concertation que s'élaborent les solutions fructueuses. Ce management-là est réaliste, pragmatique et puissant. Il est de l'ordre de la gestion humaine des ressources

ACCEPTER LES CRISES EXISTENTIELLES

La conduite du changement ne peut être appréhendée sans admettre qu'on entre alors dans une crise existentielle… sinon il s'agit d'un changement cosmétique, ou de ce que l'on nomme en entreprise « un changement de niveau 1 » ou « changement léger ».

Le changement recouvre des séparations et des transformations : il touche à des acquis, des éléments identitaires forts et des modes de travail et de vie collectifs et individuels, ce qu'on a souvent tendance à oublier. Ces pertes vont structurellement générer des crises. Le management doit admettre cette situation et accompagner ces « micro-deuils », ces désenchantements et ces démotivations, tout en veillant à reconstruire au plus vite du sens, du succès, bref, du concret. C'est alors que la crise-rebond succédera à la crise-perte.

La crise peut être d'autant plus forte que la réticence au changement est, n'en déplaise aux dirigeants friands de grandes réformes, très fréquente. Les individus ont souvent peur des changements, même minimes : peur de perdre ce qui existait de façon tangible, ce qui a été obtenu, peur de l'inconnu, peur de se « faire avoir »… La réaction classique des dirigeants peu rompus aux changements est de se plaindre de ces collaborateurs réfractaires aux modernités ! Leur rêve intime est alors de changer tout simplement de salariés et de représentants du personnel… Dans les faits, les managers devront accompagner les salariés dans la gestion de cette crise tout en expliquant à leur hiérarchie que le changement, même bien géré, générera une crise avec tensions et contestations. Il ne faut, en aucun cas, la redouter : la crise lors d'un changement n'est pas synonyme d'échec, mais de transformation.

S'INSCRIRE DANS UNE LOGIQUE D'ÉCHANGE

Dans les meilleurs changements, les acteurs ont échangé. À deux niveaux : discursif et matériel.

Les parties prenantes du changement dialoguent, explicitent, négocient… Dans la majorité des cas, ces échanges, formels ou non, prennent en compte les peurs, les craintes, les envies des acteurs concernés. Grands ou petits changements, individus ou groupes, le manager est alors celui qui est réceptif. Il écoute, observe, détecte subtilement, explique dans un langage clair, simplifie les situations compliquées, valorise la complexité de ses interlocuteurs pour les inciter à coopérer, animé par l'ambition d'atteindre ensemble l'objectif commun. À travers ces échanges, les acteurs emmagasinent de l'information et, parallèlement, agissent sur les représentations des uns et des autres.

L'échange porte aussi sur la matérialité du changement, son objet. Un leader syndicaliste parlait à ce propos de « troc » : échanger l'objet du changement, et la modification générée, par une compensation. Un directeur d'usine raconte : « On voulait stopper les embauches. On a eu une grève. Ce n'est qu'après des semaines qu'on a compris que, ce que les salariés refusaient, c'était la perte de possibilité d'embauche pour leurs enfants. Nous avons donc proposé de favoriser leur employabilité par des stages et des formations avec les offices publics d'emploi. La grève s'est arrêtée. »

Souvent les managers ne voient pas de compensation possible. Or il faut faire cet effort d'imagination stratégique : « Les meilleurs leaders sont justement ceux qui ont cette créativité. On arrive toujours à trouver une prestation aux effets plus ou moins comparables. Dans la plupart des cas, les gens finiront par accepter un changement, une remise en cause des droits acquis, si la compensation est là », reconnaît un chef de gouvernement européen qui réforma beaucoup son pays. Il ajoutait : « Lorsque je réforme, je dois me mettre à la place des citoyens et leur dire comment ils peuvent adhérer aux réformes que je propose ainsi aux pertes qu'il induit, car tout changement – autrement pourquoi changer ? – implique des pertes pour certains. Pour ceux qui gagneront à l'évidence quelque chose au sein du nouveau dispositif, c'est facile, mais les autres ? Le rapport de force n'est pas tenable sur la durée si la stratégie apparaît floue, suspecte ou simplement destructrice des acquis. Les citoyens se braqueront et bloqueront le changement. Pour que, eux comme moi, sortions gagnants de la situation, la seule voie possible est la négociation. »

Repenser la communication

Ce chantier transversal et linéaire doit accompagner toutes les étapes de l'évolution. Mais attention ! Pour beaucoup, la gestion du changement se réduit à une bonne communication. Combien de fois n'a-t-on pas entendu : « Ce changement a échoué car nous avons mal communiqué. » C'est illusoire et trompeur.

Le salarié n'est pas résistant au changement par simple manque d'information. Il l'est aussi parce que, rappelons-le, selon son analyse, adhérer au changement pourrait lui faire perdre quelque chose, ou que le coût du changement ne serait pas compensé, à ses yeux, par un gain. En cela, il faut recueillir l'adhésion des acteurs. Ce travail de fond doit s'accompagner d'un vaste travail de communication, utilisé comme outil. Il n'est pas une fin en soi mais un moyen nécessaire.

Lors d'un changement, la crédibilité de la direction n'est pas évidente. On sait qu'elle présentera les succès ; on redoute qu'elle camoufle les faiblesses et les échecs. Il faudra communiquer pour rassurer.

En période de changement, les vecteurs classiques de communication sont altérés. Il est important d'assurer la diffusion aux équipes opérationnelles des informations techniques et stratégiques nécessaires à la réalisation de leur mission.

Chaque changement est particulier et contextuel. Néanmoins, on peut relever dans les meilleures pratiques des entreprises et des administrations des points communs, notamment en ce qui concerne l'accompagnement des salariés à travers ses différentes formes. Parmi ces outils « vertueux », nous avons sélectionné ceux qui, en tant que dirigeant, nous paraissent comme les plus efficaces.

DES MESURES D'ACCOMPAGNEMENT DU CHANGEMENT

Un préalable incontournable : l'identification des acteurs en présence

Combien de changements ont fait long feu parce que l'on avait « oublié », « pas vu » une partie prenante au changement !

Cette étape devra permettre d'affiner la nature et les objectifs du projet ainsi que le scénario de réalisation du changement. Ce diagnostic passe notamment par deux étapes :

- la détection des forces et des faiblesses de l'organisation (hommes et institutions) par rapport au changement envisagé ;
- le repérage des stratégies de chacun des acteurs concernés par le changement, et notamment leur acceptation ou leurs résistances face au projet, leurs motivations et leurs objectifs profonds, avoués ou non, face à ce changement ;
- enfin, leurs ressources ou leurs « armes » pour atteindre ces objectifs personnels.

Lors d'une grande fusion d'établissements bancaires, le président pensait que les salariés redoutaient les plans sociaux liés aux changements post-fusion. Fort de cette idée, il annonça fièrement l'absence de tout plan social. Or, dans les semaines qui suivirent, le climat social se durcit pour déboucher sur des grèves dans les réseaux au motif de revalorisation de carrières. En réalité – et il fallut des semaines pour découvrir la raison profonde de ces contestations et trouver un compromis –, les salariés avaient des objectifs personnels, non annoncés mais bien réels, face à la fusion : départs négociés et obtention d'un bon pécule pour rebondir ailleurs. En renonçant à tout plan social, le président avait cru satisfaire les attentes des salariés, mais son diagnostic était erroné… À sa décharge, le plan social était un objectif caché et jamais officiellement revendiqué par les salariés.

Le processus de conduite du changement peut aussi être ralenti, voire stoppé par des acteurs externes. Dans la pétrochimie, un grand projet d'augmentation des capacités de production d'une usine suisse a ainsi été retardé dans son exécution, car le DG avait « omis » de prendre en compte l'association écologiste allemande basée de l'autre coté de la frontière. « Ils n'étaient pas Suisses. Je pensais donc que leur pouvoir de blocage était nul. Résultat : cette association a pratiqué un lobbying de boycott auprès de leurs groupes nationaux, principaux clients de notre groupe, j'ai dû me soumettre. »

Le diagnostic, s'il est performant, conduira le dirigeant à faire évoluer le projet initial de changement, afin de construire une stratégie « écologique », réaliste, prenant en compte l'état de son organisation, de son environnement et de ses capacités à évoluer. Il exprimera ensuite, de façon réellement stratégique, le changement, c'est-à-dire non pas dans une formalisation de sa vision, mais en ayant enregistré tous les paramètres : les siens, ceux de l'organisation et ceux des différents acteurs.

Choisir le scénario et définir le rôle des parties prenantes

Une recherche, que nous avons conduite auprès de 150 dirigeants ayant géré de grands changements, montre un carré de scénarios possibles : soit on impose, soit on négocie, soit on louvoie autour des résistances, soit enfin on conduit le changement par capitalisations successives.

Lequel préconiser ? Là aussi, différents paramètres doivent être pris en compte : ils résultent du diagnostic stratégique précèdent qui va définir la faisabilité du scénario envisagé. Règle numéro un : ne pas sous-estimer les contraintes sociales dans le choix du scénario. En culture germanique, le recours à un passage en force est ainsi très mal venu, et nombre de DG de filiales ont vu les changements qu'ils avaient générés malmenés et parfois leur carrière stoppée net à cause de leur incapacité à proposer un changement négocié.

Si l'esprit d'entreprise est fortement partagé, la négociation est la voie la plus efficace. Si l'organisation est dominée par un modèle bureaucratique peu concerné par l'évolution de son environnement, le contournement peut être un mode adapté. Enfin, le changement par capitalisation fonctionne dans les situations où les équipes sont compétentes mais peu sûres d'elles-mêmes. Dans le cas d'une entreprise en crise, le personnel attend d'une direction qu'elle tienne le gouvernail.

Le cas le plus fréquent est celui du changement par voie de coopération ou de négociation. Dispositions juridiques, pression sociale et culture d'entreprise (notamment dans les grands groupes européens du SBF120) conduisent souvent les dirigeants à s'engager dans des changements plutôt négociés.

Constituer une équipe projet, point central et vivant

Le choix de l'équipe et du manager du changement est déterminant pour faire accepter le changement. Une bonne équipe projet est construite autour de personnes qui ont ou auront la confiance des collaborateurs. Cette confiance se construit sur la capacité d'entraînement et d'accompagnement des équipes, la rapidité de décision en contexte compliqué, la faculté d'adaptation aux évolutions imprévues, la compréhension des problèmes techniques, notamment dans les périodes les plus tendues et les plus stressantes du changement.

Une part de la réussite d'un changement réside dans les procédures, mais aussi dans les comportements ; les siens, ceux des collaborateurs et ceux de l'environnement. Aussi le dirigeant définit les règles du jeu, les manières de faire qui resteront *a priori* non négociables tant elles font partie de l'objectif à atteindre. Elles influeront fortement sur la stratégie de l'équipe qui sera chargée du changement.

L'équipe projet définit les étapes du changement par rapport à l'implication des différents acteurs, la construction de plans détaillés par équipes, la gestion RH (par exemple licenciements, embauches, refonte des équipes), la mise en place des nouvelles méthodes, les investissements, les essais, la généralisation, la correction des défauts.

Elle construit le calendrier en tenant en compte des contraintes humaines, sociales et juridiques, notamment l'information des partenaires sociaux, afin d'éviter un délit d'entrave qui, outre ses sanctions juridiques, aurait un effet redoutable en termes de motivation, de conduite du changement et d'image. Elle évalue le coût de chacune des étapes, prévoit les moments où la direction devra faire les choix majeurs. Une bonne définition de ce premier plan d'action permettra tout au long du projet de bien identifier les dérives par rapport aux objectifs, au coût ou aux délais.

Aider les salariés à être sur tous les fronts

Nombre de changements échouent parce que les entreprises se focalisent trop sur le changement (ceci est particulièrement vrai lors des fusions) et en oublient la gestion du quotidien des salariés, des clients… L'entreprise et ses managers doivent donc veiller à assurer la conduite du projet et la gestion courante des affaires.

Dans de nombreux cas, les managers sont à la fois en charge du projet de changement et du *daily business*. C'est alors une charge très lourde, complexe, et le risque est de privilégier le projet aux dépens du quotidien. La solution pratique est souvent de demander davantage de ressources. De nombreuses entreprises anglo-saxonnes ont des équipes exclusivement dédiées à la conduite du changement ou de fusions acquisitions.

Une hyper-gestion RH

Selon de nombreux spécialistes, il est important de prendre en compte les limites conscientes ou non des individus face au projet de transformation. Au-delà de leurs intentions, les acteurs sont parfois dépassés par les enjeux du changement et peuvent sombrer dans des postures de stress, de blocage « involontaire ». Il est urgent de ne pas laisser s'installer cette glaciation. Le déblocage passe par une première étape d'accompagnement fondée sur la réponse à la peur ressentie. Chacun doit, en quelque sorte, pouvoir « s'approprier » une part même infime du changement.

Collectivement, l'accompagnement sera entouré de sur-présence du management, de plans de réorganisation, de structures de négociation, de groupes de travail. Lors de fusions par exemple, on assiste de plus en plus à la création de commissions d'accompagnement au changement. Une autre solution consiste à faire émerger des corps intermédiaires afin de favoriser la médiation entre ceux qui décident et ceux qui subissent le changement.

Les entretiens individuels hiérarchie-salariés, le coaching, les formations de gestion du stress… tout ce qui peut permettre aux salariés d'abandonner la posture d'aliénation au profit d'une démarche proactive, participe à la bonne exécution du changement.

Enfin, et ce n'est pas superflu, des mesures purement organisationnelles sont préconisées. L'Autriche est un modèle du genre avec, lorsqu'un changement se profile à l'horizon d'une entreprise, la création d'outils générant du repos, de la convivialité, du ressourcement. Les salariés ont droit à des créneaux horaires de récupération pour « avaler » et « digérer » les phases successives de changement.

Préparer l'accompagnement de façon collective et individuelle et établir avant tout un état des lieux, voilà la première étape de la problématique au changement. Trop souvent, l'erreur majeure consiste à passer directement au mode opératoire. Il est absolument nécessaire de prendre avant tout des mesures de « pédagogie collective » ; d'expliquer aux managers et à leurs collaborateurs que les transformations, si on ne veut pas qu'elles soient cosmétiques, génèrent nécessairement une crise existentielle. Or, la principale erreur dans le management est de croire le contraire ! Un changement s'accompagne « avec des mesures classiques de GRH puissance 10 et de nouvelles mesures », constate un DRH anglais. L'accompagnement du changement se déroule selon le même schéma qu'une gestion de crise : il faut « hyper-gérer ». Les fusions réussies se fondent sur ce principe.

Le suivi de l'avancement du changement en temps réel

Paradoxalement, même si l'équipe projet a construit un calendrier prévisionnel et défini des étapes pour le changement, les études, les embauches, les procédures de licenciement et les lancements commerciaux ont tous des rythmes différents de réalisation pratique. Le « temps social » notamment, organisationnel ou tout simplement humain, est rarement conforme aux planifications. Le chef de projet a besoin de connaître au plus tôt les difficultés, leurs conséquences possibles sur le délai, le coût, le résultat final. La fiabilité des informations est essentielle.

L'équipe projet a besoin de connaître les évolutions du moral de ses collaborateurs, de l'état d'esprit de ses opposants, les états d'âme des silencieux. Elle met ainsi à jour l'image de son entreprise construite ou reconstruite au début du processus du changement. Le manager introduit les évolutions qu'il ressent, vérifie leur conformité avec ses attentes. Il en tire les conséquences en matière d'objectifs pour le projet. Mieux vaut annoncer le report d'une étape que d'attendre qu'elle prenne un retard considérable ou que toute l'organisation sache qu'elle est devenue impossible. Le manager préserve ainsi la confiance de ses collaborateurs, qui apprécient toujours, même en période de gros temps, le pragmatisme.

Il est prudent de demander un rapport d'avancement hebdomadaire dans chaque secteur touché par le changement. Un point mensuel formalisé équilibre le poids des opérations courantes auprès de tous les acteurs non permanents du projet. Il donne au chef de projet la possibilité de corriger les calendriers voire les objectifs de ses équipiers, et à la direction des informations fiables sur l'état du projet et sur ses résultats actuels et futurs. L'enjeu n'est pas bureaucratique ; il doit alerter les dirigeants sur d'éventuels retards et leur fournir des éléments d'explication. À l'instar des *profit warnings*, nous avons basculé dans une culture du principe de précaution. Cette posture permet aussi de se donner tous le recul et les moyens nécessaires pour trouver les réponses idoines de résolution des dysfonctionnements dans la conduite du changement.

La dernière étape du changement

À la fin, les entreprises performantes veillent à capitaliser leurs expériences de gestion du changement. Cette étape est importante pour que le prochain projet puisse profiter de cette expérience.

L'équipe projet devra donc écrire le bilan de l'opération. Le dirigeant saisira cette opportunité pour, une nouvelle fois, informer ses collaborateurs. Le manager veillera à aider chacun à intégrer cette expérience dans son parcours professionnel. Bilans d'activité, de compétence, d'employabilité, de carrière… sont autant d'outils que les grands acteurs du changement apprécient. Ils n'oublient pas qu'au-delà des marques de reconnaissance qu'ils ont su distribuer tout au long du projet, les collaborateurs attendent la transformation de ces signes en statut, en salaire ou en garanties personnelles.

Enfin, n'oublions jamais que la notion de fin d'un processus de mutation est toute relative : les dirigeants considèrent souvent qu'une opération de fusion est achevée dès que l'acte de fusion est signé, les synergies organisées et le nouvel organigramme posé. Pour les managers et le personnel, mais aussi les clients, le temps du changement est en réalité bien plus long… Certains salariés nous ont parlé d'une fusion réalisée six années après la fin annoncée tambours battants par leur Président !

Poursuivre la course en tête...

Lorsque le nouveau directeur général est entré en fonction, l'entreprise de 1 600 personnes, parmi les leaders européens de la pétrochimie, avait une belle situation financière et un marché porteur. Mais la réalité était moins rose : peu d'idées, des relations difficiles entre employés et encadrement, des rumeurs de restructurations et d'externalisations suivies de grèves perlées...

La mission du nouveau directeur général était simple : réveiller et orienter les énergies vers une nouvelle croissance, anticiper les exigences nouvelles des clients, réduire les coûts pour financer les projets sans trop réduire les dividendes des actionnaires.

Pour y parvenir, il décide de mener un changement tous azimuts en rebondissant d'une forme d'action sur l'autre pour les renforcer mutuellement.

- De nouvelles têtes : Les deux tiers de l'encadrement supérieur (70 personnes) changent de poste ou sont remplacés par de nouvelles têtes qui apportent des techniques et méthodes inconnues jusqu'alors, tout en maîtrisant les techniques de base de l'entreprise.
- Un acte fondateur : Le choix de la première action, la sécurité des personnes, donne le *la* : l'indicateur, basique, n'exige aucune traduction entre métiers commerciaux, administratifs ou productifs et permet aisément de construire des parcours d'améliorations.
- Une communication méthodique : La direction développe une communication interne variée, appuyée sur de multiples supports accessibles à tous. Chaque incident fait l'objet d'une diffusion. À l'inverse, d'autres moments forts, positifs cette fois, de la vie de l'entreprise sont mis en avant : record de durée sans incident, célébration collective des succès, projets techniques ou organisationnels menés à terme.
- Un encadrement créatif : Petit à petit, la direction oblige les managers à être sur le terrain et à tout connaître des opérations effectuées dans leurs secteurs. Leur technicité et leur créativité ouvrent ensuite des voies nouvelles.

- La gestion des hommes : La définition de nouvelles compétences, en particulier les interactions entre métiers, s'impose. De nouveaux métiers, d'autres qualifications, des perspectives de carrière et de salaires s'ouvrent à tous les salariés.
- La logique gagnant-gagnant : Ce foisonnement donne l'opportunité au département RH de réussir des négociations innovantes. Il installe les organisations syndicales dans un rôle réel, stratégique, de dialogue, pour la réussite du changement. Fondés sur la logique gagnant-gagnant, 17 accords sont signés en 2 ans, dont la sécurité et la santé des personnes, ainsi que l'amélioration des rythmes postés. Suivent les compétences, les nouveaux métiers, le regroupement de services, la sous-traitance, l'évolution des carrières en dehors de l'entreprise, les liens avec les lycées professionnels…
- Les répercussions extérieures : Ces accords permettent de développer une communication nouvelle auprès de la population voisine, qui ressentait les contraintes du grand site industriel et en avait oublié les retombées financières dont elle profite. Près de 50 salariés étant aussi conseillers municipaux, la direction a sur place tous les correspondants nécessaires pour créer des liens forts avec les communes, leurs élus… et leurs habitants dont 1 600 sont aussi les employés de l'entreprise.

Bilan : En moins de trois ans, tout a changé dans l'entreprise. Les idées nouvelles, les expériences externes sont recherchées par les techniciens de tous les services qui ont su se mobiliser ; les accidents du travail ont disparu. L'entreprise est citée comme un modèle au plan européen. La qualité des produits creuse encore l'écart avec la concurrence. Les consommations de matières premières et d'énergie ont fortement diminué ainsi que les frais d'exploitation. Le succès est bien là.

CE QU'IL FAUT RETENIR

- La gestion du changement est une compétence managériale requise et recherchée.
- Le changement implique une gestion de la complexité ; le changement n'est pas totalement planifiable.
- La dimension humaine est centrale.
- Les obligations et les risques juridiques liés au changement sont de plus en plus nombreux.
- Les individus sont, dans leur grande majorité, réticents au changement ; les négociations sont une voie privilégiée pour réaliser des changements importants et durables.
- Les grands changements engendrent des crises existentielles qui doivent être considérées, non comme des fautes de management, mais comme des étapes nécessaires.
- Les entreprises étant plus « ouvertes », elles sont soumises à une pluralité d'acteurs qu'il faut intégrer dans le processus de changement.
- Les entreprises ont appris à se doter d'outils professionnels pour développer et accompagner le changement, que les managers doivent maîtriser.
- La gestion et l'accompagnement du changement imposent aujourd'hui une compréhension des paradigmes gestionnaire, managérial, psychologique, sociologique et de communication.
- La gestion d'un changement se réalise dans plusieurs « espaces-temps » et doit servir de repère à la gestion de changements futurs. Certaines cultures d'entreprises ou cultures nationales ayant une longue tradition du changement s'avèrent plus performantes que les autres.

BIBLIOGRAPHIE DE RÉFÉRENCE

DELATTRE F., DESBOIS L., KOVALEVSKY J.-P., « Les modalités de gestion de changement industriel », *Working Papers*, École de droit et de management de Paris, université Paris II Panthéon-Assas, 2008.

BANCEL F., DUVAL- HAMEL J., *Les fusions d'entreprises,* Eyrolles, 2008.

DUPUIS F., *Sociologie du changement*, Dunod, 2005.

GERMAIN M., *Dirigeants de sociétés : juridique, fiscal, social,* Groupe Revue Fiduciaire, 2007.

KOURILSKY F., *Du désir au plaisir de changer,* Dunod, 2008.

Partie 8

ORGANISATION

Organisation

Les fondamentaux

PAR ALBERT DAVID

ORGANISATION

Organiser c'est, littéralement, doter d'organes, c'est-à-dire, au sens étymologique du grec *organon*, doter d'outils. Organiser c'est outiller, donc rendre capable d'action collective. Barnard a donné en 1938 une définition générale très simple : « Une organisation est un système consciemment coordonné des énergies et activités de deux ou plusieurs personnes. » On peut considérer le marché (lieu de l'échange) et la hiérarchie (lieu de l'autorité) comme deux formes d'organisation économique, chacune ayant ses avantages et ses limites en termes de coûts de coordination et de contrôle. Une autre option théorique est de réserver le terme « organisation » aux systèmes hiérarchiques, à l'exclusion des marchés. Les propriétés essentielles des organisations sont l'existence de frontières, la possession de ressources matérielles et immatérielles, l'intentionnalité de l'action, le fonctionnement en échange ouvert avec l'environnement.

STRUCTURE

La structure d'une organisation est constituée de l'ensemble des éléments permanents qui guident et encadrent l'action de ses membres. Ces éléments peuvent être formels : les principes de division du travail, les outils de planification et de contrôle. Ils peuvent être informels : la confiance, la culture de l'organisation, les réseaux et relations non officiels, les ajustements mutuels et arrangements tacites. La structure ne se réduit pas à l'organigramme. Les principaux facteurs qui déterminent la structure des organisations, sont l'âge et la taille, les technologies, l'environnement, les modes managériales – autrement dit, l'« époque » – et… la créativité organisationnelle des dirigeants. Les systèmes d'information, le règlement intérieur, les procédures d'assurance qualité, une culture de solidarité, les programmes de formation, les entretiens d'évaluation, les contrats d'objectifs, le type de gouvernance – par exemple directoire et comité de surveillance – font partie de la structure.

POUVOIR

Le pouvoir de A sur B tient à la capacité de A à obtenir de B qu'il fasse quelque chose qu'il n'aurait pas fait sans la demande de A. Le pouvoir n'est pas la caractéristique d'une personne mais d'une relation. Détenir un pouvoir statutaire n'entraîne pas automatiquement l'exercice effectif de ce pouvoir. Réciproquement l'absence de pouvoir statutaire n'empêche pas certaines personnes d'avoir un pouvoir réel. Weber distingue trois sources de domination légitime : la tradition, le charisme et le « rationnel-légal ». Dans la domination rationnelle-légale, on obéit non pas à la personne qui exerce le pouvoir mais au droit rationnel que cette personne est légalement chargée de faire appliquer. Les organisations sont le théâtre de nombreux jeux de pouvoir, comme par exemple la construction d'empire (avec ses subordonnés), le jeu du parrainage (avec ses supérieurs), le jeu du coup de sifflet (pour mettre fin à une action en la dénonçant publiquement). Le dirigeant de l'entreprise est un détenteur clé du pouvoir, et les organisations peuvent être fragilisées par les dérives du leadership, comme la « folie à deux » qui se produit lorsque des dirigeants partagent une représentation des choses progressivement détachée de la réalité – l'hypothèse d'un complot, par exemple.

DÉCISION

Décider, c'est ce que l'on fait lorsqu'on ne sait pas quoi faire (car si l'on sait quoi faire, le problème de décision est résolu). Décider, étymologiquement, c'est trancher. Mais la décision ne se réduit pas au moment du choix : c'est un processus qui, dans sa version rationnelle standard, est composé de quatre étapes : (1) intelligence de la situation et formulation du problème ; (2) conception de solutions possibles ;

(3) sélection de la meilleure solution ou, au moins, d'une solution satisfaisante ; (4) évaluation. Dans la réalité, les processus de décision sont moins rationnels : par exemple, le modèle de l'anarchie organisée, ou « modèle de la poubelle », proposé en 1972 par Cohen, March et Olsen, dit que la décision est le résultat d'une rencontre, au sein d'un espace partiellement aléatoire, de problèmes, de solutions, de décideurs et d'occasions de décider. Les managers, les consultants et les chercheurs ont inventé de nombreux outils d'aide à la décision, utilisables pour une très large variété de problèmes, du plus structuré – qui peut être résolu par un algorithme – au moins structuré – dans lequel l'acteur humain garde une part prépondérante.

Rationalité

Une action est rationnelle si elle permet d'atteindre un objectif fixé – adaptation des moyens aux fins – et si sa justification est socialement acceptable. Il est rationnel d'ouvrir son parapluie s'il pleut et si l'on ne veut pas être mouillé. Il est tout aussi rationnel de ne pas ouvrir son parapluie lorsqu'il pleut, si l'on souhaite être mouillé… même s'il se trouvera des gens pour dire : « Il est fou de se laisser ainsi mouiller ». Dans l'entreprise, l'impératif de rationalité est permanent, la justification des décisions est une nécessité. Mais la rationalité est nécessairement limitée : toutes les informations ne sont pas disponibles, les capacités de traitement de l'information ne sont pas infinies, les préférences des décideurs sont modifiées par le processus même de décision, les parties prenantes de la décision peuvent être nombreuses et d'avis divergents. La rationalité est limitée, mais elle peut être accrue par l'usage d'outils et de procédures rigoureux d'aide à la formulation des problèmes, à la conception et au choix de solutions satisfaisantes. Dans les processus d'innovation, on parlera de rationalité *expansive* pour traduire le fait que des concepts et des connaissances nouveaux sont produits et repoussent ainsi les frontières de ce qui était concevable.

IDENTITÉ

L'entreprise est un lieu important de socialisation. L'identité est l'ensemble des caractéristiques qui permettent à un groupe de s'identifier comme tel et d'être identifiable. On distingue l'identité pour soi de l'identité attribuée. On trouve depuis les années 1990 en France six types identité au travail : le modèle réglementaire (faible socialisation au travail, identité surtout hors du travail), le modèle communautaire (fortes traditions collectives d'esprit maison ou de luttes sociales), le modèle du professionnel de service public (sens de la mission et souci de la qualité de la relation à l'usager), le modèle professionnel (importance de l'expertise, du métier, du statut, de la transmission de connaissances), le modèle entrepreneurial (l'esprit d'entreprendre, au sein d'une grande organisation ou en créant son entreprise). Image de l'entreprise, image du métier, image de la structure du pouvoir et structure des rapports affectifs entre l'individu et l'organisation interviennent dans la constitution de l'identité.

CULTURE

La culture est l'ensemble des hypothèses fondamentales qu'un groupe a constituées au cours de son histoire, en apprenant à résoudre ses problèmes d'adaptation à l'environnement et d'intégration interne. Ces hypothèses ont été suffisamment validées dans l'action pour être transmises comme la bonne manière de penser et d'agir (définition de Schein). La culture constitue un mécanisme de coordination : des individus de même culture – nationale ou régionale, professionnelle, d'entreprise – auront des comportements plus homogènes en ce qui concerne les grandes hypothèses qui sous-tendent la pensée et l'action : représentations du temps, de l'espace, des grandes valeurs comme l'honneur, le respect, l'équité, la loyauté. La culture comprend les normes partagées (y compris celles liées aux rites, cérémonies, formes de langage), les valeurs dominantes que se donne l'entreprise, la philosophie qui oriente les rapports avec le personnel et les clients, les règles qu'il faut intérioriser pour être accepté et progresser. De nombreuses entreprises sont confrontées à des problèmes de management interculturel lorsqu'elles sont implantées, ont des clients ou signent des partenariats dans des pays différents. De nombreux problèmes de compatibilité des cultures apparaissent lors des fusions-acquisitions : la culture d'une entreprise ou d'un groupe est fragile, elle n'est pas facile à observer et peut être détruite par un management qui en sous-estimerait l'efficacité.

APPRENTISSAGE

L'apprentissage est une question très ancienne : le « contrat d'apprentissage » des compagnons est l'une des formes les plus anciennes de transmission du savoir. La notion classique de « courbe d'apprentissage » montre le temps qu'il faut à un opérateur pour parvenir à une production stabilisée. Plus généralement, l'apprentissage d'une organisation résulte : (1) de l'interaction, dans un système de relations, de connaissances produites pour résoudre un problème (premier niveau d'apprentissage, adaptatif ou en « simple boucle ») ; mais aussi (2) d'une réflexion sur le système de relations lui-même et sur la nature des connaissances qui y circulent (second niveau d'apprentissage, d'abstraction réfléchissante ou « double-boucle »). Au premier niveau, on adapte seulement les façons de faire habituelles au nouveau problème. Au second niveau, on change la façon dont le problème est formulé et résolu. Il existe différents types d'apprentissage : par conditionnement, par essais-erreurs, par compagnonnage. On appelle « routines » les morceaux de programme qui guident l'action. Ces routines peuvent être positives ou défensives. Savoir apprendre, c'est aussi savoir désapprendre pour conserver une capacité de renouvellement des routines.

ENTREPRISE 2.0

Le système d'information et de gestion de la connaissance est un élément fondamental de la structure. Toute l'organisation est faite pour élaborer, traiter, produire informations et connaissances. On appelle habituellement système d'information l'ensemble des outils et supports formalisés qui permettent de gérer l'information et la connaissance. Ces outils et supports, dans l'entreprise moderne, sont très variés : une simple liste, un tableau, ou au contraire un progiciel de gestion intégrée de type SAP, une base de management des connaissances, des systèmes de gestion des processus métier (workflow). La tendance actuelle est d'explorer une logique dite « 2.0 » : il s'agit de mettre en place des outils qui maximisent la dynamique collaborative, en rupture ou en complément des logiques hiérarchiques classiques : agendas et carnets de notes partagés, logique *wiki* de construction collective et progressive d'un résultat, plateformes de co-conception permettant à tout concepteur, de l'entreprise ou de l'extérieur, de participer, logique *many-to-many* généralisée. Des plateformes de *crowdsourcing*, par exemple, permettent la mise en place concrète de processus collaboratif de conception à partir d'idées venues de la « foule », c'est-à-dire d'un nombre très important de contributeurs potentiels, qu'il aurait été impossible de détecter et de recruter autrement.

Organisation

Structure et coordination

Par Pierre ROMELAER

Pierre Romelaer est professeur à l'université Paris-Dauphine. Ses domaines d'activité sont la gestion des organisations, les méthodes de décision stratégique, de changement et d'innovation, ainsi que la GRH.

Il n'y a pas deux façons identiques d'organiser une activité ou une entreprise. Mais il existe des mécanismes de coordination présents dans toutes les organisations, et celles qu'on rencontre dans la pratique sont très proches d'un nombre limité de structures types bien identifiées.

Il n'existe aucune organisation parfaite, mais seulement des organisations plus ou moins bien adaptées aujourd'hui – et adaptables demain – à la stratégie de la direction, aux moyens disponibles et aux environnements concurrentiel, technique, juridique, etc. Chaque type d'organisation a des avantages et des inconvénients. Si les inconvénients sont trop forts, on peut penser à « changer de type d'organisation ». On a les avantages de la nouvelle structure et l'on a supprimé les inconvénients de l'ancienne, mais on a forcément aussi les inconvénients de la nouvelle forme d'organisation. Gérer l'organisation exige donc des arbitrages de la part des managers et des dirigeants.

L'organisation d'une agence dans une SSII

Informex (nom fictif) est une Société de Services et d'Ingénierie Informatique (SSII) de plusieurs milliers de salariés, l'une des plus performantes de son secteur. Elle fait environ les trois quarts de son chiffre d'affaires en Europe. La filiale France comporte des départements spécialisés (banques, grande distribution...), une unité Grands Comptes et des agences généralistes regroupées en directions régionales. Informex France a aussi des unités produits (e-business, informatique de production...) qui étaient chargées initialement du développement technique et commercial. Depuis une réorganisation récente, elles s'occupent seulement du développement technique : l'esprit du changement consiste à localiser toute l'action et la responsabilité commerciales au niveau des agences.

Si on descend au niveau des agences, de nombreuses informations sur l'organisation sont fournies par la définition de fonction, dont une partie est présentée ci-dessous.

Définition de fonction de l'ingénieur commercial

Objectifs

Atteindre l'objectif de chiffre d'affaires. Trouver de nouveaux clients. Faire du chiffre d'affaires reconductible. Etre le point de contact entre la clientèle et l'entreprise. Gagner sur la concurrence. Couvrir le secteur. Plus sept autres objectifs non reproduits ici.

Outils de travail

Le fichier des prospects permet l'identification du marché, en collaboration avec le directeur d'agence et d'autres ingénieurs commerciaux, complété par des informations publiées. Le fichier clients. Le portefeuille d'affaires. Le plan de prospection, élaboré tous les 3 à 6 mois, avec mise à jour régulière.

Méthode de travail

Plan de journée. Prise de rendez-vous. Rendez-vous. Discussion à l'agence avec le directeur, le responsable technique, un ingénieur commercial et/ou le comité d'opérations. Étude du besoin. Proposition technique. Négociation commerciale. Signature.

Reporting

Fiches de préparation de contacts téléphoniques ou de visites. Comptes-rendus de contacts téléphoniques ou de visites. Situation hebdomadaire : visites et coups de téléphone importants, contrats signés, propositions remises, besoins détectés. Situation mensuelle : prévisions, réalisations. Notes de frais.

Autres données sur les pratiques d'organisation dans les agences

Pour analyser l'organisation et déboucher sur des recommandations, il faut des données sur le fonctionnement normal des agences. Quelques données de ce type figurent ci-dessous :

- seul l'objectif de chiffre d'affaires est mesuré de façon précise et peut entraîner de gros problèmes, si l'ingénieur ne l'atteint pas. S'il atteint cet objectif, il n'aura pas réellement de problème, quels que soient ses résultats sur les autres « objectifs », définis ci-dessus ;
- l'identification du marché, l'élaboration du plan de prospection et les propositions de contrats sont faites par des discussions informelles nombreuses entre membres de l'agence. Il est rare que le chef d'agence impose un point de vue. Il n'y a ni méthode formelle, ni capitalisation des savoirs, et pratiquement pas de programme de formation systématique ;
- des formulaires préétablis très détaillés sont à remplir pour la préparation et le compte-rendu de chaque visite et de chaque contact téléphonique. Un ingénieur y passe de 1 à 2 h/jour, en plus des 10 à 11 h de travail journalier ;
- la plupart des ingénieurs ont un diplôme Bac + 4 généraliste. L'entreprise veut des ingénieurs commerciaux orientés client et formés dans l'action (pas des spécialistes).

Comme beaucoup de SSII, Informex fonctionne avec la méthode *up or out* : en général, un ingénieur commercial est embauché juste après son diplôme, reste trois ans, puis quitte l'entreprise. Les autres ingénieurs deviennent directeur-adjoint d'une agence.

LA COORDINATION

Pour savoir si une activité est bien organisée, il faut d'abord voir si les parties du travail effectuées par plusieurs personnes sont bien coordonnées. Cette analyse peut être faite pour un poste de travail (voir le cas d'une SSII ci-dessus), pour une partie d'organisation (la coordination dans un service commercial), pour un processus de décision (décision d'investissement, innovation produit), pour l'ensemble d'une entreprise (voir le cas p. 383) et pour la coordination des activités de l'entreprise avec l'extérieur (les clients, les partenaires).

Il existe cinq mécanismes qui permettent de coordonner entre elles des activités. Nous en donnons les définitions ci-dessous. Nous verrons ensuite comment un manager peut analyser ces mécanismes et les utiliser dans sa pratique.

Les cinq mécanismes de coordination

Ce sont l'ajustement mutuel, la supervision directe, la standardisation des procédés de travail, la standardisation des résultats et la standardisation des compétences.

Plusieurs personnes se coordonnent par ajustement mutuel, si elles décident d'une action au terme d'une communication directe dans laquelle il n'y a pas d'idée de hiérarchie. Chacun peut émettre des idées, critiquer les idées des autres, faire des contre-propositions. La communication peut être de face-à-face, par téléphone, par e-mail.

Un salarié peut se coordonner par ajustement mutuel avec ses collègues directs, avec des collègues des autres départements, mais aussi avec des clients, des fournisseurs ou même sa hiérarchie (un supérieur hiérarchique ne fait pas que donner des ordres).

L'ajustement mutuel existe à un certain degré dans toutes les activités de toutes les organisations : qu'il soit encouragé, toléré ou interdit, il constitue « l'huile dans les rouages » sans laquelle, bien souvent, aucune entreprise ne peut fonctionner.

Deux personnes sont coordonnées par supervision directe ; si chacune d'entre elles reçoit, d'un même supérieur hiérarchique, des directives qu'elles ne peuvent, en pratique, pas discuter. C'est le supérieur qui fait la coordination.

La supervision directe est le mécanisme de coordination « classique », celui qui est nécessairement utilisé quand les compétences sont rares, quand la direction ne peut pas mettre en place des procédures, ni avoir confiance dans l'ajustement mutuel et les initiatives des collaborateurs.

Des personnes sont coordonnées par standardisation des procédés de travail, si chacune suit des procédures sans avoir à se préoccuper des autres membres de l'organisation : les procédures ont été conçues pour que le travail d'ensemble soit coordonné. On trouve ce mécanisme de coordination aussi bien dans le travail à la chaîne effectué par des ouvriers, dans les activités d'analyse qualité effectuées par des techniciens, ou dans les procédures utilisées par les auditeurs qui contrôlent les comptes. La standardisation des procédés de travail n'est pas l'apanage du travail non qualifié.

Des personnes sont coordonnées par standardisation des résultats, si chacune peut se focaliser sur un résultat à atteindre dans son travail ou sur une norme à respecter sans avoir à se préoccuper des autres membres de l'organisation. Si chacune fait ce qu'elle doit faire, le travail d'ensemble sera automatiquement coordonné. Les normes de qualité imposées à un ouvrier, les objectifs de vente des commerciaux et les objectifs de profit des directeurs de filiales sont des exemples de standardisation des résultats.

Ce mécanisme de coordination ne fonctionne que si les personnes concernées ont des compétences suffisantes et disposent de moyens adéquats. Il est de plus en plus utilisé. Le travail devient alors plus intéressant, mais aussi plus exigeant, puisque le salarié a la responsabilité d'atteindre son résultat.

Des membres de l'organisation sont coordonnés par standardisation des compétences, si chacun se réfère dans son travail à des savoirs développés dans l'entreprise, appris dans des formations ou développés dans l'expérience professionnelle, de telle sorte que le travail d'ensemble s'effectue de façon coordonnée.

La standardisation des compétences est très utilisée dans les activités de conception de nouveaux produits et dans les activités de haute qualification (hôpitaux, cabinets conseil, entreprise de haute technologie...).

Comment utiliser les mécanismes de coordination

Chacun des mécanismes de coordination a des avantages et des inconvénients. Par exemple, l'ajustement mutuel peut être très rapide et très réactif. C'est aussi un mécanisme de coordination souvent jugé agréable : chacun apprécie de pouvoir faire valoir ses contraintes, son point de vue et ses préférences. Mais il comporte aussi des inconvénients :

- il ne permet pas à lui seul de coordonner un grand nombre de personnes (sinon les membres de l'organisation perdent leur temps en discussions) ;
- si les décisions obtenues par ajustement mutuel entre deux personnes ne sont pas transmises au reste de l'organisation, il peut en résulter des problèmes de coordination dans le futur ou ailleurs dans l'entreprise. L'usage de la messagerie électronique permet de mieux utiliser l'ajustement mutuel ;
- quand les salariés se coordonnent par ajustement mutuel, ils peuvent développer des habitudes qui ne sont pas forcément efficaces, qu'il est assez difficile de changer par des procédures, par des ordres hiérarchiques ou par de la formation.

L'intensité de chaque mécanisme de coordination peut être mesurée sur une échelle de 0 à 100 (par une méthode non présentée ici). Par exemple, il y a une « quantité plus grande » de standardisation des compétences, entre autres, quand le salarié doit lire la presse professionnelle, utiliser des bases de connaissances et apprendre à partir de sa pratique et de celle des autres.

Si on mesure la coordination pour un poste de travail, on constate en général que chaque mécanisme est utilisé à un certain degré, mais qu'un ou plusieurs d'entre eux dominent. L'ouvrier qui travaille sur une chaîne de montage organisée à l'ancienne est essentiellement coordonné par standardisation des procédés de travail, mais il y a souvent par exemple de la standardisation de résultats (taux de rebut maximum), un peu de standardisation des compétences (les « tours de main » qu'on apprend sur le tas) et un degré variable de supervision directe (les ordres du chef d'équipe).

La nature du mécanisme de coordination qui domine a une incidence extrêmement forte sur la vie quotidienne des salariés et des clients, ainsi que sur de nombreuses caractéristiques de gestion : productivité, fiabilité, réactivité vis-à-vis des changements de l'environnement, flexibilité vis-à-vis de la croissance, de la décroissance ou des variations du volume d'activité, etc.

À partir de la mesure de la coordination, on a des conséquences au niveau du management :

- quand il n'existe aucun mécanisme supérieur à 50 %, le poste est en sous-coordination, avec des risques de dérive : il faut reprendre les choses en main et revoir la définition de poste ;
- quand on a deux mécanismes de coordination aux alentours de 60 à 70 %, le poste est correct pour la moyenne des salariés ;
- quand on a plus de deux mécanismes de coordination à plus de 75 %, il y a surcharge pour la majorité des personnes et risque de stress, de démotivation et de fautes dans le travail, sauf pour les travaux de durée limitée. Là aussi, il convient éventuellement de revoir la définition de poste.

Il existe une autre application managériale importante des mécanismes de coordination : dans bien des cas, on peut maintenir la même qualité de coordination au niveau d'un poste de travail, en diminuant l'usage d'un des mécanismes et en augmentant un ou plusieurs des autres. Le respect des ordres de la hiérarchie peut être remplacé, par exemple, par un comportement plus autonome piloté par des objectifs. La conception d'un poste de travail offre donc au manager une latitude d'action. Bien entendu, l'utilisation de mécanismes différents exige des « environnements du poste » différents : le temps de la hiérarchie, le nombre de supérieurs hiérarchiques et les exigences au niveau de la formation ne sont pas les mêmes, selon qu'on privilégie la standardisation des procédés de travail ou l'ajustement mutuel.

L'ANALYSE FONCTIONNELLE, LES PARTIES DE L'ORGANISATION

On appelle « analyse fonctionnelle » l'opération qui consiste à rassembler les activités d'une organisation dans des parties d'organisation selon la « fonction » qu'elles jouent dans l'ensemble. Certaines des unités de l'entreprise (les départements, les services...) ont des activités dans plusieurs des « parties d'organisation », au sens de l'analyse fonctionnelle.

Il existe cinq parties de l'organisation au sens du diagnostic fonctionnel : le centre opérationnel, le sommet stratégique, la hiérarchie opérationnelle, la technostructure et les fonctions de support logistique. Dans la présentation qui suit, les exemples sont indicatifs : la liste des activités dans chaque partie de l'organisation varie d'un cas à l'autre dans la pratique.

Le centre opérationnel regroupe les activités qui sont la raison d'être de l'entreprise. La plupart du temps, on y trouve les activités de production et de vente. Mais, dans certaines entreprises qu'on appelle parfois « organisations virtuelles », la production est sous-traitée et la vente se fait par un réseau de franchisés indépendants. Dans ces entreprises, le centre opérationnel ne comprend ni production, ni vente. Mais il inclut l'animation du réseau des sous-traitants (contrôle, renégociation de contrat…) et d'animation du réseau des franchisés, l'entreprise conservant souvent des activités essentielles comme la définition des produits et la gestion de la publicité. Tel est le cas de Benetton.

Le sommet stratégique regroupe les activités qui fixent les directions générales vers lesquelles l'organisation sera orientée : définition des gammes de produits, réorganisation de structure, progrès de rentabilité, etc.

Le sommet stratégique d'une entreprise indépendante inclut les cadres dirigeants. Il inclut aussi les cadres de niveau intermédiaires qui contribuent à temps partiel à la détermination de la politique générale, par exemple, les membres du Comité nouveaux produits. Toute organisation a un sommet stratégique : dans une usine, il pourra être composé du directeur d'usine et de ses principaux collaborateurs.

La hiérarchie opérationnelle regroupe les managers qui ont des subordonnés dans le centre opérationnel. Certains cadres ne font pas partie de la hiérarchie opérationnelle. Par exemple, le directeur du contrôle de gestion est un cadre, mais il n'est pas inclus dans cette partie de l'organisation : le contrôle de gestion n'est pas la raison d'être de l'entreprise. Le terme « manager » est d'ailleurs à prendre au sens large : un chef d'équipe dans un atelier fait partie de la hiérarchie opérationnelle, mais ce n'est pas en général un cadre.

La technostructure regroupe les activités par lesquelles on standardise les procédés de travail, les résultats ou les compétences. On y mettra par exemple les départements Méthodes ou Qualité. On y mettra aussi le département Marketing d'une entreprise de téléphonie mobile, si le travail de cette unité de l'entreprise consiste à définir les types de contrats que les vendeurs devront commercialiser.

Certains départements de l'entreprise n'ont qu'une fraction de leurs activités dans la technostructure. C'est couramment le cas pour l'informatique et la gestion des ressources humaines.

Les fonctions de support logistique regroupent les activités dont l'objectif est d'aider les autres membres de l'organisation, en les déchargeant de tâches accessoires : services juridiques, documentation, nettoyage des locaux ou maintenance générale. Il n'est pas rare que les activités de support logistique et de technostructure soient faites dans des unités spécialisées : les départements fonctionnels.

Quand on effectue le diagnostic fonctionnel de plusieurs entreprises, on constate que la répartition du travail entre les différentes parties varie considérablement d'une organisation à une autre. Pour prendre une image, tous les bateaux comportent une coque, un pilote et une source d'énergie. Mais il existe une grande différence entre un voilier d'agrément, un pétrolier et un porte-conteneurs. De même, il existe de grandes différences entre les organisations, selon l'importance relative des diverses parties d'organisation qu'on identifie par l'analyse fonctionnelle. Sur ce plan, il n'y a pas deux entreprises identiques. Mais, heureusement, certains types d'organisation sont nettement plus fréquents que d'autres. Ce sont ces types que nous décrivons ci-dessous.

LES PRINCIPAUX TYPES D'ORGANISATION

Il existe douze principaux types d'organisation. Environ deux tiers des organisations qu'on rencontre dans la réalité correspondent assez fidèlement à l'un de ces types, le tiers restant correspondant à un mélange entre plusieurs types. Par exemple, dans le cas présenté en conclusion, chacune des entreprises est très proche d'un type d'organisation, mais conserve quelques aspects spécifiques, et l'entreprise Pubcom est un hybride entre deux types de structure.

Structure simple

Dans une structure simple, il y a très peu de standardisation. Le travail est défini et coordonné par le sommet stratégique au moyen de la supervision directe. Les managers intermédiaires ont peu de pouvoir : ils sont là avant tout pour faire exécuter les ordres de la direction et cette dernière n'hésite pas à les « court-circuiter ». La technostructure est absente (par exemple, il n'y a pas de département Méthodes) ou bien elle existe, mais est en permanence bridée par une direction générale très présente.

Ce type de structure est courant dans les PME dirigées par de réels entrepreneurs. Mais toutes les PME ne sont pas « entrepreneuriales » et toutes les PME ne sont pas des structures simples (on verra plus loin qu'un *fast-food* n'est pas une structure simple).

Structure mécaniste

Dans une structure mécaniste, le travail du centre opérationnel est effectué sur la base de procédures élaborées par des spécialistes : départements Méthodes dans l'industrie, Informatique et Organisation dans les entreprises de services. Les organisations de fabrication de masse (production industrielle, assemblage) et les entreprises de services de masse (banques, hôtellerie de chaîne, marketing téléphonique) sont couramment de ce type.

Les structures mécanistes ne sont pas toutes de grande taille : un *fast-food* peut avoir seulement une dizaine de salariés et une standardisation très poussée du travail de confection des sandwichs.

Les structures mécanistes ont tendance, plus que les autres, à organiser sous forme de procédures une bonne partie des activités situées hors du centre opérationnel, avec des services Contrôle de gestion, Qualité et Ressources Humaines qui mettent en place des « systèmes de gestion » : procédures de définition de poste, méthode de gestion des rémunérations, etc.

Structure basée sur les compétences

Dans une structure basée sur les compétences, le travail du centre opérationnel est plutôt stable et il est effectué d'une façon fortement indépendante par des professionnels très qualifiés. Certains cabinets conseil sont de ce type (SSII, conseil en stratégie), de même que des hôpitaux et cliniques ou universités. Les banques et les compagnies d'assurance, qui étaient des structures mécanistes, il y a vingt ans, évoluent vers ce type de structure.

Comme les professionnels ont des rémunérations élevées, il est fréquent que, dans ces structures, on trouve de nombreuses activités dans les fonctions de support logistique, où des personnels moins qualifiés et moins coûteux effectuent les tâches exigeant moins d'expertise. Il peut exister une technostructure dans ces types d'organisation, mais elle ne concerne que les aspects budgétaires et logistiques (planning d'utilisation des salles d'opération dans un hôpital par exemple).

De plus, il est fréquent que, dans ces organisations, existent de nombreuses commissions dans lesquelles siègent des membres de divers services : dans un hôpital, on trouvera par exemple une commission médicale d'établissement, une commission informatique ou une commission diététique. Ces commissions travaillent souvent par ajustement mutuel et contribuent au travail de direction générale.

Adhocratie

Dans une « adhocratie » (le terme vient du latin *ad hoc*), le travail dans le centre opérationnel change de nature en permanence. Dans ce type d'organisation, la méthode suivie pour faire le travail n'est pas définie a priori : elle est déterminée au fur et à mesure de l'avancement du travail, souvent avec une dose considérable d'ajustement mutuel.

L'adhocratie est couramment composée de plusieurs équipes projets temporaires : quand un projet est terminé, les membres de l'équipe sont réaffectés à un autre projet. Il y a souvent dans ces structures un rôle non négligeable du chef de projet et du cahier des charges (les mécanismes de coordination incluent donc, dans ce cas, une dose de supervision directe et de standardisation des résultats).

On trouve ce type d'organisation dans bon nombre d'entreprises de haute technologie, dans certaines organisations nouvelles et dans des organisations des milieux associatifs et culturels. On la trouve aussi dans certains cabinets conseil (en gestion, technologique, informatique). Ces derniers ont une structure basée sur les compétences si leur portefeuille d'activité est assez stable, une structure d'adhocratie s'ils font en permanence du « sur mesure ».

Toutes les adhocraties ne sont pas innovantes et toutes les entreprises innovantes ne sont pas des adhocraties. Une entreprise peut fonctionner en redéfinissant chaque jour ses méthodes au terme de discussions permanentes sans changer fondamentalement d'activité. Mais « réinventer la roue » de cette façon est économiquement non performant.

Structure basée sur les résultats

Une organisation a une structure basée sur les résultats, si ses membres sont largement indépendants les uns des autres dans leur travail, chacun étant piloté par des objectifs qui lui sont imposés. Un service commercial France est souvent organisé de cette façon : l'objectif de vente global est réparti entre les directions régionales des ventes et chacune d'entre elles répartit son propre objectif entre les vendeurs.

Ce type de structure comporte naturellement un système d'information qui permet de contrôler la réalisation des objectifs et souvent des fonctions de support logistique qui permettent aux opérateurs de consacrer toutes leurs forces à l'atteinte des objectifs. Par exemple, les vendeurs sont souvent aidés par un système d'information commercial, des enquêtes clientèles, des résultats de panels Nielsen, des logiciels de gestion des programmes de prospection.

Six types différents

Parmi les structures basées sur les résultats, il est pratique de traiter à part les structures de certaines entreprises, la plupart du temps de grandes entreprises, qui sont organisées en unités assez largement indépendantes les unes des autres, comme les divisions et les filiales dans un groupe. Ces organisations s'appellent des « structures divisionnalisées ». Il en existe six types qui sont présentés ci-dessous.

Structure divisionnalisée de type féodal

Dans la structure divisionnalisée de type féodal, le siège pilote les unités sur la base de relations de confiance personnelle avec les dirigeants des unités. Les systèmes de gestion et de contrôle comptent nettement moins que le fait de placer des personnes de confiance aux postes clés. L'organisation n'est pas sans faire penser à celle de la société féodale (d'où son nom) dans laquelle les barons ne dépendent que du roi et peuvent même parfois devenir très puissants dans leur « baronnie ».

Structure divisionnalisée de type standard

Dans la structure divisionnalisée de type standard, le siège pilote les unités sur la base de normes, d'objectifs et de ratios : par exemple « résultat net/chiffre d'affaires », part de marché ou taux de remplissage des avions. Selon les cas, il peut y avoir un seul ratio, à respecter par le dirigeant d'une unité, ou une batterie de ratios. Les ratios d'une unité donnée sont calculés selon des procédures standard et périodiquement communiqués au siège (par exemple, sous la forme d'un *reporting* trimestriel). Un département d'audit rattaché au siège a le redoutable pouvoir de vérifier que les ratios ont été calculés selon les règles et d'apprécier la qualité de la gestion. Une mauvaise appréciation peut entraîner l'arrêt de la carrière du dirigeant local, voire son départ de l'entreprise.

La structure divisionnalisée de type standard est encore très répandue. Elle a été la forme dominante entre les années 1960 et 1980. Mais on s'est aperçu qu'elle présentait un manque de synergie entre les divisions et les filiales : chaque manager se battait pour ses propres ratios, sans bien se coordonner avec les autres.

Pour traiter ce problème, plusieurs méthodes ont été développées, par exemple, le passage obligatoire des managers par plusieurs unités au cours de leur carrière, ou des groupes de travail dont les participants appartiennent à plusieurs divisions et filiales. Ces méthodes font passer de la structure standard à une structure divisionnalisée standard améliorée.

Structures divisionnalisées plus ou moins décentralisées

Enfin, il existe trois types de structures divisionnalisées plus ou moins décentralisées : le siège n'est plus le lieu principal de l'initiative stratégique, mais délègue cette responsabilité cruciale à des échelons intermédiaires de la hiérarchie. Bien entendu, la délégation est partielle et il y a nécessairement une coordination entre les différents niveaux impliqués dans les décisions stratégiques.

Dans la structure dite « de Bower », le siège fixe un nombre limité de critères généraux et laisse chaque directeur de division développer sa propre stratégie, avec l'essentiel des pouvoirs sur les budgets d'investissement et les carrières des managers. Plusieurs types de critères peuvent être utilisés : rentabilité, vitesse de percée sur les marchés asiatiques ou « être au moins l'un des trois premiers opérateurs mondiaux dans son domaine ». Ce dernier critère a été inventé par Jack Welch quand il était P-DG de General Electric. Le succès rencontré lui a valu de nombreux imitateurs.

L'entreprise Asea Brown Boweri a eu une structure plus décentralisée que le type Bower : on l'appelle le « type ABB ». Ce sont les directeurs de filiales qui ont l'initiative stratégique. Les directeurs de zones et directeurs de divisions sont « au-dessus d'eux » dans la structure, mais leur rôle est limité à la recherche de synergies entre les activités des unités de base.

Dans une structure encore plus décentralisée, identifiée par Burgelman, l'initiative stratégique peut exister partout dans l'organisation sous réserve de l'accord des managers et des cadres dirigeants. Le développement des nouvelles activités s'effectue d'abord sur place, puis fait l'objet d'une intégration à une place plus logique dans l'organisation. Cette forme d'organisation a été celle de l'entreprise Intel.

Depuis 1990, les grandes entreprises ont de plus en plus une structure divisionnalisée en partie décentralisée.

UTILISATION DU DIAGNOSTIC DES FORMES D'ORGANISATION

Chacun des types d'organisation vus plus haut a une trentaine d'avantages, d'inconvénients et de caractéristiques de fonctionnement spécifiques dans des domaines divers : stratégie et organisation, gestion de l'innovation, processus d'investissement et GRH. Par exemple, la structure basée sur les compétences a, entre autres, les avantages suivants :

- elle permet de livrer au client un service personnalisé réalisé par un personnel de haute qualification ;
- elle permet une expansion géographique, s'il y a en interne un dispositif de formation ou d'apprentissage, ou en externe les qualifications nécessaires sur le marché du travail ;
- le travail est agréable et motivant pour les professionnels de base.

Cette structure a aussi des inconvénients et des risques. Il peut y avoir :

- baisse de compétence des opérateurs, si la formation et le partage des connaissances sont insuffisants ;
- recrutement insuffisant de professionnels dans les spécialités nouvelles ;
- absence d'une stratégie claire, décisions trop lentes et chargées d'activités « politiques » : les « professionnels stars », la direction et les nombreuses commissions ont dans l'ensemble les plus grandes difficultés à trouver des objectifs communs.

Quand on a diagnostiqué une organisation concrète et vu qu'elle est proche de l'une des douze structures types, on peut examiner les avantages et les inconvénients de ce type d'organisation, puis se poser deux questions :

- les inconvénients typiques risquent-t-ils de se manifester ? Il n'est pas rare d'identifier ainsi des problèmes d'organisation plus d'un an avant leur manifestation concrète : le manager a le temps de prendre des mesures préventives et évite d'avoir à régler des problèmes à chaud ;
- les avantages de la structure type sont-ils utiles pour la stratégie ? Si tel n'est pas le cas, on peut se demander, s'il n'est pas judicieux d'envisager des changements d'organisation.

Ces changements comportent toujours des coûts, des délais et des risques. Ils exigent souvent des évolutions des compétences et les motivations, voire des changements de personnes. La gestion de ces changements demande aussi la prise en compte d'éléments que nous ne pourrons pas présenter ici en détail : à la partie structure du diagnostic d'organisation, il faut ajouter la partie systèmes de coordination.

Dans chaque organisation, il existe onze systèmes de coordination, parmi lesquels on trouve les systèmes formels de gestion (ERP, contrôle financier, procédures de GRH), mais aussi les relations non hiérarchiques, le système de pouvoir, les relations extérieures et les cultures. Chaque système de coordination impose des contraintes de cohérence entre différents niveaux de l'entreprise. Par exemple, les managers diplômés d'une même école auront tendance à avoir le même style et à se concerter de façon informelle.

Ces systèmes sont en partie naturels et comportent des inerties. Ils limitent donc les possibilités des managers et des dirigeants, par exemple, en faisant apparaître des résistances au changement. Mais ces systèmes de coordination ont aussi des aspects positifs et ils sont en partie gérables. Les managers en ont besoin pour stabiliser et contrôler l'organisation, rentabiliser des compétences, lancer et piloter les changements d'organisation.

Gérer l'organisation exige donc des arbitrages, dans lesquels les managers et les dirigeants doivent tenir compte, entre autres, de la stratégie et de l'environnement, des compétences et des valeurs, de l'organisation d'aujourd'hui et de ce qu'ils veulent pouvoir faire dans le futur, du type de structure et des systèmes de coordination.

L'organisation de trois grands groupes

Il existe plusieurs types d'organisation dans les grands groupes. Voici trois exemples, tirés du livre de Hanane Beddi, qui illustrent cette diversité. Les noms sont fictifs.

Autocom

Dans Autocom, groupe mondial opérant dans le secteur automobile, le siège fixe des objectifs très généraux et laisse chaque division développer sa propre politique générale. C'est au niveau des divisions que sont prises les décisions relatives à la nomination des managers de la filiale et à l'attribution des budgets d'investissement. Donc Autocom est proche des structures divisionnalisées de type Bower.

Cependant, Autocom s'écarte un peu de la structure de Bower. Par exemple, le siège cherche à développer les compétences, à diffuser les *best practices* à travers une politique de formation qui se fait au siège et par des « experts services » qui se situent au niveau de la division et qui effectuent des missions dans les filiales. Cette diffusion des savoir-faire va évidemment du siège vers les filiales, mais également un peu des filiales vers le siège. Elle va de pair avec la vision globale de la multinationale et elle est véhiculée par les politiques d'expatriation, de rotation des responsables de filiales et l'existence de réunions de travail réunissant les filiales organisées par le siège.

Cosmecom

Cosmecom, groupe mondial opérant dans le secteur des cosmétiques et produits de beauté, est proche des structures divisionnalisées de type ABB : les directeurs de filiales sont au cœur de l'initiative stratégique, la direction générale et les divisions ont plutôt un rôle de recherche des synergies.

Par exemple, les produits sont proposés par les services centraux, mais les filiales décident seules de les mettre sur leur marché ou non : les patrons des pays prennent leurs responsabilités. Mais si le pays X ne le lance pas, ils ont plutôt intérêt à prouver, après une année, qu'ils avaient une bonne raison de ne pas le lancer. Le siège fournit une expertise, il a un rôle de soutien et « d'assembleur ».

Cependant, Cosmecom s'écarte un peu de la structure ABB sur deux points :

- le groupe est très actif dans le développement des compétences et la diffusion des *best practices*, avec notamment la constitution de groupes de travail inter-filiales ;
- on peut aussi noter le rôle des contacts informels et des réseaux : un produit ne suit pas forcément un circuit classique, il y a beaucoup d'échanges, d'ajustements mutuels qui peuvent à la dernière minute tout remettre en cause. Selon le groupe, ces tâtonnements sont l'une des grandes forces de l'organisation.

Pubcom

Pubcom, groupe d'envergure mondiale dans le domaine de la publicité, est proche de la structure divisionnalisée de type féodal. Le groupe est dirigé par le fondateur et ses fils. Il a une politique du haut vers le bas pour tout ce qui touche à la stratégie de l'entreprise et tout ce qui concerne la politique offre-produits. « Les fils [Pubcom] savent parfaitement où ils vont ». Tous les directeurs de filiales rendent compte directement aux fils du fondateur, qui passent 75 % de leur temps en déplacement dans les pays.

Par ailleurs, même si cette personnalisation de la direction générale est l'ossature de l'organisation, Pubcom s'écarte un peu du modèle de la structure féodale par trois mécanismes :

- il y a un fort contrôle des résultats par *reporting*, avec une place importante tenue par les départements fonctionnels du siège ;
- il existe au siège quatre unités, les divisions, mais qui n'ont pas de filiales sous leur responsabilité, la mission de chacune étant de contrôler l'ensemble des filiales sur la gestion d'une gamme de produits ;
- il existe une « culture de la réussite », en partie indépendante de la direction.

CE QU'IL FAUT RETENIR

- La méthode vue ici permet d'identifier les forces et les faiblesses à tout niveau des organisations : un poste de travail, un département, une entreprise dans son ensemble ou un processus d'innovation.
- Cette méthode est très liée à la stratégie et à la performance. Elle permet un audit systématique en 33 éléments : 5 mécanismes de coordination, 5 parties de l'organisation, 12 structures types et 11 systèmes de coordination.
- La coordination a des aspects à la fois internes (dans un service, au sein d'un projet, entre les départements) et externes (avec les clients, les fournisseurs, les partenaires).
- Vous pouvez mesurer l'intensité des 5 mécanismes de coordination dans votre organisation. Chacun a des avantages et des inconvénients prévisibles
- Chaque mécanisme de coordination est plus ou moins facile à employer, en fonction des compétences et des motivations des opérateurs et des managers de l'entreprise et de ceux qu'on trouve sur les marchés du travail.
- On peut souvent, avec profit, obtenir la même coordination en diminuant l'un des mécanismes de coordination et en augmentant certains des autres. La « sous-coordination » et la « sur-coordination » sont des sources de risque.
- Toutes les organisations réelles sont différentes les unes des autres. Presque toutes sont proches d'une ou deux des 12 structures types décrites ici.
- Chaque structure type a des avantages, des inconvénients et des fonctionnements caractéristiques dans les domaines stratégie, réactivité, performance, gestion de l'innovation, processus d'investissement et GRH.
- Si vous identifiez la structure type à laquelle votre organisation ressemble, vous pouvez identifier les risques, souvent des mois à l'avance, et prévenir les problèmes au lieu d'avoir à les résoudre à chaud.
- Prendre en compte les structures types et les systèmes de coordination permet aussi d'identifier de façon systématique les besoins de changement, le degré d'adéquation avec la stratégie et les moyens de changement les plus rapides ou les plus économiques.

- Les changements d'organisation comportent toujours des coûts, des délais et des risques en partie mesurables. Ils exigent souvent des évolutions des compétences et les motivations, voire des changements de personnes.
- Aucune organisation n'est statique. Chacune a des inerties venant du passé et les germes de ce que pourra être son futur. Certaines sont des forces, par exemple, les compétences stratégiques de l'entreprise. D'autres empêchent l'organisation d'atteindre de bonnes performances ou d'être assez souple. Prendre en compte les structures types et les systèmes de coordination permet aussi de gérer les projets de changement, la dynamique de l'organisation et les apprentissages organisationnels.

BIBLIOGRAPHIE DE RÉFÉRENCE

Alain DESREUMAUX, Pierre ROMELAER, « Investissement et organisation », in Gérard CHARREAUX (coord.), *Images de l'investissement*, éd. Vuibert, 2001.

Hanane BEDDI, « La relation siège-filiales dans 6 multinationales », congrès AIMS, 2004.

Henry MINTZBERG, *Structure et dynamique des organisations*, Éditions d'Organisation, 2002.

Pierre ROMELAER, « Innovation et contraintes de gestion », in Norbert ALTER (coord.), *Logiques de l'innovation*, Éditions La Découverte, 2002.

Pierre ROMELAER, « Le défi crucial : intégrer le manager et la GRH », in Michel KALIKA (coord.), *Les défis du management*, Éditions Liaisons, 2002.

Pierre ROMELAER, « Le couplage entre GRH et organisation », in José ALLOUCHE (coord.), *Encyclopédie des Ressources Humaines*, éd. Vuibert, 2003.

Organisation

Management de l'innovation

PAR ALBERT DAVID

Albert David est professeur de management à l'ENS Cachan, directeur de M-Lab, laboratoire de R&D en management rattaché à Dauphine Recherches en Management (CNRS), co-directeur du master Théorie et pratique de l'innovation, université Paris-Dauphine.

Si l'on s'en tient aux *success stories* et aux intuitions et hasards heureux qui les jalonnent, l'innovation reste un mystère difficile à gérer. Mais si l'on analyse les activités des concepteurs et que l'on étudie la manière dont les processus qu'ils conduisent aboutissent à l'innovation, il est possible d'établir le cahier des charges d'une nouvelle fonction d'organisation, la fonction I ou fonction de conception innovante. La théorie C/K de la conception permet de modéliser les raisonnements des concepteurs et de repérer les moments où l'innovation naît. Les entreprises qui innovent de manière répétée maîtrisent la fonction I et savent gérer les quatre types de champ d'innovation. Ces champs se différencient par l'importance du saut conceptuel et par l'importance du saut en connaissances qu'ils supposent. La mise en place de la fonction I, assortie de la pratique d'ateliers de conception, permet aujourd'hui de repenser les processus d'innovation, tant au niveau des concepteurs qu'à celui des directions générales.

Ce chapitre fait principalement référence à l'ouvrage de Lemasson, Hatchuel et Weil (2006), *Les processus d'innovation* et, secondairement, à l'ouvrage de Tidd, Bessant et Pavitt (2006), *Management de l'innovation*.

Earl Tupper et les « Tupperware »

L'histoire de l'invention des Tupperware est résumée à partir de Alison J. Clarke, *Tupperware : the Promise of Plastic in 1950s America*, Smithsonian Institution Press, Washington, 1999.

Une application inattendue des progrès de l'industrie chimique

Earl Silas Tupper est, dans les années 1930, chimiste chez Du Pont de Nemours, qui fabrique déjà à l'époque les meilleurs plastiques. Tupper a des talents d'inventeur et a un jour l'idée de fabriquer, avec le dernier polymère produit par Du Pont, des récipients en forme de bol avec un couvercle étanche. Un brevet de 1947 montre des dessins en coupe de l'un des premiers produits de la gamme. Le dessin semble classique et pourtant, au deuxième coup d'œil, on peut voir que Tupper a dessiné un pouce qui, par pression vers le haut du bol, ouvre le couvercle, et que cette ouverture peut se faire en n'importe quel point de la circonférence. Ce brevet montre donc à la fois le côté technique – le bol en plastique – et le côté usages – le système d'ouverture. Il faut bien mesurer la prouesse technique que représente ce bol : le plastique doit avoir la dureté nécessaire pour être manipulé et remplir correctement sa fonction de contenant, mais il doit aussi être, au niveau du couvercle, suffisamment souple pour permettre une ouverture facile. Une fois fermé, le bol doit bien sûr être étanche et le couvercle solidement emboîté sur le bol.

Les « Tupperware parties » et les « jeunes modernes »

Tupper n'a pas innové seulement sur le produit. En bon chef d'entreprise – il a créé la société Tupperware Inc. – il surveille les ventes sur les différents secteurs et remarque un jour que l'un des secteurs a des résultats plusieurs fois supérieurs à la moyenne des autres. Intrigué, il convoque Brownie Wise, la vendeuse responsable de ce secteur. Elle lui explique que le porte-à-porte a ses limites et qu'elle préfère inviter les femmes du quartier à prendre le thé et à manger des gâteaux, tout en leur faisant la démonstration des qualités des produits Tupperware : les invitées repartent toujours en ayant acheté beaucoup plus de produits qu'avec le démarchage classique. Tupper est impressionné par l'efficacité de la méthode et par la personnalité très forte de

Brownie Wise. Il décide de créer une société de distribution – Tupperware Parties Inc. – et de lui en confier la direction. Les « réunions Tupperware » étaient nées et allaient contribuer de la manière décisive au succès de la marque. Tupper était, enfin, conscient de la nécessité de cibler des « jeunes modernes » dans ses campagnes de communication : le public traditionnel pouvait être réticent à utiliser des objets en plastique pour boire, manger ou stocker, alors que les jeunes cadres, plus dynamiques mais ayant aussi les moyens d'acheter des produits relativement chers, constituaient un réservoir de clientèle et un levier de construction de la notoriété de la marque plus efficaces. Brownie Wise a par la suite quitté l'entreprise et essayé, mais sans succès, d'appliquer à d'autres produits les méthodes de vente qu'elle avait inventées pour Tupperware. Elle a néanmoins été la première femme à faire, en 1954, la couverture de *Business Week.* Tupper a su, et ses successeurs après lui, assurer la croissance de l'entreprise : enrichissement progressif de la gamme, organisation de réunions Tupperware dans un nombre croissant de pays, élargissement de la clientèle à quasiment toutes les catégories de consommateurs.

Les trois défis de l'innovation « Tupperware »

Tupper avait plusieurs paris à relever. Il a surmonté les difficultés de la conception technique des produits. Il a mis en œuvre un système de distribution efficace, très nouveau mais, dans les apparences, respectueux de ce que pouvait tolérer la société de l'époque, notamment sur la place des femmes, qui avaient avec les réunions Tupperware une occasion de sortir de chez elles sans s'attirer les reproches de leurs maris. Il a su cibler une clientèle dynamique, un segment en croissance et porteur d'image positive pour la marque. Tupper est un innovateur, et ses produits Tupperware une innovation : il n'a pas seulement inventé le bol en plastique à fermeture étanche et pratique, il a réussi sur le plan commercial, et de manière durable. Il a à la fois rencontré un besoin existant et étendu l'espace des produits et de leurs usages. Cette logique « expansive » est la signature d'un processus d'innovation réussi.

DE L'INNOVATION À LA CONCEPTION INNOVANTE

Une idée reçue encore fréquente dans le monde du management est que l'innovation ne saurait être gérée, tant les processus qui conduisent à innover sont imprévisibles et tant ils doivent à d'heureux hasards et aux intuitions des innovateurs. Le cas de Tupperware présenté ci-dessus, comme des centaines de récits d'innovation – le *post-it*, la poêle anti-adhésive, la photographie à développement instantané – pourraient accréditer ce point de vue. Tupper n'a-t-il pas, *par hasard*, pensé à appliquer à un nouveau domaine les plastiques développés par Du Pont de Nemours ? N'a-t-il pas, *par hasard*, compté Brownie Wise parmi ses vendeuses ? N'a-t-il pas, ensuite, et pendant de longues années, bâti son succès sur cette double et improbable innovation de produit et de distribution ?

Pour dépasser la contradiction apparente entre innovation et rationalité, les théories modernes du management de l'innovation changent de perspective : ce qu'il faut étudier n'est pas l'histoire des innovations, mais le métabolisme particulier des entreprises qui savent innover de manière répétée, ainsi que les raisonnements qui sont suivis par les concepteurs qui y travaillent. L'unité d'analyse est l'organisation ; le fil conducteur est le raisonnement de conception. On étudie les processus d'innovation comme des processus de conception, et on analyse à quels moments et à quelles conditions ce travail de conception est innovant.

L'APPROCHE CLASSIQUE : QUELLES STRUCTURES FAVORABLES À L'INNOVATION ?

La coordination par ajustement mutuel : nécessaire, mais pas suffisante

L'ajustement mutuel est le mécanisme de coordination par lequel deux ou plusieurs personnes ou groupes de personnes coordonnent leur action par communication informelle, par ajustement continu des unes aux autres. C'est, parmi les six mécanismes de coordination possibles – ajustement mutuel, supervision directe, standardisation des procédés, des qualifications, des résultats, des normes idéologiques et culturelles – celui qui permet le plus de souplesse au sens des structures organiques de Burns et Stalker. Mais, si l'ajustement mutuel est possible pour des groupes peu nombreux, il devient insuffisant dès que le projet d'innovation suppose la collaboration de plusieurs dizaines ou centaines de personnes, ou si la complexité de l'objet à concevoir suppose une division du travail plus formalisée.

Une structure « organique » innove mieux qu'une structure « mécaniste »

Au début des années 1960, deux chercheurs, Burns et Stalker, ont fait une enquête approfondie auprès d'une cinquantaine d'entreprises. L'objectif était de mettre à jour les différences les plus fortes entre les entreprises qui innovaient peu et celles qui innovaient beaucoup. La recherche a révélé très clairement deux structures opposées : les structures mécanistes, typiques d'entreprises qui innovent peu, et les structures organiques, typiques des entreprises qui innovent beaucoup. Dans une structure mécaniste, les rôles sont formellement définis, l'intégration des tâches se fait le long de la ligne hiérarchique ; les communications contiennent d'abord des ordres et des directives ; la loyauté et la soumission aux supérieurs sont l'impératif premier. Dans une structure organique, les tâches sont constamment redéfinies par interaction entre les individus, l'autorité et le contrôle sont déduits des besoins et intérêts communs, les interactions latérales sont fortes, l'autorité est de compétence et non seulement de statut, les communications sont surtout faites d'informations et de conseils, le prestige vient des affiliations techniques et professionnelles externes.

Les dix propriétés de base de l'organisation innovante : un référentiel utile, difficile à rendre concret

L'organisation innovante est celle qui possède, dans l'idéal, les dix propriétés suivantes (Tidd, Bessant et Pavitt, 2006) : (1) l'entreprise est dirigée par un leader qui a une vision stratégique claire et ambitieuse et une forte volonté d'innover ; (2) la structure est appropriée à l'impératif d'innovation ; (3) l'innovation est assurée par des promoteurs, des champions, des passeurs, qui sont les individus clés ; (4) l'entreprise est capable d'organiser du travail en équipe efficace ; (5) les ressources humaines sont gérées avec un très grand soin ; (6) la communication s'étend à tous les membres de l'entreprise et à ses partenaires, notamment fournisseurs et clients ; (7) toute l'entreprise, et pas seulement la direction générale, la R&D ou le marketing, est impliquée dans les processus d'innovation ; (8) les processus sont fortement polarisés par le client final et sa satisfaction ; (9) l'encadrement sait favoriser un climat propice à la créativité et

(10) les capacités d'apprentissage et de transformation de l'entreprise – adaptations de la structure, écoute de l'environnement, acquisition de nouvelles compétences, partenariats avec des entreprises, des laboratoires de recherche – sont élevées.

Cette liste constitue un guide utile. Certaines parmi les dix propriétés restent néanmoins abstraites : qu'est-ce qu'un climat propice à la créativité ? Comment impliquer toute l'entreprise dans l'innovation ? Qu'est-ce précisément qu'une structure adaptée ? Comment, concrètement, inclure les fournisseurs et les clients dans le processus ? Comment concilier communication très large et pilotage efficace des projets ? Ces propriétés sont donc des conditions de contexte, qui ne traient pas le cœur du problème. Un détour par le cas de Tefal va permettre de définir le contenu et les objectifs d'une « fonction innovation » dans l'entreprise.

DES « ORGANISATIONS ORIENTÉES CONCEPTION » (*Design oriented organizations)*

Un modèle d'organisation innovante : Tefal

L'entreprise Tefal a été créée dans les années 1950 d'une manière comparable à Tupperware : Marc Grégoire, un ingénieur de l'ONERA, passionné de pêche, cherchait à fabriquer des cannes à pêche en matériau composite et rencontrait des problèmes importants de démoulage dans la partie finale, la plus fine, de la canne : le matériau adhérait au moule et il était quasi-impossible de démouler sans dégâts. Il profite de la disponibilité à l'ONERA d'une nouvelle résine de synthèse mise au point chez Du Pont de Nemours en 1938, le Teflon®, pour tester, avec succès, les propriétés anti-adhésives de cette résine sur son moule pour canne à pêche. L'épouse de cet ingénieur, lasse de voir son mari occupé à son hobby, lui demande d'inventer au moins quelque chose d'utile au ménage, par exemple une casserole (et non un moule à canne à pêche) qui serait anti-adhésive et empêcherait le lait d'attacher. L'ingénieur descend au magasin le plus proche pour acheter une casserole mais, n'en trouvant pas, revient avec une poêle. Le produit anti-adhésif est au point, mais la difficulté reste sa fixation à la poêle : il faut en effet que le revêtement soit anti-adhésif d'un côté… et reste solidement et uniformément collé au métal de l'autre. Après de nombreux essais infructueux, l'ingénieur lit dans une revue scientifique un article sur l'effet de l'acide sur l'acier : l'acide attaque l'acier et laisse des milliers de petits trous en forme d'oméga inversé, donc étroits à l'entrée et plus renflés ensuite. Il tient la solution à son problème : après avoir versé de l'acide sur le fond de la poêle, il verse le produit anti-adhésif, qui remplit les petits trous et, une fois sec, est uniformément et définitivement fixé. La société Tefal est créée à partir de cette invention et connaît rapidement une croissance élevée. À partir de la fin des années 1970, de nouveaux brevets sont déposés, des innovations très nombreuses voient le jour, plusieurs gammes de produit sont conçues et lancées : Tefal est considérée, dans les années 1990, comme un modèle d'entreprise innovante.

Pourtant, si ces résultats impressionnent, son organisation ne semble guère convaincante. Un audit réalisé en 1994 par un consultant est sans appel : organisation pas claire, logistique et gestion des stocks perfectibles, responsabilités des chefs de projet peu définies, objectifs non précisément fixés, pas de cahiers des charges au début des projets. Dans ces conditions, comment expliquer le succès de Tefal ? Les théories établies fournissent six hypothèses :

- une innovation ponctuelle exceptionnelle : la poêle anti-adhésive, qui aurait, à elle seule, généré la croissante et la rentabilité de l'entreprise ;
- la maîtrise de technologies clés : fixation du PTFE, repoussage de l'aluminium, emboutissage, électricité, plasturgie, etc. ;
- un modèle statistique de répétition de l'innovation : un très grand nombre d'idées sont émises, parmi lesquelles la probabilité est élevée de trouver, un peu par hasard, un produit à succès ;
- un très bon management de la créativité, qui permettrait, de garantir que toute idée puisse être étudiée de manière efficace, malgré la faible formalisation de l'organisation ;
- l'existence d'un entrepreneur providentiel, en la personne de Paul Rivier, PDG de Tefal à partir de 1979 puis directeur général du groupe SEB jusqu'en 1999 ;
- un bon management de projet, avec de bons objectifs, de bonnes équipes, compétentes, soudées, efficaces.

Aucune de ces hypothèses ne peut être sérieusement retenue pour expliquer la performance innovatrice de Tefal. Les produits, comme les métiers, sont très variés ; les familles de produit, comme les compétences, sont en expansion continue, ce qui invalide les deux premières hypothèses. Les effectifs de conception sont très maîtrisés, ce qui limite le nombre d'idées émises et invalide le modèle statistique ; une place centrale est donnée à l'expertise et à la réalisation de prototypes, ce qui nuance fortement l'explication par le seul management de la créativité. Paul Rivier est un patron charismatique mais, chez Tefal, l'innovation est une affaire collective (comités produit mensuels, communication tous azimuts, petites équipes agiles pour développer des projets). Enfin, le management de projet est bicéphale – un manager et un ingénieur –, le cahier des charges est implicite – il s'écrit au fur et à mesure de l'exploration –, ce qui signifie que Tefal sait gérer des processus alors même que le projet n'existe pas encore.

Tefal est donc particulièrement capable à la fois de découvrir et d'explorer des espaces de valeur, et de conserver un caractère prudent, maîtrisé, aux explorations, condition d'une bonne longévité dans la capacité à innover de manière répétée. On pourra, pour s'en convaincre, voir comment l'entreprise a travaillé sur la catalyse pour concevoir un appareil à raclette sans odeur ou sur la logique floue pour mettre au point un chauffe-biberon (Lemasson, Weil et Hatchuel, 2006).

Une nouvelle configuration d'organisation : les organisations orientées conception

Les organisations orientées conception *(design oriented organizations)* sont le modèle théorique d'organisation dont Tefal est un cas exemplaire. Une organisation orientée conception est une organisation qui sait gérer, en contexte de compétition, des situations dans lesquelles :

- des connaissances nouvelles sont identifiées et sont à explorer, mais personne ne sait encore à quels concepts on pourrait associer ces connaissances et encore moins quels produits pourraient effectivement en résulter – c'est le cas, par exemple, lorsqu'une entreprise de télécommunications, dans les années 1990, se demande quels services pourraient concrètement être proposés grâce à la technologie 3G qui vient d'être mise au point ;
- des concepts nouveaux sont proposés, on en comprend le sens, mais personne ne sait encore quels domaines de connaissance explorer pour travailler sur ces concepts et les transformer progressivement en produits et services acceptables

– c'est le cas, par exemple, lorsque Dyson se demande comment concevoir un aspirateur sans sac, ou lorsque des scientifiques et des ingénieurs cherchent à concevoir une interface directe cerveau-ordinateur.

Dans ces contextes, ni l'ajustement mutuel, ni les procédures d'organisation hiérarchiques, ni une logique simplement « organique » ne sont suffisants : par définition, lorsque ni les concepts ni les connaissances ne sont clairement définis, la compétence clé de l'entreprise pour en piloter l'exploration de manière efficace réside dans sa capacité à travailler sur des stratégies, des principes et des règles de conception, et à gérer ainsi un fonctionnement non routinisé en adéquation avec ces stratégies, principes et règles. L'entreprise doit concrètement être capable de gérer des arborescences de projets reliés entre eux et non, comme il est habituel dans des situations plus classiques, de simples portefeuilles de projets juxtaposés.

UNE « FONCTION I » POUR PILOTER L'INNOVATION

Définitions

La **recherche** est un processus contrôlé de production de connaissances. On parlera de recherche scientifique si le contrôle du processus se fait selon les règles de la méthode scientifique. Les chercheurs du département R peuvent répondre à des questions de recherche qui leur sont posées : comment appliquer la logique floue à la régulation thermostatique, comment étudier scientifiquement les phénomènes acoustiques – « qu'est-ce qu'un bruit reposant ? » – pour alimenter un projet « confort voyageur à bord des trains », constituent des exemples de ce type de question. Inversement les chercheurs peuvent communiquer sur des résultats dont ils pensent qu'ils pourraient être utiles à des projets d'innovation, par exemple sur le rayon laser dans la perspective d'application à la lecture de codes barres, ou sur les phénomènes de foudre qui pourraient servir pour la conception de boîtes ADSL. Dans le premier cas, la valeur de la connaissance issue de la recherche est donnée par la valeur de la question. Dans le second cas, la connaissance est porteuse d'un « potentiel de valeur » à confirmer.

Le **développement** est un processus contrôlé qui active des connaissances et des compétences afin de spécifier un système qui doit répondre à des critères bien définis. La valeur du projet doit être spécifiée au préalable.

Un **champ d'innovation** est un domaine sur lequel on peut exercer une activité de conception innovante. L'exploration d'un champ d'innovation produit quatre catégories de résultats : (1) des concepts en attente, qui ne donnent pas encore lieu à un produit ; (2) des concepts qui donnent lieu à un produit ; (3) des connaissances produites en excès, au-delà de ce qui est finalement nécessaire au développement d'un produit ; et (4) des connaissances utilisées pour un produit.

La **valeur** est entendue très simplement au sens de valeur pour le client. La valeur se décompose en quatre éléments (voir encadré).

Les composantes de la valeur d'un projet d'innovation

La valeur totale se décompose en quatre éléments :

V (valeur totale) = V1 (concepts en attente) + V2 (concepts donnant lieu à un produit) + V3 (connaissances excédentaires) + V4 (connaissances utilisées pour un produit)

La « fonction I »

La **fonction de conception innovante** est responsable d'une double activité de conception : un processus de définition de la valeur et un processus d'identification des nouvelles compétences nécessaires. C'est une fonction au sens abstrait du terme : il ne s'agit pas de créer une « direction de l'innovation » mais d'organiser l'activité d'innovation de sorte que cette double activité de conception soit assurée. Elle peut l'être par l'ensemble des parties prenantes de l'innovation : direction générale, R&D, marketing, structures projet, achats, systèmes d'information, selon un métabolisme dont Tefal constitue une des illustrations possibles.

L'**innovation** est donc à la fois un processus de conception qui doit relier de nouvelles connaissances à de nouveaux concepts, et un processus entrepreneurial qui doit relier de nouvelles valeurs à de nouvelles compétences.

Concrètement, la fonction I se différencie des fonctions R&D traditionnelles sur cinq critères fondamentaux :

- la mission de la fonction I est d'explorer des champs d'innovation, alors que R travaille sur des questions scientifiques et que D élabore des cahiers des charges fonctionnels ;
- l'objectif de la fonction I est de définir des stratégies de conception se traduisant par des lignées, des plates-formes, des modèles de conception propres à l'entreprise et permettant l'innovation répétée, alors que R cherche à valider des connaissances et D à réaliser des projets ;
- les ressources de la fonction I sont des groupes d'exploration, qui peuvent être autonomes mais fortement coordonnés, alors que R utilise les ressources habituelles de la recherche scientifique – laboratoires, littérature scientifique, équipes spécialisées – et que D travaille en équipes projets et en équipes métiers ;
- l'horizon pour la fonction I est imprécis : il est difficile de dire à l'avance si l'exploration aboutira et quand ; l'horizon de R dépend du processus d'investigation, tandis que celui de D est fixé par le cahier des charges du projet ;
- la valeur économique, pour la fonction I, est la rentabilité des projets développés, à laquelle il faut ajouter les profits potentiels liés à ce qui est produit en excès (concepts et connaissances) ; cette valeur est donc construite sur plusieurs produits et sur un ensemble de connaissances transférées ; pour R, la valeur économique est celle de la question traitée ; pour D, c'est la valeur du projet.

Le cahier des charges de la fonction I

La fonction de conception innovante doit permettre : (1) de raisonner en produits et des compétences en co-évolution ; (2) de s'appuyer pour cela sur la notion de champ d'innovation ; (3) de mesurer la performance sur la réutilisation de la connaissance excédentaire dans un contexte de non-stabilisation de l'identité des objets ; (4) d'avoir une organisation avec un cœur concepteur qui active les fonctions R et D, assurant ainsi la capitalisation des connaissances pour l'innovation.

Dans le cas de Tefal, l'organisation est en anneaux avec un cœur concepteur assuré par des managers-experts, qui travaillent avec les chefs de produit responsables de lignées, en coordination avec les fonctions classiques de maquettage, essais, qualité, production et maintenance.

MODÉLISER LE RAISONNEMENT DE CONCEPTION : INTRODUCTION À LA THÉORIE C/K

Les recherches les plus récentes ont montré que le raisonnement de conception se fait au sein de deux espaces couplés : l'espace C des concepts et l'espace K *(knowledge)* des connaissances. Un concept est simplement défini comme une entité dotée de propriétés. À un concept (espace C), on peut toujours associer un minimum de connaissances (espace K) qui le rendent compréhensible. Un « aspirateur sans sac » ou « une odeur efficace pour une salle de réunion » sont des concepts compréhensibles dans K, même si nous ne savons pas comment les réaliser.

Le point de départ du raisonnement de conception est un couplage minimal entre un concept et des connaissances. Le raisonnement va ensuite se développer par partitions et départitions successives dans l'espace C, en correspondance avec le repérage et l'étude de nouvelles poches de connaissances dans l'espace K. Les partitions ou départitions dans l'espace C se font grâce à la connaissance ramenée de K. La partition se fait sur des propriétés qui viennent à l'esprit du concepteur lorsqu'il interroge les connaissances disponibles à un certain point du raisonnement. La départition se fait lorsqu'il apparaît que le concept sur lequel on travaille – donc une entité associée à un certain nombre de propriétés qui sont venues s'ajouter au fur et à mesure des partitions – est le cas particulier d'un concept plus large. Lorsque la partition permet de retrouver des objets existant déjà, elle est dite « restrictive ». Lorsque, au contraire, la propriété ajoutée engendre la surprise, oblige à réviser l'identité de l'objet, la partition est dite « expansive », et c'est là qu'apparaît potentiellement l'innovation. Le processus s'arrête lorsque le concept, associé à un certain nombre de propriétés, est en conjonction avec un ensemble de connaissances qui permettent de le développer. Le processus peut aussi s'arrêter lorsque l'on ne parvient pas à une conjonction : C et K restent alors, pour un moment au moins, en disjonction.

Une compréhension approfondie de la théorie C/K mériterait des développements beaucoup plus longs. Nous allons ici l'illustrer sur un exemple relativement simple et renvoyons le lecteur à l'article (Hatchuel et Weil, 2003) et à l'ouvrage de référence (Lemasson, Hatchuel et Weil) en bibliographie.

Reconstituons le raisonnement suivi pour l'invention de l'aspirateur sans sac. Lorsque Dyson a l'idée de travailler sur l'aspirateur sans sac (concept de départ, dans l'espace C), il a tout de suite en tête (espace K) ce qu'est un aspirateur du marché : traîneau ou balai, avec des puissances différentes, plus ou moins silencieux, avec des systèmes de manipulation des sacs plus ou moins pratiques, aspirateurs domestiques ou industriels. La propriété « sans sac » peut être comprise au premier degré (prendre un aspirateur du marché et lui enlever le sac) ou, plus sérieusement, comme obligeant à remplacer le sac par autre chose. Cela conduit à une première partition dans C : l'aspirateur sans sac se divise en « aspirateurs du marché auxquels on enlève le sac » et « aspirateurs dans lesquels on remplace le sac par autre chose ». La première branche est une impasse, la seconde permet de poursuivre le raisonnement. Une brève incursion dans K permet de penser soit à des systèmes de « sac permanent », un peu comme il existe des cafetières avec filtre permanent, soit à quelque chose qui soit réellement différent d'un sac. Une nouvelle partition est alors ouverte dans C : aspirateurs dans lesquels on remplace le sac jetable par un sac permanent, aspirateurs qui utilisent autre chose qu'un sac. La première branche est probablement réalisable, mais assez peu innovante. Dyson poursuit sur la seconde et doit alors se demander quelle est la fonction d'un sac dans un aspirateur (espace K). Un sac sert à filtrer l'air : l'air et la poussière entrent dans le sac, et seul l'air en sort. Plus abstraitement encore, un aspirateur est un système qui permet de séparer la poussière de l'air et de stocker la poussière recueillie. Il peut alors revenir dans l'espace des concepts : peut-on concevoir un aspirateur avec un filtre qui ne soit pas un sac ? Et si on départitionne à partir de ce point : peut-on concevoir un système de séparation air-poussière qui ne soit pas un filtre ? Une partition supplémentaire avec la connaissance rapportée de K peut être : le système stocke la poussière, ou il ne stocke pas la poussière. Après un bref détour par K, Dyson peut revenir en C avec une nouvelle partition : ne pas stocker la poussière peut vouloir dire la laisser quelque part hors de l'aspirateur, ou la détruire.

À ce point du raisonnement, Dyson est en passe de concevoir « un aspirateur qui utilise un système de séparation air-poussière qui ne soit pas un filtre et qui stocke la poussière dans un réservoir intérieur qui ne soit pas un sac ». La partition surprenante, expansive, est là : un système de séparation air-poussière qui ne soit pas un filtre mais qui permette tout de même de stocker la poussière. Il reste à aller dans K ouvrir une poche de connaissance qu'il est habituellement inutile de ré-explorer : que sait-on sur la poussière et son rapport avec l'air ? L'idée de la tornade, du cyclone, de l'effet de la force centrifuge vient alors rapidement, et Dyson peut revisiter ce modèle des sciences physiques pour l'acclimater à l'aspirateur. Il y a alors conjonction entre C et K : l'aspirateur sans sac est né.

TYPOLOGIE DES CHAMPS D'INNOVATION

Il existe quatre types de champs d'innovation, selon que le « saut » en C (concept) ou en K (connaissances) est faible ou important.

∂C-ΔK : l'innovation à la marge

Lorsque le saut conceptuel est faible et que la somme de connaissances à élaborer pour aboutir à une solution est limitée, on parle d'innovation marginale. Un nouveau parfum pour un produit laitier, qui demande tout de même quelques recherches, correspond à ce type de champ, à innovation limitée. Il est cité ici pour mémoire, puisque l'identité des objets est à peine revisitée. Certaines innovations marginales peuvent néanmoins ouvrir, involontairement, des champs beaucoup plus originaux : par exemple, concevoir un lecteur MP3 qui se mettrait automatiquement en pause lorsque certains mots seraient prononcés dans l'entourage et qui permettrait ainsi d'écouter la conversation, est une idée amusante mais ne semble pas en soi révolutionnaire, et les technologies nécessaires, notamment en matière de reconnaissance vocale, existent. Mais que l'on pose le concept plus général de lecteur MP3 – et plus largement d'objet nomade – à l'écoute de son environnement, et que l'on imagine toutes les fonctions concrètes que cela peut recouvrir, et c'est un champ d'innovation à haut potentiel qui s'ouvre : le saut conceptuel est tout à coup beaucoup plus grand, le processus d'expansion beaucoup plus puissant.

ΔC-∂K : un saut conceptuel fort, des technologies disponibles

Le saut conceptuel est ici élevé, mais lorsque le nouveau concept a été élaboré, les technologies, les résultats scientifiques, la recherche marketing nécessaires sont quasiment disponibles. La télécommande de verrouillage automatique des portes des voitures est une innovation de ce type : le concept est en profond décalage, à l'époque où il est proposé, avec ce qui se pratiquait, mais les technologies nécessaires à la réalisation du « plip » étaient disponibles. Dans les années 1990, la société Telia, soucieuse de proposer des services innovants basés sur la technologie 3G, recrute quelques dizaines d'étudiants et les fait travailler en séances de créativité. Près de quatre cents idées sont émises, la plupart peu innovantes, ou alors quasiment irréalisables. L'une d'entre elles, pourtant, intrigue : l'un des étudiants, las de se voir livrer le matin un journal différent de celui auquel il était abonné, et ses réclamations téléphoniques n'étant pas suivies d'effet, propose d'équiper les téléphones portables d'un système permettant d'envoyer une décharge électrique puissante au malheureux livreur quelques instants avant la livraison pour qu'il n'oublie pas de déposer le bon journal. Cette idée est techniquement difficile à réaliser et moralement inacceptable. Mais les concepteurs de Telia voient la pépite au-delà du grossier caillou : ce que propose l'étudiant en colère revient à utiliser le téléphone comme une télécommande. C'est un saut conceptuel considérable, qui va amener Telia à explorer un champ d'innovation nouveau, ce qui se traduit à la fois par de nouveaux partenariats avec les fabricants de matériel, des idées de services nouveaux et l'incorporation de nouvelles compétences.

Les champs d'innovation de ce type peuvent généralement être explorés par de petites équipes agiles, à moyens limités. La source de valeur est du côté des concepts : concepts pendants, concepts donnant lieu à un produit. Il faut néanmoins accorder un grand soin au travail sur les connaissances, minimal mais dont la qualité est primordiale pour le succès du processus. L'un des pièges est de croire que quelques séances de créativité permettront de générer une grande quantité d'idées, parmi lesquelles deux ou trois seront probablement bonnes, idées qu'il suffira ensuite de confier telles quelles aux développeurs. Il faut, au contraire, entretenir un réseau de liens organiques entre les acteurs de la conception, raisonner en variantes à partir d'un champ initial mais aussi remonter en abstraction pour voir de quel champ plus général il serait un cas particulier, articuler la valeur globale de l'exploration sur plusieurs projets.

∂C-ΔK : saut conceptuel limité, technologies et métiers en mutation

Les entreprises dotées de départements R&D importants explorent fréquemment ce type de champ : il s'agit de développer des technologies innovantes, de sortir de la conception actuelle de la résolution du problème, de trouver des solutions techniques créatives, de lever des verrous techniques. Repousser les limites de technologies existantes – augmenter la circulation des données sur les réseaux téléphoniques existants, ou améliorer le confort acoustique d'un train, par exemple – conduit souvent à une activité de conception de type dC-DK. Les formes récentes de progrès technique, comme la photographie numérique, le multiplexage ou le verre automobile sont des domaines où l'innovation a suivi cette logique d'expansion en K importante sous développement conceptuel limité. De nouveaux métiers apparaissent, les métiers existants sont revisités : il y a un minimum de déplacement conceptuel, faute de quoi le processus ne concerne que les connaissances. Le risque est que l'on se concentre uniquement sur la technologie, en pensant que les concepts et la valeur suivront le moment venu. Certes, la recherche peut momentanément se concentrer sur les questions qui lui sont posées, mais la fonction I doit veiller à caler R sur quelques options bien identifiées, de sorte que les résultats de la recherche puissent ensuite nourrir le processus d'innovation dans son ensemble.

ΔC-ΔK : un saut conceptuel fort, la recherche scientifique et technique au cœur du processus

Les innovateurs doivent ici gérer une expansion conceptuelle forte, mais avec un espace de connaissances à développer : les connaissances scientifiques, techniques, marketing sur les phénomènes associés à l'objet sont lacunaires. Les nanotechnologies, l'odeur dans les voitures ou l'interface directe cerveau-ordinateur sont des exemples de ce type de champ d'innovation. La difficulté principale est de gérer simultanément les explorations dans les espaces C et K, alors même qu'il est impossible de s'appuyer sur l'un pour avancer dans l'autre : on ne peut pas se concentrer sur les usages et se dire que d'autres développeront la technologie, ni réciproquement se concentrer sur la seule technologie, puisque c'est le couplage C/K qui progresse de manière incrémentale. La distinction classique entre innovation incrémentale et innovation radicale se trouve ici dépassée : innover de manière radicale, c'est construire les étapes rendant possible une progression incrémentale dans l'espace C et dans l'espace K.

Manager les processus d'innovation : des ateliers de conception en application de la théorie C/K

Ateliers de conception : une des applications pratiques de la théorie

À partir de cette modélisation C/K, dont les fondements ont été proposés par Armand Hatchuel en 1996 puis développés avec Benoît Weil en 2003 et Pascal Lemasson en 2006, le Centre de gestion scientifique de l'École des Mines de Paris a progressivement mis au point et testé des ateliers de conception, d'abord sous forme pédagogique, puis avec des entreprises industrielles et des services partenaires de la recherche. Ainsi sont nés les Ateliers KCP® (knowledge, concept, propositions). Sur un espace de conception donné, sur lequel on souhaite innover, trois temps se succèdent : (1) organiser une mutualisation intensive des connaissances disponibles ; (2) éclairer l'inconnu à partir de projecteurs conceptuels soigneusement élaborés ; et (3) faire des propositions d'action.

Un chemin étroit entre créativité non contrôlée et management classique d'avant-projet

C'est un jeu qui n'est pas intuitif : il faut pouvoir explorer des espaces de connaissances sans lien immédiat avec des projets, en maintenant l'équilibre sur une voie étroite entre les ornières de la créativité débridée, d'un côté, et celles des régimes habituels des avant-projets, de la prospective par scénarios, de l'étude de faisabilité, de l'autre. Les ateliers KCP constituent, en outre, une expérience d'organisation de la conception innovante : les groupes sont notamment composés de manière à respecter un certain équilibre entre différents métiers et positions dans l'entreprise. Les étapes des ateliers demandent une préparation très minutieuse, en même temps qu'il faut être capable de modifier au dernier moment un contenu, un projecteur, une composition des groupes, pour s'adapter à la progression des travaux. L'élaboration du programme des séances « K » (mutualisation intensive des connaissances) est un puissant révélateur de l'état des connaissances au sein de l'entreprise :

existent-elles, sont-elles partagées ? Les projecteurs conceptuels sont définis par les chercheurs en concertation avec l'entreprise, mais en amont des ateliers. Lorsque les ateliers sont organisés pour la première fois dans une entreprise, les projecteurs doivent stimuler l'imagination, faire tomber un certain nombre de barrières mentales, permettre l'expression partagée d'idées, faciliter le passage d'une culture de censure à une culture d'« avocat de l'ange », dans laquelle chacun cherche dans l'idée de l'autre ce qui pourrait être retenu. Lorsque les ateliers sont réitérés, les projecteurs peuvent être plus précis. On peut même, dans certains cas, commencer la conception à partir d'un concept bien formé.

Une application à la RATP : le métro du 21e siècle

La méthode des Ateliers KCP a été testée au sein de plusieurs entreprises industrielles et de service. Par exemple, une première vague d'ateliers menée avec la RATP en 2005, après des séances de mutualisation intensive des connaissances, a utilisé des projecteurs conceptuels comme « le métro hyperbusiness » ou « le métro clean ». Une seconde vague d'ateliers, un an plus tard, a repris le concept fédérateur du « métro des échanges » issu des premiers ateliers et a travaillé à partir de projecteurs du type « le métro entremetteur » ou « le wiki-métro », en référence à des notions de « foule intelligente » et « services de co-présence », en explorant aussi les modèles économiques associés, avec des formulations plus concrètes comme, par exemple, « concevoir un service qui valorise l'expertise répartie chez les voyageurs ».

CE QU'IL FAUT RETENIR

- On peut gérer l'innovation : il suffit de penser « conception innovante ».
- Les organisations souples innovent mieux que les organisations rigides.
- Les organisations orientées conception sont un modèle d'entreprise innovante. Elles gèrent de façon idéale la « fonction I », fonction de conception innovante.
- La valeur d'un processus d'innovation est faite des concepts et connaissances effectivement appliquées à un produit, mais aussi des concepts et connaissances produites en excès, l'ensemble constituant la *rente de conception.*
- Les organisations orientées conception savent maximiser la rente de conception.
- La R&D classique peut mieux contribuer à l'innovation, à condition qu'elle soit pilotée par une fonction I efficace.
- La théorie C/K permet de modéliser les raisonnements de conception et de reconstituer ou de guider les processus d'innovation.
- Il existe quatre types de champs d'innovation, selon que le saut conceptuel et le saut en connaissance sont marginaux ou importants. Ces champs ne se gèrent pas de la même manière, les enjeux et les pièges y sont différents.
- Toute l'entreprise, y compris ses partenaires clients et fournisseurs, doit participer à l'innovation. La fonction I, le modèle DO2 *(design oriented organizations)* et la théorie C/K du raisonnement peuvent aider à rendre concret cet idéal-type.
- Les ateliers de conception inspirés de la théorie C/K peuvent aider des groupes de concepteurs à explorer les champs d'innovation à haut potentiel et amener l'entreprise à formuler des stratégies plus ambitieuses et à développer les capacités organisationnelles requises.

BIBLIOGRAPHIE DE RÉFÉRENCE

Pascal LEMASSON, Benoît WEIL, Armand HATCHUEL, *Les processus d'innovation – Conception innovante et croissance de la firme*, Hermès, 2006.

Joe TIDD, John BESSANT, Keith PAVITT *Management de l'innovation : Intégration du changement technologique, commercial et organisationnel*, de Boeck, 2006.

Armand HATCHUEL, Benoît WEIL, « A new approach of innovative design: an introduction to C-K theory », ICED'03, août 2003, Stockholm.

Blanche SEGRESTIN, *Innovation et coopération interentreprises : comment gérer les partenariats d'exploration*, CNRS Editions, 2006.

Partie 9

FINANCE

Finance

Les fondamentaux

Par MARC BERTONÈCHE

BILAN

Le bilan est un recensement, à un moment donné, des ressources financières de l'entreprise, provenant des propriétaires ou actionnaires et de l'ensemble des prêteurs (le passif) et de l'utilisation qu'elle en a faite (l'actif). De manière plus précise, le passif comprend :

- les capitaux propres, ou situation nette, composés du capital social de l'entreprise et des bénéfices mis en réserves (ceux qui ne sont pas distribués sous forme de dividendes) ;
- les dettes à long terme, dont l'échéance est à plus d'un an, et l'exigible à court terme dû à moins d'un an et qui comprend les dettes auprès des fournisseurs, les différentes charges à payer (impôts à payer, charges sociales à payer…) ainsi que l'ensemble des dettes financières à court terme auprès des banques et autres institutions financières.

De son côté, l'actif regroupe :

- les actifs immobilisés, ou actifs à long terme, qui ne sont pas censés être renouvelés au rythme du cycle d'exploitation ;
- les actifs circulants (stocks, comptes clients et liquidités) qui « tournent » et se renouvellent théoriquement au rythme du cycle d'exploitation.

Le bilan n'enregistre que les éléments susceptibles d'être évalués en termes monétaires. Il est donc tout à fait possible que les meilleurs actifs d'une entreprise soient un personnel très performant, un remarquable service de Recherche et Développement ou une excellente réputation sur le marché, ... Pourtant, aucun de ces « actifs » ne figurera dans son bilan.

COMPTE DE RÉSULTAT

Le compte de résultat est un « film » qui retrace, sur une période donnée, l'ensemble des produits et des charges (d'exploitation, financiers et exceptionnels) permettant d'expliquer la génération du bénéfice ou de la perte réalisé par l'entreprise au cours de la période concernée.

Il souligne un certain nombre de soldes très utilisés au niveau de la gestion, parmi lesquels on citera :

- l'excédent brut d'exploitation ;
- le résultat brut d'exploitation ;
- le résultat courant avant impôts ;
- le résultat net.

L'un des principes de base de la comptabilité exige que les produits et les charges soient enregistrés dans le compte de résultat au moment où ils ou elles surviennent et non pas au moment où ils ou elles se matérialisent par un flux réel de trésorerie (recette ou paiement). Cela peut conduire à des décalages importants entre la manifestation d'un produit ou d'une charge et l'entrée ou la sortie de trésorerie correspondante. Il en résulte donc que le résultat, ou bénéfice, d'une entreprise n'est que de la liquidité potentielle.

TABLEAU DE VARIATION DE TRÉSORERIE

Pour apprécier la liquidité réelle d'une entreprise, on a recours au tableau de variation de trésorerie, qui n'est rien d'autre qu'un tableau d'emplois/ressources, pour lequel les emplois sont faits de tout accroissement d'un poste d'actif (augmentation des stocks ou acquisition d'un équipement nouveau, ...) ou de toute diminution d'un poste de passif (remboursement d'un emprunt ou rachat par l'entreprise de ses propres actions, ...) et les ressources, à l'inverse, de tout accroissement d'un poste de passif (nouvel emprunt ou augmentation de capital, ...) ou de toute réduction d'un poste d'actif (diminution du compte clients ou cession d'un équipement, ...).

Il souligne un certain nombre de soldes très utiles pour le gestionnaire, parmi lesquels on peut citer :

- le flux de trésorerie d'exploitation ;
- le flux de trésorerie provenant des opérations d'investissement ;
- le flux de trésorerie provenant des opérations de financement ;
- le flux de trésorerie total.

FONDS DE ROULEMENT ET BESOINS EN FONDS DE ROULEMENT

Le Fonds de Roulement (FR) est défini comme la différence entre les capitaux permanents (représentés par la somme des capitaux propres et des dettes à long terme) et les actifs immobilisés nets. Il mesure donc l'excédent des ressources financières à long terme par rapport aux emplois à long terme et représente, de ce fait, les fonds à long terme disponibles, une fois financés les actifs longs, pour « rouler », pour « travailler » (les Anglo-Saxons parlent de *Working Capital*) dans le cycle d'exploitation de l'entreprise qui couvre la séquence achat, stockage, production, stockage, vente et recouvrement.

Les Besoins en Fonds de Roulement (BFR), parfois appelés « Besoins de Financement du Cycle d'Exploitation », sont définis comme la différence entre les besoins cycliques (les actifs circulants, à l'exception des liquidités et quasi-liquidités) et les ressources cycliques (les ressources spontanément générées par le cycle d'exploitation, équivalentes à l'exigible à court terme, à l'exception des dettes financières à court terme). Ils mesurent donc les fonds nécessaires pour financer les opérations quotidiennes de l'entreprise.

La différence entre FR et BFR donne la trésorerie nette de l'entreprise. Si le FR est supérieur au BFR, la trésorerie nette est positive. Inversement, si le FR est inférieur au BFR, la trésorerie nette est négative et indique le besoin d'endettement financier à court terme de la firme (découverts, crédits de campagne et autres types de crédits bancaires à court terme).

RENTABILITÉ

La rentabilité de toute entreprise peut s'apprécier à trois niveaux : rentabilité commerciale, rentabilité économique et rentabilité financière.

La rentabilité commerciale, ou Rentabilité du Chiffre d'Affaires (RCA), mesure le bénéfice (résultat net, si l'on s'intéresse à la marge nette ou résultat d'exploitation, si l'on recherche la marge d'exploitation) généré par l'entreprise par euro de chiffre d'affaires réalisé.

La rentabilité économique, ou Rentabilité des Capitaux Engagés (RCE), mesure le bénéfice (résultat d'exploitation avant ou après impôts, selon qu'on recherche une rentabilité brute ou nette) dégagé par l'entreprise par rapport aux capitaux qu'elle met en œuvre. Plutôt que les actifs totaux, on retient, pour la définition des capitaux engagés, la somme des actifs immobilisés nets et du BFR ou, ce qui est exactement similaire, la somme des capitaux propres et de l'Endettement Financier Net (EFN). Celui-ci est défini comme l'ensemble des dettes financières (celles qui sont assorties d'un taux d'intérêt à payer), diminué des liquidités et quasi-liquidités (caisse et banques et valeurs mobilières de placement).

La rentabilité financière, ou Rentabilité des Capitaux Propres (RCP), mesure le bénéfice réalisé par les actionnaires, propriétaires ou associés (résultat net) par rapport à leur investissement dans la société, à savoir les capitaux propres.

COÛT DU CAPITAL

Du point de vue de l'entreprise, il représente le coût d'une ressource essentielle, l'argent. Le coût du capital est aux capitaux engagés ce que les salaires sont au facteur travail. Du point de vue des apporteurs de capitaux, il est la mesure de la rentabilité qu'ils sont en droit d'attendre pour rémunérer le coût d'opportunité et le risque qu'ils assument.

Il est égal à la moyenne pondérée du coût après impôts de la dette, coût explicite et contractuel et, à ce titre, facilement évaluable et du coût des capitaux propres, coût implicite et juridiquement moins contraignant et donc plus difficile à appréhender. Le Modèle d'Équilibre des Actifs Financiers (MEDAF) représente le cadre théorique et méthodologique le plus adapté et le plus utilisé aujourd'hui pour calculer le coût des capitaux propres. Selon ce modèle, ce coût est égal au taux sans risque (on retient généralement le taux de rémunération des emprunts d'État, en France le taux des OAT à 10 ans) plus une prime de risque, calculée comme la prime de risque du marché multipliée par un coefficient ß représentant le risque systématique de la société. Ce risque systématique est un risque de marché, non diversifiable et qui, à ce titre, doit être rémunéré, par opposition au risque spécifique de l'entreprise qui, lui, peut être considérablement réduit, voire totalement éliminé par une diversification du portefeuille de l'investisseur. Le coefficient ß est une mesure de la manière dont la rentabilité d'un titre se comporte par rapport à l'évolution de la rentabilité d'un indice de marché. Divers organismes les calculent régulièrement (Merril Lynch, Bloomberg, Associés en Finance, ...). Lorsqu'une société n'est pas cotée et n'a donc pas de coefficient ß, on l'estime à partir de sociétés comparables cotées.

Le coût moyen pondéré du capital est le taux de rentabilité que toute entreprise doit atteindre pour créer de la valeur.

Flux de trésorerie actualisés, VAN et TRI

La méthode des Flux de Trésorerie actualisés (*Discounted Cash-Flows*, DCF) repose sur l'idée de base selon laquelle la valeur de tout actif est égale à la valeur actuelle, c'est-à-dire la valeur en euros d'aujourd'hui, de l'ensemble des flux de trésorerie espérés de l'actif concerné, l'actualisation étant réalisée au coût du capital.

Appliquée au choix des investissements, cette méthode met en évidence deux concepts importants : la Valeur Actuelle Nette (VAN) et le Taux de Rendement Interne (TRI).

La VAN mesure la différence entre la valeur actualisée des encaissements attendus d'un projet d'investissement et la valeur actualisée des décaissements liés à ce projet. Si la VAN d'un projet est positive, il est financièrement acceptable, puisqu'il est créateur de valeur. À l'inverse, si la VAN est négative, le projet est destructeur de valeur et devrait, d'un point de vue financier, être rejeté.

Le TRI est le taux qui égalise la valeur actualisée des encaissements attendus d'un projet et la valeur actualisée des décaissements occasionnés par ce projet (ou taux qui rend la VAN égale à zéro). Si le TRI d'un projet est supérieur au coût du capital, le projet est financièrement acceptable. Si le TRI est inférieur au coût du capital, il est financièrement non rentable et devrait donc, en tant que tel, être rejeté.

VALEUR

L'objectif premier de toute firme et de ses dirigeants est de créer de la valeur pour les différentes parties prenantes de l'entreprise, ses employés, ses clients, ..., mais aussi, et surtout, d'un point de vue financier, pour ses propriétaires ou actionnaires, seule catégorie à n'être protégée par aucun contrat et à devoir assumer le respect des contrats passés avec les autres catégories. Il y a création de valeur lorsque la rentabilité des capitaux engagés est supérieure au coût des capitaux engagés, si l'on adopte le point de vue de l'entreprise, ou lorsque la rentabilité des capitaux propres est supérieure au coût des capitaux propres, si l'on adopte le point de vue de l'actionnaire.

Diverses mesures nouvelles, comme l'*Economic Value Added* (EVA) des Anglo-Saxons, sont venues enrichir l'arsenal des méthodes visant à mettre en évidence la valeur créée par toute entité économique. L'EVA est égale au résultat d'exploitation après impôt diminué du produit des capitaux engagés par le coût moyen pondéré du capital. Ce concept évalue donc la capacité d'une entité économique (entreprise, division, filiale, ...) à générer un surplus, véritable résultat économique, au-delà de la rémunération des différents apporteurs de capitaux, prêteurs et investisseurs en fonds propres. Rien de bien nouveau, sinon dans la formulation. L'économiste anglais Alfred Marshall avait déjà, au XIXe siècle, parfaitement mis en évidence ce concept de bénéfice économique.

ENDETTEMENT FINANCIER ET LEVIER FINANCIER

Le ratio d'endettement peut être défini de plusieurs manières et sa définition a évolué dans le temps. Traditionnellement mesuré par le rapport entre les dettes totales (qu'elles aient à être rémunérées ou non) et le total du passif, il est aujourd'hui calculé comme étant le rapport entre les dettes financières (c'est-à-dire celles sur lesquelles il y a un taux d'intérêt explicite) et la somme des dettes financières et des capitaux propres et même, de manière plus exacte, comme l'endettement financier net (dettes financières moins liquidités et quasi-liquidités) divisé par la somme des capitaux propres et de cet endettement financier net.

La détermination du niveau adéquat d'endettement d'une entreprise est l'un des problèmes les plus difficiles de la gestion financière. La règle de base peut se résumer ainsi : si une entreprise évolue dans un secteur où le risque d'activité est élevé, le ratio d'endettement devrait demeurer faible. À l'inverse, des entreprises travaillant dans des secteurs où le risque d'activité est faible peuvent se permettre de supporter un risque financier plus important et donc un niveau d'endettement plus élevé.

L'effet de levier financier mesure la capacité d'une firme à investir les fonds empruntés à un taux supérieur au taux d'intérêt.

Price Earning Ratio (PER)

Le *Price Earning Ratio* (PER), ou multiple des bénéfices, est l'un des ratios boursiers les plus connus. Il se calcule en divisant le cours boursier d'une société par son résultat net par action (lui-même égal au résultat net de la société divisé par le nombre d'actions en circulation).

Si, par exemple, une entreprise a généré un bénéfice par action de 3 euros et si son cours en bourse est de 54 euros, son PER est de 18. En d'autres termes, cette société vaut, ou se vend, 18 fois ses bénéfices.

En pratique, plus que sur des données passées, ce ratio est calculé sur des données prévisionnelles estimées (provenant d'une agrégation de résultats anticipés par un ensemble de professionnels de la place, connue sous le nom de « consensus ») et est souvent considéré comme un baromètre indiquant la confiance, s'il est élevé, ou le pessimisme, s'il est faible, des investisseurs.

Le PER relatif, égal au rapport entre le PER d'une société et le PER du secteur d'activité, donne une indication de la sous-évaluation ou de la surévaluation éventuelle d'un titre.

Fusions-acquisitions

Par MARC BERTONÈCHE

Professeur à l'université de Bordeaux et professeur affilié à HEC et au Collège des ingénieurs. Membre du corps professoral de l'INSEAD pendant plus de vingt ans, il est Visiting Professor *à la Harvard Business School et* Associate Fellow *à l'université d'Oxford. Auteur de nombreux ouvrages et articles, il est consultant auprès de sociétés multinationales et membre du Conseil d'administration et du Comité d'audit d'entreprises en Europe, aux États-Unis et en Asie.*

Les fusions-acquisitions ont connu un remarquable essor au cours des dernières décennies et cette évolution est loin d'être terminée, de nombreux secteurs étant encore en phase de consolidation, de restructuration ou de recomposition. Considérées par certains comme la forme privilégiée de croissance, critiquées par d'autres pour leurs résultats souvent médiocres et parfois désastreux, les fusions-acquisitions font appel à toutes les disciplines des sciences de gestion (stratégie, finance, comptabilité, fiscalité, droit des affaires, ressources humaines, structures organisationnelles, négociation...) et se réalisent toujours sous la pression du temps et du secret. Domaine où l'irrationnel (volonté de pouvoir et recherche de domination, choc des ego, passion, paranoïa, trahison, ...) côtoie le rationnel (synergies opérationnelles, économies d'échelle, logiques sectorielles, globalisation des marchés, ...), où la planification et l'organisation doivent souvent s'accommoder de bonnes doses d'opportunisme et d'improvisation, où le prédateur d'aujourd'hui peut rapidement devenir la proie de demain, les fusions-acquisitions posent de nombreux problèmes méthodologiques, ne serait-ce que pour en apprécier le résultat : à partir de quel moment peut-on parler de réussite ou d'échec ? De nombreuses recherches académiques et quantité d'études de consultants ou banquiers d'affaires ont montré que le verdict diffère fortement selon le critère adopté pour définir l'échec ou le succès et selon l'horizon temporel retenu. Simple capture et transfert de valeur (utilisations de reports fiscaux déficitaires, démembrements d'actifs, génération de capacités d'endettement, ...) ou réelle création de valeur (véritables synergies, développements d'expertise, renforcements du pouvoir de négociation, ...) ? Les fusions-acquisitions interpellent autant le chercheur que le praticien.

Leur domaine, qui va de la recherche stratégique de cibles aux opérations de closing et à l'intégration des deux firmes, est extrêmement vaste et il serait vain de vouloir le couvrir en l'espace des quelques pages proposées par ce chapitre. Nous nous concentrerons donc essentiellement sur l'évaluation financière et ferons quelques brefs rappels sur l'analyse stratégique et les problèmes liés à la négociation et à l'intégration post-fusion ou acquisition.

La société Legendre

Dans les premiers jours de janvier 2005, Charles Dumas, P-DG de la Société Générale de Production (SGP) se demandait s'il devait faire une offre pour l'achat de la Société Legendre, entreprise familiale spécialisée dans la mécanique industrielle.

La société Legendre, créée en 1930 par Hubert Legendre et dirigée par son petit-fils Jacques Legendre, jouissait d'une solide réputation de qualité et de fiabilité et entretenait avec ses fournisseurs et ses clients d'excellentes relations reposant sur la confiance et la durée. Elle avait réalisé, en 2004, un chiffre d'affaires de 310 millions d'euros et un résultat net de 29 millions d'euros. L'annexe 1 fournit les dernières informations financières sur la société Legendre.

Charles Dumas souhaitait acquérir l'entreprise Legendre pour plusieurs raisons. En premier lieu, son objectif avait toujours été de devenir un acteur important dans le secteur de la mécanique industrielle et l'acquisition de Legendre lui permettrait de faire un grand pas dans cette direction. En second lieu, l'implantation de Legendre dans les marchés d'Europe du Nord, région dans laquelle la SGP était très peu présente, laissait présager une diversification géographique intéressante. Enfin, Charles Dumas et son équipe de direction étaient persuadés que la société Legendre n'avait pas été gérée de manière optimale et que des améliorations sensibles pouvaient être aisément apportées.

Un groupe de travail composé des principaux dirigeants de la SGP avait été rapidement mis en place autour de Charles Dumas afin de réunir les informations nécessaires à l'évaluation de la société Legendre. Le groupe de travail s'était mis d'accord rapidement sur les perspectives de développement du marché de la mécanique industrielle qui devrait croître au rythme de 6 % par an au cours des deux prochaines années, de 5 % par an les deux années suivantes et de 3 % par la suite. Le groupe de travail pensait que la société Legendre pouvait raisonnablement faire mieux en exploitant davantage sa renommée et sa longue implantation sur les marchés où elle était présente. La marge d'exploitation, actuellement à 20 % du chiffre d'affaires, pouvait aussi très probablement être améliorée, tout comme le BFR, dont le niveau actuel à 32 % du CA, était sensiblement supérieur aux 24 % enregistrés en moyenne par le secteur. Les dépenses d'investissement étaient évaluées à environ 35 millions d'euros par an et les dotations aux amortissements devraient augmenter d'environ 1 million d'euros par an et atteindre le niveau des investissements en 2009, date à partir de laquelle le montant annuel des investissements resterait identique à celui des dotations aux amortissements. Le groupe de travail était également convaincu qu'une gestion plus efficace et moins conservatrice de la position fiscale de la société Legendre permettrait une réduction de deux points du taux d'imposition qui pourrait passer de 40 à 38 %.

Le groupe de travail avait rassemblé certaines informations sur la Société Nationale de Mécanique Industrielle (SNMI), société cotée en bourse tout comme la SGP et principale concurrente de la société Legendre et qui lui était similaire en tout point (activité, types de marchés servis, structure financière, ...). Ces informations sont résumées en annexe 2. L'an dernier, la SNMI avait acquis la société Labaume et la transaction s'était faite sur la base d'un multiple de l'Excédent Brut d'Exploitation (Valeur de l'entreprise/EBE), de 5,2 et d'un multiple du résultat net (ou PER, défini comme Valeur de marché des capitaux propres/Résultat net) de 11,5.

Le taux des obligations assimilables du Trésor est de 5,7 %, le taux d'intérêt applicable aux emprunts de la société Legendre est de 8 % et la prime de risque de marché est évaluée à 6 %.

Charles Dumas se préparait à prendre l'une des plus difficiles décisions de sa carrière et il en mesurait pleinement les enjeux. Bien qu'il fût raisonnablement convaincu du bien-fondé de cette acquisition potentielle, il voulait s'assurer qu'elle se fasse dans les meilleures conditions, en particulier au meilleur prix possible. Comment évaluer la société Legendre ? Comment éviter de la surpayer ? Quelles méthodes utiliser ? Une fois la décision prise et le prix fixé, comment financer l'opération ? Quels paramètres et quels ratios suivre pour s'assurer que l'opération ne menace pas la santé financière de la SGP ? Autant de questions que Charles Dumas se posait en regardant furtivement les nombreux livres de gestion rangés sur les étagères de son bureau.

Annexe 1 – Documents financiers, année 2004 : société Legendre

Compte de résultat (en millions d'euros)	
Chiffre d'affaires	310
Charges d'exploitation	218
(Non compris les dotations aux amortissements)	
Excédent Brut d'Exploitation (EBE)	92
Dotations aux amortissements	30
Résultat d'exploitation	62
Charges financières	14
Résultat avant impôts	48
Impôts	19
Résultat net	**29**

Bilan (en millions d'euros) au 31 décembre 2004

Actif		Passif	
Caisse & banque	5	Comptes fournisseurs & effets à payer	35
Comptes clients & effets à recevoir	46		
Stocks	88		
Actifs circulants	139	Dettes financières à long terme	140
Immobilisations nettes	171	Capitaux propres	135
Actif total	**310**	**Passif total**	**310**

Annexe 2 – Informations financières, année 2004 : Société Générale de Production (SGP) et Société Nationale de Mécanique Industrielle (SNMI)

	SGP	SNMI
Chiffre d'affaires	500 millions d'euros	590 millions d'euros
EBE	152 millions	174 millions
Résultat d'exploitation	99 millions	113 millions
Résultat net	51 millions	59 millions
Valeur comptable des capitaux propres	216 millions	295 millions
Nombre d'actions en circulation	25 millions	20 millions
Cours de l'action (cours moyen sur l'année)	50 euros	30 euros
Ratio capitaux propres sur capitaux propres plus dettes financières nettes en valeurs de marché	80 %	80 %
Coefficient bêta	1,30	1,30

Toute opération de croissance externe comporte un certain nombre d'étapes résumées dans le schéma page suivante.

Ces différentes étapes, qui ne surviennent pas toujours dans la séquence type proposée, se chevauchent très souvent en raison de la contrainte temps, inhérente à toute opération de fusion-acquisition. Nous les avons regroupées en quatre grandes phases :

- une phase de préparation et d'analyse stratégique ;
- une phase d'évaluation financière ;
- une phase de négociation et de montage financier ;
- une phase d'intégration.

Toutes ces phases sont capitales pour le succès d'une fusion ou d'une acquisition et aucune n'est à privilégier au détriment des autres. Cependant, parce que ce chapitre est consacré à la finance et que le nombre de pages est naturellement limité pour chacun des domaines présentés dans cet ouvrage, nous consacrerons l'essentiel de nos développements à la phase n° 2, celle de l'évaluation financière, et survolerons les trois autres phases. Nous renvoyons le lecteur à des explications plus fournies dans d'autres chapitres du présent ouvrage ou dans des livres spécialisés sur les fusions-acquisitions, dont certaines références figurent en bibliographie à la fin du présent chapitre.

Schéma 1

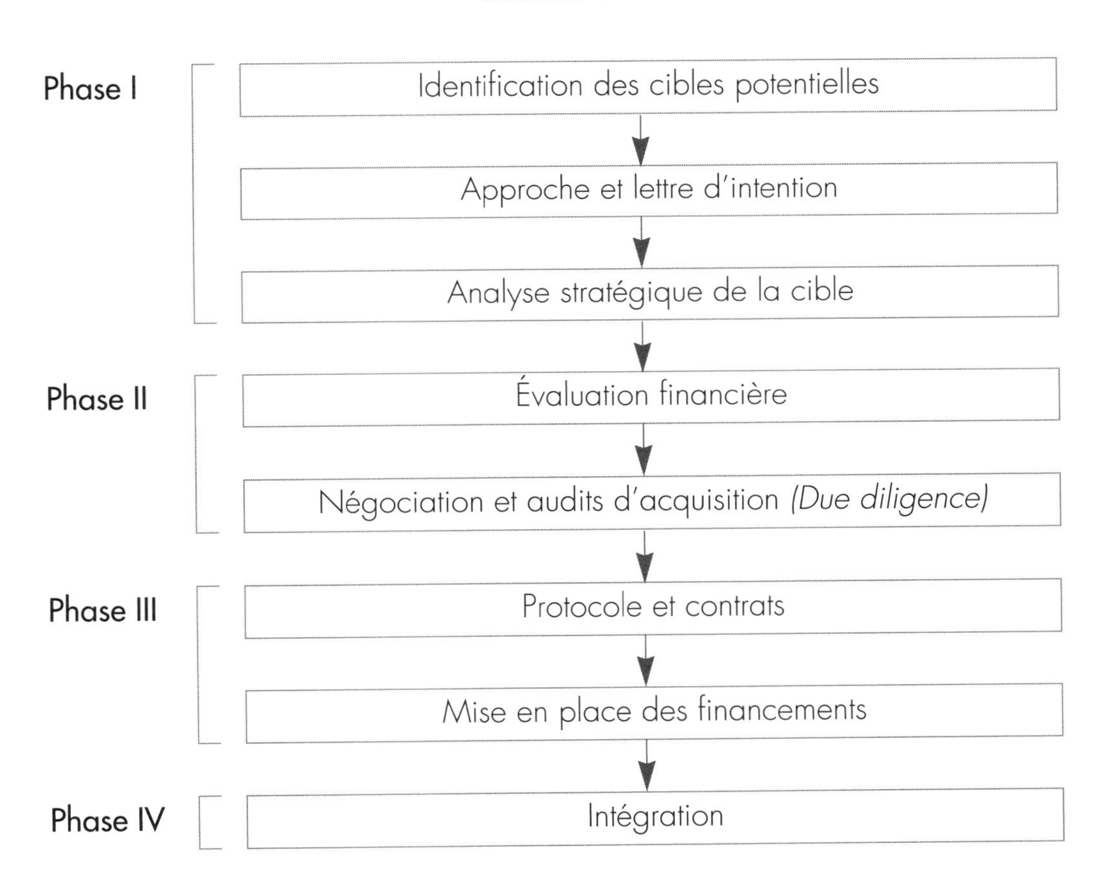

LA PHASE DE PRÉPARATION ET D'ANALYSE STRATÉGIQUE

Toute entreprise a pour objectif de créer de la valeur et ne peut le faire durablement qu'en se développant. La question fondamentale qui se pose dès lors est celle du type de développement à adopter, du choix stratégique entre croissance interne, celle qui privilégie les investissements, l'augmentation de productivité et des marges et la multiplication des implantations réalisées à l'intérieur même de l'entreprise, et croissance externe, celle qui consiste à acquérir d'autres entreprises ou à s'allier à d'autres firmes.

La croissance externe est souvent favorisée car elle est apparemment beaucoup plus rapide (Pourquoi faire lentement ce que l'on peut faire vite ? !) et semble donc mieux répondre aux exigences liées à l'accélération des évolutions technologiques. Elle apparaît également mieux adaptée au nombre croissant de secteurs en phase de maturité (en évitant d'aggraver les problèmes de surcapacités ou de rentabilités insuffisantes), à la vitesse de transformation des marchés et à la pression grandissante des concurrences.

Elle nécessite en premier lieu de mettre en œuvre un processus efficace de tri des cibles potentielles. Comme le rappellent très justement Olivier Meier et Guillaume Schier, dans leur ouvrage sur les fusions-acquisitions, « *l'étape de sélection et d'évaluation des cibles potentielles constitue la première démarche proactive d'une stratégie de fusions-acquisitions* » (p. 105). Définir des critères de sélection est toujours une tâche ardue, car, si les critères sont trop imprécis, on risque d'allonger inutilement la liste des entreprises candidates et de gaspiller des ressources coûteuses et un temps précieux à les analyser, avec une probabilité très faible de mener le processus à son terme et, si les critères sont trop draconiens, on risque d'écarter, dès le départ, toutes les cibles potentielles. D'autre part, ces critères doivent intégrer la triple dimension :

- stratégique (adéquation stratégique des deux firmes futures partenaires dans le cadre de la transaction envisagée) ;
- organisationnelle (compatibilité des systèmes de contrôle, d'information, de gestion, …) ;
- culturelle (style de management, aptitude au changement et capacité d'adaptation, valeurs fondamentales, …).

La croissance externe repose, d'autre part, sur l'espoir d'améliorer les résultats de la firme acquise et de trouver des synergies opérationnelles (Synergie, synergie, que de crimes ont été commis en ton nom !), que ce soit des synergies de coûts provenant des effets de taille ou d'utilisations plus rationnelles de ressources ou des synergies de croissance issues de complémentarités entre les deux entreprises.

Dans le cadre de la Société générale de production (SGP), décrite dans le cas ci-dessus, la croissance par acquisitions apparaît comme le moyen unique de « devenir un acteur important dans le secteur de la mécanique indus-trielle », en faisant « un grand pas dans cette direction ». D'autre part, les dirigeants de la SGP sont convaincus qu'ils peuvent améliorer très sensiblement la gestion de la société Legendre, en mettant en commun des activités, des moyens et des ressources et en augmentant le pouvoir de négociation vis-à-vis de leurs fournisseurs, de leurs clients et de leurs banquiers par une taille accrue et une position plus forte dans leur secteur. Ils attendent aussi de l'acquisition de Legendre un accès plus facile aux marchés de l'Europe du Nord.

Nous ne développerons pas davantage ici l'analyse stratégique, renvoyant le lecteur aux explications plus approfondies de la partie 3. Mais nous insisterons à nouveau sur le rôle capital de la dimension stratégique dans les opérations de fusions-acquisitions. Comme le rappellent souvent les auteurs et les praticiens anglo-saxons. « *Acquisitions do not succeed, acquisitive strategies do.* » (Ce ne sont pas les acquisitions qui réussissent, mais les stratégies d'acquisitions.) Ou encore : « *Strategy leads to acquisitions, but acquisitions never lead to strategy.* » (Une stratégie peut mener à des acquisitions, mais un ensemble d'acquisitions n'a jamais constitué une stratégie.)

Quelles que puissent être les justifications stratégiques d'une opération d'acquisition, si le prix payé par l'acheteur est trop élevé, les chances de succès, en termes de création de valeur, sont dès le départ largement compromises. L'évaluation financière représente donc le second volet capital de toute opération de croissance externe. Nous lui consacrerons des développements plus fournis, ce chapitre étant plus particulièrement consacré à la finance.

LA PHASE D'ÉVALUATION FINANCIÈRE

Les méthodes d'évaluation financière, si on se place dans une optique de continuité de l'exploitation c'est-à-dire si l'on considère l'entreprise non pas comme un ensemble d'actifs susceptibles d'être cédés mais comme une « machine » à générer des résultats ou mieux des flux de trésorerie, peuvent être schématiquement regroupées en deux grandes catégories :

- les approches reposant sur l'actualisation des flux de trésorerie disponibles ;
- les multiples calculés soit à partir d'entreprises similaires (*trading* multiples), soit à partir de transactions comparables (transaction multiples).

L'évaluation par l'actualisation des flux de trésorerie disponibles

Elle repose sur l'axiome de base selon lequel la valeur de tout actif est égale à la valeur actualisée, c'est-à-dire à la valeur en euros d'aujourd'hui, de l'ensemble des flux de trésorerie futurs espérés de l'actif considéré, l'actualisation étant effectuée au coût du capital. Elle nécessite donc la mesure de trois paramètres essentiels, les flux de trésorerie disponibles, le coût du capital et la valeur terminale à l'horizon choisi.

La méthode la plus répandue et la plus couramment utilisée dans la pratique évalue l'entreprise dans son ensemble en partant des flux de trésorerie disponibles pour l'entreprise *(Free Cash Flows to the Firm),* c'est-à-dire des flux de trésorerie revenant à l'ensemble des apporteurs de capitaux, qu'ils soient créanciers ou actionnaires.

La méthode des Flux de Trésorerie Disponibles pour l'Entreprise (FTDE)

Ils sont définis comme le Résultat d'Exploitation dont on déduit l'impôt sur les sociétés, auquel on ajoute les charges non suivies de décaissement, c'est-à-dire les amortissements et les provisions, et duquel on soustrait les augmentations du BFR (pour remédier aux distorsions entre produits d'exploitation et encaissements, d'une part, et charges d'exploitation et décaissements, d'autre part) et les dépenses d'investissement (qui sont des sorties de trésorerie non intégrées au compte de résultat).

Dans le cas de la société Legendre, les flux de trésorerie disponibles prévisionnels, sur la période 2005-2009, sur la base des hypothèses formulées par le groupe de travail avant toute prise en compte des améliorations potentielles, sont présentés dans le tableau suivant.

Tableau 1 : Flux de trésorerie disponibles pour l'entreprise

Société Legendre

Hypothèses

2005-2006	6,0 %	Marge d'exploitation	20,0 %	Taux d'imposition	40 %
2007-2008	5,0 %	BFR	32,0 %	Dettes fin nettes	135
2009 et au-delà	3,0 %	Coût du capital	11,75 %	Dépenses d'investissement	35

	2004	2005	2006	2007	2008	2009
Chiffre d'affaires	310	328,6	348,3	365,7	384,0	395,5
Résultat d'exploitation	62	65,7	69,7	73,1	76,8	79,1
– Impôts		26,3	27,9	29,3	30,7	31,6
= Résultat d'exploitation après impôts		39,4	41,8	43,9	46,1	47,5
+ Dotations aux amortissements		31,0	32,0	33,0	34,0	35,0
– Augmentation du BFR		6,0	6,3	5,6	5,9	3,7
– Dép. d'investissements		35,0	35,0	35,0	35,0	35,0
= Flux de Trésorerie Disponibles		29,5	32,5	36,3	39,2	43,8

Comme on n'a pas déduit les frais financiers des emprunts et qu'on n'a pas retiré les remboursements du principal de ces mêmes emprunts, on comprend aisément que ces flux de trésorerie appartiennent à l'ensemble des apporteurs de capitaux, prêteurs et actionnaires. C'est la raison pour laquelle ces flux de trésorerie sont actualisés à un taux qui intègre les attentes des créanciers et des actionnaires, le coût moyen pondéré du capital *(Weighted Average Cost of Capital)*.

Ce taux, les fondamentaux figurant au début de ce chapitre l'ont rappelé, est une moyenne pondérée (les pondérations étant en valeurs de marché et non en valeurs comptables) du coût de la dette après impôts (pour tenir compte de la déductibilité fiscale des intérêts) et du coût des capitaux propres. Le coût de la dette, k_d, est facilement mesurable. Dans le cas de la société Legendre, il est de 8 %, ce qui donne, étant donné que l'entreprise fait des bénéfices et prévoit d'en faire dans l'avenir, un coût net après impôts de 8 %(1 - 0,40) soit 4,8 %.

Le coût des capitaux propres est plus difficile à appréhender. Pour la société Legendre, en suivant les enseignements du MEDAF, rappelés brièvement dans les fondamentaux et en prenant le coefficient ß de la SNMI, « société cotée similaire en tout point (activité, types de marchés servis, structure financière, ...) », le coût des capitaux propres est égal à :

$$k_{c\,p} = \text{taux sans risque} + ß\ (\text{prime de risque de marché})$$
$$= 5{,}7\ \% + 1{,}30\ (6\ \%) = 13{,}5\ \%$$

La signification de ce taux peut se résumer de la façon suivante : tout investisseur souhaitant investir dans une société comme Legendre, en janvier 2005, est en droit d'espérer une rentabilité annuelle de l'ordre de 13,5 %.

Le coût moyen pondéré du capital s'établit donc à 11,75 %, en utilisant la structure financière de la SNMI (qui est d'ailleurs ici identique à celle la SGP) et dont on peut supposer qu'elle représente la structure financière cible dans le secteur étudié.

$$\text{CMPC} = k_d\ (1 - t)\ D / D + Cp + k_{cp}\ Cp / D + Cp$$
$$= 4{,}8\ \% \times 20\ \% + 13{,}5\ \% \times 80\ \% = 11{,}75\ \%$$

Ce taux signifie que tout euro, dont on suppose que 20 centimes proviennent de la dette et 80 centimes des capitaux propres, doit espérer, en janvier 2005, générer une rentabilité minimum de 11,75 % pour justifier économiquement de son utilisation dans la société Legendre.

Au-delà de l'horizon de prévision choisi, l'entreprise va bien évidemment continuer à générer des flux de trésorerie. Ceux-ci vont être concentrés et, en quelque sorte, synthétisés en une valeur terminale, qui est en fait égale à la valeur d'un flux perpétuel. Si k est le taux d'actualisation, c'est-à-dire ici le coût moyen pondéré du capital, et *g* le taux de croissance anticipé des flux de trésorerie, la valeur terminale à la période *t* est égale au FTD de la période *t + 1* divisé par la différence entre le taux d'actualisation et le taux de croissance anticipé des FTD.

$VT_t = FTD_{t+1} / k - g = FTD_t (1 + g) / k - g$

Pour la société Legendre, la valeur terminale en 2009 s'établit à 515 millions d'euros, résultat du calcul suivant : 43,8 (1 + 0,03) / (0,1175 – 0,03).

Lorsqu'on actualise les flux de trésorerie disponibles entre 2005 et 2009 tels qu'ils apparaissent dans le tableau 1 et la valeur terminale en 2009 de 515 millions au CMPC de 11,75 %, on obtient la valeur de l'entreprise Legendre égale à 424 millions d'euros. La valeur de l'entreprise étant constituée de la valeur des capitaux propres et de la valeur de la dette mesurée par l'endettement net, c'est-à-dire l'ensemble des dettes financières diminuées des liquidités et quasi-liquidités (essentiellement les valeurs mobilières de placement), on obtient la valeur des capitaux propres de Legendre qui s'élève à 289 millions d'euros (424 – 135).

Cette valeur correspond à ce que valent les capitaux propres de la société Legendre telle qu'elle se présente aujourd'hui sans aucune des améliorations envisagées par le groupe de travail.

Si les taux de croissance peuvent s'accroître d'un point de pourcentage, comme le soupçonne le groupe de travail, passant respectivement à 7 % par an pour les deux prochaines années, à 6 % pour les deux années suivantes et à 4 % par la suite, si la marge d'exploitation peut raisonnablement être augmentée d'un point pour passer à 21 %, si le niveau des besoins en fonds de roulement peut être ramené à 28 % du CA, c'est-à-dire à mi-chemin entre leur pourcentage actuel et celui de la moyenne sectorielle et si enfin une gestion plus efficace de la position fiscale permet de réduire le taux effectif d'imposition à 38 %, la valeur de l'entreprise atteint alors le chiffre de 527 millions d'euros et la valeur des capitaux propres celui de 392 millions, soit une augmentation de près de 36 %. En jouant sur ces différents paramètres, on peut évaluer la valeur potentielle des synergies et surtout réaliser la sensibilité de la valorisation de l'entreprise ou de ses capitaux propres aux sept vecteurs fondamentaux de valeur *(value drivers)* qui sont :

- le taux de croissance du chiffre d'affaires ;
- la durée de la croissance ;

- la marge d'exploitation ;
- le niveau d'investissement en BFR ;
- le niveau d'investissement en immobilisations ;
- le taux effectif d'imposition ;
- le coût du capital.

Ces sept vecteurs de base doivent être décomposés en sous-éléments de manière à mieux comprendre la genèse de la création de valeur, à la relier de façon plus rationnelle et plus directe à la gestion quotidienne de l'entreprise et aux décisions prises par ses dirigeants et, en fin de compte, à l'intégrer davantage aux politiques d'incitation et de rémunération développées au sein de l'entreprise.

Le schéma 2 (page suivante) résume de manière synthétique la méthode des flux de trésorerie disponibles pour l'entreprise, actualisés au coût moyen pondéré du capital et le rôle des vecteurs de valeur dans le processus de valorisation.

Cette méthode est parfois critiquée en raison des hypothèses contraignantes qui en limitent l'utilisation, en particulier lorsque la structure financière de l'entreprise est susceptible de varier fortement dans le temps. Certains auteurs et praticiens préconisent le recours à la méthode de la valeur actuelle ajustée (*the Adjusted Present Value*, APV).

La méthode de la valeur actuelle ajustée

Cette méthode se différencie de la précédente en ce qu'elle intègre les économies d'impôts liées à l'endettement au niveau des flux de trésorerie au lieu de les prendre en compte au niveau du taux d'actualisation. Plus précisément, elle évalue l'entreprise comme si celle-ci n'avait aucun endettement, en actualisant les flux de trésorerie pour l'entreprise au coût des capitaux propres. Elle ajoute ensuite la valeur actuelle des économies d'impôts provenant de l'endettement, l'actualisation de ces dernières se faisant au taux d'intérêt de la dette, en arguant du fait que le risque associé aux économies d'impôts est équivalent au risque de la dette elle-même.

Schéma 2

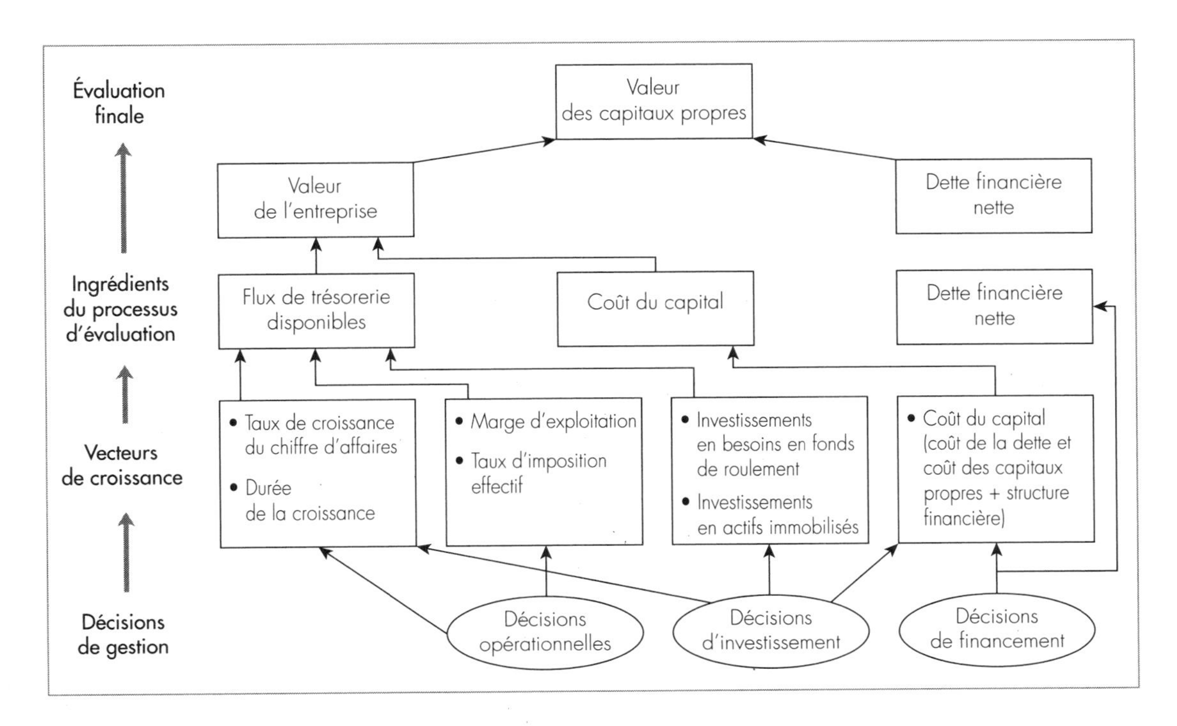

Dans le cas de la société Legendre, en actualisant les flux de trésorerie figurant au tableau 1 au coût des capitaux propres et la valeur terminale de 429 millions (recalculée avec un taux k = 13,5 %), soit 13,5 %, on trouve une valeur pour l'entreprise Legendre non endettée de 351 millions d'euros.

Si l'on suppose que la dette financière reste inchangée dans l'avenir, la valeur actuelle des économies d'impôts se monte à 56 millions d'euros (la valeur d'un flux perpétuel de 4,48 résultant du produit d'une dette de 140 millions et d'un taux de 8 % et d'un taux d'imposition de 40 %, actualisé à 8 %). Cela conduit à une valeur de l'entreprise de 407 millions et une valeur des capitaux propres, en retirant la valeur de l'endettement net de Legendre soit 135 millions, de 272 millions d'euros.

La méthode de la valeur actuelle ajustée a le double avantage de :

- pouvoir faire varier dans le temps la structure financière de l'entreprise, ainsi que le coût de la dette et des capitaux propres et le niveau du taux d'imposition ;

- réaliser une valorisation par parties en séparant la valeur intrinsèque de l'entreprise résultant de ses opérations et indépendamment de son financement et la valeur provenant des éléments liés au mode de financement.

Elle est donc plus flexible et plus générale que la méthode classique des flux de trésorerie actualisés au coût moyen pondéré du capital. Il convient de noter que, si l'on prenait la peine dans cette dernière approche de calculer un coût moyen pondéré pour chaque période en tenant compte de la structure financière changeante de la firme, on obtiendrait la même valorisation que celle fournie par la valeur actuelle ajustée.

Une dernière variante de la méthode des flux de trésorerie consiste à calculer ces flux directement pour l'actionnaire et à les actualiser au coût des capitaux propres. C'est la méthode des Flux de Trésorerie Disponibles pour l'Actionnaire (FTDA, ou *Free Cash Flows to Equity*).

La Méthode des Flux de Trésorerie Disponibles pour l'Actionnaire (FTDA)

Ils sont définis comme le résultat net, c'est-à-dire après déduction des frais financiers et des impôts, auquel on ajoute, comme précédemment, les charges non suivies de décaissement (amortissements et provisions) et duquel on retranche l'augmentation du BFR, les dépenses d'investissement et les remboursements d'emprunts. Les flux de trésorerie ainsi obtenus appartiennent aux seuls actionnaires et doivent donc être actualisés au coût des capitaux propres pour donner directement la valeur des capitaux propres, sans passer par la valorisation de l'entreprise.

Les flux de trésorerie disponibles pour l'actionnaire, dans le cas de la société Legendre, sont présentés dans le tableau 2 (page suivante), sur la base de l'hypothèse simplificatrice de maintien de l'endettement à un niveau constant.

La valeur des capitaux propres, fournie directement par cette méthode, sur la base des hypothèses retenues par le groupe de travail avant toute amélioration potentielle, est de 292 millions d'euros.

À ces approches intrinsèques fondées sur la prévision de futurs flux, on ajoute souvent des méthodes analogiques qui reposent sur des multiples calculés soit à partir de sociétés cotées comparables, soit à partir de transactions récentes réalisées dans le même secteur d'activité que celui de l'entreprise qu'on essaie de valoriser.

Tableau 2 : Flux de Trésorerie Disponibles pour l'Actionnaire (FTDA)

Société Legendre

Hypothèses

2005-2006	6,0 %
2007-2008	5,0 %
2009 et au-delà	3,0 %

Marge d'exploitation	20,0 %
BFR	32,0 %
Coût du capital	13,50 %

Taux d'imposition	40 %
Dettes fin nettes	135
Dépenses d'investissement	35

	2004	2005	2006	2007	2008	2009
Chiffre d'affaires	310	328,6	348,3	365,7	384,0	395,5
Résultat d'exploitation	62	65,7	69,7	73,1	76,8	79,1
– Frais financiers		11,2	11,2	11,2	11,2	11,2
= Résultat avant impôts		54,5	58,5	61,9	65,6	67,9
– Impôts		21,8	23,4	24,8	26,2	27,2
= Résultat net		32,7	35,1	37,2	39,4	40,7
+ Dotations aux amortissements		31,0	32,0	33,0	34,0	35,0
– Augmentation du BFR		6,0	6,3	5,6	5,9	3,7
– Remboursements d'emprunts		0,0	0,0	0,0	0,0	0,0
– Dépenses d'investissements		35,0	35,0	35,0	35,0	35,0
= Flux de Trésorerie Disponibles		22,8	25,8	29,6	32,5	37,1

L'évaluation par la méthode des multiples

Le principe est simple et repose sur l'idée que le marché valorise de manière similaire les entreprises appartenant à un même secteur d'activité et ayant donc un risque économique très semblable.

Les multiples sont très nombreux et nous ne citerons que les plus utilisés en pratique.

Le multiple du chiffre d'affaires, défini comme : Valeur de l'entreprise/Chiffre d'affaires.

La valeur de l'entreprise est elle-même définie, ainsi que nous l'avons dit précédemment, comme la somme de la capitalisation boursière (prix de l'action multiplié par le nombre d'actions en circulation) plus l'endettement financier net (dettes financières moins liquidités et valeurs mobilières de placement).

La SNMI a une capitalisation boursière de 600 millions d'euros (20 millions d'actions à un cours moyen de 30 euros) et une dette financière de 150 millions (puisque le ratio capitaux propres sur capitaux propres plus dettes financières est de 80 %). Le multiple du chiffre d'affaires est donc de 750m / 590 m, soit 1,27. En appliquant ce multiple au chiffre d'affaires de Legendre, on trouve une valeur de 310 x 1,27 = 394 soit, en retirant l'endettement financier net de 135 millions, une valeur des capitaux propres de 259 millions d'euros.

Ce multiple est souvent critiqué dans la mesure où le chiffre d'affaires, s'il donne une indication de la taille d'une entreprise, ne fournit aucune information sur sa capacité bénéficiaire.

Le Multiple du Résultat Net, ou PER, est défini comme : Capitalisation boursière/ Résultat net. La SNMI a un multiple du résultat net de 600/59 soit 10,2. Appliqué au résultat net de la société Legendre, cela conduit à une valeur des capitaux propres de 29 × 10,2 soit 295 millions d'euros. Le résultat net étant affecté par de nombreux éléments de politique financière (frais financiers) et de politique fiscale, on lui préfère souvent le résultat d'exploitation, jugé plus représentatif de la qualité des opérations et de la gestion de l'entreprise.

Le Multiple du Résultat d'Exploitation est défini comme : Valeur de l'entreprise/ Résultat d'exploitation. Ce multiple pour la SNMI est égal à 750/113 soit 6,64. Si l'on multiplie le résultat d'exploitation de Legendre, c'est-à-dire 62 millions, par 6,64, on obtient la valeur de l'entreprise Legendre, soit 411 millions dont il suffit de retrancher la valeur de l'endettement net de 135 millions pour obtenir la valeur des capitaux propres de la société Legendre, soit 276 millions d'euros.

L'Excédent Brut d'Exploitation (EBE), parce qu'il évite les distorsions introduites par les différentes méthodes de comptabilisation des amortissements et des provisions, est très souvent considéré comme un agrégat comptable plus fiable.

Le Multiple de l'Excédent Brut d'Exploitation est défini comme : Valeur de l'entreprise/EBE. C'est sans doute, avec le multiple du résultat d'exploitation, le plus utilisé en pratique. Calculé pour la SNMI, il est égal à 750/174, soit 4,31. Ce ratio de 4,31 appliqué à l'EBE de la société Legendre de 92 millions conduit à une valorisation de l'entreprise équivalente à 397 millions d'euros et à une valorisation des capitaux propres égale à 262 millions d'euros (397 – 135 millions).

Le ratio Valeur de marché/Valeur comptable peut être calculé soit pour l'entreprise, soit pour ses capitaux propres. Si nous l'utilisons dans sa version « capitaux propres » pour la SNMI, nous obtenons 2,03, résultat de la division de 600 par 295. Appliqué à la valeur comptable des capitaux propres de Legendre, c'est-à-dire 135 millions d'euros, il aboutit à une valeur de marché des capitaux propres de Legendre égale à 275 millions d'euros.

La liste n'est pas limitative et l'on voit régulièrement surgir de nouveaux multiples, dont certains sont dangereux quand ils ne sont pas farfelus !

Dans le cas utilisé dans ce chapitre, le problème a été simplifié puisque nous n'avons retenu qu'une seule entreprise comparable. Il est évident que, dans la réalité, il faudrait bien évidemment éviter ce type de simplification et recourir à un échantillon le plus large possible.

Ces multiples peuvent aussi être utilisés à partir de transactions comparables et ils rendent compte alors de la prime de contrôle payée lors d'une opération d'acquisition. La transaction réalisée sur la société Labaume s'est faite sur la base d'un multiple de l'EBE de 5,2 fois, ce qui donnerait une valorisation de la société Legendre égale à 478 millions (5,2 x 92 millions) et une valorisation des capitaux propres de 343 millions d'euros (478 – 135). Sur la base d'un multiple du résultat net, ou PER, de 11,5, la valorisation des capitaux propres s'établirait à 334 millions d'euros (11,5 × 29 millions).

Le problème essentiel auquel on est confronté quand on utilise ces multiples est de constituer un échantillon d'entreprises « jumelles », aussi bien en termes d'activité que de perspectives de croissance, de taille ou de déploiement géographique. Même si on sait bien qu'il n'existe jamais de comparables parfaits, surtout lorsque l'on doit recourir à des sociétés de pays différents.

En tout état de cause, la simplicité d'utilisation de ces multiples, qui explique leur très grande popularité dans la pratique, ne doit pas nous faire oublier leur caractère très mécanique et l'absence de toute réflexion quant aux hypothèses fondamentales sur l'entreprise, son futur et sa capacité à générer de la valeur. Autant d'éléments que les méthodes reposant sur l'actualisation des flux de trésorerie disponibles intègrent de manière beaucoup plus explicite.

Ces dernières ne sont pas exemptes de critiques elles aussi. Différents auteurs ont insisté sur leur incapacité à intégrer la flexibilité managériale et à prendre en compte de manière satisfaisante les options de croissance inhérentes à certaines activités, ce qui conduit à sous-évaluer certaines entreprises, en particulier dans les secteurs de haute technologie. La théorie des options réelles apporte une réponse à ces critiques et fournit une approche qui tend à réconcilier l'analyse stratégique et l'évaluation financière. Même s'il ne faut pas minimiser les difficultés pratiques de mise en œuvre de cette approche nouvelle, qui capitalise sur l'énorme savoir accumulé au cours des trente dernières années sur les marchés d'options financières, on peut anticiper de nombreux développements dans les années qui viennent et penser raisonnablement qu'elle deviendra l'une des approches standard dans un avenir proche. Nous renvoyons le lecteur aux écrits qui commencent à fleurir sur ce thème.

Une bonne évaluation financière est une condition nécessaire, mais pas suffisante, pour réaliser une bonne opération de fusion ou d'acquisition. La phase de négociation et de montage financier est capitale.

LA PHASE DE NÉGOCIATION ET DE MONTAGE FINANCIER

Elle est essentielle pour la réussite de toute opération de croissance externe. C'est souvent à ce niveau que les batailles se perdent ou se gagnent. Le cadre restreint d'un chapitre général sur les fusions-acquisitions ne constitue pas à l'évidence le meilleur endroit pour présenter et développer l'ensemble des techniques de l'art de la négociation, qui font l'objet par ailleurs d'une littérature abondante. Comme souvent, un juste équilibre entre une trop grande fermeté, avec le risque de casser toute négociation et de n'aboutir à aucun résultat, et une faiblesse excessive, avec la conséquence de gaspiller son pouvoir de négociation et de déboucher sur un accord défavorable, doit être trouvé.

L'approche de cette phase de négociation va dépendre de nombreux facteurs tels que, pour n'en citer que quelques-uns, le caractère de l'opération (amical ou hostile), le type de sociétés en jeu (sociétés cotées ou non) et la géographie de leur capital, la position au niveau de l'opération négociée (acheteur ou vendeur), … Dans tous les cas, les contraintes de confidentialité et de secret sont impératives. De plus, une bonne négociation doit s'appuyer sur un travail solide d'audit *(due diligence)* dont le champ d'investigation se doit d'être aussi large que possible et couvrir, bien évidemment, le potentiel stratégique, les pratiques comptables et financières et les risques juridiques, mais aussi les risques sociaux et humains, en particulier ceux liés au départ éventuel d'hommes clés, les risques environnementaux, l'adéquation culturelle. Même si ces audits d'acquisition sont souvent perçus comme étant très lourds, très coûteux et difficiles à mener, ils sont indispensables et les bâcler, ou pire les ignorer, conduit le plus souvent à des opérations désastreuses.

Au cours de cette phase, l'une des difficultés majeures pour les dirigeants des entreprises engagées dans un processus de fusion ou d'acquisition est de savoir résister aux pressions souvent très vives des parties (consultants, banquiers d'affaires, experts juridiques et autres avocats) qui ont, pour des raisons évidentes de rémunération ou de prestige, tout intérêt à ce que l'opération aboutisse.

Les modalités de paiement constituent l'un des éléments clés du dossier de négociation. Diverses études montrent que, en général, les *deals* de taille importante ont tendance à se faire davantage par échange d'actions, alors que les *deals* de taille plus modeste se font de manière prédominante en cash. Différents paramètres sont à prendre en considération pour le choix des modalités de paiement, paramètres que les Anglo-Saxons regroupent souvent sous le sigle de FRICT (*Flexibility*, *Risk*, *Income*, *Control*, *Timing*).

Flexibilité

Il s'agit ici de se demander comment le mode de financement choisi pour l'opération affecte la capacité future de l'entreprise à se financer, comment, en d'autres termes, le financement de l'opération aujourd'hui joue sur sa flexibilité financière de demain. Flexibilité financière qui peut s'analyser comme une option d'achat sur des financements futurs et qui en tant que telle a une valeur. En général, le paiement par échange d'actions crée de la flexibilité financière, alors que le règlement en cash en détruit.

Risque

La question ici est de savoir quel impact le financement retenu pour l'opération est susceptible d'avoir sur la variabilité des résultats et flux de trésorerie de la société, quelle conséquence probable il peut avoir sur les ratios d'endettement, de couverture des frais financiers et, plus généralement, sur la notation *(rating)* de l'entreprise. Dans le cadre d'un échange d'actions, comment gérer le risque lié à une détérioration du cours de l'action de l'entreprise acheteuse ?

Résultat

Comment le financement projeté pour l'opération va-t-il affecter la rentabilité des capitaux propres de l'entreprise, ses bénéfices par action ? Quelle dilution des résultats va-t-il provoquer ?

Contrôle

Quel impact le montage financier prévu pour la fusion ou l'acquisition peut-il avoir sur la composition du capital, sur la répartition des droits de vote, sur les conditions et restrictions bancaires ? Le contrôle peut s'analyser comme une option sur la stratégie de l'entreprise et a donc une valeur qu'il faut pouvoir apprécier.

Timing

L'état des marchés financiers au moment de la décision et de la mise en œuvre des modalités de paiement est à l'évidence d'une importance capitale. Le niveau actuel et prévisionnel des taux d'intérêt, la tendance des multiples boursiers et des cours, les opportunités offertes par l'apparition de nouvelles formes de titres financiers sur les marchés sont autant d'éléments à intégrer dans le montage mis en place pour le règlement de l'opération.

LA PHASE D'INTÉGRATION

« *Bying is fun. Integration is hell* »(L'acquisition d'une entreprise, c'est sympa ; l'intégration c'est l'enfer.) ont coutume de dire les spécialistes anglo-saxons. C'est en effet la phase au cours de laquelle, après l'excitation des réflexions stratégiques, des négociations secrètes et des montages financiers originaux, il faut transformer les rêves (les synergies ! ?) en réalités, concrétiser les hypothèses accumulées tout au long des phases précédentes et délivrer le potentiel de création de valeur si souvent décrit, analysé et calculé pendant les semaines ou les mois qui ont précédé la finalisation de l'accord entre les deux parties en présence. Cette phase est d'autant plus délicate que la mise en œuvre de ces synergies et la génération de valeur supposent souvent une destruction de valeur, en termes de réductions potentielles d'emplois, d'évolutions contrariées de carrières, de pertes de statut ou d'identité ou de tout autre effet néfaste, par ceux-là même qui vont être chargés de faire jouer les dites synergies et de faire jaillir la valeur espérée par les dirigeants et les actionnaires.

Définir une vision claire de l'opération, identifier quelques priorités soigneusement sélectionnées, harmoniser les systèmes de contrôle, d'information, de rémunération et d'intéressement, gérer les incertitudes et anxiétés nées de l'opération de fusion ou d'acquisition, en particulier auprès des hommes clés pour éviter leur départ (départ qui plus est enrichit toujours les concurrents), identifier les risques culturels et les blocages qu'ils risquent de susciter, élaborer une politique de communication précise et efficace constituent quelques-unes des actions à entreprendre sans tarder pour optimiser les chances d'une intégration réussie. Ces chances seront d'autant plus élevées qu'on aura pris soin d'impliquer aussi tôt que possible dans le processus de fusion ou d'acquisition des cadres opérationnels de l'entreprise, ceux-là mêmes qui seront, après la signature de l'accord, chargés de gérer l'intégration des deux firmes. Leur contribution est d'apporter réalisme et connaissance du terrain aux différentes étapes du processus, en identifiant les problèmes susceptibles de surgir au moment de l'intégration.

Les fusions-acquisitions s'effectuent dans un contexte très particulier pour quantité d'entreprises. Opérations exceptionnelles, n'ayant donc pas un caractère routinier et répétitif, réalisées dans l'urgence, le secret et la passion, elles ont tous les ingrédients pouvant conduire à des décisions irrationnelles et erronées. Pour ces raisons et celles exposées dans ce chapitre, les opérations de croissance externe continuent et continueront probablement encore longtemps à fasciner théoriciens et praticiens.

CE QU'IL FAUT RETENIR

En définitive, la lecture des innombrables études et le constat des multiples expériences conduisent à des conclusions et enseignements dont la liste se résume à quelques grandes erreurs à éviter que nous avons regroupées sous la forme de dix commandements.

- Dans ton métier surtout tu resteras.
- Audit et *due diligence* avec soin tu effectueras.
- Point trop cher ton acquisition tu ne paieras.
- D'être trop gourmand soigneusement tu éviteras.
- Des différences de culture généralement tu te méfieras.
- Aux pressions de tes avocats, banquiers et consultants tu résisteras.
- Optimisme, précipitation, arrogance et obstination tu banniras.
- L'intégration sans tarder tu réaliseras.
- Les hommes clés, de grâce tu garderas.
- Pour la réalisation des synergies, intensément tu prieras !

BIBLIOGRAPHIE DE RÉFÉRENCE

Marc BERTONÈCHE, Rory KNIGHT, *Financial Performance,* Butterworth-Heineman, 2e édition, 2004.

Robert BRUNER, *Applied Mergers & Acquisitions,* Wiley Finance, 2004.

J. Robert CARLETON, Claude S. LINEBERRY, *Achieving Post-Merger Success*, Pfeiffer (John Wiley & Sons), 2004.

Gérard CHARREAUX, *Gestion financière,* LITEC, 6e édition, 2000.

Tim KOLLER, Marc GOEDHART, David WESSELS, *Valuation : Measuring and Managing the Value of Companies,* Wiley, 2005.

Olivier MEIER, Guillaume SCHIER, *Fusions-Acquisitions : Stratégie, Finance, Management,* éd. Dunod, 2003.

Pierre VERNIMMEN, *Finance d'entreprise,* 5e édition par Pascal QUIRY et Yann Le FUR, éd. Dalloz.

« A Note on Mergers & Acquisitions and Valuation », University of Western Ontario, R. Ivey Business School, # 9A95B023.

J.L. BOWER, « Not All M & A are Alike and That Matters », in *Harvard Business Review,* March 2001.

H. BIESHAAR and al., « Deals That Create Value », in *The McKinsey Quarterly,* n° 1, 2001.

C. SCOTT and al., « Where Mergers Go Wrong », in *The McKinsey Quarterly,* n° 2, 2004.

Finance

L'incertitude comme source de valeur

Par DOMINIQUE JACQUET

Professeur à l'université de Paris X (Nanterre), ingénieur diplômé de l'école des Ponts et Chaussées, titulaire du MBA de l'INSEAD et docteur en gestion de l'université de Bordeaux, Dominique Jacquet dirige aujourd'hui le département de gestion de Paris X, après avoir passé 8 ans en entreprise chez Kodak, Rank Xerox et Ferinel Industrie.

Sur le thème de la valeur, la finance classique est fondée sur le coût de capital et sur l'actualisation des flux de fonds. Il est connu, depuis des décennies, que la valeur d'un actif est égale à sa capacité à générer des *cash-flows* actualisés à un taux qui reflète le coût de financement de cet actif. Un principe fondamental est la rémunération des investisseurs financiers à un taux qui traduit l'immobilisation des fonds (taux sans risque) et le risque (prime de risque). À l'évidence, la prime de risque est positivement corrélée au risque tel qu'il est perçu par l'investisseur, risque de défaillance pour le banquier, risque systématique pour l'actionnaire. Ainsi, plus le risque perçu est élevé, plus la prime de risque est élevée, plus le coût de capital diminue et plus la valeur de l'actif est réduite. Classiquement, le risque détruit de la valeur.

Le risque est bien souvent mesuré par un écart type, qui exprime la volatilité historique (ou implicite) d'un rendement. Un actif donné va générer, dans le futur, son lot de bonnes et mauvaises nouvelles, et l'écart type mesure la distance moyenne entre rendement réel et rendement moyen. Un risque élevé traduit donc de très mauvaises nouvelles, combinées à de très bonnes nouvelles. La finance classique donne plus de poids aux mauvaises nouvelles et pénalise ainsi les opportunités. L'investisseur serait certainement prêt à payer une certaine somme d'argent pour avoir la possibilité de se retirer du jeu à l'arrivée des mauvaises nouvelles, tout en profitant pleinement des bonnes. Ainsi, le risque ne serait vécu que sous son aspect positif et l'investisseur serait prêt à payer d'autant plus cher que le risque, qui prendrait alors la forme d'une opportunité, serait élevé. Le lecteur a reconnu le concept sous-jacent à ce raisonnement, l'option. Une option est un droit à participer à un jeu (un investissement) à issue incertaine, donc spéculatif, et à se retirer si le résultat est défavorable. Il est clair que la « valeur » du jeu est négativement affectée par son risque, mais que le droit de se retirer est d'autant plus pertinent que l'incertitude est forte.

Pile ou face ?

Afin d'illustrer ces propos, prenons un exemple que nous utilisons régulièrement en classe. Un participant est invité à jouer à « Pile ou face ? ». Nous demandons au participant de payer 100 euros pour avoir le droit de jouer. La règle est la suivante : si la pièce tombe sur pile, il reçoit 1 000 euros ; si elle tombe sur face, il donne 1 000 euros. La pièce est réputée tomber sur pile ou face avec la même probabilité. Les gains et pertes se présentent comme suit :

Résultat	Probabilité	Gain / (Perte)
Pile	0,5	1 000 €
Face	0,5	(1 000 €)

Ce jeu représente un actif dont la moyenne de gain est égale à zéro et dont l'écart type est de 1 000 euros. Un investisseur rationnel n'acceptera pas de payer 100 euros, ou une somme quelconque, pour entrer dans un tel processus. Donnons le droit à l'investisseur de se retirer, s'il le souhaite, une fois qu'il a recueilli une information, précisément sur quel côté la pièce est tombée. Le tableau devient :

Résultat	Probabilité	Gain / (Perte)
Pile	0,5	1 000 €
Face	0,5	0

Introduire le droit de se retirer a fait augmenter la moyenne (500 euros) et baisser l'écart type (500 euros), ce qui correspond à une création de valeur significative. Alors, un investisseur rationnel acceptera éventuellement de payer 100 euros pour participer à ce jeu, sa décision étant conditionnée par son degré d'aversion pour le risque. Nous faisons en classe le test de demander aux participants la somme maximale qu'ils sont prêts à payer pour jouer et le résultat est toujours assez dispersé et égal à 500 euros moins le coût du risque. Ainsi, introduire une possibilité de retrait permet de créer de la valeur. Nous appelons « mentalité optionnelle » la capacité qu'ont certaines entreprises à jouer à des jeux spéculatifs incertains, tout en investissant dans la constitution de « portes de sortie ».

Examinons enfin ce même jeu, mais avec des paramètres d'un ordre de grandeur différent. Nous jouons à « Pile ou face ? » avec des gains et pertes de 100 000 euros au lieu de 1 000 euros. Le tableau devient :

Résultat	Probabilité	Gain / (Perte)
Pile	0,5	100.000 €
Face	0,5	(100.000 €)

Lorsque nous expliquons au joueur qu'il doit nécessairement choisir l'un des deux jeux, c'est-à-dire +/- 1 000 euros ou +/- 100 000 euros, il ou elle opte, à l'évidence, pour le jeu le moins risqué, car perdre 1 000 euros est désagréable, mais perdre 100 000 euros est catastrophique. Le choix rationnel est donc principalement influencé par les « mauvaises nouvelles » : finance classique. Si le joueur a la possibilité de se retirer, le choix se porte évidemment sur le jeu à forte volatilité, car la possibilité de gain est très forte et la perte nulle : finance optionnelle.

Les options sont des actifs bien connus sur les marchés de capitaux. Tout diplômé de finance est potentiellement un virtuose du maniement des *Calls* et *Puts*, habile à combiner *Put* et actif pour construire un *Call* ou à construire tout autre stratégie plus ou moins exotique mêlant des options de nature et de prix d'exercice différents afin de parier, par exemple, sur l'évolution de la volatilité de l'actif sous-jacent. Ce même diplômé aura une connaissance approfondie des instruments hybrides de financement utilisant les options : obligations convertibles ou échangeables, bons de souscription d'actions et autres.

Il nous a semblé intéressant d'adopter une approche différente et complémentaire, et d'observer l'influence d'une mentalité optionnelle au sein de l'entreprise afin de comprendre, au travers de décisions stratégiques ou opérationnelles, l'influence du risque dans la création et la destruction de valeur.

Nous allons, dans un premier temps, évoquer les premiers pas de ce qui a reçu le nom d'« options réelles ». En effet, peu après la publication de l'article qui a rendu célèbre Fisher Black et Myron Scholes, en 1977, Stewart Myers évoquait le sous-endettement comme une source de valeur.

Nous aborderons ensuite un thème cher à l'analyse optionnelle, l'investissement, afin de présenter quelques situations dans lesquelles la prise en compte de l'incertitude est créatrice de valeur.

Les modèles de développement d'entreprise feront l'objet des troisième et quatrième sections : Intrawest met en œuvre des options d'exploitation pour maximiser sa valeur, McDonald's construit des options de croissance afin d'assurer la pérennité de sa rentabilité.

Enfin, l'innovation étant le domaine de l'incertain par excellence, nous examinerons dans quelle mesure le risque de l'activité de Recherche & Développement se traduit par une création ou une destruction de valeur pour l'actionnaire.

LE SOUS-ENDETTEMENT, UNE NÉCESSITÉ STRATÉGIQUE

L'une des questions les plus récurrentes de la théorie financière est la recherche d'une structure d'endettement optimale pour l'entreprise. Modigliani et Miller ont conquis une célébrité bien méritée en exposant plusieurs propositions successives montrant, tout d'abord, qu'en l'absence de taxes et dans un marché parfait, la valeur de l'entreprise ne dépendait pas de son financement. Puis, ils ont introduit l'imposition des bénéfices de l'entreprise et les coûts de faillite pour montrer l'impact de la dette dans la détermination d'un optimum censé maximiser la valeur de la firme.

Une approche familière des professionnels est d'observer la relation entre coût de capital et levier financier. Le coût de capital (Coût Moyen Pondéré du Capital, CMPC) mesure le coût moyen des ressources financières. S'il est égal à 10 %, cela signifie que chaque euro investi dans l'outil d'exploitation a nécessité un euro de financement et que les actionnaires et banquiers prélèveront 10 centimes de résultat d'exploitation après impôts pour rémunérer l'immobilisation des capitaux et le risque. Le résultat économique (EVA^{TM}) n'est autre que la différence entre la rentabilité d'exploitation et le CMPC, et la valeur de l'entreprise provient de sa capacité à générer une EVA^{TM} positive et en croissance dans le long terme. Dans le but de maximiser l'EVA^{TM}, on peut envisager de réduire le CMPC.

Rappelons le calcul du CMPC et analysons l'impact de l'endettement sur sa valeur. Le CMPC se calcule naturellement comme suit :

CMPC = CP (%) × E (Rcp) + D (%) × Id × (1 – Tis)

Où : CP (%) et D (%) représentent, respectivement, la part des capitaux propres et de l'endettement financier net dans le financement de l'entreprise, E (Rcp) est l'attente de rentabilité des actionnaires, Id est le taux d'intérêt de la dette, Tis est le taux de l'impôt sur les sociétés.

Prenons un exemple.

CP (%) = 75 %, donc D (%) = 25 %
Taux d'intérêt sans risque = 5 %
Prime de risque du marché = 5 %
ß de la firme = 1,4
Donc : E (Rcp) = 5 % + 1,4 × 5 % = 12 %
Id = 6 % (prime de risque de défaillance du banquier = 1 %)
Tis = 33,33 % (= 1/3)
Alors, le coût de capital vaut :
CMPC = 75 % × 12 % + 25 % × 6 % × (1 – 1/3) = 10 %

On constate que le banquier coûte beaucoup moins cher que l'actionnaire, pour deux raisons bien connues :

- le banquier (rémunération contractuelle) prend un risque plus faible que l'actionnaire (rémunération résiduelle) et attend logiquement une prime de risque réduite ;
- les frais financiers (rémunération du banquier) sont déductibles du résultat imposable (l'État paie une part significative des frais financiers) alors que l'actionnaire est rémunéré par le résultat net après impôt.

Si l'on souhaite réduire le coût de capital, la tentation est forte d'accroître la part du financement le moins cher. Imaginons le calcul d'un nouveau coût de capital en changeant les proportions des capitaux propres et de l'endettement financier net, par exemple, en introduisant une parité 50/50.

CMPC' = 50 % × 12 % + 50 % × 6 % × (1 – 1/3) = 8 %

On voit que, par le miracle du calcul mathématique, le coût de financement est passé de 10 à 8 %, soit un gain de 20 % après impôts. Ce calcul est évidemment faux car, en augmentant le levier financier de 1/3 (25 %/75 %) à 1 (50 %/50 %), le risque a augmenté. Ainsi, en modifiant la structure d'endettement, on a remplacé une ressource chère par une ressource peu onéreuse, mais on a augmenté, dans le même temps, le coût des deux ressources. Le nouveau CMPC est donc significativement plus élevé que les 8 % calculés. Pour déterminer sa valeur réelle, il faut évaluer le coût des capitaux propres (la formule de Hamada permet de déterminer le nouveau ß) et de la dette (quelle nouvelle prime de risque de faillite ?).

Le profil classique du coût de capital en fonction du levier financier se traduit, donc, dans le graphe suivant :

Coût de capital et endettement

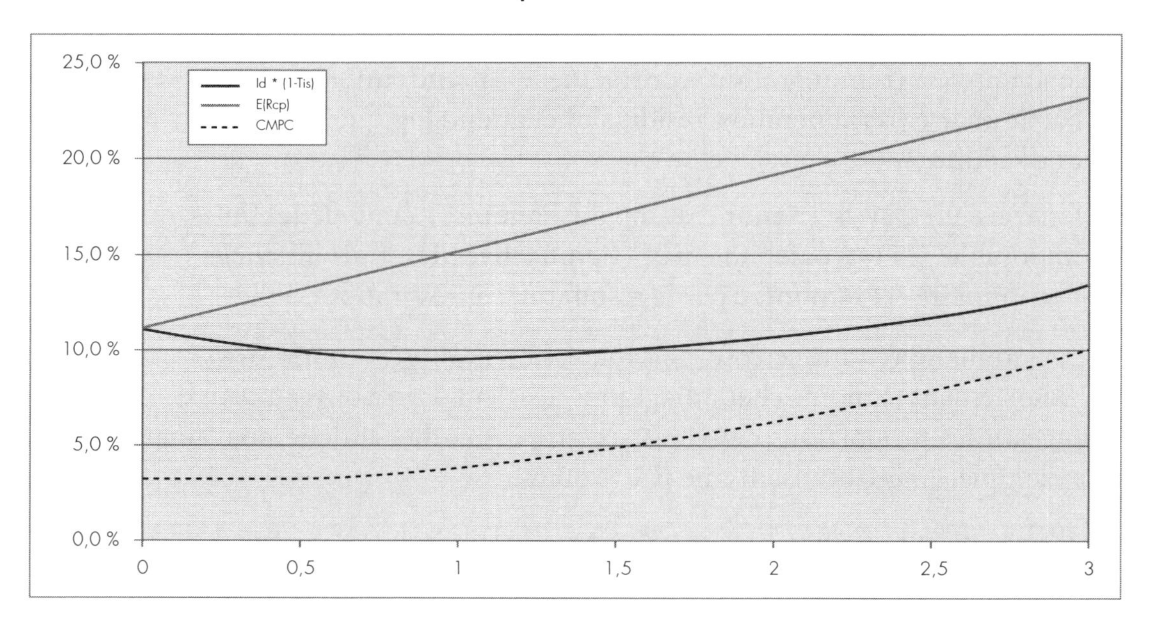

La lecture du graphique montre que l'absence de dette dans le financement constitue une perte d'opportunité de réduction de coût. Un ratio d'endettement voisin de 1 permet, en revanche, de minimiser le CMPC, mais ne constitue probablement pas la structure « idéale » pour l'entreprise.

En effet, la courbe « CMPC = f (levier) » a une pente assez négative pour une valeur faible du levier. Mais, plus on se rapproche du minimum de CPMC, plus la pente tend vers zéro. Ceci signifie, pour l'entreprise, que l'introduction d'une quantité « raisonnable » de dettes réduit significativement le coût de capital, sans pour autant la placer dans une situation risquée et sans lui faire perdre toute marge de manœuvre, toute flexibilité stratégique.

À titre d'exemple, un ratio de 0,4 fait descendre le CMPC en dessous de la barre des 10 %, mais le gain de CMPC induit par une augmentation du levier de 0,4 à 1 ne compense probablement pas la perte de flexibilité.

Se pose désormais la question de la flexibilité et de son utilisation. Le sous-endettement permet de capturer des opportunités, d'exercer des options de croissance. En termes industriels, un investissement majeur (notamment une acquisition stratégiquement importante mais lourde en termes de financement) pourra être réalisé si le levier est faible et sera abandonné si la structure d'endettement est trop risquée.

Un exemple illustre parfaitement l'utilisation de la flexibilité financière. Au début de 1989, le fonds de LBO KKR (Kohlberg, Kravis, Roberts) met en vente les filiales européennes de RJR Nabisco afin de se désendetter et de procéder à la restructuration des sociétés américaines du groupe acheté dans le cadre d'une OPA hostile en 1988. Les filiales sont vendues par un processus de mise aux enchères, séparément. Parmi les groupes intéressés par certaines sociétés, mais pas toutes, il y a le groupe Danone, qui s'appelait, alors, BSN. Plutôt que d'adhérer à un processus qui, d'une part, ne lui garantit pas d'acquérir toutes les sociétés stratégiquement importantes, d'autre part, risque de coûter fort cher à l'entreprise, Antoine Riboud, P-DG de BSN, sur les conseils de Lazard, *via* Michel David-Weil, propose à Kravis d'acheter l'ensemble des sociétés pour un prix global, payé cash et immédiatement. Kravis, qui souhaite concentrer ses efforts sur la partie américaine de RJR et se défaire d'une dette mezzanine au coût élevé, accepte sur la base d'un prix de 2,5 milliards de dollars. Le délai entre la réunion de négociation du prix entre MM. Riboud et Kravis, et le règlement du prix concomitant au transfert de propriété des sociétés fut d'une semaine, ce qui signifie plusieurs choses :

- BSN savait exactement ce que le groupe achetait ;
- le groupe était capable de mobiliser des fonds très importants dans un délai très réduit ;
- la crédibilité de BSN auprès de ses banquiers était considérable.

Quelques mois après l'acquisition de l'ensemble des sociétés, BSN revendait, avec l'aide de Lazard, celles des sociétés qui ne répondaient pas à ses objectifs stratégiques. Ainsi, le groupe a été en mesure d'acheter, à un prix jugé à l'époque avantageux, l'intégralité des actifs destinés à contribuer à son déploiement stratégique. Cette opération créatrice de valeur était conditionnée à la flexibilité financière dont BSN disposait : le levier financier du groupe est de 0,3 au début de 1989 et s'élève à 0,9 en fin d'année. Si le souhait de BSN avait été de minimiser le CMPC, le levier aurait vraisemblablement été compris entre 0,7 et 1, ce qui aurait rendu l'opération beaucoup plus risquée, voire impossible.

Cette capacité de mobiliser des fonds afin d'être capable de « tirer le premier » ou, au minimum, de ne pas refuser un investissement rentable à cause de contraintes de financement se retrouve dans les secteurs dont la consolidation est incomplète, comme les cosmétiques.

Analysons l'évolution du levier financier chez L'Oréal depuis 1990.

L'Oréal – Levier financier

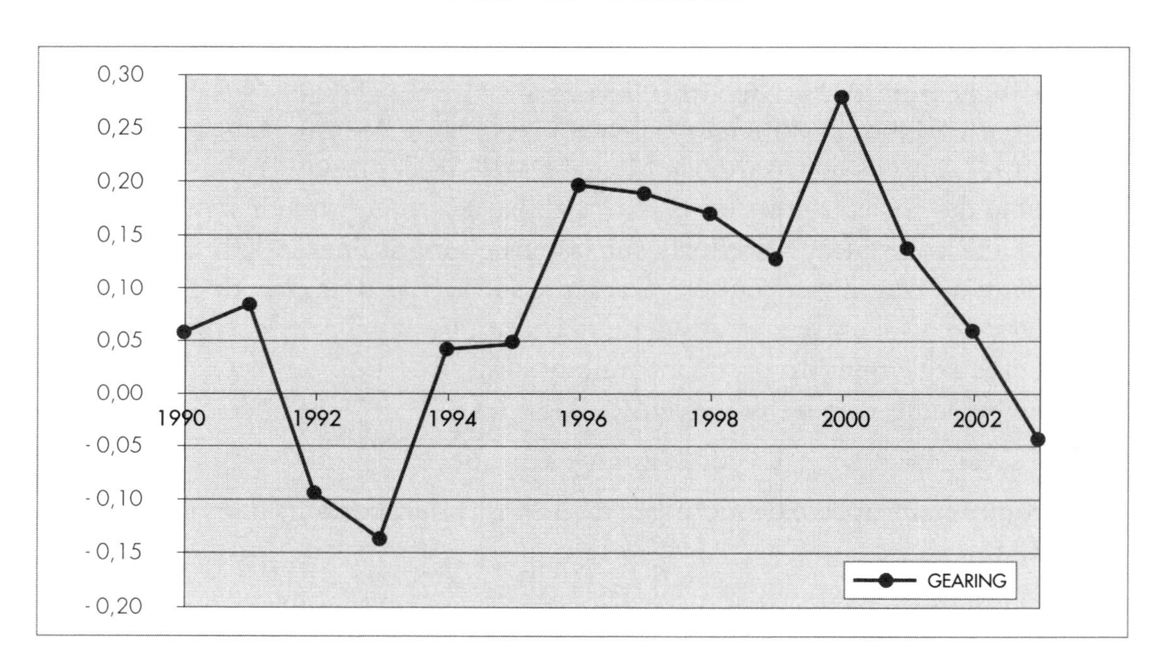

Le ratio d'endettement évolue au gré des acquisitions réalisées par le groupe. En 1992, L'Oréal émet des certificats d'investissements afin d'accroître les capitaux propres sans diluer les actionnaires existants : le levier devient négatif, la trésorerie active l'emportant sur la dette financière. En 1994, le groupe prend le contrôle de son réseau de distribution en Amérique du Nord (Cosmair US et Cosmair Canada) et du Sud (Procasa). Ces acquisitions sont payées en cash. En 1996, la division Produits Grand Public accueille Maybelline. Le levier s'élève à 0,2 comme conséquence du financement cash de l'ensemble des acquisitions. Le groupe apporte, alors, une attention accrue à la génération de la trésorerie, notamment à la gestion du BFR et le levier redescend à 0,13 début 2000, année de l'acquisition, notamment de Matrix, Kiehl's et Carson. Ces sociétés sont payées en cash, le levier atteint 0,3 et les profits des années suivantes sont consacrés au désendettement, de telle sorte que L'Oréal soit capable de poursuivre sa politique d'acquisitions sans diluer l'actionnaire. Ainsi, L'Oréal ne profite pas d'un quelconque effet de levier, alors que la rentabilité des capitaux engagés est très supérieure au taux d'intérêt de la dette, ce qui permettrait d'accroître sensiblement la rentabilité financière pour l'actionnaire. Il semble que L'Oréal ne veut pas faire appel à ses actionnaires afin de préserver une structure capitalistique qui a garanti l'indépendance capitalistique du groupe pendant de nombreuses années, l'a mis à l'abri de toute tentative d'achat hostile et lui a permis de conserver un cap stratégique d'innovation et de développement de marché, mis en œuvre par seulement quatre présidents en près d'un siècle d'existence.

Le sous-endettement est la réponse logique à la question suivante : comment capturer des opportunités de croissance en minimisant le risque financier, tout en évitant la perte de contrôle et en conservant une grande stabilité stratégique et managériale ?

Les cas de Danone et de L'Oréal montrent comment une politique financière peut habilement contribuer au développement stratégique d'une firme. Profiter de l'incertitude, c'est alors se placer dans une situation qui permette de réagir vite et fort afin d'améliorer sa situation concurrentielle. Le prix à payer (la prime d'option), c'est la non-minimisation du coût de capital. Le coût de la flexibilité est facile à calculer : il suffit de multiplier le montant des capitaux investis par la différence entre le coût de capital effectif (sous-endetté) et le coût de capital minimal auquel l'entreprise pourrait prétendre. Malheureusement, il n'existe pas, à notre connaissance, de modèle permettant d'estimer la valeur de la flexibilité. Si un tel modèle existait, on pourrait, à l'aide d'une approche coût / bénéfice, émettre une recommandation à l'usage des directions générales quant au niveau de sous-endettement optimal, mais une telle décision relève davantage de l'acte de foi que de l'optimisation mathématique. On sait mesurer avec quelque précision la valeur de la flexibilité le jour où on l'utilise dans le cadre d'une acquisition. On peut, alors, confronter création de valeur et coût de la flexibilité. Mais ceci revient à ne connaître la valeur dune option qu'au moment de son exercice, ce qui équivaut à confondre valeur totale et valeur intrinsèque de l'option.

En revanche, une conclusion s'impose. Comme la flexibilité a un coût, elle doit être mise en œuvre, sinon l'entreprise a payé la prime d'option en pure perte. Ceci conduit à identifier les opportunités d'exercice de l'option. Restons un instant dans le domaine des cosmétiques pour constater que la grande majorité des acteurs du secteur disposent d'un réel capital de flexibilité financière. Par exemple, Beiersdorf a un levier financier négatif, égal à -0,45. Ceci signifie que, pour 100 euros de capitaux propres, il y a 45 euros de trésorerie et 55 euros de capitaux engagés. Que faire d'une telle flexibilité ? Poursuivre une politique agressive de croissance externe ? Certes, mais acheter quelle(s) société(s), à quel prix, dans quel but et pour quelle création de valeur ultime ? Exercer l'option de flexibilité implique de disposer d'options de croissance et d'être en mesure, non seulement du point de vue du financement, mais aussi au plan managérial et stratégique, de les exercer en créant de la valeur.

Flexibilité et investissement : de la VAN à la VANA

La bonne utilisation de la valeur actuelle nette implique la mise en œuvre, lorsqu'elle est nécessaire, d'une certaine réversibilité.

L'approche classique et irréversible consiste à envisager un investissement, dont le dimensionnement permet de faire face à toute situation possible et de confronter ce flux négatif à l'ensemble des flux d'exploitation positifs ultérieurs, calculés en valeur moyenne. Par exemple, si une entreprise lance un nouveau produit, plusieurs scénarios sont envisageables, du succès total à l'échec. Une approche risquée consiste à investir en capacité de sorte que cette dernière permette de servir l'hypothèse la plus favorable. Alors, si le marché répond effectivement de manière très positive, l'investissement est très rentable. Dans le cas contraire, le surplus de capacité non utilisée conduira probablement à une rentabilité négative. L'alternative consiste à dimensionner, dans un premier temps, avec prudence l'investissement en capacité, quitte à augmenter cette dernière si le marché répond aux attentes favorables. Investir immédiatement dans la capacité définitive coûte, en général, moins cher que d'investir progressivement, par étapes, mais, bien souvent, la VAN moyenne de l'investissement échelonné est supérieure. Le surcoût d'investissement est la prime d'option à payer pour pouvoir se retirer du jeu, si le volume des ventes ne répond pas aux attentes optimistes.

Cette approche prudente de l'investissement s'avère particulièrement pertinente dans le cas de marchés très imprévisibles, ce qui est cohérent avec la corrélation positive entre valeur de l'option et volatilité du rendement de l'actif sous-jacent.

D'autres cas relèvent de la même approche d'utilisation des ressources. On peut citer, notamment, les situations suivantes :

- un producteur de ciment, entreprise très consommatrice d'électricité, se donne la possibilité de recourir à deux différentes sources d'énergie afin de choisir la plus économique en fonction de l'évolution relative du coût des matières premières ;
- un constructeur automobile investit dans son usine afin de lui permettre d'assembler des modèles voisins, mais différents et en situation de cannibalisation potentielle, dans le but de répondre aux souhaits d'un marché difficilement prédictible ;
- une société productrice de ressources naturelles décide de fermer, temporairement ou définitivement, une mine ou d'ajuster le rythme d'extraction à la demande du marché (c'est le modèle économique d'Enron, au temps de sa splendeur, qui produisait de l'électricité à partir d'installations peu productives et uniquement lorsque le prix de l'électricité dépassait, ponctuellement, un certain seuil) ;
- une société de haute technologie dépose un brevet sur une invention, ce qui la protège de la concurrence et lui permet d'attendre que le marché soit mûr avant de lancer l'investissement industriel.

La littérature académique propose des listes d'options réelles pertinentes (*Trigeorgis*, 1998) qui couvrent, entre autres, les situations que nous venons de décrire.

Les cas évoqués précédemment appartiennent à une même catégorie de processus : l'optimisation des ressources investies. À partir de choix identifiés et d'une modélisation pertinente des paramètres, l'entreprise confronte bénéfice et coût de la flexibilité afin d'opter pour la meilleure utilisation des fonds. Dans chaque cas, l'entreprise dispose d'options, qualifiées de « réelles » par opposition aux options financières (*calls* et *puts* sur actifs financiers). Dans une autre publication, nous avons nommé ces options d'exploitation « PORO » (*Process Optimization Real Options*).

Cependant, l'entreprise dispose d'options d'une autre nature qui lui permettent de se développer dans le long terme, voire de se réinventer complètement. Elle investit alors dans des actifs incorporels (compétences, savoir-faire, logiciels, Intranets, ...) ou corporels (infrastructure, logistique, ...), afin de se préparer à capturer, lorsqu'elles se présentent, toute opportunité de croissance rentable. Il s'agit d'options de croissance, que nous appelons « GORO » (*Growth Opportunities Real Options*).

La suite de ce chapitre va successivement présenter deux exemples représentatifs de PORO, puis de GORO. Nous combinerons ces deux catégories dans l'analyse du management de projet de Recherche & Développement et de la valorisation de sociétés de haute technologie.

INTRAWEST : LA GESTION DU RYTHME DE COMMERCIALISATION

Intrawest est le leader du développement et de l'exploitation des stations de sport d'hiver en Amérique du Nord. La société, basée à Vancouver (Colombie-Britannique), exerce son activité au Canada (Whistler, Blackcomb, Mont Tremblant, Mont Sainte-Marie, ...), aux États-Unis (Colorado, Vermont, ...) et, depuis peu, en France (Les Arcs). L'entreprise commercialise des appartements vendus à des particuliers, puis gère les immeubles en *pools* en échange d'honoraires de gestion correspondant à 50 % des loyers perçus. Cette activité représente un chiffre d'affaires de 878 millions de dollars US en 2004, le reste provenant de la gestion des stations (541 millions de dollars) et des services divers (124 millions). Au total, Intrawest génère un chiffre d'affaires de plus de 1,55 milliard de dollars, en forte augmentation par rapport aux 332 millions de dollars de 1994. Pour créer de la valeur, Intrawest achète des actifs sous-performants et prometteurs, améliore leur fonctionnement et leur efficacité économique et poursuit le développement sur le site. Mont Tremblant, historiquement la deuxième station de sport d'hiver créée en Amérique du Nord, illustre parfaitement ce processus.

Le modèle de l'entreprise peut donc se décrire comme l'acquisition d'un portefeuille d'options « hors-la-monnaie », leur transformation en options « dans-la-monnaie » et leur exercice planifié à un rythme adéquat. Les droits à construire sont des options assimilables à des droits d'extraction, permettant à leur détenteur d'ajuster le rythme de commercialisation à la demande réelle du marché et à l'évolution des prix. Si la rentabilité des capitaux engagés est, en moyenne sur 10 ans, inférieure au coût de capital, le marché valorise, en moyenne, la société au-dessus de sa valeur comptable, car il prend en compte, non seulement, la rentabilité immédiate dégagée par l'entreprise, mais aussi la valeur des futurs *cash-flows* dégagés à partir des droits possédés par Intrawest. Tous les rapports annuels de l'entreprise font, évidemment, état du rythme de commercialisation. Le rapport 1998 va plus loin et explicite les revenus tirés de l'exploitation. Le lecteur apprend, ainsi, qu'un appartement génère 19 000 dollars de revenus hivernaux par an et la société décompose le chiffre en occupation des locaux, nourriture, achats divers, remontées mécaniques, location de matériel et école de ski ! Cette communication détaillée est rendue nécessaire par la présence d'investissements considérables dont il faut montrer la pertinence.

La valorisation d'Intrawest est un exercice qui combine l'évaluation de deux activités : promotion et gestion. La première activité est volatile, elle dépend notamment de la prospérité économique aux États-Unis, du niveau des taux d'intérêts et de la parité entre dollar US et dollar canadien. La seconde, plus récurrente, permet de générer des cash-flows significativement plus prédictibles et mérite un taux d'actualisation plus faible. Les marges rapportées aux chiffres d'affaires sont élevées dans les deux métiers (le ratio EBITDA sur chiffre d'affaires est voisin de 20 %, plus constant dans les *Resort Operations* que dans les *Resort Sales*), mais le ROCE de l'activité de promotion et vente est très supérieure au ROCE de l'activité de gestion, car cette dernière doit porter des immobilisations très lourdes. Au total, il est intéressant de noter que la valorisation de la société prend en compte un ratio de rentabilité futur moyen de l'activité de promotion assez élevé. Ceci est rendu possible par la coexistence des deux activités au sein d'une même entité, car la récurrence du métier de gestion permet à l'entreprise de n'exercer ses droits à construire qu'en période favorable. La condition de valorisation de l'option d'attente est, ainsi, la juxtaposition des deux modèles en parfaite synergie.

Le cas d'Intrawest permet donc d'illustrer une catégorie d'option de nature « opérationnelle », de montrer l'importance des conditions d'exercice de l'option sur sa valeur et de présenter une entreprise qui doit communiquer sur ses options afin de crédibiliser ses investissements et sa valeur actionnariale. *A contrario*, McDonald's manifeste une grande discrétion à l'égard de ses options de croissance.

McDonald's : patrimoine immobilier et flexibilité stratégique

La société McDonald's est bien connue dans le secteur de la restauration rapide. Numéro 1 mondial, elle sert des repas dans 31 129 restaurants à fin 2003, ce qui représente un volume d'affaires supérieur à 45 milliards de dollars. Après avoir connu quelques années difficiles, notamment 2002, la rentabilité de l'entreprise se redresse, ainsi que son cours de bourse. Si, à l'évidence, le modèle économique McDonald's relève de l'activité de service, il faut noter que l'entreprise a décidé, de longue date, d'investir dans la maîtrise de son outil de production, les murs des restaurants sous enseigne. Le rapport 10K (2003 et années antérieures) mentionne que : « *The Company generally owns the land and building or secures long-term leases for restaurant sites, which ensures long-term occupancy rights and helps control related costs.* » Cette politique immobilière résolue se traduit par des immobilisations de nature immobilière (terrain, constructions et aménagements) représentant environ 24 milliards de dollars en valeur brute dans le bilan 2003. Ce chiffre est loin d'être négligeable, si l'on considère que McDonald's ne génère que 17 milliards de dollars de chiffre d'affaires.

McDonald's est donc tout à la fois une société de services et un investisseur immobilier. Ce dernier point a de lourdes conséquences sur la rentabilité économique et financière de la société. Son bilan simplifié 2003 se présente comme suit :

Bilan simplifié 2003 (en milliards de dollars US)

Immobilisations nettes	23,6	Capitaux propres	12,0
BFR et provisions à long terme	2,4	Dettes financières nettes	9,2
Capitaux Engagés (CE)	21,2	Ressources financières nettes	21,2

Comme le chiffre d'affaires de la société est de $17,1G, la rotation des capitaux engagés n'est que de 0,8 (= 17,1 / 21,2). La rentabilité des capitaux engagés (ROCE = EBIT / CE) est 13,3 % grâce à une rentabilité commerciale (EBIT / CA) élevée, égale à 16,5 %. Chaque dollar de chiffre d'affaires rapporte, donc, à l'entreprise 16,5 cents avant paiement des frais financiers et de l'impôt. Le calcul du coût de capital de McDonald's conduit à un coût moyen pondéré des ressources financières d'environ 6 % en raison d'un bêta faible (0,6) et d'un endettement significatif (levier financier = 0,8). L'entreprise dégage, ainsi, un résultat économique après déduction du coût de capital d'environ 2,3 % des capitaux engagés, ce qui constitue une performance très honorable si l'on considère l'intensité capitalistique élevée, conséquence de sa politique immobilière. Analysons la rentabilité commerciale de la société. Ses revenus proviennent, d'une part, des restaurants exploités en propre, d'autre part, des *management frees* payés par les franchisés et autres *affiliates*. Le tableau suivant présente le chiffre d'affaires total ainsi que la marge opérationnelle (chiffre d'affaires, moins dépenses directes d'exploitation), en valeur et en pourcentage pour la compagnie et répartis entre restaurants exploités directement et indirectement :

Chiffre d'Affaires (CA) total (en milliards de dollars US et en %)

	CA	CA/CA total (%)	Marge opérationnelle	MO/MO totale (%)	MO/CA (%)
Exploitation directe	12,8	75 %	1,7	33 %	14,5 %
Franchisés et *Affiliates*	4,3	25 %	3,4	67 %	78,4 %
Total	17,1	100 %	5,1	100 %	29,8 %

Il apparaît clairement que la rentabilité commerciale de l'entreprise provient de l'exploitation indirecte, car les *management fees* payés par les partenaires de l'entreprise génèrent l'essentiel de la marge opérationnelle qui, après déduction des charges indirectes, permettra de dégager une rentabilité commerciale de 16,5 % et une rentabilité économique nette de 2,3 % des capitaux engagés. Il faut donc attirer et recruter des franchisés en quantité et qualité suffisantes pour satisfaire l'actionnaire et financer le développement de McDonald's.

Ce dernier point est important. La société a récemment ralenti sa croissance afin de restructurer ses opérations et restaurer sa rentabilité, mais l'ouverture de restaurants s'est faite à un rythme soutenu pendant la dernière décennie, le nombre total d'enseignes croissant de 14 128 en 1993 à 31 129 en 2003, ce qui correspond à un taux moyen géométrique de plus de 8 % sur la période. Environ 17 000 ouvertures en 10 ans, cela correspond à une moyenne de 1 700 par an, soit 4,7 ouvertures par jour calendaire : un nouveau McDo dans le monde toutes les 5 heures ! Afin d'assurer une croissance de cette ampleur, il est nécessaire de disposer de ressources humaines et financières, ainsi que de sites potentiels en nombre considérable.

La valorisation de la société conduit à s'interroger sur sa capacité de « croissance rentable à long terme ».

Sans alourdir le texte avec les détails d'une valorisation par les *Free Cash-Flows* (FCF) dont la méthodologie est exposée dans un chapitre voisin, nous allons exposer les principaux résultats d'une telle approche.

Si l'on considère que McDonald's est arrivé à maturité, on actualise au coût de capital (6 %) une infinité de FCF croissant au rythme moyen d'un restaurant en régime de croisière, soit 3 %. Après déduction de la dette financière nette, on obtient une valeur des capitaux propres voisine de 25 milliards de dollars, un peu supérieure à la capitalisation boursière de l'entreprise fin 2002, au plus profond de la crise, et représentant environ 40 % de son plus haut, compris entre 55 et 60 milliards de dollars et atteint quelques années auparavant. Cette dernière fourchette de valorisation ne peut se justifier que par des hypothèses plus volontaristes en termes de croissance future et de rentabilité. Nous atteignons ce niveau de valeur pour les hypothèses suivantes :

- croissance annuelle du chiffre d'affaires de 8 % pendant les 20 prochaines années ;
- croissance du chiffre d'affaires de 3 % par an au-delà ;
- restauration de la rentabilité économique au niveau de 4 % des capitaux engagés, ce qui représente le niveau moyen constaté avant la crise récente.

La question de la crédibilité de telles hypothèses se pose. Le taux de croissance de 8 % représente un doublement du nombre de restaurants sous enseigne McDonald's, pendant les 20 prochaines années, suivi d'une stabilisation. Cette hypothèse n'est pas irréaliste si l'on prend en compte le potentiel considérable que constituent l'Asie, l'Europe centrale et orientale et l'Amérique du Sud. Dégager une rentabilité égale à 4 % des capitaux engagés est un pari beaucoup plus risqué. En effet, la société a connu de tels niveaux de rentabilité pendant la dernière décennie, mais la montée de la concurrence et la contestation du modèle économique ne peuvent pas manquer d'inquiéter. Le concept de *fast-food* a probablement de beaux jours devant lui, si les entreprises respectent l'évolution des valeurs de la société. Mais il n'est pas sûr que le principe, qui consiste à quitter le lieu d'habitation ou de travail pour se rendre sur le site du restaurant afin de commander son repas puis de le consommer sur place ou ailleurs, soit pérenne. En effet, l'essor du commerce électronique permet d'envisager des modèles concurrents et le développement de la livraison à domicile (de la nourriture comme de la distraction audiovisuelle) peut être considéré comme une menace sérieuse pour le modèle classique dont McDonald's est le représentant le plus médiatisé. Il importe, alors, de considérer le portefeuille de murs de restaurants possédés par la société comme une capacité de rebond stratégique.

L'outil industriel de la société est constitué de milliers d'implantations dans des *prime locations*, c'est-à-dire des sites dont la valeur est probablement amenée à s'apprécier dans le long terme en raison de leur situation privilégiée : un chaland commercial garanti. Quel modèle de développement peut s'appuyer sur une collection d'actifs de cette nature ? La mentalité optionnelle donne cette réponse : en contrôlant ses restaurants, McDonald's se donne les moyens de sélectionner, dans le futur, le ou les modèle(s) de développement nécessitant une implantation de haute qualité immobilière et qui seront, à ce moment-là, pertinents, donc destinés à poursuivre une exploitation générant une rentabilité économique élevée. Si le marché croit en cette capacité à réinventer la firme en exerçant cette flexibilité stratégique, alors McDonald's « vaut » 60 milliards de dollars. Sinon, sa valeur est beaucoup plus faible, probablement plus proche de 25 à 35 milliards de dollars.

L'accumulation d'un patrimoine immobilier de qualité a donc permis à la société de construire des options de croissance qui sont très difficiles à valoriser car il est impossible de déterminer aujourd'hui les opportunités de croissance rentable qui, dans 20 ans, intégreront le portefeuille d'actifs. Il est intéressant de noter que la flexibilité stratégique est une option à coût négatif. En effet, il est couramment admis que la valeur actuelle nette d'un investissement qui consiste à acheter l'immeuble d'exploitation plutôt que de le louer est, à coup sûr, positive si le propriétaire reste dans les lieux à long terme, en général au moins 20 ans. Donc, McDonald's construit progressivement une option en investissant dans des actifs qui, indépendamment de toute valeur optionnelle, créent de la valeur. Nous sommes en présence d'une « prime d'option négative », situation qui se rencontre parfois dans des options réelles et qui est impensable pour des options financières.

Nous avons évoqué l'importance de l'option stratégique dans la valorisation de la société. Très souvent, les firmes s'attachent à présenter, dans le cadre de leur communication financière, les sources de valeur afin de porter leur cours de bourse. Or, la flexibilité stratégique de McDonald's est absente de sa communication. Nous avons mentionné les deux lignes du rapport 10K qui donne la rationalité de l'investissement. Le rapport annuel insiste sur la qualité des produits et services, sur le bonheur du client et est plus orienté « happy meal » qu'options réelles… Nous avons analysé l'évolution du site Internet de l'entreprise depuis le début de 1999 afin de dégager les grandes lignes de sa communication.

En 1999, présentant les résultats de 1998, la société rappelle que McDonald's est une *investment opportunity.* L'investisseur, qui aurait acheté 100 actions McDonald's lors de la mise en bourse en avril 1965, serait, début 1999, l'heureux détenteur de 74 360 actions valorisées 2,8 millions de dollars. La rentabilité pour l'actionnaire, gains en capitaux et dividendes, s'est élevée à 21 % en moyenne annuelle pendant les 10 années précédentes. Cette performance s'explique, suivant la société, par la mise en œuvre d'une vision qui comprend cinq stratégies globales au rang desquelles on trouve, à l'évidence, le capital humain, l'innovation et l'amélioration de l'exploitation. La quatrième stratégie mérite un exposé complet : « *Long term, reinvent the category in which we compete and develop other business and growth opportunities.* » Ce propos contient une dimension optionnelle, un renouvellement stratégique et la capture d'opportunités de croissance. Début 2000, le site change, présente toujours l'entreprise comme une opportunité d'investissement, mais la vision ne comprend plus que trois stratégies. La première s'adresse aux ressources humaines, la deuxième à l'excellence opérationnelle et la troisième à la croissance rentable de long terme : « *Achieve enduring profitable growth by expanding the brand and leveraging the strenghts of the McDonald's system through innovation and technology.* » Il n'est plus question de changer le modèle de développement et de conquérir de nouveaux marchés, mais de capitaliser sur la marque et de décliner le modèle partout dans le monde : la flexibilité stratégique a disparu du discours. Les années suivantes vont connaître d'autres évolutions, mais la dimension optionnelle de l'actif d'exploitation n'a pas reparu. Une interprétation possible de cette évolution réside dans les effets secondaires potentiellement négatifs de l'annonce d'une telle capacité de changement, à la fois pour les analystes financiers qui craignent les diversifications hasardeuses, pour le personnel qui risque de s'interroger sur son avenir et pour les candidats franchisés qui ne souhaitent vraisemblablement pas investir dans un environnement incertain.

Si elle crée de la valeur, la flexibilité n'est donc pas toujours un argument mis en avant dans la communication.

Enfin, nous allons aborder les liens entre le risque technologique, d'une part, et la valeur de l'entreprise, d'autre part.

TECHNOLOGIE, CRÉATION ET DESTRUCTION DE VALEUR

Au début des années 1960, le monde académique a présenté le projet de Recherche & Développement (R & D) comme un investissement méritant le même traitement que le projet classique : calcul de la VAN et acceptation si cette dernière était positive.

Cette approche a rapidement montré ses limites. En effet, d'une part, l'incertitude sur les flux futurs rendait le résultat très sensible et illusoire, d'autre part, l'actualisation masquait l'apport du long terme, donc de l'innovation, et le fameux ROI a été caricaturé en Restraint-On-Innovation. L'analyse multicritère n'a pas connu de succès définitif et le début des années 1990 a vu apparaître, dans la littérature académique comme dans les magazines professionnels, l'option comme grille de lecture du projet de R & D. Celui-ci était présenté comme une succession de décisions, combinant acquisition d'information entre les étapes du projet et possibilité de se retirer du jeu à chaque revue de projet. Le projet présente ainsi toutes les caractéristiques d'une option *revolving*, ce qui conduit certains responsables d'entreprise à suggérer un accroissement significatif des dépenses de R & D, de préférences investies dans des projets risqués. En effet, la valeur d'une option étant corrélée au risque de l'actif, plus la firme lance des projets de R & D risqués, plus elle crée de la valeur pour l'actionnaire.

Ce constat laisse, à juste titre, perplexe tout responsable d'entreprise et nécessite un approfondissement du concept. Il est clair (*cf.* Jacquet, 2004) que la conduite d'un projet de R & D est un processus séquentiel qui ressemble à une option. Mais, une option, rappelons ce point de base, est un droit, une possibilité, dont l'exercice appartient à son détenteur. Un projet de R & D ne confère, en réalité, qu'un droit à l'entreprise, celui de se retirer si la faisabilité technologique et/ou économique apparaît discutable. Le véritable droit ne se révèle qu'à la fin du projet, lorsque la faisabilité technologique est démontrée, lorsque les autorités de régulation, du type FDA, ont donné un accord de commercialisation et lorsqu'il est vérifié que la valeur actuelle des *free cash-flows* attendus du projet l'emporte sur l'investissement initial : la VAN, qui représente la valeur intrinsèque de l'option, est positive et l'option est exercée. Un projet de R & D est un processus séquentiel de construction d'une option mais n'est pas une option, au sens strict du terme. Au plan de la valorisation, il est donc fondamental de différencier deux types de risques :

- les risques destructeurs de valeur : tous les événements qui feront échouer le projet, notamment l'échec technologique et l'apparition d'un produit concurrent plus performance (risques technologique et commercial) ;
- les risques créateurs de valeur : la profondeur potentielle d'un marché, son évolution éventuellement explosive, les nouvelles applications non encore identifiées, les compétences créées à l'occasion du projet (Kogut & Kulatilaka, 2001).

En conclusion, adopter une mentalité optionnelle est une condition nécessaire de développement pour les entreprises qui opèrent dans un univers incertain. Celles-ci sont amenées à investir dans la flexibilité et à détecter les capacités d'adaptation qu'elles génèrent dans l'exercice même de leur activité classique. N'envisager le risque que sous l'angle du danger, c'est méconnaître les opportunités de croissance. L'analyse des entreprises dans le long terme nous montre à quel point toute situation est précaire, pour le leader mis en péril par sa propre autosatisfaction, comme pour le challenger agressif et déterminé. Pour s'en convaincre, rappelons-nous qu'en 1990, WalMart, avec 10 milliards de dollars de chiffre d'affaires ne pesait que la moitié de Kmart. Regardons alors le futur comme une mine d'opportunités créatrices de valeur pour l'entreprise capable de se préparer à les identifier et à les exercer.

BIBLIOGRAPHIE DE RÉFÉRENCE

M. AMRAM, N. KULATILAKA, « Real Options : Managing Strategic Investment in an Uncertain World », in *HBS Press,* 1998.

Thomas E. COPELAND, Philip T. KEENAN, « How Much Is Flexibility Worth », in *McKinsey Quarterly,* n° 2, 1998.

A.K. DIXIT, R.S. PINDYCK, « The Options Approach to Capital Investment », in *Harvard Business Review,* May-June 1995.

T.W. FAULKNER, « Applying "Option Thinking" to R-D Valuation », in *Research Technology Management,* May-June 1996.

D. JACQUET, « Les Options réelles, une approche financière au service de l'innovation », in *Encyclopédie du Management de l'Innovation,* éd. Economica, 2004.

D. JACQUET, « Managerial Implications of Implementing Real Options Thinking in Resource Allocation », in *Faculty of Administration-University of Ottawa, discussion paper,* 2000.

C. KESTER, « Today's Options for Tomorrow's Growth », in *Harvard Business Review,* March-April 1984.

B. KOGUT, N. KULATILAKA, « Capabilities as Real Options », in *Organization Science,* 2001.

T.A. LUEHRMAN, « Investment Opportunities as Real Options : Getting Started on the Numbers », in *Harvard Business Review,* July-August 1998.

S.C. MYERS, « Determinants of Corporate Borrowing », in *Journal of Financial Economics,* n° 5, 1977.

L. TRIGEORGIS, « Real Options : Managerial Flexibility and Strategy in Resource Allocation », in *MIT Press,* 1998.

Partie 10

GESTION DES RISQUES

Gestion des risques

Les fondamentaux

Par Charles-Henri d'Arcimoles

Charles-Henri d'Arcimoles est professeur agrégé des Universités à Paris 1 (Panthéon Sorbonne). Ses travaux de recherche et interventions en entreprise portent essentiellement sur la gestion des ressources humaines et la création de valeur.

Risque

Le risque est inévitable dans la vie des affaires. Ne pas vouloir en prendre, c'est courir celui d'être dépassé par des concurrents plus audacieux. Il représente le plus souvent une double opportunité, source de gains espérés, et occasion offerte de se différencier, pour les entreprises les mieux préparées. Ainsi, la bonne gestion du risque permet de pouvoir mieux en prendre. Elle est à ce titre un élément majeur de la création de valeurs dans l'entreprise, et pas seulement pour les actionnaires, par les profits attendus ou la réduction des coûts. Elle l'est aussi pour les clients, par exemple par l'innovation, ou pour les salariés, par une meilleure sécurité au travail ou leur plus grande responsabilisation et implication. Cette possible contribution du risque à la performance de l'entreprise suppose qu'il soit d'abord identifié, pour pouvoir ensuite être géré.

Essai de typologie des risques

Plusieurs critères sont envisageables pour identifier et classer les risques. Ainsi parle-t-on couramment de risques purs, d'une part, lorsqu'ils relèvent de décisions conscientes (investir, lancer un produit, restructurer une unité, …) et de risques spéculatifs, d'autre part, définis comme le résultat malheureux du hasard (incendies, explosions, vols, ...). On peut également classer les risques selon qu'ils sont internes ou externes, liés aux opérations ou aux résultats, ou encore selon la fonction concernée. On peut aussi partir de l'entreprise, que l'on peut définir comme un *ensemble coordonné de ressources produisant, sur un marché concurrentiel, un bien ou service à destination d'un client*, et en extraire les risques possibles. Ainsi peut-on proposer la typologie suivante de dix risques potentiels. Ils sont présentés selon leur nature, à partir de leur objet, au sein d'une zone, et sous l'effet de leurs facteurs.

Zones de risques	Facteurs de risques	Nature du risque	Objet du risque
Ressources et facteurs	Achats et investissements	Risque d'approvisionnement	Coût et disponibilité des ressources financières, humaines et des matières premières
Process et production	Matériels et systèmes techniques	Risque opérationnel	Pannes, incidents, dommages humains, matériels et environnementaux
	Personnel et organisation	Risque social	Conflits et risques comportementaux
	Systèmes d'information et de contrôle	Risque informationnel	Information déficiente, trompeuse ou manquante. Sécurité et confidentialité insuffisantes
Résultats et produits	Chaîne de valeur	Risque commercial	Insatisfaction et/ou perte de clients
	Rentabilité et trésorerie	Risque financier	Crise de liquidité Volatilité des résultats Insatisfaction des actionnaires
Marchés et stratégie	Politique générale et choix d'investissement	Risque stratégique	Affaiblissement concurrentiel, pertes d'opportunité
Image et contexte sociétal	Prise d'intérêts	Risque politique	Violence, spoliation, interruption abusive des engagements commerciaux
	Obligations et responsabilité d'entreprise	Risque juridique	Mise en cause et condamnation de l'entreprise et de ses dirigeants pour faute ou imprudence
	Communication active et passive	Risque institutionnel	Atteintes à la notoriété et à la réputation, campagnes de presse, boycott

Cette typologie recouvre les risques les plus importants. On y retrouve les cinq risques majeurs identifiés par l'enquête du baromètre Protiviti pour 2004 : clients, concurrents, système d'information, sécurité informatique, image de marque et réputation (*Baromètre du Risk Management 2004*, 2° édition). Chaque risque peut donner lieu à des mesures de gestion appropriées, que l'on peut utilement essayer de regrouper autour de principes simples.

PRINCIPES DE GESTION

La théorie de la gestion des risques reste à écrire… Les travaux les plus éprouvés concernent les outils mathématiques et statistiques. Quant au cadre gestionnaire, il se globalise, sous l'influence de nombreux spécialistes qui défendent l'idée d'une gestion intégrée du risque, susceptible d'éviter les coûts, redondances et contradictions d'une gestion segmentée. Les recommandations sont nombreuses, laissant sa place au « bon sens ». Les dix principes qui suivent n'engagent que l'auteur, dans le seul but de faciliter l'action.

Principe d'analyse et de mesure

Une situation est dite « risquée », et non pas seulement incertaine, lorsqu'il est possible de la « probabiliser ». Ce travail évidemment très subjectif est indispensable pour identifier, évaluer, hiérarchiser, et maîtriser le risque. Comme toute réalité d'entreprise, le risque ne peut être géré sans mesure.

Principe d'humilité

Les outils probabilistes, les scénarios et les théories comme celles des jeux ou de l'utilité ne sont que des aides à la décision. Elles ne permettent pas de résoudre totalement le problème du risque, face auquel le décideur doit admettre une part irréductible d'ignorance.

Principe de précaution

Une bonne gestion du risque doit en particulier veiller à prévoir et prévenir autant qu'il est possible les dommages les plus graves. Ainsi, la précaution n'a t-elle pas pour but d'éliminer ou d'éviter le risque, ce qui serait le plus souvent ni possible, ni souhaitable, mais de protéger l'entreprise contre ses conséquences extrêmes. Sans aller nécessairement jusqu'à l'utilisation d'outils mathématiques comme la Théorie des Valeurs Extrêmes (TVE), il est nécessaire de se préparer à l'inattendu. C'est en particulier le sens de la *Value at Risk* (VaR), bien connue des financiers, et qui consiste à calculer, pour un horizon temporel et un niveau de confiance donnés, la pire perte attendue.

Principe de responsabilisation

Toutes les études montrent que le risque surgit plus souvent des actes quotidiens de l'organisation, que des éléments extérieurs imprévisibles. Ainsi, le CLUSIF (Club de la Sécurité des Systèmes d'Information Français) estime que 80 % des sinistres informatiques seraient dus au personnel, et moins de 20 % à des actes de malveillance. Cette réalité suppose que chacun puisse être responsabilisé, et que la gestion du risque ne soit pas réservée au seul *risk manager,* ni même aux éventuels « propriétaires de risque », ainsi nommés pour introduire une plus grande responsabilisation individuelle.

Principe d'arbitrage

Toute prise de risque, et sa gestion ultérieure, doit s'inscrire dans l'analyse d'un équilibre rentabilité-risque. Cette approche, courante en finance, est applicable pour les autres zones de risque, par exemple, stratégique. La même démarche s'impose aussi avant d'engager des mesures inopportunes de réduction des coûts, en particulier liés aux ressources humaines, le risque d'« effet boomerang » étant parfois difficile à évaluer. Combien d'entreprises se sont ainsi exposées au risque social... On peut d'ailleurs noter combien ce risque social est mal cerné, souvent réduit à celui de conflits. Il serait souhaitable d'en avoir une conception élargie, qui permette d'intégrer les risques de démotivation, d'inadéquation des ressources, ou de détérioration du capital humain. Ce même principe d'arbitrage devrait également prévaloir avant que soient délibérément commises certaines négligences, dans l'espoir qu'elles seront sans grave conséquence. C'est en particulier le cas en matière juridique, lorsque des entreprises « jouent » avec les règles.

Principe de diversification

La diversification permet de diminuer le risque, par la compensation de ses effets. En stratégie, son utilité est contestée par les investisseurs financiers, qui lui préfèrent la concentration sur le cœur de métier, mais apprécient cependant la diversification géographique. Pour les autres risques, en particulier commercial, d'approvisionnement ou opérationnel, la diversification est souhaitable et bénéficie par ailleurs de la décentralisation croissante des décisions.

Principe de transversalité

Les risques sont souvent interdépendants, reliés entre eux dans leurs causes et leurs effets. Ainsi, par exemple, les risques opérationnels sont en partie dus aux comportements des salariés, et soumis aux effets du risque social. De même, le risque informationnel traverse la plupart des zones de risque. Cette réalité systémique du risque d'entreprise justifie l'approche globale précédemment évoquée, pour éviter qu'une action a priori favorable sur un risque, n'aggrave davantage un autre risque. Cette globalité suppose une vision partagée, transversale, des risques et de leur gestion au sein des différents services et compartiments de l'entreprise. L'implication des dirigeants, la formation, la communication interne en sont les principaux vecteurs.

Principe d'ajustement

Les facteurs de risque et leur intensité ne sont pas statiques, et leur déclenchement est souvent progressif plutôt que subit. Le risque peut alors être envisagé comme un processus, un continuum, dont la gestion se ferait en « temps réel », un peu comme pour la gestion des actifs financiers optionnels. Cette adaptation est facilitée par la puissance de calcul aujourd'hui disponible, mais aussi par les progrès accomplis en sciences sociales, en particulier sur les processus d'apprentissage. En effet, l'ajustement passe aussi par la capacité de dynamiser notre propre perception du risque.

Principe de plaisir

Le risque fait partie de la vie et le supprimer la rendrait bien terne. Il en est de même pour l'entrepreneur et la plupart des salariés, y compris ceux qui manifestent le plus fort degré d'aversion. Ainsi le risque peut-il devenir un véritable facteur de motivation par les défis à la fois intellectuels et pratiques qu'il pose au quotidien. Et son plaisir est plus celui du bridge que celui de la roulette.

Principe d'expérience

Les outils de gestion du risque, aussi efficaces soient-ils, n'occulteront jamais l'importance de la décision finale. Cette décision s'exerce en contexte de rationalité limitée, notamment structuré par les a priori et schémas mentaux de chacun. L'expérience est déterminante, qui permet de repérer les limites de la rationalité, et ses points forts. Le décideur doit faire ce « retour d'expérience » pour éviter autant que possible le piège de sa propre représentation du risque originel, mais aussi celui d'une exposition excessive au risque de « modèle » d'un outil mathématique inadapté.

Gestion des risques

Gestion de crise

Par Christophe Roux-Dufort

Professeur de management stratégique à l'École de Management de Lyon, Christophe Roux-Dufort développe et coordonne des séminaires sur la gestion de crise. Il a publié plusieurs articles et ouvrages sur cette question. Il intervient comme consultant auprès de grandes entreprises internationales.

Depuis une dizaine d'années, la gestion de crise s'installe progressivement dans les entreprises et au sein de la plupart des administrations. Il est loin le temps où la seule évocation d'une cellule de crise, d'un exercice ou d'une simulation déclenchait au mieux des sourires bienveillants au pire des rejets viscéraux de la part des directions générales. Le discours des professionnels de la gestion ou de la communication de crise passe mieux et beaucoup d'entreprises ont investi dans des pratiques, des outils ou des méthodes de gestion de crise. Même pour les entreprises encore éloignées d'une préoccupation opérationnelle, on ne peut nier une écoute et un intérêt réels. La gestion de crise intègre ainsi progressivement le management. Elle se pratique de plus en plus et commence à s'enseigner au sein des écoles de management.

La faillite de la banque Barings

La banque Barings Brothers & Co Limited était une banque d'affaires installée dans la City de Londres depuis 1890, année de sa fondation. En plus de la BB & Co, qui gérait les opérations financières classiques d'une banque d'affaires, deux autres compagnies constituaient le groupe Barings : la Barings Assets Management (BAM) et la Barings Securities Limited (BSL). La BSL opérait par l'intermédiaire de filiales comme broker en Asie-Pacifique, en Amérique latine, à Londres et à New York. Plusieurs filiales appuyaient l'activité de la BSL à travers le monde. Parmi elles, la Barings Futures se positionnait sur le marché particulier des *futures* et intervenait à partir de Singapour sur la zone Pacifique.

En mars 1992, Nick Leeson est transféré à Singapour, à la Barings Futures, pour traiter sur le Singapor International Monetary Exchange (SIMEX). Début 1993, il est nommé directeur général de Barings Futures. Très vite Leeson s'engage dans des opérations dépassant largement son mandat. Plutôt que de s'en tenir à arbitrer les cours entre les bourses de Singapour et du Japon, Leeson s'engage dans des opérations de spéculation pure en pariant sur la montée de l'indice NIKKEI. En dépit d'une tendance à la baisse marquée des marchés, les résultats qu'il affiche sont impressionnants. Jamais Londres n'a vu de tels rendements sur des marchés aussi fluctuants. En réalité, ces résultats sont fictifs. Depuis 1993, Leeson camoufle toutes les pertes sur les opérations qu'il réalise sur un compte (n° 8 888) ouvert à son nom et inconnu de la maison mère. Il invente donc des profits réalisés pour des clients imaginaires et il continue à demander à Londres des transferts d'argent pour assurer la poursuite de ses opérations.

En juillet et août 1994, un groupe d'auditeurs internes est dépêché de Londres pour contrôler les opérations de Nick Leeson. Une première alerte est donnée à la maison mère sur les risques pris par Leeson sur le marché fluctuant des *futures*. Le problème est apparemment réglé, mais la situation reste ambiguë. Les rendements affichés sont toujours très élevés.

En janvier 1995, la maison mère prend conscience de l'inquiétude du marché et des rumeurs concernant le niveau d'engagement de la Barings Futures Singapour, notamment sur le marché des changes d'Osaka, et surtout de l'incapacité probable de la Barings d'honorer tous les contrats au prix du marché.

En février 1995, un mémo envoyé par la commission de régulation des changes du SIMEX alerte à nouveau Leeson sur son volume d'engagement sur le SIMEX. Le mémo reprenait en substance le message suivant : « *Si vous fermez toutes vos positions aujourd'hui, il n'y a absolument aucune chance que vous puissiez honorer tous vos engagements.* » Certains dirigeants de la maison mère sont alertés. Les pertes sur le compte n° 8888 passent de 208 millions de livres, au 31 décembre 1994, à 827 millions de livres, le 27 février 1995.

Le tremblement de terre de Kobé, au Japon, le 17 janvier 1995, a pour conséquence l'effondrement des différentes bourses japonaises, notamment celle d'Osaka. Le 24 février, l'alerte est donnée et la Barings constate subitement le problème de liquidité. Dans les deux mois qui ont précédé, Londres a transféré près de 400 millions de livres, empruntées à une vingtaine de banques japonaises, sur les seules opérations engagées par Leeson. Pris de panique par les mouvements à la baisse des marchés, Leeson revend 40 000 options. Le gouverneur de la banque d'Angleterre est sollicité et constitue une cellule de crise. Le gouverneur annonce que les engagements de la Barings s'élèvent à 265 millions de livres et que chaque diminution d'un point de l'indice NIKKEI entraînera 70 millions de livres de perte supplémentaire. C'est la faillite de Barings.

LA GESTION DE CRISE DANS LES DISCIPLINES DU MANAGEMENT

Bien que l'on puisse attribuer cet engouement pour la gestion de crise à plusieurs phénomènes, il est incontestable que les grandes crises des années 1990 ont contribué à sensibiliser la plupart des dirigeants à la nécessité d'une réflexion de fond. L'affaire Perrier, la crise du sang contaminé ou la crise de la vache folle font souvent office d'événements référence dans cette évolution. Ce développement a eu plusieurs conséquences paradoxales au sein des entreprises. À première vue, les dirigeants ont modifié le sens qu'ils attribuent à des situations qu'ils ne percevaient pas comme des crises, il y a encore quelques années. Les restructurations d'entreprise, les décisions de délocalisation, les conflits sociaux, les mouvements de rapprochement ou encore de fusions-acquisitions sont souvent gérés comme des situations de crise, c'est-à-dire avec l'appui fréquent d'une cellule de crise, d'un plan de communication spécifique et d'un dispositif de prévention des risques induits. Les dirigeants voient ainsi des situations de crise potentielles là où, il y a encore dix ans, ces mêmes situations relevaient de situations de gestion d'exception, sans pour autant faire appel à des techniques particulières de management de crise. À l'inverse, certaines situations qui, il y a dix ans, étaient conçues comme des situations de crise, sont traitées comme des situations de gestion normales. Là encore, les méthodes et les techniques de gestion de crise ont contribué à plus de sérénité dans le traitement des situations critiques. Les retraits de produit en sont un bon exemple. Cette pratique est devenue tellement courante qu'elle n'est plus considérée comme un acte d'exception mettant en danger les équilibres vitaux de l'entreprise mais plutôt comme un acte responsable et éthique. La capacité d'une équipe de direction à gérer une situation de crise apparaît donc comme un facteur déterminant dans la construction d'une relation de confiance avec ses parties prenantes. Le principe est somme toute simple : si l'on sait gérer une crise alors on est capable de beaucoup d'autres choses. La crise offre une opportunité inédite d'exercer et d'afficher des capacités de leadership solides et d'affirmer une responsabilité sociale si chère aux dirigeants d'entreprise.

QU'EST-CE QU'UNE CRISE ?

Il existe beaucoup de confusion sur le terme. On parle de gestion ou de communication de crise, mais peu de personnes y mettent un sens précis sans doute parce qu'elles désignent par crise toute situation dont le sens leur échappe. On ne peut pourtant pas faire l'économie d'une définition claire et précise tant la façon dont la crise est définie détermine souvent la justesse de l'action entreprise pour la traiter. Dessiner les contours de la crise, c'est aussi restaurer une capacité de discernement et de jugement dans des situations par nature ambiguë. L'exercice de la définition n'est donc pas une perte de temps. Tout le monde semble croire à l'évidence du terme, mais, face à la situation, tous les repères tombent comme si la crise portait tout sauf des évidences.

Définir pour agir

L'utilisation abusive du terme, les confusions permanentes entre urgence, crise ou conflit altèrent l'aptitude des managers au diagnostic des situations sensibles. Pourtant, la capacité à discerner le potentiel de déstabilisation d'une situation est l'une des premières qualités requises en gestion de crise. Au début d'une crise, la décision la plus difficile à prendre est certainement celle d'admettre que l'on est en crise. Elle nécessite de reconnaître la gravité de la situation et d'en évaluer les prémices suffisamment tôt pour que les organisations et les ressources soient rapidement mobilisées.

Culturellement, reconnaître un état de crise implique de dépasser des défenses profondes liées à la tyrannie du risque zéro ou du zéro défaut qui hante nos sociétés occidentales. Il est souvent difficile d'estimer le potentiel de crise d'une situation et plus encore de prendre la décision de mobiliser des moyens exceptionnels car on court parfois le risque de déclencher sa propre crise, si la situation est mal diagnostiquée et qu'elle n'exige pas de réponse sur le mode crise.

La dramatisation de l'événement contribue ainsi à déclencher la crise par excès de précipitation. En janvier 2004, Adecco a connu ce type de déboire lorsqu'elle annonça aux marchés le report *sine die* de la publication de ses comptes. Cette annonce, liée à la suspicion d'irrégularités dans l'audit de sa filiale nord-américaine, fut principalement guidée dans un esprit de précaution. Elle marqua pourtant le point de départ d'une crise comptable lourde dont les principaux dirigeants firent les frais et qui fit planer sur l'entreprise le spectre d'Enron ou de Parmalat. À l'inverse, l'entreprise est perçue comme irresponsable, si la crise est d'emblée sous-estimée et que la réaction intervient trop tard. Or, comment qualifier une situation sans élément précis de définition ?

Toute démarche de gestion de crise devrait donc débuter par l'énoncé d'une définition. Les définitions varient d'une entreprise à l'autre. Dans les manuels de crise, on rencontre par exemple les définitions suivantes :

- situation où la sécurité des clients et du personnel n'est plus assurée et qui remet en cause la pérennité de l'entreprise ;
- tout événement ponctuel normalement imprévu ayant un impact effectif grave sur le développement ou la survie de l'entreprise, de ses marques ou de ses collaborateurs et nécessitant une gestion spécifique ;
- situation inattendue et déstabilisante dont les conséquences directes peuvent être dramatiques aux plans humain, financier et communicationnel.

Pour notre part, nous définissons la crise comme un processus qui :

- active et met en résonance une série de dysfonctionnements préexistants et ignorés ;
- initie un mouvement dans lequel plusieurs parties prenantes et enjeux familiers et étrangers s'entrechoquent ;
- met en faillite temporairement ou définitivement la capacité de l'organisation à appréhender, traiter et contrôler les événements émergents, dont les conséquences peuvent affecter la stratégie et la survie de l'entreprise, le comportement et l'existence des membres de l'organisation et des parties prenantes impliquées.

Plusieurs barrières psychologiques, managériales et organisationnelles affectent l'évaluation d'une crise. Aucun dirigeant n'a intérêt à décréter l'état de crise tant les enjeux d'une telle situation pourraient être pires que la crise elle-même. En décidant l'état de crise, il décide d'une soudaine et parfois brutale surexposition personnelle. Il met le doigt dans un engrenage qu'il ne contrôlera pas jusqu'au bout. Rappelons-nous, en août 2003, les atermoiements des différentes instances gouvernementales lors de la crise de la canicule qui ont freiné la réactivité et la prise en charge précoce de la situation. Reconnaître l'état de crise sanitaire pour la plupart des responsables en poste revenait à mettre leur avenir personnel dans la balance. Sans qu'il soit question de porter un jugement sur cela, on ne peut ignorer l'importance de cet enjeu dans les décisions individuelles. Une situation de crise répond pourtant à des critères précis sans lesquels tout peut devenir crise, dès lors que la situation semble hors contrôle.

Trois facteurs de crise

Une crise rassemble trois ingrédients principaux qui perturbent considérablement la prise de décision et l'action des dirigeants : la convergence, les dérèglements et la remise en cause.

La convergence : en situation de crise, l'entreprise se trouve projetée au centre d'un maelström dont elle n'appréhende ni la logique de mouvement, ni l'évolution. Une grande quantité d'informations et d'acteurs gravitent autour d'elle et exercent une pression inhabituelle et permanente qui réduit considérablement les marges de manœuvre stratégiques, opérationnelles et temporelles des décideurs. Cette pression crée une incertitude croissante dans laquelle managers et dirigeants ont rapidement de la difficulté à se mouvoir. Confrontés à des informations brutes, fragmentaires, non recoupées et circulant sur le mode de la rumeur, il leur est difficile de poser un diagnostic rapide pour agir. Cette convergence brutale crée aussi un stress important qui affecte le comportement des dirigeants et des personnes impliquées dans la crise. Le stress provient d'un sentiment d'urgence à agir qui, conjugué à l'incertitude, provoque des tensions décisionnelles aiguës. Mêmes les décideurs les mieux formés n'échappent pas à cette déstabilisation. Ils manifestent les symptômes suivants :

- concentration de l'attention sur le court terme ;
- difficulté à percevoir les problèmes dans leur globalité ;
- rigidité du jugement ;
- gêne pour estimer les échéances temporelles et les conséquences à long terme de leurs actes.

L'expérience du stress engendre une diminution de la tolérance à la complexité et à l'ambiguïté et une rigidité cognitive propres à altérer considérablement la capacité de décision. Dans cette situation, plusieurs postures sont adoptées par les dirigeants. D'une part, ils sont plus enclins à se concentrer sur des solutions familières, qu'ils ont déjà mises en œuvre dans d'autres contextes. D'autre part, ils présentent un comportement d'évitement de la décision qui s'illustre par des réactions classiques comme :

- le rejet de responsabilité ;
- le recours abusif à des experts ;
- la temporisation ;
- le déni de réalité ;
- la décision de ne pas décider.

Les dérèglements : la crise implique une mise en échec des modes de régulation et de gestion conventionnels. Ce qui fonctionne habituellement pour gérer l'entreprise ne fonctionne pas pour gérer la crise. Les repères se renversent littéralement. Ce que l'on pensait vrai se révèle faux, ce que l'on voyait blanc devient noir et le sens des situations s'effondre brutalement. Le débordement ressenti en situation de crise est avant tout un débordement de sens. Non seulement la situation échappe à la gestion, mais échappe surtout au diagnostic et à la compréhension. Peut-on imaginer ce qui se produit en décembre 2002 chez Buffalo Grill lorsque, vingt ans après le développement et le succès spectaculaire de la chaîne sur un marché réputé difficile et âprement concurrentiel, des doutes et des suspicions s'abattent sur les pratiques de l'entreprise ? Dans la tête des dirigeants, il est inconcevable que l'on puisse penser que Buffalo Grill ait importé de la viande britannique pendant la période d'embargo. Les comportements, les valeurs et la culture qui se sont enracinés dans cette organisation depuis tant d'années ne permettent pas d'entrevoir cette possibilité. Ces doutes et la campagne de presse qui les véhicule agissent comme une implosion de sens caractéristique d'une crise.

Ce chaos initial précipite les équipes de direction dans un climat tendu et émotionnel leur faisant perdre leurs propres repères de fonctionnement. Il arrive ainsi de voir des équipes totalement dénuées de repère alors qu'en temps normal elles présentent les caractéristiques d'une équipe soudée et efficace. En ce sens, la préparation et la formation des équipes de direction à la gestion de crise sont nécessaires, même lorsque ces équipes fonctionnent efficacement par temps calme. Lorsque des tensions ou des conflits couvent au sein d'une organisation, il y a des chances pour qu'ils soient exacerbés en situation de crise. Il peut toutefois arriver que les enjeux de la crise soient tels qu'ils dépassent ces tensions et génèrent un climat de solidarité au sein des équipes dirigeantes. Le dérèglement de l'organisation et des processus nécessite la mise sur pied de dispositifs d'exception qui, là encore, exigent une préparation en amont pour être rapidement opérationnels et efficaces.

La remise en cause : dans toute crise se pose la question de la légitimité de l'entreprise, de son activité, de ses dirigeants, de ses administrateurs ou de ses produits. Une entreprise en crise est une entreprise douteuse frappée d'emblée du sceau de la suspicion. Cette remise en cause n'est pas toujours explicite, mais elle rend périlleuses les tentatives de justification qui sonnent comme des arguments tardifs et peu crédibles. Lorsque la crise est médiatisée, l'entreprise est convoquée au tribunal de l'opinion publique qui décide, en dernière instance, ce qui est légitime et ce qui ne l'est pas. C'est ici que la communication de crise prend le pouvoir et devient si précieuse aux yeux des dirigeants car, au-delà de la restauration de l'image, elle aide à maintenir une crédibilité et une légitimité au cœur de la crise. La gestion de crise devient une lutte rhétorique intense entre différents acteurs pour convaincre mieux que les autres de la légitimité de son action. Ce qui est dit sur la crise devient alors aussi important que la crise elle-même.

LES CRISES SONT-ELLES VRAIMENT GÉRABLES ?

Dans le terme « gestion de crise » sont associés deux termes antagonistes. La crise qui, par définition, déborde les capacités de compréhension et d'action et la gestion qui porte les germes du contrôle et de la maîtrise des événements. Est-il alors possible de contrôler l'incontrôlable ? Pas toujours. Bien que plus présente dans l'esprit et dans les pratiques managériales, la gestion de crise ne porte en effet pas toujours les fruits escomptés. Le nombre de crises touchant des entreprises, des administrations ou des secteurs d'activité entiers n'a pas diminué et le sentiment d'impuissance prend fréquemment le dessus. Des événements exceptionnels continuent de surgir et persistent à semer le doute sur nos compétences d'anticipation et de gestion. Les catastrophes climatiques comme la canicule d'août 2003, la tempête de décembre 1999 ou les vagues d'inondations annuelles ; les grandes crises sanitaires comme la légionellose, la dioxine, l'amiante, le SRAS ; les faillites retentissantes d'empires financiers américains puis européens, les accidents industriels majeurs comme AZF, l'*Erika* ou le *Prestige* sont autant d'événements exceptionnels qui secouent régulièrement l'actualité des entreprises et des sphères économiques et politiques. Ils laissent fréquemment une impression de « rien ne va plus », en décalage avec les efforts de préparation et de communication pourtant régulièrement affichés par les organisations en cause. Il est entendu que la gestion de crise, telle qu'elle se pratique actuellement, trouve rapidement ses limites face à des événements de cette nature. Tant du point de vue de l'anticipation, de la prévention que du pilotage, les dirigeants se trouvent souvent désemparés au regard de ces événements hors normes.

En matière de gestion de crise, il convient de se départir de toute illusion du contrôle et d'anticipation. Le développement des nombreuses techniques qui gravitent autour de la crise ont parfois donné le sentiment à certains dirigeants qu'elles pouvaient être anticipées et contrôlées, ce qui n'est presque jamais le cas sans quoi parler de crise ne rimerait à rien. On rencontre ainsi des entreprises persuadées que les outils de gestion de crise qu'elles mettent en place sont des gages d'immunité, alors qu'ils constituent des balises propres à faciliter l'action et la décision sans garantie de maîtrise. La gestion de crise implique une importante capacité de discernement et de vigilance ainsi qu'une grande flexibilité intellectuelle, car c'est souvent dans des recoins ignorés ou sous-estimés que les crises prennent racine. Une crise résulte ainsi d'une faille intellectuelle ou d'une ignorance sur des fragilités que l'on a sous-estimées. La crise qui a bouleversé la société du Tour de France, en 1998, avec l'affaire Festina procède bien d'une telle faille. Le dopage n'est pas un phénomène nouveau. Il a envahi toutes les pratiques sportives depuis longtemps. Pourtant, jusqu'en 1998, peu d'actes ont été posés pour rééquilibrer ces situations ou pour les affronter directement. L'affaire Festina n'est qu'un pic dans l'évolution d'une situation déséquilibrée, à laquelle on n'a jamais cherché à faire face ou que l'on a habilement cachée ou sous-estimée. L'affaire Festina n'est pas seulement la crise d'une équipe cycliste, mais aussi l'un des symptômes aigus d'un travail de sape qui a rendu cette crise possible. Dès lors que la gestion de crise alimente le sentiment de contrôle et de maîtrise, elle manque à sa mission tant elle se doit aussi de former et d'entraîner les dirigeants à faire face à des situations où les savoir-faire habituels sont contestés.

Le renversement de sens issu de la crise provoque souvent la sidération des décideurs. Cette phase est inévitable. Sans elle, il n'y aurait pas de crise. Même si l'effet de surprise et de paralysie est un ingrédient incontournable, on peut toutefois aider les dirigeants et leurs équipes à s'y préparer. Cette préparation n'a pas vocation à éliminer l'effet de surprise, mais à l'appréhender au mieux afin de structurer l'action plus efficacement tant les premiers moments sont déterminants pour la suite des événements. Cette phase de sidération est d'autant plus forte que la crise est rarement anticipée. Même lorsqu'ils entretiennent des doutes sur des risques et des défaillances possibles, les dirigeants ont parfois du mal à les voir venir. Non parce qu'ils sont irresponsables, mais surtout parce que la crise est naturellement difficile à admettre et que les signes de fragilité se noient dans un flot d'événements prioritaires et urgents. La difficulté à détecter l'entrée en crise est dès lors l'une des premières difficultés à surmonter. Il existe pourtant des fenêtres optimales d'intervention, durant lesquelles l'entreprise peut agir sur la crise sans précipitation, ni retard. Trop tôt ou trop tard, tel est l'enjeu d'un début de crise. Prendre la décision d'agir trop tôt peut déclencher la crise, la prendre trop tard, c'est risquer d'être hors-jeu et déclaré irresponsable.

LE MANAGEMENT DE CRISE

Une crise peut être perçue à la fois comme un événement et un processus. Cette distinction permet d'en souligner différentes méthodes de gestion.

Terrains de crise et événements déclencheurs

À l'image de ce que nous venons d'expliquer, la crise conçue comme un événement est définie comme inattendue, imprévisible et aiguë. Elle se caractérise par ses conséquences sur la pérennité, la légitimité et l'image de l'entreprise. Cette approche de la crise, centrée sur l'événement qui la déclenche, a beaucoup inspiré les méthodes de management de crise. Elle est illustrée par Patrick Lagadec qui définit la crise comme la résultante d'un accident et d'une déstabilisation.

La crise conçue comme un processus offre une autre perspective et nous invite à la définir comme la collision d'un terrain favorable et d'un événement déclencheur. En d'autres termes, ce que l'approche centrée sur l'événement considère comme la crise, l'approche processus n'y voit que l'amplificateur d'une situation déjà en marche. L'événement déclencheur n'est que la partie la plus visible d'un processus de fragilisation, commencé depuis longtemps, qui s'emballe brutalement sous l'effet d'un événement particulier. La faillite de la Barings fournit une illustration précise de ce processus. Le tremblement de terre de Kobé est l'événement décisif qui fait basculer la banque dans la crise. Les agissements consentis de Leeson n'ont fait que tisser les mailles d'un terrain particulièrement fragile et favorable au développement de cette crise. Il existe donc une progression de la crise dans son intensité et sa visibilité et, par conséquent, des étapes de développement des situations de crise. L'exemple évoqué plus haut de l'affaire Festina illustre aussi cette perspective : ce qui nous est donné à voir – la dislocation d'une équipe cycliste suspectée de dopage – prend ses racines dans une fragilisation de longue date des organisations sportives de haut niveau et dans une culture de pression à la performance qui favorise les pratiques récurrentes de dopage. L'affaire Festina n'est que l'événement qui cristallise tous les dysfonctionnements et fait vaciller la société du Tour de France et les équipes cyclistes dans une crise plus profonde qui marquera les premières prises de conscience.

Bien entendu, ces approches sont complémentaires. En fournissant un moyen d'accès à la crise par ses manifestations extérieures, la perspective centrée sur l'événement a l'avantage d'être directement opérationnelle, dans la mesure où elle incite à développer des réflexes et des moyens de réduction des conséquences. De la même façon, les entreprises reconnaissent parfois que les crises naissent d'une certaine dynamique amont, mais sont loin d'en mesurer la portée préférant ainsi s'attaquer au péril dès lors qu'il est déjà dans la demeure. Les crises sont pourtant fréquemment précédées de signes avant-coureurs. Ils ne présagent cependant pas obligatoirement d'une crise. Ainsi, lorsqu'un homme meurt d'un cancer du poumon, on peut généralement l'attribuer à une surconsommation de tabac et à une série de troubles respiratoires qu'il a pu présenter avant son décès. Ces troubles présageaient d'un terrain favorable à la maladie, mais ne déterminaient pas le cancer du poumon. On sait ainsi que tous les sur-consommateurs de tabac ne développeront pas un cancer du poumon. De même, les enquêtes conduites après des crises majeures mettent souvent en avant les nombreux dysfonctionnements ayant semé un terrain favorable au développement de la crise. En revanche, lorsqu'on se trouve aux prises avec des dysfonctionnements ou des déséquilibres rien ne permet de dire qu'ils sont annonciateurs d'une crise, mais ils servent d'alerte. C'est à ce titre qu'ils sont précieux pour déminer les terrains de crise potentiels.

Modèle de management de crise

Les deux visions que nous avons développées débouchent sur des pratiques de gestion à différents moments de l'évolution d'une situation. Une première façon de s'attaquer à la crise, la plus évidente et la plus pratiquée, consiste à mettre en œuvre des moyens et des organisations propres à circonscrire rapidement les accidents où les événements exceptionnels et à déployer des dispositifs de prise en charge de l'urgence et de la déstabilisation. La gestion de crise se résume alors à la gestion des événements exceptionnels. Pourtant, si, comme on l'a dit, la crise relève d'un processus, alors la gestion de crise consiste aussi à mettre en place des moyens d'anticipation, de prévention, de préparation et de capitalisation. Dans cette séquence, la gestion à chaud de la crise n'est qu'une étape qui, si elle est préparée en amont, n'en sera que plus efficace.

Historiquement, la gestion de crise s'est essentiellement intéressée à la gestion à chaud des événements. L'essentiel était de savoir quoi faire lorsque la crise était là. C'est encore l'essentiel des pratiques. On a développé ainsi des méthodes et des outils propres à organiser l'action en temps de crise : cellule de crise, procédures d'urgence, plan de communication, etc. Peu à peu, le centre d'inertie s'est déplacé en amont – la prévention et la préparation – puis en aval, à travers l'apprentissage et le retour d'expérience. Cette évolution normale s'explique par la difficulté qu'ont les entreprises à imaginer un quelconque dispositif, tant qu'elles n'ont pas elles-mêmes connu une crise. C'est pourquoi il est préférable de sensibiliser les dirigeants d'abord aux difficultés qu'une crise implique avant d'entrevoir une démarche préventive.

Pendant la crise

Au cœur des événements, la règle qui préside est qu'il ne faut pas entrer dans la crise à reculons. La gestion de crise implique un engagement fort des directions générales auprès des équipes opérationnelles et vers l'ensemble des acteurs impliqués. Cette prise en charge volontaire donne un signal clair que les dirigeants ont pris la mesure de la situation. Il ne s'agit pas d'emblée d'avouer une quelconque responsabilité, si les causes ou les sources de la crise ne sont pas claires, mais plutôt de montrer que l'on agit à la mesure de l'événement sans autre emphase.

Un tel niveau d'engagement nécessite de prendre en permanence la mesure de la situation. Au départ, le diagnostic de crise est difficile à faire car il repose sur des fragments d'informations. Ceci n'est pas un problème, mais l'erreur serait de croire que le diagnostic initial est définitif. Une crise prend des trajectoires différentes. L'évaluation des points d'inflexion est nécessaire et requiert de scénariser les ramifications possibles de la crise dès le départ. Dès la formulation d'une première évaluation E1 de la crise, on anticipe des prolongements hypothétiques possibles H1, H2, H3. Si les premières informations confirment H3, d'autres prolongements doivent être envisagés : H3.1, H3.2 et H3.3 et ainsi de suite. Se cantonner au diagnostic initial, sans anticiper les prolongements, fait courir le risque aux dirigeants d'être à nouveau pris par surprise, si la crise prend une nouvelle direction. La scénarisation du diagnostic permet de rester dans la mesure de l'événement, de faire évoluer les diagnostics successifs, tout en maintenant une flexibilité intellectuelle suffisante en cas de rebondissement. Cet exercice doit être aussi précis que possible et doit reposer sur des données concrètes recueillies au plus près du terrain. L'évaluation et la scénarisation de la crise obéissent ainsi à une autre règle : prendre la mesure de l'élément pour prendre des décisions proportionnées. Ceci réduit les risques de dramatisation ou de sous-estimation. Bien que simple dans son principe, les équipes prises par l'urgence éprouvent souvent une difficulté à entrer dans ce jeu, tant la situation les absorbe totalement. Or, sans prise de recul, la gestion de crise devient un exercice de rattrapage permanent dans lequel l'entreprise perd vite la main.

Dès lors que ces bases sont jetées, une troisième règle implique de mettre sur pied une organisation à la hauteur des dérèglements auxquels on doit faire face. En ce sens, la mobilisation du dispositif de crise doit être progressive. Là encore, une préparation amont des équipes, notamment la mise sur pied d'une cellule de crise formée et entraînée, permet de gagner du temps. Bien entendu, ce dispositif ne garantit pas le succès, mais donne des points de repère pour travailler. Il est très anxiogène pour les dirigeants de ne pas avoir de repères de décision pour faire face à une situation, qui est elle-même hors normes. En revanche, si rien n'est prévu, il est préférable pour un dirigeant de ne pas former une cellule de crise pour l'occasion. Les modalités de travail en cellule sont telles qu'elles ne s'improvisent pas. Il ne sert à rien d'ajouter de la complexité ou de la confusion en mettant sur pied une cellule de crise, si personne n'en a jamais entendu parler auparavant. Ce dispositif facilite une stratégie souvent payante, mais difficile à mettre en place : l'occupation du terrain. Tous les espaces laissés, notamment par une réponse trop lente aux événements, seront comblés par d'autres acteurs qui utilisent la crise pour faire valoir des intérêts spécifiques. Il est donc critique de prendre des positions claires auprès de tous les acteurs et de mettre sur pied des modalités de travail et de régulation spécifiques auprès de chacun d'eux. Dès le départ, l'identification de la carte des acteurs s'avère une aide efficace pour soutenir ce plan d'action. L'occupation du terrain ne doit pourtant pas être confondue avec une stratégie d'invasion. Dans le concert de la crise, on attend d'une entreprise de prendre une place et de construire un positionnement clair pour faire entendre sa voix. Il n'est pas question de prendre toute la place. D'une part, parce que ceci est impossible ; d'autre part, parce que cette stratégie serait perçue comme une ultime arrogance. La règle est donc de ne pas laisser la crise se dérouler seule et de reprendre la main sur les opérations, en cherchant à imprimer un rythme dans la gestion des événements.

Les quelques règles fondamentales qui viennent d'être exposées ne prennent une véritable signification que si elles s'appuient sur une préparation affûtée de l'entreprise.

Avant la crise

Se préparer à la gestion de crise ne requiert pas forcément des organisations et des procédures lourdes. La mise en place d'un dispositif minimum peut aider à rationaliser les décisions initiales et à se présenter plus sereinement sur le théâtre des opérations. Il est pourtant souvent difficile d'estimer le potentiel de crise d'une situation. La détection de l'entrée en crise nécessite donc une préparation portant sur la définition de la crise et la caractérisation de seuils critiques. Le dépassement de ces seuils indique le passage en mode alerte ou en mode crise. Ces seuils d'alerte dépendent de l'entreprise et de ce qu'elle considère comme des indicateurs significatifs de la gravité d'un événement. Dans les entreprises de luxe, on évalue souvent le potentiel d'exposition médiatique d'un événement. Quand l'image de marque est l'actif le plus vital d'une activité, il est normal d'opter pour cet indicateur comme élément d'évaluation prioritaire. Dans les produits grand public, la croissance anormale du nombre de plaintes des consommateurs liées à l'utilisation ou la consommation d'un produit est un autre indicateur facilitant le diagnostic de crise. Le nombre de jours d'arrêt d'un site ou d'une ligne de fabrication lié à cet événement peut être un précieux indice complémentaire de la détérioration de la situation.

Dès lors que des indicateurs permettent de cadrer l'évaluation d'une situation, une petite cellule de crise peut être réunie sur l'initiative d'un membre d'astreinte du comité de direction pour évaluer la situation et statuer sur la gravité et les marges de contrôle. C'est à ce moment précis que l'on décide de déclencher le dispositif de crise.

On retrouve, quoiqu'il arrive, les éléments d'une fusée à trois étages.

La mise en place d'un dispositif d'alerte

Il se concrétise souvent par la conception d'outils de veille et de détection de signaux d'alerte, l'élaboration d'un mécanisme d'information et de mobilisation de la cellule de crise, l'organisation d'un système d'astreinte des membres de la cellule et la préparation de fiches réflexes au sein de cette cellule. Ces différents ingrédients permettent une mobilisation et une prise en charge rapides de la situation lorsqu'elle se produit.

L'organisation opérationnelle et stratégique de la cellule de crise

Pour faire face à une crise, deux niveaux de décision doivent être maintenus. Le premier niveau est opérationnel. C'est la cellule de crise qui l'incarne. Sa mission consiste à répondre à l'urgence de la situation sous le contrôle d'un coordinateur chargé d'orchestrer les plans d'action. Saisie par l'urgence et la pression, une cellule perd rapidement sa capacité de prise de recul. Pour ces raisons, un second niveau de décision est nécessaire pour garantir le cadrage et la validation stratégique des décisions. L'équipe des dirigeants joue ce rôle en ne participant pas directement aux travaux de la cellule de crise. Cette distance est importante pour que les dirigeants conservent le recul nécessaire à une intervention sereine dans la gestion des événements.

La formation et la préparation des équipes

C'est un impératif. Elle se fonde fréquemment sur la mise en place d'exercices et de simulations dont les objectifs doivent être d'éprouver une organisation de crise conçue préalablement. Ces simulations doivent avoir lieu régulièrement et impliquent les acteurs critiques qui seraient exposés : dirigeants, managers, experts et éventuellement certains acteurs extérieurs. Le scénario ne doit pas reproduire des événements familiers pour ne pas donner l'impression de déjà vu, mais doit éviter également des situations trop extrêmes qui sont peu crédibles et souvent démotivantes pour les personnes impliquées.

Après la crise

Les crises sont utiles. Une meilleure compréhension de leurs ressorts se profile au moment du retour d'expérience. Moment précieux où l'on s'interroge sur ce qu'il est utile de retenir de la crise. Lorsqu'il est aménagé, ce temps d'apprentissage aide les dirigeants à analyser la gestion de la crise *stricto sensu,* évaluer la prise en charge initiale de l'événement déclencheur et rechercher ses causes directes, puis identifier plus en amont les déséquilibres et le contexte qui ont rendu la crise possible. Chaque niveau d'analyse pose des difficultés croissantes. Autant il peut être aisé et rapide d'analyser la façon dont on a géré une crise ou de faire la lumière sur son événement déclencheur, autant il devient plus délicat de lever le voile sur le contexte organisationnel qui a précipité la crise. Là encore, on abandonne souvent l'analyse tant le questionnement devient difficile à mener et à approfondir, sans risquer de faire resurgir une culpabilité paralysante. Au minimum, on garantit donc que l'entreprise saura mieux prendre en charge les crises lorsqu'elles se reproduiront. On conseillera donc encore plus de communication, une meilleure coordination des moyens, des formations complémentaires pour les équipes d'intervention, un réglage des procédures d'alerte et de mobilisation. En pratique, il est frappant de constater que peu d'entreprises prennent le temps du retour d'expérience, tant la crise est souvent considérée comme un événement exceptionnel dont la portée n'est pas toujours vue comme significative pour leur avenir. On perd ici un moment précieux d'apprentissage et des opportunités de changement pourtant utiles pour mieux gérer les crises par la suite et au mieux les éviter.

Shell contre Greenpeace

Controverse autour d'une plate-forme

Au printemps 1995, Shell annonce qu'elle démantèlera sa première plate-forme de stockage de brut, la *Brent Spar,* en mer du Nord. Plusieurs options ont été envisagées par Shell et ses équipes d'experts. Ces options ont été évaluées selon plusieurs critères : faisabilité technique, impact environnemental, sécurité des opérateurs, coût, etc. À l'issue des investigations, la méthode du coulage en eau profonde est finalement retenue.

Considérant cette mesure comme inacceptable, Greenpeace décide de réagir pour faire reculer Shell. Une opération très médiatisée d'abordage de la plate-forme est organisée et une petite équipe parvient à s'y hisser pour saisir des échantillons de produits. Shell déploie tout un arsenal policier et juridique pour obtenir l'évacuation des équipes de Greenpeace autour et sur la plate-forme.

L'affaire prend une tournure médiatique très marquée. En Allemagne et au Danemark, des campagnes de boycottage de Shell sont organisées. Le gouvernement britannique, qui a apporté son soutien inconditionnel à la décision de Shell, doit affronter les autres gouvernements européens qui font pression sur l'entreprise pour qu'elle envisage des options moins risquées. Les analyses faites par Greenpeace sur les échantillons prélevés sont publiées et montrent que même après la décontamination, des traces de produits resteront et seront suffisamment actives pour causer des dommages sur la faune et la flore marines. Les contre-analyses de Shell prouvent le contraire. Un article paru dans la revue *Nature* conclue que les analyses initiales de Shell ont été faites dans des conditions scientifiques rigoureuses et que les résultats sont fiables.

Pour autant, la polémique scientifique ne dégonfle pas. De mai à juin, Shell est au cœur d'une avalanche d'événements et semble dépassée par l'ampleur de la situation. Les dirigeants cherchent coûte que coûte à prouver l'illégitimité des actions et des analyses engagées par Greenpeace. Ces options aboutissent à une amplification de la crise par des jeux d'actions-réactions qui creusent les déséquilibres initiaux de la situation. Durant l'été, une deuxième vague de décisions permet à Shell de restaurer des marges de manœuvre. Elle décide de geler les opérations de coulage de la plate-forme et s'engage à ré-examiner ses options.

Après en avoir obtenu l'autorisation auprès du gouvernement norvégien, Shell décide de tracter la plate-forme loin du théâtre des opérations, au cœur d'un fjord isolé. Cette décision a pour effet de déplacer symboliquement la crise dans un autre espace. En mer du Nord, la *Brent Spar* était cernée par des navires de toutes sortes et exposée aux images continues des télévisions. Elle restait en outre dans les eaux territoriales britanniques, autrement dit, aux yeux de Greenpeace, en territoire ennemi. En remorquant la plate-forme en Norvège, on regagnait en neutralité. Dans le courant du mois de juin, le président de Greenpeace UK, Lord Melchett adresse une lettre aux dirigeants de Shell. Il annonce que les analyses faites par son organisation sont erronées et s'excuse publiquement.

Greenpeace maintient toutefois sa position en restant opposé à la solution du coulage. La crise change alors de configuration. Au fond, Greenpeace reconnaît que ses prises de position contre la solution de Shell reposent sur des résultats d'analyse inconsistants. Shell y voit la preuve que la solution qu'elle a avancée reste la meilleure, mais que Greenpeace et les autres acteurs agissent plutôt comme les révélateurs de certaines de ses carences. De ce point de vue, l'entreprise fait preuve d'une gestion de crise exemplaire. Les dirigeants comprennent que, au-delà des polémiques scientifiques, il convient d'ouvrir le débat sur le démantèlement de la plate-forme beaucoup plus qu'ils ne l'avaient fait pour prendre leur décision. Shell entreprend donc une vaste opération de transparence et d'ouverture sur le dossier *Brent Spar*. Le département britannique du commerce et de l'industrie examina treize projets de démantèlement. Greenpeace et d'autres ONG avancèrent et argumentèrent pour justifier leurs propres positions.

Finalement, la plate-forme fut entièrement démontée et l'ensemble des pièces fut recyclé dans la construction des infrastructures d'un port industriel.

CE QU'IL FAUT RETENIR

- Utiliser la crise comme une opportunité inédite d'exercer des capacités de leadership hors du commun.
- Mettre en place des moyens d'anticipation, de prévention, de préparation et de capitalisation.
- Reconnaître et admettre rapidement l'état de crise.
- Intervenir à temps sans précipitation ni retard.
- Réduire le temps de réponse initial et ne pas entrer dans la crise à reculons.
- Évaluer la crise en permanence pour prendre la mesure de la situation et prendre des décisions proportionnées.
- Mobiliser des ressources d'exception et mettre sur pied une organisation à la hauteur des dérèglements auxquels on doit faire face.
- Occuper le terrain de la crise pour ne pas laisser les événements se dérouler sans vous.
- Élaborer et tester des dispositifs de veille, d'alerte et de mobilisation de la cellule de crise.
- Capitaliser et identifier ce que la crise révèle comme déséquilibres internes.

BIBLIOGRAPHIE DE RÉFÉRENCE

Patrick LAGADEC, *La gestion des crises - Outils de réflexions à l'usage des décideurs,* Mac Graw-Hill, 1991.

Patrick LAGADEC, *Ruptures créatrices,* Éditions d'Organisation, 1999.

Christophe ROUX-DUFORT, *Gestion de crise - Un enjeu stratégique pour l'entreprise,* De Boeck-Wesmael Universités, 1999.

Christophe ROUX-DUFORT, *Gérer et décider en situation de crise - Outils de diagnostic, de prévention et de décision,* éd. Dunod, 2003.

Emmanuelle TRAN, Téa de PESLOÜAN, *Manager les situations difficiles,* Éditions d'Organisation, 2004.

Karl WEICK, Kathleen SUTCLIFFE, *Managing the unexpected - Assuring high performance in an age of complexity,* University of Michigan Management Series, 2001.

Management et risque juridique du dirigeant

Par François Lenglart

Docteur d'État en Droit, ancien juge au Tribunal de commerce, ancien responsable juridique d'entreprise, François Lenglart est aujourd'hui professeur au groupe HEC.

Depuis quelques années, la grande presse se fait régulièrement l'écho de la mise en cause de dirigeants d'entreprise devant les tribunaux, notamment correctionnels, que ce soit dans le cadre de la sécurité du travail, de l'utilisation des biens ou du crédit de la société ou dans d'autres contextes. Mais cette mise en cause peut également être civile et, dans ce cas, ce sont les biens personnels du dirigeant qui seront visés, que le demandeur soit partie civile à une action pénale ou que la responsabilité ait été mise en cause uniquement devant le Tribunal de commerce. Le risque pour le dirigeant est également grand en cas de défaillance de l'entreprise et certains exemples récents le montrent d'évidence (affaire Moulinex par exemple).

Un dirigeant d'entreprise se doit d'intégrer la réflexion juridique dans le processus d'élaboration de sa prise de décision économique ou stratégique, faute de quoi il met en jeu l'avenir de son entreprise et son avenir personnel.

Le cas Bêta SA

La société Bêta SA, dont le P-D G est M. Bêta, exerce une activité dans le domaine de la mécanique. Elle est notamment spécialisée dans les techniques du décolletage, ce qui constitue son objet social. Elle possède un certain nombre d'usines réparties dans toute la France. Une analyse stratégique montre qu'elle doit renforcer son implantation en Isère pour fournir en flux tendu des clients implantés dans la région lyonnaise.

M. Bêta apprend que la Société de Mécanique Simplifiée (SMS), dont l'objet social est similaire à celui de sa société est sur le point d'être déclarée en cessation de paiement. M. Bêta propose à M. Alpha, P-DG de SMS SA, de lui racheter les actions que celui-ci détient, soit 70 % du capital de SMS SA. Devant la situation de la société, M. Alpha accepte de les céder à une valeur symbolique.

L'importance du groupe Bêta permet de restructurer le passif de SMS SA et d'en assainir la situation. M. Bêta décide d'étudier les causes de la déconfiture de SMS SA. Il découvre que, devant l'envolée des cours du nickel (1,60 USD / lb en janvier N - 1, 8,80 USD / lb en mars N), le directeur financier, en accord avec M. Alpha, en étudiant les analyses qui prévoyaient une pénurie du nickel et un maintien des cours élevés avait décidé de prendre des positions à découvert sur le marché de Londres (LME). Un brutal retournement du marché l'a obligé à couvrir les positions, ce qui dégage plusieurs millions de pertes et met la société dans l'incapacité de faire face à ses engagements.

M. Bêta demande si des actions en responsabilité peuvent être engagées.

Éléments de réponse

Le principal élément de réponse se trouve dans la notion d'action sociale définie dans l'article L. 225-251 du Code de commerce qui stipule : « *Les administrateurs et le directeur général sont responsables, individuellement ou solidairement selon le cas, envers la société ou envers les tiers, soit des infractions aux dispositions législatives ou réglementaires applicables aux sociétés anonymes, soit des violations des statuts, soit des fautes commises dans leur gestion…* »

En examinant les actions réalisées au nom de SMS SA, la question de la possibilité d'agir sur un marché de matière première cotée en devises se pose. Une action réalisée par un dirigeant social en dehors de l'objet social de la société est une violation des statuts, car cet objet social y est défini. Or, le nickel n'est pas utilisé directement dans la mécanique ou le décolletage.

La SMS peut donc engager la responsabilité pécuniaire de son ancien dirigeant, M. Alpha. Cette action sera diligentée par le représentant légal de SMS SA, le nouveau directeur général. Si celui-ci décide, pour quelque raison que ce soit de ne pas agir, un actionnaire peut agir dans le cadre de ce qui sera appelé une « *action sociale* ut singuli » (Code de commerce, Art. L. 225-252).

En conclusion, il est possible de dire que ce n'est pas parce qu'il a cédé ses actions à une valeur symbolique que M. Alpha s'est dégagé de toute responsabilité.

LE RISQUE JURIDIQUE : PROBLÉMATIQUE

Toute prise de décision par un dirigeant d'entreprise doit prendre en compte le risque juridique. Cette affirmation semble une évidence, pourtant, nombre de responsables n'en tiennent pas compte. Il n'existe de profit qu'en contrepartie du risque d'entreprendre, mais ce jeu ne doit pas être celui de la roulette russe. Combien de décisions sont prises dans les entreprises sans que l'analyse juridique soit suffisante ?

Le risque juridique doit être analysé sous plusieurs angles. Certains aspects sont généralement connus par les dirigeants, mais ils nécessitent cependant une réflexion approfondie. Le premier élément dont il doit être tenu compte est la variabilité du droit, tant dans l'espace que dans le temps. Si cet aspect du droit ne mérite qu'une analyse rapide, il n'en est pas moins le fondement d'une opposition entre la norme juridique et la norme technique et génère de grands risques pour l'entreprise, risques de confusion dans le maniement des concepts notamment.

L'analyse devra se poursuivre en ce qui concerne les risques personnels des dirigeants. Il y aura d'abord lieu de définir précisément ce que le droit entend par dirigeant d'entreprise et de comprendre le mode de fonctionnement des principales formes de société utilisées par les entreprises commerciales. Puis les risques seront analysés dans leurs différentes dimensions, responsabilité vis-à-vis des associés et de la société ou vis-à-vis des tiers, responsabilité pécuniaire, civile ou pénale.

Il est impossible de donner une liste de cas dans lesquels la responsabilité d'un dirigeant peut être engagée. Pour ne donner que quelques exemples, il faut rappeler que le droit français connaît plus de 18 000 infractions pénales ou que la notion d'intérêt social n'est définie qu'au travers de l'analyse de la jurisprudence. De nombreux autres exemples pourraient être donnés qui, tous, conduiront le lecteur à s'interroger sur l'imprécision du droit.

Or, cette impression naturelle est trompeuse, les concepts juridiques sont précis et leur mise en œuvre résulte d'une technique rigoureuse. L'appel au spécialiste, interne ou externe, est donc indubitablement primordial, nul ne pouvant se targuer de connaître l'intégralité du droit. Mais, pour être en mesure de poser intelligemment et utilement une question au spécialiste, un minimum de connaissances est nécessaire qu'il s'agisse de formuler la question ou de comprendre la réponse.

LA VARIABILITÉ DU DROIT

La variabilité dans l'espace

La norme de droit

La norme de droit est une norme définie par une autorité, dont le non-respect est sanctionné (par une autre autorité).

De cette définition, qui est loin d'être la seule, il est possible de tirer une première conclusion, à savoir que l'effet de la norme juridique est limité par la sphère géographique de compétence de l'autorité émettant la règle. Ce qui est vrai d'un côté d'une frontière ne l'est plus de l'autre.

À titre d'exemple, il est possible d'étudier les conditions du transfert de propriété dans un contrat de vente de chaises et de bureaux (objets mobiliers corporels existant) entre un Français et un Allemand. Ce contrat aura été conclu sans formalités particulières, la négociation s'étant passée par mail et la commande par fax. Bien évidemment, nulle mention de droit applicable, de tribunal compétent ou de transfert de propriété n'aura été formulée.

L'une des questions qui se posera, en cas de litige, est celle du transfert de propriété. Ce problème sera tranché en application des conditions prévues par le droit applicable au contrat, droit français ou droit allemand. Si le droit français est applicable, l'article 1 583 du Code civil entrera en jeu. Il stipule que la vente est parfaite et la propriété transférée de droit à l'acheteur dès qu'il y a accord sur la chose et le prix, même si la chose n'a pas été livrée, ni le prix payé. Si le droit allemand s'applique, le transfert de propriété n'interviendra qu'à la remise matérielle de la chose (art. 929 BGB). Cette différence sera très importante, notamment en cas de défaillance de l'acheteur. Dans un cas, le vendeur est créancier chirographaire à la procédure collective, dans l'autre, il est propriétaire de la chose. Cette différence peut également expliquer le financement des économies, crédit interentreprises dans un cas, crédit bancaire acheteur dans l'autre. De nombreuses autres conséquences pourraient être développées.

Cet exemple n'est évidemment pas le seul, mais il est facile de comprendre que le dirigeant doit tenir compte de ces différences alors qu'il agit en ce cas dans un marché dit « intérieur », sans frontière ni douane et ayant la même monnaie. L'unification européenne a entraîné une large harmonisation du droit de l'entreprise dans l'Union européenne, puisque environ 80 % du droit des affaires est d'origine communautaire, mais de nombreuses différences subsistent et celles-ci sont également souvent culturelles.

Cette hétérogénéité dans l'espace oppose la norme juridique à la norme scientifique ou technique, l'eau pure bout à 100 °C par 760 mm de mercure où que l'on soit dans le monde !

La variabilité dans le temps

Mais cette opposition entre norme juridique et norme technique n'est pas la seule. Une autre différence importante réside dans l'instabilité de la norme juridique dans le temps. L'autorité émettant la norme peut changer, l'autorité l'appliquant également. Ces changements induiront des évolutions importantes dans la norme elle-même. Il n'est que de rappeler la valse entre nationalisation et privatisation en France à la fin du XXe siècle pour illustrer cette notion. D'autres exemples peuvent être cités : en France, la société anonyme en sa forme actuelle a été créée par une loi de 1867. De cette date aux réformes des années 1930, notamment à l'acte dit « loi du 16 novembre 1940 », la société anonyme était dirigée par un directeur général qui pouvait être différent du président du conseil d'administration. Pour obliger le président à s'occuper de sa société, il a été décidé que celui-ci serait obligatoirement directeur général. Cette norme a donné naissance à la spécificité française du P-DG. Les évolutions des marchés financiers, notamment l'intrusion des fonds de pension anglo-américains, ont conduit à devoir tenir compte des principes des pouvoirs et contrepouvoirs *(check and balances)* et à considérer que la confusion des pouvoirs était contraire à une saine gestion. La loi NRE du 15 mai 2001 a permis de séparer ces fonctions de président du conseil et de directeur général. Une réflexion stratégique est donc maintenant nécessaire lors de la mise en place des organes sociaux, alors qu'elle était inutile avant cette nouvelle loi.

Cette instabilité dans le temps de la norme devrait poser un très grand problème aux dirigeants. Il est, en effet, possible de dire que les disciplines de gestion sont fondées sur l'analyse des conséquences futures de décisions actuelles, actualisation ou arbre de décision. Or, le juriste ne pourra réellement présenter que des conséquences actuelles de décisions passées. Si le droit, ou pire, l'interprétation de la loi par les tribunaux change, les conséquences futures des décisions pourront être modifiées. Les évolutions de la jurisprudence en matière d'abus de biens sociaux sont là pour illustrer ce risque. Peut-on, en ce cas, parler de rétroactivité ?

La norme technique est beaucoup plus stable… Cela fait un moment que l'eau pure bout à 100 °C par 760 mm de mercure, où que l'on soit dans le monde…

Le dirigeant doit donc prendre en compte ces deux instabilités pour construire sa décision. Cela implique qu'il introduise la réflexion juridique dès l'origine de la conception de la décision. Le conseil, juriste d'entreprise ou avocat, aura alors pour rôle de permettre la construction de la décision en analysant et limitant le risque juridique. Il devra montrer le chemin qui permet d'atteindre le but en ayant limité et quantifié le risque.

Ne faut-il pas aussi conseiller au dirigeant de lire le texte même de la loi, tout simplement ? Toute décision d'entreprise est une décision juridique, l'action s'inscrivant dans le droit. Mais il ne faut pas que le dirigeant fasse du droit comme M. Jourdain faisait de la prose.

LA RESPONSABILITÉ « POLITIQUE »

Le premier type de responsabilité que rencontre le dirigeant de société peut être qualifié de « politique ». Il risque de se voir révoqué par les associés et, dans ce cas, de se retrouver sans emploi et non chômeur car un chômeur doit avoir été titulaire d'un contrat de travail. Or, le dirigeant est normalement titulaire d'un mandat social. Le but de cette partie n'est pas de développer un cours complet de droit des sociétés, mais de conduire une réflexion sur la notion de dirigeant et les risques inhérents de révocation.

La notion de dirigeant

Pour analyser la responsabilité du dirigeant, il est d'abord nécessaire d'en définir les contours. Cette notion pourra connaître des formes diverses, tant dans la nomination du dirigeant que dans l'exercice de ses pouvoirs ou dans sa révocation. Le droit français connaît de nombreuses formes de société et nous limiterons l'analyse aux principales formes de sociétés commerciales. Les données de l'INSEE permettent de situer le nombre de sociétés existant en France. Au 1er janvier 2002, on dénombrait près de 44 000 sociétés en nom collectif, plus de 3 000 sociétés en commandite, plus de 1 million de SARL, plus de 300 000 SA et près de 70 000 sociétés par actions simplifiées dont près de 3 000 SAS unipersonnelles. Des évolutions ont eu lieu depuis cette dernière date, notamment dues aux changements introduis par les lois de 2003, il faut tenir compte de l'importance du phénomène de création de sociétés induit par les modifications du droit durant les dernières législatures.

Ces sociétés ont des organes qui sont définis par la loi en France. Les pouvoirs et obligations de ces organes sont strictement encadrés et le choix de la forme sociale déterminera les différentes conditions d'exercice des pouvoirs de direction. Mais, à côté des dirigeants de droit qui seront nommés conformément à la loi, le droit, qu'il s'agisse de la loi ou de la pratique jurisprudentielle, a créé la notion de dirigeant de fait.

Le dirigeant

Le dirigeant de droit est la personne physique ou morale, nommée à ces fonctions conformément à la loi.

Le dirigeant de fait est toute personne physique ou morale ayant la capacité autonome d'engager la société.

Ces deux notions sont fondamentales dans l'examen de la situation de chacun, notamment au niveau de la responsabilité personnelle. Dans de nombreux cas, le dirigeant de fait encourt la même responsabilité que le dirigeant de droit. Le sait-il toujours ?

En ce qui concerne le dirigeant de droit, sa situation dépendra de la forme sociale. Les principales formes de sociétés commerciales utilisées en France étant celles qui ont été signalées plus haut, quelques éléments de base doivent faire l'objet de questions.

Grille d'analyse de la notion de dirigeant de droit

Le dirigeant doit-il être une personne physique ou peut-il être une personne morale ?

Le dirigeant doit-il être associé ?

Y a-t-il un ou plusieurs dirigeants de droit ?

Comment se nomme-t-il ?

Quel est l'organe compétent pour le désigner ?

Quelle est la procédure de désignation ?

Quelle est la durée de son mandat ?

Quels sont les motifs de la cessation de ce mandat ?

Quel est l'organe compétent pour le révoquer ?

Quelles sont les conditions juridiques et pécuniaires de la révocation ?

Le dirigeant peut-il cumuler un contrat de travail avec son mandat social ?

Quels sont les pouvoirs du dirigeant vis-à-vis des tiers (limités ou illimités) ?

Les réponses à ces questions diffèrent suivant la forme sociale choisie et les questions à se poser sont évidemment les mêmes lorsque l'on étudie une société étrangère. Entre la révocation *ad nutum*, c'est-à-dire sans motif, sans préavis et sans indemnités de l'administrateur de société anonyme et la révocation sur justes motifs du directeur général, la différence est grande. Le choix doit être effectué suivant la position que l'on envisage d'avoir dans la société, simple associé minoritaire ou dirigeant.

La nomination et la révocation du dirigeant de société anonyme

Depuis la loi de 1966, deux modes d'organisation de la société anonyme coexistent en France. Le mode « classique » comportant un conseil d'administration et le mode « à l'allemande » dans lequel l'organe de contrôle est un conseil de surveillance.

Les conseils sont, durant la vie de la société, élus par l'assemblée générale ordinaire des actionnaires qui, pour pouvoir prendre des décisions doit réunir le quart des actions, ayant un droit de vote en première convocation et, si ce quorum n'est pas atteint, pourra statuer sans contrôle de quorum sur seconde convocation. Le nombre de membres des conseils doit être fixé dans les statuts entre trois et dix-huit. Les membres peuvent être des personnes physiques ou morales, mais, dans ce cas, celles-ci devront désigner une personne physique comme représentant permanent.

L'article L. 225-35 du Code de commerce définit les pouvoirs du conseil d'administration : « *Le conseil d'administration détermine les orientations de l'activité de la société et veille à leur mise en œuvre. Sous réserve des pouvoirs expressément attribués aux assemblées d'actionnaires et dans la limite de l'objet social, il se saisit de toute question intéressant la bonne marche de la société et règle par ses délibérations les affaires qui la concernent. Le conseil d'administration procède aux contrôles et vérifications qu'il juge opportuns. Le président ou le directeur général de la société est tenu de communiquer à chaque administrateur tous les documents nécessaires à l'accomplissement de sa mission…* »

L'article L 225-68 définit les pouvoirs du conseil de surveillance : « *Le conseil de surveillance exerce le contrôle permanent de la gestion de la société par le directoire… À toute époque de l'année, le conseil de surveillance opère les vérifications et les contrôles qu'il juge opportuns et peut se faire communiquer les documents qu'il estime utiles à l'accomplissement de sa mission.* » Il apparaît donc nettement que, depuis la loi NRE du 15 mai 2001, les pouvoirs des conseils sont sensiblement les mêmes.

Parmi ces pouvoirs, le plus important est sans contexte la nomination de l'organe de gestion de la société et la fixation de sa rémunération. Le conseil d'administration nomme le directeur général (personne physique) qui peut être le président du conseil, auquel cas, on retrouvera la notion française de président-directeur général, qui était obligatoire jusqu'à la loi NRE. Sur proposition du directeur général, le conseil d'administration peut nommer un ou plusieurs directeurs généraux délégués. Le conseil de surveillance nomme le directoire, organe collégial composé de trois à cinq personnes physiques, voire sept, si la société fait appel public à l'épargne, ou 1, si le capital est inférieur à 150 000 euros.

Le directeur général, les directeurs généraux délégués ou le directoire ont tous pouvoirs pour représenter la société vis-à-vis des tiers, ce sont les représentants légaux de la société. Les limitations de pouvoirs prévues dans l'acte de nomination ou dans les statuts ne sont pas opposables aux tiers, ce qui différencie totalement le directeur général du *Chief Executive Officer* (CEO) de la corporation américaine dont les pouvoirs sont définis par le *board*.

Les membres des conseils sont révocables par l'assemblée générale ordinaire des actionnaires *ad nutum*, c'est-à-dire sans motif, sans préavis et sans indemnités, sous réserve de l'application de l'article 6-2 de la Convention Européenne de Sauvegarde des Droits de l'Homme et des Libertés Fondamentales qui prévoit le droit au procès équitable et le respect des droits de la défense. L'application de cet article conduit à intégrer la nécessité de faire connaître au révoqué les raisons de sa révocation et de lui laisser le temps de préparer et présenter sa défense. La liberté de révocation a également conduit la Cour de cassation à juger que les indemnités ne devaient pas être d'une importance telle par rapport aux capacités de l'entreprise, qu'elles remettent en cause la liberté de révocation.

En ce qui concerne les organes de gestion, le directeur général, les directeurs généraux délégués, qui peuvent également être membres du conseil, sont révocables par le conseil d'administration et lui seul. Par contre, les membres du directoire, qui n'ont pas le droit d'être membres du conseil de surveillance, peuvent être révoqués par l'assemblée générale ou, si les statuts le prévoient, par le conseil de surveillance. Ces révocations sont dites « sur juste motif », ce qui veut dire que, si la révocation n'est pas motivée, le révoqué est en droit d'obtenir des dommages et intérêts, sans que cela remette en cause la révocation elle-même. Si le directeur général est également président du conseil d'administration, il sera révocable *ad nutum*.

La responsabilité « politique » du dirigeant est donc grande, il risque, à tout moment, d'être révoqué et il faut noter qu'il ne bénéficiera pas de l'indemnisation du chômage, car, pour être chômeur, il faut avoir été titulaire d'un contrat de travail, ce qui n'est pas le cas d'un mandataire social. Les conditions de cumul d'un mandat social et d'un contrat de travail sont extrêmement strictes, en ce qui concerne les administrateurs et les membres des conseils de surveillance. Les membres des directoires et les directeurs généraux peuvent, sous certaines conditions, être titulaires de contrat de travail.

LA RESPONSABILITÉ PÉCUNIAIRE

Les dirigeants sociaux sont soumis à plusieurs régimes de responsabilité civile.

La responsabilité civile de l'employeur

Le principe général, fixé à l'article 1384 alinéa 5 du Code civil prévoit que sont responsables : « *les maîtres et commettants du dommage causé par leurs domestiques et préposés dans les fonctions auxquelles ils les ont employés* ». Cet article est le fondement de la responsabilité civile des employeurs. Cette responsabilité ne peut être écartée que si l'employeur prouve que l'employé a agit hors de sa mission, hors de l'intérêt de l'entreprise et sans autorisation, éléments cumulatifs. Il en ressort que l'employeur sera civilement, donc pécuniairement, responsable de la réparation des dommages causés par ses employés.

Cependant, l'obligation d'assurance de la responsabilité civile des chefs d'entreprise limite strictement la gravité de cet aspect du problème. Dans la plupart des cas, il ne s'agira que d'une question de déclaration de sinistre à l'assureur. Cette couverture générale a notablement réduit la perception que les dirigeants peuvent avoir du risque.

La responsabilité pécuniaire vis-à-vis de la société et des associés

L'un des éléments qui se dégage du cas introductif est que la responsabilité pécuniaire personnelle d'un dirigeant peut être mise en cause dans un certain nombre de cas. L'article L. 225-251 du Code de commerce stipule : « *Les administrateurs et le directeur général sont responsables, individuellement ou solidairement selon le cas, envers la société ou envers les tiers, soit des infractions aux dispositions législatives ou réglementaires applicables aux sociétés anonymes, soit des violations des statuts, soit des fautes commises dans leur gestion.* » Cet article ainsi que les suivants sont le fondement de l'action sociale, action en justice faite au nom de la société pour indemniser celle-ci des conséquences dommageables des actes des dirigeants. La même responsabilité pèse sur les gérants de SARL et se retrouve en d'autres cas.

Il est important de noter qu'en ce qui concerne le conseil de surveillance, le Code, en son article L. 225-257, prévoit que : « *Les membres du conseil de surveillance sont responsables des fautes personnelles commises dans l'exécution de leur mandat. Ils n'encourent aucune responsabilité en raison des actes de la gestion et de leur résultat. Ils peuvent être déclarés civilement responsables des délits commis par les membres du directoire si, en ayant eu connaissance, ils ne les ont pas révélés à l'assemblée générale.* » Il faut donc noter que la responsabilité des administrateurs est beaucoup plus importante que celle des membres du conseil de surveillance alors que leurs pouvoirs sont sensiblement les mêmes. La question du choix de la forme sociale sera donc fondamentale.

Cette action sociale peut être engagée par la société contre ses dirigeants et ce sera souvent le cas lors de changement d'organes ou de prises de contrôle. Mais elle peut également être engagée par un actionnaire agissant *ut singuli* au nom et pour le compte de la société. Aucune disposition statutaire ne peut restreindre ce droit à agir de chaque actionnaire.

La responsabilité en cas de défaillance de l'entreprise

Lorsqu'une procédure collective, mise en redressement judiciaire ou mise en liquidation judiciaire est ouverte à l'encontre d'une personne morale de droit privé ayant une activité économique, c'est-à-dire une société civile ou commerciale, un groupement ou une association, diverses procédures peuvent mettre en jeu la responsabilité personnelle des dirigeants de la personne morale.

Le premier cas de mise en jeu se trouvera dans ce qui est appelé couramment « l'action en comblement de passif » qui est, en droit, une action en comblement d'insuffisance d'actif. L'article L 624-3 du Code de commerce stipule : « *Lorsque le redressement judiciaire ou la liquidation judiciaire d'une personne morale fait apparaître une insuffisance d'actif, le tribunal peut, en cas de faute de gestion ayant contribué à cette insuffisance d'actif, décider que les dettes de la personne morale seront supportées, en tout ou en partie, avec ou sans solidarité, par tous les dirigeants de droit ou de fait, rémunérés ou non, ou par certains d'entre eux.* »

La question de la définition du dirigeant de droit devient donc fondamentale. La Cour de cassation (chambre commerciale), dans un arrêt du 9 mai 1978, se référant à la loi de 1967, mais transposable, a précisé que les membres des organes de surveillance n'avaient pas la qualité de dirigeant de droit. Cette précision permet d'exclure du champ de l'article les membres des conseils de surveillance et rejoint les distinctions faites ci-dessus. On peut aussi se poser la question de la séparation des fonctions de président et de directeur général et du maintien du directeur général hors du conseil d'administration pour tenter de donner à celui-ci le simple caractère d'organe de surveillance.

Il n'en reste pas moins qu'il faut considérer le fait que les dirigeants de droit ou de fait de toute société peuvent être déclarés responsables de façon illimitée des dettes sociales sur l'ensemble de leurs biens propres alors que les commerçants personnes physiques peuvent protéger une partie de leur patrimoine affectée à la vie privée.

D'autres sanctions sont possibles en cas d'insuffisance d'actif dans une procédure collective, qu'il s'agisse de la faillite personnelle, de l'interdiction de gérer ou de l'extension du redressement judiciaire. On trouvera aussi en droit pénal le délit de banqueroute.

LA RESPONSABILITÉ PÉNALE DU DIRIGEANT

La responsabilité du dirigeant et de la personne morale

L'activité de l'entreprise s'insère dans l'application de la règle de droit. Il s'ensuit que le non-respect de celle-ci peut entraîner la mise en œuvre du droit pénal. De nombreux délits peuvent être commis, qu'il s'agisse d'infractions à la législation du travail, au droit de l'environnement, au droit des sociétés, au droit comptable… Il est possible de dire que toute norme est assortie de sanction en cas de non-respect. La question se pose de savoir qui sera le principal responsable en cas d'infraction pénale. La réponse est claire, au premier chef, le dirigeant, le chef d'entreprise est pénalement responsable. Certes, la réforme du Code pénal de 1992 a introduit le principe de la responsabilité pénale de la personne morale, mais cette responsabilité ne supprime pas celle des personnes physiques auteurs, co-auteurs ou complices des mêmes faits, comme le précise l'article 121-2 (al. 3) du Code pénal : « *La responsabilité des personnes morales n'exclut pas celles des personnes physiques auteurs ou complices des mêmes faits.* » Il importe donc d'analyser quelques éléments de cette responsabilité.

Responsabilité pénale et délit d'abus de biens sociaux

L'infraction la plus médiatisée est sans conteste le délit d'abus de biens sociaux figurant à l'article L. 242-6 du Code de commerce (art. L. 241-3 pour les SARL). Mais cet article qui concerne les infractions relatives à la direction et à l'administration des sociétés anonymes contient également d'autres incriminations telles que la distribution de dividendes fictifs (al. 1), les comptes annuels ne donnant pas une image fidèle du résultat des opérations de l'exercice (al. 2) et les abus de pouvoirs (al. 4).

Cet article précise : « *Est puni d'un emprisonnement de cinq ans et d'une amende de 375 000 € le fait pour :*

3° le président, les administrateurs ou les directeurs généraux d'une société anonyme de faire, de mauvaise foi, des biens ou du crédit de la société, un usage qu'ils savent contraire à l'intérêt de celle-ci, à des fins personnelles ou pour favoriser une autre société ou entreprise dans laquelle ils sont intéressés directement ou indirectement. »

La jurisprudence de la Cour de cassation a analysé ce délit de façon extensive conduisant à un nombre de poursuites de l'ordre de 400 par an depuis les années 1990. Cette extension s'est d'abord faite en ce qui concerne la prescription du délit qui ne court que de la date à laquelle le délit a été révélé de manière à permettre la mise en jeu de l'action publique (Cass. Crim. 22 mars 1982). Cette notion permet, dans son analyse actuelle, de penser que l'action se prescrit par trois ans de la date à laquelle les comptes ont révélé les faits incriminés aux actionnaires qui peuvent déclencher l'action publique en se constituant partie civile. Mais la Cour a également décidé que tout acte occulte était nécessairement commis dans l'intérêt du dirigeant et que tout acte illicite était nécessairement contraire à l'intérêt social. Il y aura donc lieu, pour le dirigeant, d'être extrêmement prudent en ce qui concerne l'usage des biens de la société.

De nombreux autres délits existent en droit des affaires, notamment faux et usage de faux, entrave aux fonctions du commissaire aux comptes, et le dirigeant sera personnellement responsable de la plupart d'entre eux.

La responsabilité pénale en droit du travail

La responsabilité du dirigeant en droit social et du travail doit être analysée sous deux angles principaux, la sécurité du travail, d'une part, et les rapports avec les institutions représentatives du personnel, d'autre part. Il faut noter que le droit pénal du travail connaît plus de 150 infractions et que celles-ci ont tendance à proliférer.

En ce qui concerne la sécurité du travail, le dirigeant doit non seulement mettre en place les instruments qui permettent de l'assurer, mais également s'assurer du respect strict des consignes données. La tolérance en la matière sera constitutive de faute.

L'exemple auquel on pense en ce cas-là est le délit de mise en danger de la vie d'autrui prévu par l'article 223-1 du Code pénal qui est défini comme étant « *Le fait d'exposer directement autrui à un risque immédiat de mort ou de blessures de nature à entraîner une mutilation ou une infirmité permanente par la violation manifestement délibérée d'une obligation particulière de sécurité ou de prudence imposée par la loi ou le règlement…* » Cette infraction peut être imputée à la personne morale également. Le non-respect, habituel ou toléré, des règles de sécurité dans l'entreprise constitue de toute évidence le délit.

En ce qui concerne les relations avec les institutions représentatives du personnel, l'exemple le plus frappant est le délit d'entrave aux institutions représentatives du personnel. Ce délit est défini à l'article L. 483-1 du Code du travail de la façon suivante : « *Toute entrave apportée, soit à la constitution d'un comité d'entreprise, d'un comité d'établissement ou d'un comité central d'entreprise, soit à la libre désignation de leurs membres, soit à leur fonctionnement régulier, notamment par la méconnaissance des dispositions des articles L. 483-3, L. 436-1 à L. 436-3 et des textes pris pour leur application sera punie d'un emprisonnement d'un an et d'une amende de 3 750 € ou de l'une de ces deux peines seulement.* » Des dispositions similaires existent en ce qui concerne les autres institutions, délégués du personnel ou délégués syndicaux. Là encore, le dirigeant devra consacrer une partie de son énergie à respecter la loi pour éviter de se voir mis en cause.

La délégation de pouvoirs

Dans le cadre de l'organisation de l'entreprise, le dirigeant peu-il se prémunir en déléguant ses pouvoirs à d'autres personnes (directeur d'usine, directeur du personnel, directeur financier, ...) ? La Cour de cassation a précisément défini les conditions que doit remplir une délégation de pouvoirs pour transférer la responsabilité pénale au délégataire. Des différents arrêts de la Cour il se dégage que, pour que la délégation puisse opérer transfert de responsabilité, il faut qu'elle soit effectuée en faveur d'un délégataire compétent, au sens technique du terme, ayant une réelle autorité sur le personnel sous ses ordres et ayant les moyens de sa délégation de pouvoirs. Les éléments de cette jurisprudence correspondent à ceux énoncés dans une circulaire du Garde des Sceaux aux procureurs généraux le 2 mai 1977. La délégation se prouve par tous moyens, ne nécessitant pas de preuve écrite, elle est une question de fait et si les éléments ne sont pas tous réunis, le chef d'entreprise ne pourra pas s'en prévaloir et conservera l'entièreté de sa responsabilité pénale.

La société Amba SA

La société Amba SA fabrique des produits en acier, notamment des poutres. Des camions semi-remorques livrent ces produits sur les chantiers. Les cabines des tracteurs de ces camions sont climatisées et insonorisées.

Un matin, en revenant d'une livraison, un chauffeur heurte un car avec sa remorque et continue sa route. Des gendarmes qui surveillaient le rond-point où s'est passé l'accident dressent un constat et se rendent à l'usine pour interroger le chauffeur. Ils demandent au poste de garde d'entendre la personne concernée. Le gardien envoie son assistant chercher le chauffeur. Les gendarmes dressent alors procès-verbal.

Quelque temps après, le chauffeur reçoit une convocation devant le Tribunal correctionnel, le propriétaire du car s'étant constitué partie civile.

Le procès-verbal de gendarmerie constate un délit de fuite.

Vous êtes chargé de la défense du chauffeur et de celle de l'entreprise

Dans un cas comme celui-ci, il faut distinguer la responsabilité pénale et la responsabilité civile.

La responsabilité civile peut être engagée par le fait d'autrui, et ce sera le cas. L'article 1 384 (al. 5) du Code civil stipule que les maîtres et commettants sont responsables des faits commis par leurs domestiques et préposés, ce qui fonde la responsabilité civile de l'employeur. Dans ce cas, l'employeur ne peut échapper à sa responsabilité civile car il ne peut prouver la réunion des trois éléments exonératoires, l'employé ayant conduit le camion dans le cadre de sa mission, dans l'intérêt de l'entreprise et avec autorisation.

Mais ce problème sera en fait résolu dans le cadre de l'assurance de responsabilité civile du chef d'entreprise qui est obligatoire. Les dommages ne seront donc pas directement indemnisés par le chef d'entreprise ou par l'entreprise, il suffira de faire une déclaration de sinistre à la compagnie.

En revanche, la faute pénale est personnelle. Il en résulte que seul le chauffeur est poursuivi pénalement.

La question qui se posera au plan pénal sera celle de savoir si les trois éléments de la faute pénale sont réunis. Le chauffeur est poursuivi pour délit de fuite. Quiconque, ayant conscience d'avoir provoqué un accident ne s'est pas arrêté a commis ce délit. La défense devra donc se fonder sur la stricte analyse du délit et prouver que le chauffeur ne pouvait pas avoir conscience d'avoir provoqué un accident car seule la remorque avait heurté le car et l'insonorisation de la cabine avait empêché le chauffeur d'entendre le choc. De plus, étant donnée la structure même du semi-remorque, il ne pouvait pas avoir senti le choc. Il ne pouvait donc pas avoir conscience d'avoir provoqué un accident et le délit n'est pas constitué.

Il y a donc lieu de bien distinguer la responsabilité pénale de la responsabilité civile et de qualifier très précisément tous les faits en cause.

CE QU'IL FAUT RETENIR

- Le droit est fondamentalement national, ne pas croire que l'on puisse agir de la même façon dans tous les pays.
- La dimension juridique est une dimension incontournable de la décision de management, ne pas négliger de consulter avant de prendre la décision et non pas simplement faire vérifier la légalité formelle après la prise de décision.
- Le dirigeant peut être responsable de façon illimitée sur ses biens propres, ne pas croire qu'une forme sociale à risques limités protège le dirigeant.
- Cette responsabilité pèse aussi bien sur le dirigeant de droit que sur le dirigeant de fait, toujours analyser correctement sa situation.
- Le dirigeant révoqué ne bénéficie pas systématiquement du chômage, la nature des rapports avec la société doit être clairement définie.
- Le dirigeant peut être responsable vis-à-vis des associés comme des tiers, toujours prendre en compte l'intérêt social de la société.
- Le dirigeant est au premier chef responsable pénalement des infractions commises dans l'entreprise, ne pas laisser s'installer de dérives par tolérance.

BIBLIOGRAPHIE DE RÉFÉRENCE

Jean-Paul ANTONA, Philippe COLIN, François LENGLART, *La responsabilité pénale des cadres et dirigeants dans le monde des affaires,* éd. Dalloz, 1996.

Jean-Paul ANTONA, Philippe COLIN, François LENGLART, *La prévention du risque pénal en droit des affaires,* éd. Dalloz, 1997.

Nicole FERRY MACCARIO, Jean KLEINHEISTERKAMP, François LENGLART, Karim MEDJAD et Nicole STOLOWY, *Gestion juridique de l'entreprise*, Person Education, 2006.

Jean PÉLISSIER, Alain SUPIOT, Antoine JEAMMAUD, *Droit du Travail,* éd. Dalloz, 2002.

Daniel MARCHAND, *Le droit du travail en pratique,* Éditions d'Organisation, 2004.

Isabelle BRINK, Thierry COLATRELLA, Éléna FOURÈS, Pierre FOURÈS, *Pénalement responsable,* Éditions d'Organisation, 2004.

Conclusion

Par BRUNO DUFOUR

LA FORMATION DES DIRIGEANTS : LES ROUTES ALTERNATIVES AU MBA

Face à l'abondance de documents de qualité sur le management, y compris cet ouvrage, les questions que l'on peut légitimement se poser sont : faut-il dépenser tant d'argent pour suivre un programme MBA ? Quelle en est la valeur ajoutée réelle ?

Au-delà de ce qui a déjà été dit sur la valeur des réseaux que créent ces programmes, comme d'ailleurs la plupart des programmes (effet promotion), il faut noter des apprentissages qui ne peuvent se réaliser qu'en présentiel. Celui du travail en groupe pour commencer, car il est important de corriger le fait que les pays latins, par tradition, encouragent plus le travail individuel que le travail collectif dans leur système éducatif. Travailler en groupe est l'un des enjeux importants du travail en entreprise, maîtriser les différents rôles que l'on peut tenir dans un groupe est utile, ainsi que la compréhension des différents types de groupes au travail (groupe projet, groupe de créativité, comité qualité, comité exécutif, *people review*...).

Mais aussi :

- l'art de présenter et d'exposer est un autre atout de ces programmes car, là aussi, la formation initiale ne met pas toujours l'accent sur ce savoir-faire ;
- l'art de la négociation et de la communication en milieu multiculturel, qui permet d'éviter quelques sottises et désagréments dans des entreprises multinationales ;
- le développement personnel, au travers des divers tests que les participants passent, et une certaine assertivité qui permettent de créer le socle du leadership ;

- une capacité à traiter des données chiffrées, à lire rapidement, à analyser vite des situations complexes grâce à l'utilisation extensive de la méthode des cas.

Les hebdomadaires ou journaux économiques internationaux *(Financial Times, Business Week, The Economist, Wall Street Journal)* proposent régulièrement des classements, des programmes MBA ou des études mettant en relation l'investissement consenti pour un MBA (y compris la perte de revenus pendant le temps de la formation) et le retour sur investissement. Tous les MBA n'obtiennent pas le même score et, pour certains, la rentabilité est lointaine et dépasse les 5 ans.

Autrement dit, il faut bien réfléchir avant de se lancer dans un tel projet et, souvent, le mieux pour un salarié est de le faire financer par son entreprise, en conservant son emploi, en suivant un MBA type *part time,* ou *distance learning executive* MBA. Certes, c'est un investissement personnel important, mais le niveau de risque est alors plus faible.

Mais la plupart des gains obtenus par ce type de programme peuvent être acquis différemment, par le biais de séminaires plus courts ou par des expériences professionnelles différenciées, voire par un coaching approprié.

Les grandes entreprises offrent désormais une véritable panoplie de programmes pour les dirigeants qu'elles souhaitent s'attacher et fidéliser.

Une chose reste importante. Il faut que l'apprenant connaissent bien son propre style d'apprenance. Est-il plus cognitif, intuitif, préfère-t-il l'action, la réflexion, apprend-il mieux seul ou en groupe, en présentiel ou à distance, quel niveau d'investissement est-il prêt à consentir à titre individuel car, de toute façon, c'est l'apprenant qui va faire la différence, quelle que soit la situation. « *Plus le maître enseigne, moins l'élève apprend* » a dit Confucius, la maxime reste toujours vraie.

Les enseignants doivent passer maîtres dans l'art de « l'apéritif cognitif », pour mieux aiguiser l'appétit des apprenants.

C'est donc finalement à chacun de s'approprier son diagnostic de style d'« apprenance ». Les tests comme le MBTI (Myers Brigg) peuvent aider à l'identifier. Il est bon de repérer également le style dominant d'apprentissage de l'entreprise dans laquelle on travaille. Il y a une grande différence dans les modes d'apprentissage entre l'industrie et les services.

Les milieux d'ingénieurs sont plutôt cognitifs (culture écrite, formalisée, schémas, processus), les milieux commerçants plutôt affectifs (besoin d'échange, apprentissage sur le terrain, compagnonnage, culture orale). Athéna la rigueur contre Mercure l'adaptation ! Il faut sans doute des deux. Mais certains outils sont connotés plus d'un côté ou plus de l'autre. Le e-learning, si l'on n'y prend garde, est plutôt cognitif, sauf à mettre interactivité, tuteurs, simulations…

Outre les différences de style « d'apprenance », il faut aussi comprendre que, pour apprendre, il faut créer l'espace cérébral de mémorisation. Quand les affects sont sollicités, la mémoire affective va stocker facilement, c'est l'effet « madeleine de Proust ». C'est un stockage par couche successive. Le stockage conceptuel exige plus d'efforts, car il oblige souvent à remettre en cause la structure de ce que l'on sait déjà et donc force à désapprendre, à effacer, ce qui est coûteux aux plans affectif et intime. Cette charge affective négative peut gêner l'« apprenance ». C'est la raison pour laquelle on dit souvent que la pédagogie, c'est « répéter ». C'est aussi la raison pour laquelle les enfants apprennent plus facilement, car ils n'ont rien à effacer. Ces mécanismes sont patents dans l'apprentissage d'une langue étrangère, notamment à l'âge adulte. Apprendre implique donc une certaine dose de prise de risque, en plus de l'investissement affectif, ainsi que remise en cause et temps nécessaire.

Apprendre est un acte créatif et recréateur appelant fluidité et flexibilité. Et, comme tous les actes créatifs, il peut aussi être destructeur. Mais ce « déménagement/réaménagement intellectuel » oblige à trier et jeter, il permet aussi de retrouver des objets égarés et de réorganiser sa vision des choses donc ses façons de faire.

Les évolutions de notre environnement nous amènent à nous remettre en cause et c'est bien là la première phase des processus d'acquisition. Les dirigeants y sont soumis comme les autres. Ils devraient même anticiper ces situations, s'ils veulent jouer leur rôle au premier sens de leur mandat.

Les responsables de la fonction RH doivent donc veiller à ce que ce processus se mette en place. Ce mécanisme est sans aucun doute plus délicat à mettre en œuvre dans des cultures organisationnelles qui ont fondé leur succès sur la sélectivité du recrutement basé sur la formation initiale, comme c'est le cas en France avec le dispositif des Grandes Écoles. Les savoirs initiaux cristallisés et sanctionnés par des diplômes prestigieux sont considérablement plus délicats à déverrouiller et le niveau d'énergie à mettre en œuvre pour désapprendre se situe un niveau supérieur. Plutôt que d'aborder la question frontalement, il vaut mieux alors identifier des voies parallèles, des situations métaphoriques et valorisantes qui seront vécues comme moins dangereuses.

En ce sens, les programmes exécutifs courts des grandes institutions européennes de management sont intéressants. Couplés à de bonnes lectures, à des jeux de simulation, à des processus d'*assessment,* à du management de projet, voire à du coaching, ou des mobilités internationales, ils vont permettre de nouvelles acquisitions mais aussi la création de nouveaux réseaux et communautés d'apprentissage, et faciliter la diffusion des bonnes pratiques.

Cette gestion créative des réseaux apprenants s'est considérablement développé ces dernières années et les dirigeants participent souvent à ces réseaux et autres associations (CJD, Jeune Chambre, clubs APM, EFMD, *Conference Board*, *Concours Group*), voire des réseaux plus professionnels dans tel ou tel secteur, groupes de réflexion divers et variés.

Apprendre dans un échange collectif est souvent plus facile que seul. La contextualisation des contenus facilite la mémorisation et donne accès à de multiples détails pratiques, gage d'une mise en œuvre rapide et efficace.

Il est d'ailleurs intéressant de noter que, à l'heure actuelle, l'organisation des universités d'entreprise s'est transformée. Mises en place au départ dans des résidences prestigieuses, elles sont devenues plus virtuelles ou nomades. En outre, elles n'offrent plus exclusivement des programmes mais bien toute une panoplie d'actions, les Anglais parlent de « *blended learning* », où l'on va trouver simultanément des programmes sur mesure, des processus (*assessment,* 360°), de l'action learning, du management de projet, des jeux de simulation, du e-learning, du coaching, de la consultance interne et aussi des interactions avec les équipes dirigeantes, la création de réseaux internes, des voyages de découverte et de *benchmarking*, du management des connaissances. Les qualités sollicitées sont moins cognitives. Il s'agit de faire preuve d'un sens aigu d'observation, de talents de communication, de courage et d'engagement. Savoir résister au stress, trouver de la cohérence là où, au départ, on ne voit que chaos et paradoxe s'apprennent sur le terrain.

Les grandes *business schools* ont l'avantage de l'investissement conceptuel dans la recherche et l'élaboration de contenus et outils pédagogiques. Mais les entreprises, aiguillonnées par leurs besoins de solutions pragmatiques et rapidement rentables, pressées par leurs clients et le jeu concurrentiel, sont souvent plus innovantes dans la mise en œuvre de programmes d'action concrets et efficaces.

Les grandes entreprises développent d'ailleurs souvent ces actions avec l'aide de leurs partenaires académiques institutionnels ou individuels. Ces formations vont reprendre les contenus des programmes MBA, mais cette fois adaptés aux besoins de l'entreprise.

Il existe donc de nombreuses routes pour acquérir les savoir-faire managériaux, qui traditionnellement étaient l'apanage des programmes MBA.

La question est sans doute plus difficile à résoudre pour ceux qui travaillent dans de petites structures. Mais aujourd'hui l'offre de programmes à distance de qualité s'est développée. Et le nouveau dispositif législatif sur la formation donne des possibilités réelles de valorisation des acquis d'expérience qui sont autant de tremplins pour accéder à des diplômes reconnus.

De la même façon qu'il existe de multiples formes d'intelligence, et pas uniquement l'intelligence conceptuelle, il y a différentes façons d'apprendre et de grandir. Le MBA est un menu type, mais il en existe d'autres, et les textes qui vous ont été proposés démontrent par leur richesse et leur accessibilité que ces savoirs ne sont pas réservés à une élite. Seul bémol à cette accessibilité, les textes de qualité sont souvent publiés d'abord en langue anglaise et tous ne sont pas traduits.

Il restera la véritable inégalité entre ceux qui vont résolument vers les nouveaux savoirs et ceux qui pensent que ces savoirs doivent naturellement et sans effort venir vers eux. Mais ceux qui sont arrivés à ce point de l'ouvrage font partie de la première catégorie et il faut les encourager à poursuivre leur quête.

Table des matières

Composé par Nathalie Bernick
Achevé d'imprimer : Jouve, Mayenne
N° d'éditeur : 3713
N° d'imprimeur : 494755R
Dépôt légal : octobre 2009
Imprimé en France